道家文化研究

第一輯

陳鼓應主編

文史哲出版社印行

國家圖書館出版品預行編目資料

道家文化研究 / 陳鼓應主編. -- 校訂一版. -- 臺北市: 文史哲, 民 89
面 ; 公分
ISBN 957-549-300-1 (一套：精裝) ISBN 957-549-301-x (第一輯)ISBN 957-549-302-8 (第二輯)ISBN 957-549-303-6(第三輯)ISBN 957-549-304-4 (第四輯)ISBN 957-549-305-2 (第五輯) ISBN 957-549-306-0 (第六輯) ISBN 957-549-307-9 (第七輯) ISBN 957-549-308-7 (第八輯) ISBN 957-549-309-5 (第九輯) ISBN 957-549-310-9 (第十輯) ISBN 957-549-311-7 (第十一輯) ISBN 957-549-312-5 (第十二輯)

1.道家 - 論文-講詞等 2. 道教 - 論文-講詞等
121.307 89011271

道家文化研究 第一輯

主編者：陳鼓應
出版者：文史哲出版社
登記證字號：行政院新聞局版臺業字五三三七號
發行人：彭正雄
發行所：文史哲出版社
印刷者：文史哲出版社
臺北市羅斯福路一段七十二巷四號
郵政劃撥帳號：一六一八〇一七五
電話 886-2-23511028・傳眞 886-2-23965656

精裝全十二冊售價新臺幣 6000 元

中華民國八十九年八月校訂一版

ISBN 957-549-300-1 全
ISBN 957-549-301-x ㈠

《道家文化研究》在臺重版序言

八十年代以來，在中國大陸陸續創辦了一些學術性的刊物，如《管子學刊》、《孔子研究》等，對推動儒家、管子思想及稷下學的研究，起了積極的作用。在此之前，1979年創刊的《中國哲學》，它是以書代刊的形式出版，給我留下深刻的印象，為此我和一些研究道家的學者曾多次商議想辦一個專門討論道家思想的專刊，這想法終於得到香港道教學院院長侯寶垣先生和副院長羅智光先生的大力支持。於是，《道家文化研究》第一輯很快就於 1992 年面世了。

時光荏苒，轉眼之間，《道家文化研究》已經出版了十八輯，辦刊的過程是艱辛的，但每一輯的出版也都帶來收穫的愉快。特別是它能夠穫得海內外學術界的廣泛關注與好評。

眾所周知，《道家文化研究》一直是在大陸印行的。這對於臺灣感興趣的讀者帶來諸多不便。兩年多前，我剛回臺大的時候，就感到了這個問題，也就有了在臺灣重新印行它的念頭。當然，我也知道，這並不是很容易做到的。因為，任何一個出版公司若要出版它，大半是要賠錢的。所以，我非常感謝我的老朋友——文史哲出版社的彭正雄社長，願意幫忙印行《道家文化研究》一到十二輯，目前僅印三百部提供專業學者研究之需。同時，我也要借此機會，向上海古籍出版社和北京三聯書店表示感謝，由於他們的慷慨，得以使本刊在臺重印。

陳　鼓　應

1999 年 8 月

《道家文化研究》臺灣版出版開言

《道家文化研究》是道家及道教研究的專業研究性刊物，在知名道家專家陳鼓應教授多年努力耕耘下，今天它已經是國際同行不可或缺的學術園地。世界學人只要想用中文發表有關這個領域的研究成果，莫不努力爭取在這個學術園地刊出。試看《道家文化研究》出版至今共十餘輯，作者群就已經遍佈世界各地了，除了海峽兩岸外，更包括韓國、日本、新加坡、澳洲、加拿大、美國及歐洲等地。而且其中更包括張岱年、柳存仁、王叔岷、湯一介、李學勤、朱伯崑、金谷治、余敦康、許抗生、蒙培元、李豐楙、劉笑敢、陳鼓應等等知名學者。

可惜，從前受限於現實情況，海峽兩岸資訊交流不易，臺灣地區的學者專家，並不容易取得這一份刊物的。而且《道家文化研究》從創刊號到今天，已經出版了十八本了，好些早已銷售一空；特別是期數較早的，更是一冊難求。有鑒於此，本社認爲需要重印整套《道家文化研究》，以饗讀者。

也許關心我們的讀者會替本社擔心成本效益問題，但我們的老客戶都知道本社成立近三十年，始終沒有只以營利爲唯一的宗旨。雖然我們還不至於像莊子所說的「舉世而譽之而不加勸，舉世而非之而不加沮」，但是，正如同許多讀者一般，我們欣賞這樣高水準的學術雜誌，我們更希望能讓更多人分享到這許許多多知名學人的學術成就。當然學術性專業期刊的銷路，本身就很有限，所以本社也將限量發售，只印三百套，供有興趣的專家學人們選購，當然更希望學校機關及圖書館能夠購備，以便更多讀者可以讀到這份雜誌。這樣，我們的辛勞就不會白費。

最後，我們得感謝陳鼓應教授的信賴，更感謝上海古籍出版社及北京三聯書店的慷慨，使得我們的重印計畫得以實現。

彭　正　雄

文史哲出版社發行人

2000 年 7 月 15 日

《道家文化研究》合刊總目

《道家文化研究》第一輯目錄

《道家文化研究》第二輯 目錄

《道家文化研究》第三輯　目錄

《道家文化研究》第四輯 目錄

《道家文化研究》第五輯 目錄

《道家文化研究》第六輯　目錄

《道家文化研究》第七輯 目錄

《道家文化研究》第八輯 目錄

《道家文化研究》第九輯　目錄

《道家文化研究》第十輯 目錄

《道家文化研究》第十一輯　目錄

《道家文化研究》第十二輯　目錄

道家文化研究

第一輯

香港道教學院主辦

陳鼓應 主編

上海古籍出版社

目　錄

《道家文化研究》創辦的緣起

陳鼓應

在我上大學之前，從私塾、小學到中學，所讀的盡是儒書。大一時所修的中國文化課程，依然是習誦《論》、《孟》之作，傳統文化被窄義化而爲儒家文化。因此，青年時代的我，在儒學禮治規範網中常有呼吸困難之感。（儒家思想空氣的單調、沉悶和乏味，是我喜歡具有酒神精神的尼采生命哲學的一個最主要的內在驅動力，也是我愛好《莊子》的根本原因之一。）我上研究所時，偶然的機會接觸到《莊子》的原著，這才使我認識到中國文化原來別有天地。

莊子思想的每一絲半縷的哲理，都深深地吸引了我。其後由於研究莊子，而旁及老子、墨子、韓非子、管子等各家的著作，從而進一步了解到中國傳統文化原來是多元並起、多元發展的格局。可是長期以來，在我們的學術園地裏，對於傳統文化的研究，一直帶有很大的偏頗：人們常把中國文化簡單化爲儒家文化，而孔孟之道以外的廣大的思想園地，總是受到有意無意的忽略。

在大學修習西方哲學史課程時，威伯（A・weber）的《西洋哲學史》列爲必讀本，深奧難懂的文德爾班的《哲學史教程》則被列爲參考書。威伯的書開頭就說："哲學是對於自然界的全部的研究，是期望對事物作一種普遍性的解釋。"還說："在哲學中，人類的心智在於超越紛雜的現象，探討原因中的原因，來解釋整體世界。"也就是說，哲學是從表象世界中探索根源性的東西，思索那"唯一的整體"（The All－One）。晚近著名的哲學史家考卜勒斯頓（F・Copleston)也說:“人類從事於理性的反省,在哲學的早期,首先引起人類注意的是作爲整體的自然界。”文德爾班則說:“哲學的每一個偉大體系,一開始着手解決的都是新提出的問題。”他還說:“經驗中事物互相轉化——這個事實激起了最早的哲學思考。”

“最早的思考”,無論是思考“經驗中事物互相轉化”,或是思考“整體的自然界”、以及對根源性問題的探討——從專業性的哲學觀點來看,中國的“哲學的突破”是始於老子,而不是像有的學者所說的始於孔子。

羅素在他的《西方哲學史》中也說過:“他們自由地思考着世界的性質和生活的目的,而不爲任何因襲正統觀念的枷索所束縛。”依這個看法,最早從事“世界的性質”的哲學思考,並“不爲任何因襲正統觀念的枷索所束縛”的,也是老子而非孔子。

也許有人會說我這是根據西方哲學的標準來評價中國哲學,而没有考慮到中國哲學本身的特殊性。當然,我也考慮到這個問題。事實上,在中國,哲學問題的發生,與西方、印度不無共通之處,所謂“究天人之際”不正是中國哲學的基本課題嗎?不同的只是它們各自運用的方法和對問題的答案。中國哲學當然有其特殊性。當代中國哲學史家馮友蘭先生在《中國哲學簡史》中曾說:“我所說的哲學,就是對於人生的有系統的反思的思想。”他進一步說:“哲學史必須進行哲學化,……宇宙論的産生,是因爲宇宙是人生的背景。知識論的出現,是因爲思想本身就是知識。……哲學家所説的宇宙是一切存在之全。”以這界説來看,中國“哲學的突破”亦當始於老子而非孔子。

多數學者都認爲中國哲學的特點是人生哲學。即使從人生哲學的角度來衡量,老莊思想,也遠比孔孟爲高深。

然而,長期以來,由於受崇儒風氣的影響,道家哲學一直得不到應有的重視。在歷史上,儒家之成爲官方哲學,道家之成爲民間哲學的分野也至爲明顯。自本世紀二、三十年代以來,一些在學術上有巨大影響的崇儒學者，有意無意地模糊了老子其人，而且把老聃自著的《老子》挪後，以降低"中國哲學之父"老子在中國哲學史上的開創性地位。其實，老子的道論不僅建立了中國哲學史上第一個相當完整的本體論與宇宙論的系統，而且，其道論成爲中國哲學內在聯繫的一條主綫。——這是道家之所以成爲中國哲學主幹地位的關鍵因素。

老子以後，道家學説蓬勃發展，於楚產生莊子學派，於齊形成稷下道家（黃老思想爲其核心），而且蔚爲戰國中後期"百家爭鳴"的主流思潮。後者在思想界中獨占數百年的主導地位，前者則以莊周個人的大智大慧爲中國留下了空前而且絶後的創作。《莊子》是高度融合哲學、美學、文學於一身的著作。環顧先秦諸子，實際上大多屬於政論之作（或只是在政論之中，或多或少地含有哲理）。在先秦諸子中，像《莊子》那樣純粹地含有哲學的思辯、美學的韵味、文學的風格的著作，可謂絶無僅有。至於莊子思想的思想空間之開闊、精神蘊含之恢宏、生命境界之高超，那更是先秦諸子莫能望其項背的。然而，多年來，我看到學術界談論《莊子》，大多是用一種較爲俗世的眼光，從負面的、消極的角度去看待它，或則以某種規格化的觀點過分簡單化地批判它，而不能理會人類有一種更高的生命情調、精神境界、藝術審美的追求。這就不可避免地使人們對《莊子》充滿了曲解。因此，我常有這麼一個念頭，想創辦一份專門研究道家思想的刊物。

《道家文化研究》的創辦，除了上面提到的理由之外，還有以下幾個方面的原因：

1. 長期以來，許多道家著作常被學界誤判爲僞書。不少學者只是根據片語隻字，或少許的孤證，便將整部著作視爲"後人僞作"。以先秦著作爲例，像《列子》、《尹文子》、《文子》、《鶡冠子》等究竟是否僞書，都有重新考訂的必要。

2. 近二十年來，由於地下古代文獻的出土，彌補了古代思想史上的許多缺頁，修正了古代思想史上的若干重要問題，同時，也爲我們了解古代思想史增加了豐富的資料。在出土的衆多文獻中，道家著作在質量上占有極大的比重。如馬王堆出土的《老子》帛書甲、乙本，1973 年河北定縣出土的《文子》殘簡等。其中，尤其以遺失了兩千多年的《黄帝四經》的問世，在思想史上的重要性最爲重大。因爲以前我們談黄老學派，都是從漢初開始，而《黄帝四經》的發掘，使我們可以把黄老思想的淵源追溯到戰國中期。并且形成了一條以《黄帝四經》、《尹文子》、《慎子》、《管子四篇》、《文子》、《鶡冠子》爲代表作的從戰國中期到戰國末期的黄老思想發展的較爲清晰的綫索。從思想内容來看，以《黄帝四經》爲代表的黄老學派無疑是老莊正宗道家之外的一個較爲積極入世的道家派别，它對漢初的政治社會有着巨大的影響。因而，探討先秦黄老學説的各家人物思想，理清《黄帝四經》與楚越文化或齊文化之間的關係，及其對漢代從董仲舒到王充等人的思想體系形成的影響，是一項新的課題。

3. 以道家爲主的齊國稷下學派，向爲學界所忽略。齊都興建的稷下學宫，經歷一百五十多年之久，形成了中國思想史上百家爭鳴的學術黄金時代。然而，如此重要的一段學術活動，在我們一般的哲學史中，卻只占了很小的篇幅。近年來，由於山東淄博市《管子學刊》的出版，開展了對稷下學派的討論，這才逐漸引起學術界的重視。

在對於稷下學派的研究中，我們可以發現，先秦道家是一個極爲複雜的問題。前人提到儒、墨思想及其派别的複雜性時説：儒分爲八，墨分爲三。而道家發展的複雜性則更是超過了儒、墨。例如老子、楊朱、列子、莊子之間的異同；例如老子與管子學派之間的關係；例如老子思想如何能如此迅速地進入到齊地，并成爲戰國中後期主流的哲學思潮？再如稷下道家内部各家之間的異同，這些都有待於我們進一步研究。學者們提到稷下道家時，一般總以宋、尹合爲一派，以田駢、慎到合爲一派。但根據現有的不完整的材料看，宋鈃、尹文也有所不同,宋鈃是屬於道墨的人物,而現存的《尹文子》卻是一本具有典型性的黃老思想的著作——也就是說,道法思想是它的主體思想;田駢的著作已完全逬失,難以考索;至於愼到,根據《莊子・天下》所記載的资料與《愼子》殘卷來看,究竟愼到是道法結合的思想人物還是由道轉法的關鍵人物,仍有待進一步研究。總之,稷下這一個巨大的思想资庫,有太多尚待挖掘的工作。

以上都是先秦道家陣營内有待探討的課題。此外,儒家的孟子、荀子都是在齊文化的思想環境里受到稷下道家的深刻的影響,尤其是荀子,他的認識論和自然觀都是通過稷下道家把老莊思想移植和改造過來的。那麼,孟、荀與稷下道家的關係究竟如何?儒家在形而上學及其哲學理論思維貧乏的情况下,如何地既排斥,同時又不斷地吸取道家的思想觀念爲其營養——總之,在中國哲學史上,儒家的不斷道家化的過程,也是一門有待整理的新的課程。

4.有些道家的著作長期以來被劃歸爲儒學的範圍,如《易傳》究竟是屬於道家還是儒家就是值得理清的一個課題。

在戰國中後期的各學派中,無疑地道家學派——包括以列、莊爲代表的南方道家(或稱楚道家),以及以宋、尹、田、愼爲代表的北方道家(或稱齊道家、稷下道家)——在百家爭鳴中居於主導的地位。戰國時期東齊西秦兩大强國網羅大量人才所匯編而成的《管子》與《呂氏春秋》,就是以道家思想爲主體,而吸收儒、墨、名、法、陰陽各家而成的。依我看來,《易傳》亦復如此,它是一部以老莊或稷下道家爲主體而融會各家於一爐的著作(由於它是一部解《易》之作,故可稱之爲"道家別派")。這兩年我在對《易傳》的研究中發現,《易傳》中最重要的《彖傳》和《繫辭》乃是齊、楚文化的產物而決非魯文化之作。根據我個人的初步看法,《彖傳》主要是借老莊來解釋易學,因此,主要是屬於楚文化的作品(也有可能是游於稷下的楚人之作);而《繫辭》則無論是依據它的精氣説或者它所包含的思想内容的廣闊性和積極進取的精神面貌,都説明它是屬於稷下道家的作品。因此,澄清《易傳》不是儒學的典籍以及它之屬於道家別派,也是值得我們研究的重要課題。

5. 以道家爲思想淵源的、中國本土建立的唯一的宗教——道教,在歐美和日本等地,漸受學界的重視,並已有不少的研究成果。最近幾年,中國學者也開始了對道教的研究,這是一個十分可喜的現象。但是,如何使道教研究進一步深化,如何汲取國外道教研究成果,進而推動國内道教文化的探討,也是我們創辦本刊的一個重要的因素。

以上是我們創辦《道家文化研究》的主要原因。需要説明的是,上述關於道家的各種觀點,只是我個人的觀點。老子説:"有容乃大",我們辦這個輯刊,同樣要本着這種道家精神,並體現稷下學派含容並包的民主學風。各種觀點,只要論據充足,言之成理,我們都將采納,對於有創新性的學術觀點,我們尤其歡迎。《道家文化研究》還專門設有"言論廣場",供學者們以書信或者短評的方式發表各種不同的學術觀點。我們希望在各種不同觀點的相互討論中,促進對道家文化的研究。

《道家文化研究》在籌辦過程中,得到香港青松觀負責人侯寶垣老先生的熱誠支持。侯先生年高八十,熱衷於道教事業,他除了在英、美、澳洲興建道觀外,還經常捐贈巨款,資助國内修建道觀。侯先生還在各地做了許多慈善事業,如修老人院,免費爲人治病等。1991 年春,由於香港道教學院邀請我演講,得以拜見了侯老先生,得到他的慨允,決定由香港道教學院主辦這個輯刊。我們希望《道家文化研究》能成爲海内外致力於道家與道教研究的學者的一個共同的刊物。

儒道兩家思想在中國何以影響深遠長久不衰①

任繼愈

春秋戰國時期孔子、老子以外還有許多學派，如管子、孟子、荀子、商鞅、韓非、宋鈃、尹文、墨子等人都有各自的體系。秦漢以後，經過歷史的選擇，只有孔子、老子兩家的學說影響最爲長遠。

孔子、老子體係不同。孔子提出治國的藍圖是建立以血緣關係爲紐帶的等級制的國家，從天子到庶人，一級管一級。老子的治國藍圖是建立小國寡民②、無爲而治的小農經濟制度。孔、老兩家有差異，也有共同的地方，兩家都主張以家長爲中心的自然經濟制度，都認爲父慈、子孝、君仁、臣忠是應當的。孔子到處奔波，推行他的主張，没有被採納。老子一生埋没在農村，生年也無從詳考。孔、老兩家在先秦都提出過各自的主張，都没有得到實施的機會。孔、老兩家思想得以在中國流行二千年之久，主要在秦漢以後。

秦漢開始，中國建立了大一統的封建專制國家，從此奠定了中國二千多年的政治格局。後來的十幾個王朝都是沿着秦漢鋪設的軌道向前推進的，歷代王朝根據當時形勢，隨時變易，有所因革，目的在於使之完善，不是廢除大一統的制度。即使在大一統遭到破壞，不能維持時，割據、分散的統治者也認爲統一是正常的，分散，

---

① 孔子是儒家創始人，以孔子代表儒家不成問題；老子、莊子，學術界習慣稱之爲道家。"道家"不見於先秦，實在是漢初才形成的。這裏不作申論。仍隨順習慣分法，以老子爲道家（莊子附）。

② 老子的"小國寡民"，不是指政治的基層單位要小，要分散，他心目中還是有"天下"的概念。他認爲各個基層單位，自給自足就夠；國與國之間，不必有緊密的往來。

割據是不正常的[①]。歷史表明，秦漢以來建立的大一統制度是歷史的選擇，是中國古代社會的需要，絶不是歷史的失誤。歷史是客觀的，不會失誤的。

秦漢到鴉片戰爭，二千年間中國貫穿着一對基本矛盾：政治的高度集中與經濟的極端分散。强化集中，是中央政府的職能；要求自給自足，不要政府過多干預，是自然經濟的本性。政府要權力集中，農民要分散，正是在這樣一對矛盾中，儒道兩家充分發揮了他們的作用。

孔、老思想的影響維持、發揮了二千年，是指全過程説的，實際上這兩家的思想影響，社會作用並不是都處在高峰期，它們有時高漲，有時沉寂，有時受到外力限制而衰減。衰減後，得到新的力量的補充，又繼續發展了。我們看到的古今中外的哲學思想，都有它的興、衰、起、伏。

儒家在西漢初期，約有半個世紀處在受壓制的地位。漢武帝當政後，重用了董仲舒，政府用行政手段推動儒家思想，儒家得到前所未有的發展，儒家勢力大大超過孔子在世時。兩漢儒家與孔子原來的儒家不盡相同，漢代儒家吸收了社會上流行的陰陽五行、天人感應思想，建立了以孔子爲標幟的神學經學體系。用這種新的儒家體系解釋當時人們關心的天時、地利、曆法、農業生産、行政措施，戰爭等自然現象與社會現象，可以滿足當時社會各方面的理論需要。董仲舒的儒學配合漢朝大一統的政權，促進了中華民族的思想統一，增强了民族的凝聚力，建立了歷史的功績。

東漢末年，大一統局面失去控制，國家陷於分裂，佛教、道教乘機得到發展。魏晉到南北朝，儒家的集中統一，嚴格的君臣上下等級制遭到破壞，儒家思想也處於低潮達四百年之久。隋唐時期，儒家處境比南北朝時略好，得與佛教、道教並稱“三教”。三教之中，佛教勢力最大，道教第二，儒居最末。到了宋朝，朱熹等理學家吸收佛

① 東漢以後，三國時期，南北朝時期，五代十國割據時期，各地方政權都有統一的要求，只是主、客觀條件不具備，没有辦到。

教、道教有關心性修養等宗教内容，補充到儒家體系中去，形成新儒家[①]。儒家興起，道家退到次要地位。朱熹的新儒家用佛、道兩教的有關心性修養理論解釋儒家思想，同時建立了新的經學，用《四書》代替《五經》。朱熹的儒家經學對鞏固中國封建社會，延緩封建社會的解體，起了重要作用，朱熹的儒家經學直到"五四"時期才終結了它的使命。韓愈説過，儒家思想不是一帆風順地發展的，它"黄老於漢，佛於晉魏隋唐之間"，到宋朝得到新思想的補充，才得以復振。

道家思想流於戰國中期[②]，它隨着楚文化勢力的擴大，影響到中原地區。儒家文化以鄒魯文化爲中心，注重人事，老莊思想反映荆楚文化的特點，注重天道、自然，輕視人事。秦統一前夕，《呂氏春秋》已吸取了老莊重生、重己的思想。漢初黄老流行，以稷下齊學爲主幹，有老子思想，也有法家思想。劉安封於淮南，招納賓客著書。淮南爲荆楚舊疆，其門客多治楚學，《淮南子》一書保存《老子》思想較多[③]。西漢全國推行儒家思想，老莊思想在淮南一隅較爲流行。

漢末天下大亂，儒家勢力衰退，道家勢力上升。魏晉時期，《老》、《莊》、《周易》號稱"三玄"。《周易》本是儒家典籍，魏晉人以老莊解《易》，認爲《周易》和老莊思想差不多。玄學思想流行範圍只在上層貴族知識分子中有一定市場，社會一般群衆與"三玄"没有什麽緣分。三國時，《老子》借一種特殊機會，影響到社會下層，它與當時的五斗米道有關。張魯割據巴蜀漢中，傳五斗米教，令教徒誦《老子》五千文以消災免罪。張魯降曹操，曹操怕他在漢中的勢力復活，把張魯的部屬遷到中原。五斗米道隨着也在内地傳播流行，《老

① 新儒家，我稱之爲儒教，有專文論述。

② 老子思想起源早（與孔子同時），流行較晚（約在孟子以後）。有人認爲老子在莊子以後，也有人懷疑老子這個人是否存在。這種説法都缺乏根據。詳見《中國哲學發展史》（先秦卷）。

③ 後人校刊《老子》多引用《淮南子》。

子》五千文成爲道教徒衆的基本經典①，當初伴隨黄巾起義的《太平經》反倒退居次要地位。

南北朝三、四百年間，佛道兩教互爭陣地，競爭中刺激了道教的發展。唐朝統治者有意扶持道教，用朝廷勢力推廣《老子》，《道德經》石刻碑碣經幢遍及天下名山道觀。道教與佛教長期辯論中，吸取佛教的教理、教義以充實自己。宋代的道教比唐代有所發展，道教發展了當時流行的心性修煉的内丹學，其傳播的工具（雕版印刷）的進步，刊刻道教全集（《道藏》），擴大了道教的影響。明代有的帝王妄求長生，也提倡道教。由於宋儒建立了儒教，佛教與道教只能依附於儒教②，三教中的地位，儒居先，佛居次，道最後。

儒道兩家起源於先秦，漢以後才得到廣泛傳播、影響深遠。兩家互有消長，卻又長期共存。這種現象值得引起注意。其它學派也有其興盛時期，但都不及儒道兩家壽命長久。物無妄然，必由其理。探究其所以然，還要從秦漢大一統的總形勢來考慮。

儒道兩家的長期流傳，是大一統的中國封建政治體制的産物。秦漢統一，是中國歷史上的一件大事，值得好好研究。常聽到學者們抱怨秦漢統一，認爲統一以後，限制了學術自由發展，容易出現僵化、停滯。研究歷史應當從中國事實出發。事實上已形成了大一統的局面，没有必要設想它"如果不是大一統"。分析、評價事實已經存在的歷史，不能以推測、假想爲依據。

還要看到，儒、道兩家的全部歷史有二千多年，這樣長的歷史，不是一成不變的，儒家思想從孔子開創到"五四"前後，至少有兩次大的變革（漢朝及宋朝），變革以後的儒與原來的孔子的儒很不相

① 宗教經典，爲了便於教徒記誦傳播，都不太長，如《新、舊約》、《古蘭經》，佛教的經常念誦的經典也都不太長，如《般若心經》，《無量壽經》。儒教《四書》也都較短，人人都可以背誦。

② 學術界對"道教"、"道家"力圖劃分清楚，事實上卻難以劃清，有時兩者不加區别。古人如朱熹、王夫之等著名哲學家，全力批駁"二氏"（佛、道二教），他們批的道教，經文指的是老子、莊子的哲學，也就是人們所謂"道家"。近人宗教學者陳垣先生輯有《道家金石略》，搜集唐以後歷代道教宫觀石刻資料，分明是道教的文獻，陳垣先生定名爲《道家金石略》。

同。有人説孔子的思想影響、甚至支配了中國思想界二千多年，這不是事實。老子的思想也有變化，從老子的本來面貌到張魯的《老子》，河上公注的《老子》，《老子想爾注》，到魏源、嚴復理解的《老子》，有很大的差異，《老子》書與煉丹成神仙也毫無關係。這兩家壽命長久，主要在於不斷隨着時代的變化不斷補充新的内容。

還應指出，只有秦漢統一後的大一統國家才有可能維持孔子、老子兩家長期并存的可能。因爲政府要集中統一，這一理想先秦時各家都提出過，由於條件不具備，未能辦到。秦漢辦到了。農民小生產者是古代農業社會主要承載者，他們有自己的願望，老子早已提出過農民的理想，有遠見的哲學家也提醒過統治者，不要忽視農民的願望和要求，"水則載舟，水則覆舟"，但没有引起統治者足夠的重視。秦末農民大起義，一群衣衫襤褸的農民，揭竿而起，居然掀翻了堅甲利兵的秦朝。漢初的統治者深刻懂得了讓民休息的重要性。

不集中統一，没有有效的統治手段，就不能把廣土衆民的大國管好，國家將陷於分裂。過於集中，不顧農民小生產的特點，超過農民承受的限度，也不能使中央集權鞏固，達不到集中統一的目的。回顧中國歷史，不難看出，凡是善於把政治高度集中與經濟極端分散這一對矛盾關係協調得好的朝代，天下就太平，國家就繁榮。協調不好，就造成天下大亂。政治集中與經濟分散的矛盾對立關係，表現在思想方面就是孔子(儒)與老子(道)的矛盾對立關係。

影響中華民族幾千年的思想流派很多，影響深遠的不過孔、孟、老、莊四家。四家中孟子是作爲孔子的輔翼而出現的，莊子是作爲老子的輔翼而出現的。説到底，只有孔子、老子兩家。孔子、老子留下的文字著作不多，主要來自他們的繼承者的解釋和闡發。六經中注釋最多的是《周易》，諸子中注釋最多的是《老子》，這種現象不是偶然的。《周易》、《老子》是個注釋便於依附的框架。注釋者們根據時代的要求，隨時補充新内容，才可以使儒、道兩家不斷注入新内容，從而延長了學派的壽命。政治上强化集中統一，嚴格等級制，是中央政府的要求；自給自足，不要政府過多干預，是小農經濟的本性。在朝的强調統一集中，在野的强調分散自由。儒家偏重在朝，道家偏重在野。在朝講孔孟，在野講老莊。有時同一個人，做官時講孔孟，不做官時講老莊。這兩大流派都有廣泛的社會基礎。朝廷勢力總是大於農民，所以孔子的影響大於老子。

秦漢統一奠定後來二千多年的總格局。有大一統的中央政府，才使得中華民族屹立於天壤間，壯大自己，靠自己的力量克服困難，對世界文化做出許多貢獻。像抵御外部侵略，救災度荒，修文治史，偉大工程，重大發明，都是在大一統國家主持下，發揮大國的綜合國力優勢得以實現的。鴉片戰爭以來，如果没有幾千年形成的民族凝聚力，自强自豪的民族意識，舊中國也許滅亡、淪爲殖民地了。

有學者提出中華民族的優良傳統是剛健有爲，自强不息，有樂觀精神，這種説法是有根據的，這是儒家《易》學的好傳統。但是也要看到貴柔守雌，以静制動，以弱勝强，也是中華民族的傳統。人們在處於劣勢時使用這些原則得以轉危爲安。用這些原則來治國、用兵，往往收到奇效，這些傳統來自道家。剛健傳統教中華民族日新自强；貴柔傳統教中華民族避免蠻幹，兩者都源遠流長，都爲今後創建中華民族新時代的哲學體系提供了不可缺少的思想資料。

作者簡介 任繼愈，1916 年生，山東平原人。現任中國社會科學院世界宗教研究所所長、北京圖書館館長、中國宗教學會會長等職。主編有《中國哲學史》、《中國佛教史》等。

道家學説與流派述要

牟鍾鑒

内容提要 道家的基本理論，其核心是道論。道有五性：根本性、自發性、超形象性、實存性、逆動性。道論之下分出道家的天道觀和人道觀。天道自然無爲，可稱爲自然論；人道順乎自然，可稱爲無爲論。道家精神有三大特質：追求返樸歸真，追求脱俗超邁，提倡柔静之道。道家學説的演變大致分爲七個階段：第一階段是老學；第二階段是老子後學，包括楊朱、田駢、慎到、彭蒙、宋鈃、尹文、關尹、列子；第三階段是莊子及其後學；第四階段是黄老之學，即秦漢道家；第五階段是漢末道教；第六階段是魏晋玄學，即新道家；第七階段隋唐以後餘緒不絶。

一、引　言

中國傳統文化是一個多元的動態體系，諸子百家、三教九流，都是它的組成部份，而它的思想主動脈則是由儒、佛、道三家共同構成的，三家既相斥又融合，決定着中國思想文化的基本特質和面貌。但三家之中，儒道兩家爲本土固有而又源遠流長之學派，佛教爲後起的外來的宗教；雖然佛學廣大精微，影響巨大，就其影響的滲透性和普遍性而言，似不及儒道兩家那樣浸潤中國人的骨髓和靈魂，何況中國佛教所具有的中國精神，主要攝取於儒道兩家。儒道兩家相比，儒顯道隱，故在場面上道家遠不如儒家有名氣，但這并不表示道家不重要，只不過它影響社會的方式與儒家不同，多是潛移默化式的，不易引起人們的注意。儒家提倡禮樂教化，闡揚治國安邦之道，爲歷代官方集團大力倡導和推行，在社會政治和道德領域，成爲導向性的正宗思想，又由國家教育體制提供保證，作系統傳授和普及工作，獎勵儒家經學的研究，讀經成爲知識分子邁向仕途之必修課業，因而儒家在兩千多年的帝制社會中，始終聲勢顯赫，居諸家之首。道家則不同，它重自然無爲而輕禮樂教化，對現實保持着一定的距離，甚至常常對禮樂文化提出尖銳的批評，偏離人倫日用之常，具有隱士派和浪漫派的風格，因而在大部份歷史時期不能成爲官方哲學，未能列入國家教育的正式課程，處於在野的狀態。道家人物本不求用世行道，亦無心於揚名不朽，不靠政治的權威，卻能自然而然地形成一股潜流，流向社會各個角落，潤物而無聲息。從表面上看儒强道弱、儒熱道冷，實際上儒道對峙，難分軒輊。人們常説傳統的政治是陽儒陰法，我們也可以説傳統的思想是陽儒陰道，外儒内道，道中有儒，儒中有道，自爲而相因。設若中國只有儒家而無道家，中國的文化就會失去一半光彩。中國人受儒家的影響，比較講求實際，注重現實人生，尊重常識，積極進取，做事情求得通情達理，這是一個方面；但中國人又具有超越意識、豐富的想象力和浪漫的情調，胸襟開闊，不斷地在常識以外開闢精神上的新天地，向往超邁脱俗、無拘無束、自由自在的生活，不計較一時一事之得失，生命富有彈性、耐受性和持續性，這些特質不能説不得力於道家。中華民族精神中的堅韌不拔、深沉從容、豁達大度等美德，是吸收了道家思想營養的。正如林語堂所説："道家及儒家是中國人靈魂的兩面。"這是千真萬確的事實。直到今天，道家的影子，在我們自己和周圍人們的身上隨處可以發現。

但在當代的學術文化構成上，卻存在着傾斜的現象。長期以來學人重佛儒而輕道。以大陸而言，有衆多的佛學、儒學研究機構與刊物，卻還没有一個研究道家的學術團體，甚至没有創辦一份研究老子的專刊，這與道家實際的歷史地位難道是相稱的嗎？在學派和教派的發展上，有衆多的佛教團體，有已成思潮的港臺新儒家，卻没有當代新道家，大陸没有，海外也没有，這又是一種文化上的失衡。道家無爭於名利，亦無爭於學術，但它的不爭之德卻需要有心人加以闡述。老子雖說了"道可道非恒道"，可是他依然要寄言出意，留下了五千言，而爲道家學派所本，所以道家仍有不爭之爭，不鳴之鳴。我們今天只能依據道家之言來探知道家真意之所在，用現代的眼光重新加以審視，用現代的語言重新作出詮釋，使它的超常智慧不被埋没，更使它的内在生機再度煥發，用以充實我們今天的智慧，改良很不完善的社會和人生。由於道家研究的長期被忽略，道家的整體面貌尚處在恍惚迷離之中。什麼是道家？它的内涵和外延如何界定？它的發展階段如何劃分？它與道教的關係如何辨析？它在中國文化史上的地位與貢獻如何估價？迄今爲止，這些問題很少有令人滿意的答案。筆者不揣淺陋，依據平日有限的知識積累和體悟，嘗試對道家學說作一宏觀的述評，意在勾勒出一個大致近似的輪廓，並且着重於道家内在精神之發掘。有一點要説明的是，我所論述的道家，不包括道教，但與道教有密切聯繫。道教作爲中國固有的大型宗教，有其異常豐富的内容和許多獨具的特點，本文只將它與道家作比較分析，而不作專門的論述。

二、道家的基本理論與主要精神之把握

道家如同儒學和佛、道教一樣，是一個多層次、不斷演化和繁化的文化體系。自其異視之，有老學、莊學、黄老、玄學等分别；但自其同視之，終究不離道家的主脈絡。然而什麼是道家所共有的思想和風格呢？道家的思想體系以"道"爲核心，"道"是道家哲學的最高範疇，爲所有道家學者所尊崇，"合於道"是他們追求的最終目標，道家學說的其他部份都是圍繞着"道"而逐層展開。那麼，"道"又是什麼呢？按照道家的說法，"道"有這樣幾個基本特性：第一，根本性。從歷時上説，"道"先天地生，自古以存，自本自根，它生天生地，爲萬物之源，而自己本身不再有源，所謂"道生一，一生二，二生三，三生萬物"（老子），"萬物之總，皆閲一孔，百事之根，皆出一門"（《淮南子》）；從共時上説，"道"是天地萬物統一共存的基礎，它衣

養萬物，爲天下母，爲萬物宗，萬物的性能賴道而有正常的發揮。故云："天得一(一即道)以清，地得一以寧，神得一以靈，谷得一以生，侯王得一以爲天下正"(老子)，"道有經紀條貫，得一之道，連千枝萬葉"(《淮南子》)，"道者無之稱也，無不通也，無不由也，况之曰道"(王弼)。第二，自發性。道不是神靈，没有意志，它自然無爲而無不爲，它生養萬物而不私有，成就萬事而不恃功，不過是自然化生而已，故云："道法自然"(老子)，"太上之道，生萬物而不有，成化象而弗宰"(《淮南子》)。第三，超形象性。道不是某物，它無形無象，不可感知，以潛藏的方式存在，玄妙無比，不可言説，只能意領，一旦道出，便落筌蹄，失卻本真，只可寄言出意，勉强加以形容，也還須隨説隨掃，不留痕迹，故云："道可道非恒道"、"玄之又玄，衆妙之門"、"視之不見名曰夷，聽之不聞名曰希，搏之不得名曰微"、"是謂無狀之狀，無物之象，是謂惚恍，迎之不見其首，隨之不見其後"(老子)，"大道不稱"、"無爲無形，可傳而不可受，可得而不可見"(莊子)，"視之無形，聽之無聲，謂之幽冥，幽冥者，所以喻道而非道也"(《淮南子》)，"道之而無語，名之而無名，視之而無形，聽之而無聲，則道之全焉"(何晏)。第四，實存性。道是實有的，它無所不在，誰也不能須臾離開它，違背了道就要失常，就要遭殃，故云："道之爲物，惟恍惟惚；惚兮恍兮，其中有象；恍兮惚兮，其中有物。窈兮冥兮，其中有精；其精甚真，其中有信"(老子)，"道惡乎在？無所不在"，"夫道，有情有信"(莊子)，"夫道者無私就也，無私去也，能者有餘，拙者不足，順之者利，逆之者凶"(《淮南子》)。第五，逆動性。道推動萬物變化發展時表現出相反相成的矛盾運動和返本復初的循環運動的規律性；一切矛盾的事物都在相反對立的狀態下互相依存並互相轉化，事物的運動遵循着物極必反的規律周而復始，動復歸靜。故云："反者道之動"、"有無相生，難易相成，長短相形，高下相傾，音聲相和，前後相隨"、"周行而不殆"、"夫物芸芸，各復歸其根，歸根曰靜，是謂復命"(老子)，"彼出於是，是亦因彼"(莊子)。總括以上五大特性，用現代語言加以表述，道家的"道"實際上是指囊括自然界和人類社會在内的大宇宙的整體性統一性和它自身固有的生命力與創造力。道家把宇宙看成一個彼此有機連絡的大生命體,宇宙的統一性正在於它具有生生不息的生命力,能創造出無窮無盡的萬事萬物,使之彼此相因相克相化。這個宇宙大生命體的總生機便是道,它連續不斷進行着創造活動,然而不受支使,它無形象然而人們時刻感受到它的存在,它的力量强大無比,萬物去樂意接受它,從中得到活力。道就其本性來説,是超越萬物的,卻又内在於萬物,道家對"道"的歌頌就是對偉大的自然造化之力的歌頌。

在道論的基礎上道家提出天道與人道。天道自然無爲,人道順其自然,前者是道家的自然論,後者就是道家的無爲論,這兩論構成道家的基本理論。天道自然無爲,排除了上帝鬼神的作用,把宇宙的創造力歸之於宇宙本身。當對這種創造力的生物、成物而又非物的性能作理論抽象時,便形成道家的宇宙本體論;當對宇宙創造過程進行理論描述時,便形成道家的宇宙演化論。當老子講"道恒無爲而無不爲"、"道者萬物之奧"、"道隱無名"時,他是在作宇宙本體論的闡述;當老子講"道生一,一生二,二生三,三生萬物"時,他是在作宇宙演化論的闡述。《齊物論》的"道通爲一"是本體論,《天地》的"泰初有無"是演化論。《淮南子》的《原道訓》、《天文訓》、《精神訓》闡大道之深渺,述天地之剖判,把老子天道自然無爲的理論系統化了。王充用元氣自然論説明萬物生成。王弼用貴無論深化道家本體論。凡此種種,皆不出道家天道自然無爲的樊籬。按照《老子》的説法,"人法地,地法天",人道應符合天道的性質,天道自然無爲,人道的基本要求在順乎萬物之自然,遵從事物發展的必然趨勢,反對人爲的干擾、征服和破壞,這就是無爲。天道的無爲不滲雜任何一點人的因素。人道的無爲不同,它不是無任何作爲,人要參與,要反響,但要因勢利導,因性任物,因民隨俗,給外物創造良好的條件,使其自然化育,自然發展,自然完成。因此,人道的無爲實際上是一種合乎自然的有爲,做得恰到好處,使外物在不知不覺中接受了人的幫助,從而變得更加完善和美好,反對强制妄爲、煩擾物性、矯揉造作、虛僞浮華。譬如養育花木,因品施肥,因形修剪,使其發育良好,便是無爲;偃苗助長、濫使肥水,使其病萎,便是有爲。又如西施,淡妝素裹,不失天然姿色,便是無爲,東施效顰,便是有爲。老子說:"輔萬物之自然而不敢爲",可見無爲是指順物之性而輔助之,不是一無所爲。莊子將無爲解釋爲"安時而處順"(《大宗師》),比較消極,實際上是想獲得精神上的安適自在,亦不是醉生夢死。《呂氏春秋》提出"因則無敵"的命題,建立起貴因論。《淮南子》的《修務訓》進一步明確了無爲的積極含義,說:

> 若吾所謂無爲者,私志不得人公道,嗜欲不得枉正術,循理而舉事,因資而立功,推自然之勢,而曲故不得容者,事成而身弗伐,功立而名弗有,非謂其感而不應,迫而不動者。

這裏把無爲的内涵發揮到"按客觀規律辦事"的高度,給道家思想注人主動活躍的因素。道家各派對無爲的理解是有差別的,但强調貴因隨勢、順乎自然,則是各家的共識。無爲論用於人生便是道家的人生論,用於社會便是道家的政治論。老子所謂"挫其銳,解其紛,和其光,同其塵,是謂玄同"即是無爲的人生論,"我無爲而民自化,我好靜而民自正,我無事而民自富.我無欲而民自樸"即是無爲的政治論。莊子所謂"以無厚入有間"便是他的人生哲學,"各安其性命之情"便是他的政治哲學。《呂氏春秋》提出"因者君術也,爲者臣道也"的主張,《淮南子》提出君道"虛無因循",臣道"守職分明"的主張,王弼提出"以無統有"、"以寡治衆"、"以靜制動"的主張,都是無爲貴因論在政治上的運用。《老子指歸》的"遇時而伸,遭世而伏",郭象的"安於推移而與化俱去",張湛的"應理處順,則所適常通",皆是無爲貴因論在人生論上的運用。把道家的道論及其天道人道學說合在一起,可用自然無爲論稱呼之,道家的哲學就是一種自然型的哲學。

道家除了在理論上主張自然無爲,還表現爲一種道家精神,貫穿於道家文化之中。這種精神是道家所特有的,屬於氣質、風格方面的性質,形成道家氣象。道家精神皆由崇尚自然而引出。自然的内涵要在三種對立中把握，一是與神相對立，非神所造，没有主宰，自生自成；二是與人相對立，非人所造，没有僞飾，自性天成；三是與社會相對立，非禮義所制，没有繁文縟節，乃是山水靈秀的自然界。由崇尚自然而形成三大特質：其一是追求返樸歸真，其二是追求脱俗超邁，其三是提倡柔静之道。這三者皆是爲校正時弊而出現的。道家有鑒於生態的破壞和人生的墮落，特别是看到人間的巧僞權詐、厚貌深情、綺麗華貴，把純樸天真美好的品性丢掉了，造成種種丑惡和禍害，於是贊美事物原始的自然狀態，讓事物顯示本來的面目，讓人們保持質樸的天性，這就是返樸歸真。老子以"樸"形容道，樸者未經雕鑿的天然狀態，"見素抱樸"是他的理想，在天就是自生自成的自然界，在人類就是小國寡民的淳樸社會，在個人就是淳真專氣的愚人赤子。莊子認爲矯飾仁義，濫用禮樂，賣弄智巧，如同駢拇枝指、附贅縣疣，不合於自然正道，更有不堪者，鉤繩規矩削性，纆索膠漆侵德，皆有害於人性的正常發育，不如各順其性命之情，讓其自然而然的成長發展，故"聖人法天貴真，不拘於俗"(《漁父》)，《應帝王》以渾沌比喻純真質樸的人民，被連續不斷的智巧聰明所誤，遂喪失了自我，至於死地。莊子向往"含哺而熙，鼓腹而遊"、"同與禽獸居，族與萬物並"的至德之世(《馬蹄》)，其時民得樸素之性而天下太平。對於個人來説，必須做個真人，保持真性情，"有真人而後有真知"(《大宗師》)，不能做假人不能做僞人。表現於美學，則追求平淡天真之美，反對模擬、矯飾、堆砌、雕鑿。道家後來一直保持着這種以純樸爲真以純樸爲美的風格。此其一。道家的書和道家的人物給人以豁達通脱的氣象，眼界開闊，立論恢廓，有明顯的離世超俗的傾向。老子認爲大道與俗見處處相反，"明道若昧，進道若退，夷道若纇"，故下士聞道大笑之；得道之人亦與俗民不同，"衆人熙熙"、"我獨泊兮"、"衆人皆有餘，而我獨若遺"、"俗人昭昭，我獨昏昏，俗人察察，我獨悶悶"，衆俗之所見皆眼前次要之小事，"我獨異於人而貴食母"、"大直若屈，大巧若拙，大辯若訥"，所以得道者之"昏昏"、"悶悶"乃是最高的"昭昭"與"察察"。但是得道者並非單獨另立一套以自我標榜,他不過是不與世爭,處無爲之事,行不言之教,以百姓心爲心,以天下觀天下,順萬物之自然而已;正由於不爭無爲,天下莫能與之爭,萬事無不有所爲,跨越各種具體事物的局限性,而能隨處通達成功。莊子更是要徹底破除俗見成心,使人的精神境界超出一切世俗的利害是非習慣,而達到絶對自由的狀態。莊子認爲通常束縛人們心靈的有這樣幾件事:一是對功名利祿權位的追求,造成人爲物役,不得自主自在;二是對傳統禮教的尊崇,形成心靈的禁錮,不得自由發展;三是對是非善惡美丑的爭辯,日以心鬥,自是而相非,難知大道之全;四是對生命的留戀和對死亡的憂懼,精神不得安寧,卻不知生死乃氣化之自然,哀莫大於心死。功利觀念、禮教觀念、是非觀念、生死觀念將人心封閉在狹小的區域而不得昇華。莊子用"逍遥論"破功利觀念,用"無爲論"破禮教觀念,用"齊物論"破是非觀念,用"氣化論"破生死觀念,讓人的精神得到一種大提昇,完全超越了現實,達到與宇宙合一的高度,從而把人的精神空間擴展爲無限,任其自由馳騁飛翔。老莊這種脱俗精神,發展出《易傳》的殊途同歸論,《淮南子》的兼容並包的文化觀,魏晉玄學的貴無賤有和貴虚輕實以及越名教而任自然的社會人生觀,乃至《列子·楊朱》① 篇的鄙視一切傳統價值的過逸之言。若把中國傳統哲學分成虚學與實學兩大派,則道家偏重於虚學,所以能成爲佛學東漸的理論接引者。此其二。道家精神的第三個特質便是貴尚柔靜,這一點由於與世俗之常識十分對立而顯得更加特殊。人們通常容易看到事物的正面、主動、顯露的部分,前進的軌迹和剛强的威力。老子所注重的卻是事物的負面、被動、深藏的部分、曲折的過程和柔弱的作用,並且認爲後者在事物的發展

---

① 關於今本《列子》的寫作年代,學界有不同看法,主要分爲三派;第一派認爲今本《列子》基本上保持了古本《列子》的面貌,所以是先秦列子學派作品;第二派認爲今本《列子》乃魏晉人僞托,集若干古書資料以成之,作僞者,有指爲張諶,有指爲王弼之徒,有不指爲誰;第三派介於兩者之間,認爲今本《列子》保存了若干古《列子》的資料,而思想體系是魏晉人創建的,它是魏晉玄學中頹廢派的理論作品,約成書於西晉元康時期,稍早於郭象的《莊子注》。筆者持第三派見解。詳見拙文《對〈列子〉的再考辨與再評價》,載《文史哲》1986 年第 5 期。

中往往比前者更重要、更有力量，所以他提出了貴柔守雌的思想。老子說"弱者道之用"，道作爲創生萬物的原動力是內在的、持續不斷的，它不强生萬物而萬物自生自成，這便是柔弱。又說"堅强者死之徒，柔弱者生之徒"，無論是人還是草木，生時柔軟，死時僵枯。水是至柔的東西，卻可以冲破堅固的東西，有巨大的威力。可見老子說的"柔弱"，不是一般人理解的"軟弱"，而是"柔韌"，生命的底蘊深厚，堅毅不拔，對外力的冲擊有較大彈性，適應環境的能力特强。老子說的"剛强"，也不是真正的堅强，是指那些生機淺露、首當征衝、到處樹敵的事物，容易招致覆滅。所以說柔弱能勝剛强。表現在待人處事上，便是居後不爭，去甚去奢去泰，知足知止，無爲無執，以天下之至柔馳騁天下之至堅。與柔弱相聯繫的便是"靜爲躁君"，"歸根曰靜"，"牝常以靜勝牡"，"清靜爲天下正"；在人便是"致虛極，守靜篤"，"不欲以靜，天下將自正"，"塞兑閉門"、"滌除玄覽"，教人以靜制動，虛懷若谷，處變不驚，鎮靜自若，後發制人，厚積薄發。道家的哲學在一定意義上說是女性哲學，它把女性的許多智慧和美德從理論上加以昇華了。例如柔靜之德、不爭之德、慈愛勤儉、純真質樸等美德，女性比男性擁有得更多一些，這是歷史事實。老子和道家吸收了女性的特質，從而形成了主陰貴柔的哲學。柔靜之道能夠開掘生命的深度，培養深沉持重的品格，加强人的韌性和靈活性，以便迎接各種困難險阻的挑戰。柔的本質是虛己以待物，任順自然而不强爲，所以與虛相通。莊子多講虛靜之道，其精神與柔靜相一致而着重於人生哲學。莊子認爲"虛靜恬淡寂漠無爲者，天地之本，而道德之至"(《天道》)，人生處世，不能自伐逞强，與外物硬碰硬地頂撞，直木先伐，甘井先竭，傷於物者必爲物所傷，應當"與時俱化"、"虛己以遊世"(《山木》)，像庖丁解牛那樣"以無厚入有間，恢恢乎其於遊刃必有餘地"(《養生主》)，人皆取先，己獨取後，人皆取實，己獨取虛，人皆求福，己獨受垢，這樣才能夠全生避禍。若要想獲得大智大巧，成就大業大功，則需以靜養神，靜則明，靜則專。"人莫鑒於流水，而鑒於止水"(《德充符》)，靜水清明如鏡，聖人用心若鏡。要做到靜,必須少私寡欲,排除外物的引誘和干擾,這樣才可以使頭腦清醒而多智慧,故須以恬養知。靜而不搖,則氣純而神專,做起事來便可"以神遇而不以目視,官知止而神欲行"(《養生主》),達到出神入化的地步。後來的道家皆倡導以屈求伸,以枉求直,由冥冥至昭昭,以靜制動,以虛應實,以退爲進,以柔弱勝剛強的思想,表現出柔靜的風度。此其三。

三、道家的演變與學派

道家創始階段的學説可稱爲老學。《老子》一書中心思想明確一貫,多層推衍,前後照應,風格統一,基本成於一人之手,是哲學專著而非學派論集。根據《史記》,《老子》一書應爲春秋末年李耳所著,李耳又稱老聃,孔子曾問禮於老子,比老子年齡稍輕(採陳鼓應説)。只要正確理解司馬遷的《老子列傳》,尊重史實並把握《老子》一書的時代色彩,便能夠斷定春秋末年説和人書合一説是不移之論,疑老諸説都缺乏科學論據。老學奠定了道家哲學的基礎,蘊含着爾後道家各派的思想因子,但與後來道家諸派相比,亦有其特殊的時代性和個性。與莊學相比,老學的"道"較多客觀意義,強調道作爲宇宙總根源、總動力的作用;其道論落向現實問題,則相當關心社會政治,反對宗法禮教,反對專制虐政,反對戰爭殺掠,反對貪婪奢侈,主張取法於道的自然性與自發性,實行無爲而治,使人性返樸歸真,實現一和諧、安寧、美好的社會;老子對社會人生取積極的態度,他的貴柔守雌、謙下居後,絶不是要逃避社會,只是爲了更好地遵照事物發展的規律,促進事物朝好的方向轉化,使得事物的生命力更旺盛更持久更深厚;老子的聖人是理想的統治者,他處無爲之事,行不言之教,與人民在一起,因勢利導地治理國家,人民感覺不到有負擔;老子哲學表現出冷靜地理智地思考,五千言到處都是理論的分析、利害的比較和對大道玄妙性能的描述,較少感情的色彩和形象的刻劃。我們可以説老學是一種自然主義的哲學,它用哲理詩的形式,簡練而又深刻地表述了自然主義的基本思想,吝於用言而善於蘊意,給後學以無限廣闊的發揮餘地。老學在有形的世界的內部和背後,發現了一個無形的世界,它處於事物的深層之中,它對事物的發展,具有決定性的意義,這便是"無",無和有是對立的統一,而無是體,有是用。由此老子形成逆向性思惟,教人在對立運動中把握事物的本質。老子十分注意生命深度的化煉培植和生命廣度的延伸拓展,加强生命主體的擔待力、回應力,提高生命主體的透視力和靈活性,增進生命主體的意志力和韌的精神,學會自我控制,不爲物累,以嗇養生,專氣致柔,以達到個體"死而不亡"的境地;還要成就社會和宇宙的大生命,修德救人,博愛廣施,反戰止虐,成就一個和平安寧的世界。

道家在先秦演變的第二個階段是楊朱、田駢、慎到、宋鈃、尹文等人的思想言行。楊朱生活在孟子之前,受到孟子激烈的批評。楊朱的思想比較狹窄,他發揮老學中貴身防患的思想,形成"爲我"之論。孟子說:"楊子取爲我,拔一毛而利天下不爲也"(《盡心上》),《呂氏春秋》說:"陽生(即楊朱)貴己"(《不二》),《淮南子》說:"全性保真不以物累形,楊子之所立也"(《氾論訓》)。楊朱學說的出發點是保全自己的生命,任何其他的東西都不如一己生命重要,所以要倍加愛惜,所以要重生輕物,防止物欲傷害身體健康。田駢、慎到還有彭蒙都是稷下先生,《天下》篇說他們"公而不黨,易而無私"、"齊萬物以爲首",《呂氏春秋・不二》,說:"陳駢(即田駢)貴齊",他們着重發揮了老學中"無私"、"勿矜"的思想,以不齊萬物。《慎子》强調兼蓄能容,包而不辨,"臣事事而君無事",因性任物而莫不當,遂形成一套爲君之道;又從"公而不黨"出發,形成任法重勢的主張。於是實現了由道家向法家的轉化,法家的政治學說依附於道家理論而發展,如申不害、商鞅皆本於老學,至韓非達到法家與道家的高度結合。法家所吸收的道家思想主要是老學,將其治國之道加以規範化。宋鈃、尹文與孟子同時代人,他們着重發揮老學中知足反戰的思想,以"禁攻寢兵"爲己任。《天下》篇說他們"以禁攻寢兵爲外，以情欲寡淺爲内”，“其爲人太多，其自爲太少”。宋、尹學派與楊朱正相反，是利他主義者，其救世精神出自老學又近於墨家。《孟子》書中記載宋輕(即宋鈃)去楚國調解秦楚間的戰爭，説明他不僅主張和平，而且勇於行動，苦己以濟人，故荀子將其與墨子並列(見《非十二子》)。按照《莊子·天下》和《吕氏春秋·不二》，老學之外還應有關尹、列子。關尹的思想要旨在虚己接物，獨立清靜，故《不二》説：“關尹貴清”。關尹可能與老子同時，欽慕老學、故見老子過關而求其著書，對傳布老學立了大功。《不二》又説：“子列子貴虚”，《莊子》書中多處提到列禦寇，可見列子實有其人，在莊子之前，但《莊子》寓言十九，所述列子事迹不可據爲信史，而今本《列子》又晚出，多所假托。不論關尹的貴清，還是列子的貴虚，皆是擇取老學體系中的某個方面而演爲一説。這些都表明老學潛量豐富，影響巨大，故後學蠭起，呈現繁榮景象。

道家演變的第三個階段是莊周及其學派的學説。莊周是戰國中期人，他與第二階段的諸道家學者或稍後或同時，而對老學的發展卻不是其他道家學者所能比擬的。如果説楊朱、田駢、慎到、宋鈃、尹文等人只是對老學部分的發展，未能形成大的學派，那麼，莊學就是對老學創造性的繼承和整體上的超越，它使老學真正發展成爲一個大的道家學派，與儒、墨並駕齊驅。《莊子》一書是莊學學派的集體論集，其《内篇》代表莊周本人的思想，其《外篇》、《雜篇》代表莊子後學若干支派的思想(參看劉笑敢《莊子哲學及其演變》的論證)。莊學也以“道”爲其哲學的最高概念，也崇尚自然無爲，反對宗法制禮樂文化，主張順任自然之性，倡導純真、超脱、虚靜的風格，書中常引《老子》以爲根據，所以説莊學是繼承老學而來的。但是莊子是大思想家大文學家，思想豪放，才華横溢，他的學説極富於獨創性，把老學引到一個新的方向。成爲道家代表人物之一，與老子齊名，故世常老莊並稱。莊子後學與莊周的思想同中有異，但没有體系上的突破，故《莊子》一書基本上可作爲一家之言看待。莊學的“道”與老學不同，有較多主觀意義，主要指主體的最高的精神境界，在以境界中的得道之人（真人、神人、至人、聖人），打破了現實世界的種種限制，與宇宙萬物合爲一體，“天地與我並生，而萬物與我爲一”（《齊物論》），無往而非我，無時而非我，小我的生命變成了大我即宇宙的生命，從而獲得了永恒的整體的生命。莊學把“氣”的概念引入道論之中，這也是對老學的發展。道作爲宇宙大生命的源泉依托於氣，通過氣的變化來展現自己生滅萬物的威力，故云：“通天下一氣耳”（《知北遊》）。氣是構成自然萬物的基本因子，它精細而流動不居，聚而生物，散而消物，人的生命亦是氣化的暫時形態，“人之生，氣之聚也；聚則爲生，散則爲死”（同上）。《老子》書中也有“專氣致柔”、“心使氣曰强”等語，但語言不詳。經莊學的發揮，氣成爲道家的基本概念之一，後之道家人物莫不貴精而守氣。老學關注社會政治，莊學特重個體人生，這又是老與莊相異之處。莊學可以簡潔地稱爲心靈哲學，它所要解決的主要問題是作爲主體的個人如何消除種種傷害、困擾和束縛，獲得完全的精神自由和獨立的人格。其關鍵在於養神，養神之方在於去常知去情欲，保持内心虚靜凝斂明覺的狀態，是非得失生死無動於衷，這便是“心齋”和“坐忘”的功夫。莊子是藝術家，富於感情，擅長形象思維，所以《莊子》一書所塑造的理想人生，其主要方面是藝術的人生（採徐復觀説），表達思想的主要方式是生動形象的寓言故事，語言富於暗示性。藝術的作用不在探究事物的本質和規律，而在給人以精神上的享受。莊學追求的理想人生，其主體精神感受是快慰、自在、逍遥，亦即“大美”、“至樂”，與生機盎然的大自然通爲一體，無時無處而不自得。庖丁解牛，由技進於道，奏刀中音，牛解而躊躇滿志，這便是從實用人生提昇爲藝術人生，解牛從謀生手段轉化爲人生樂趣。《莊子》一書，其言汪洋自恣，其文曲折奇巧而富有詩意，以少寓多，寄言出意，留下數不盡的啓示讓人咀嚼回味，是哲理與藝術的結晶（趙明《道家思想與中國文化》之語）。莊子後學中有一派對現實政治的批判比莊周本人更加激烈徹底，不僅指出了“竊鉤者誅，竊國者爲諸侯”的無情現實，而且指出了“爲之仁義以矯之，則並與仁義而竊之”的盜竊真理的更爲可怕的現實,痛切而深刻(見《胠篋》)。另一派開始融合儒法,主張有選擇地吸收諸家有益思想,成爲黄老之學的先驅(參看劉笑敢《莊子哲學及其演變》)。

道家演變的第四階段便是戰國末年到漢初的黄老之學。戰國時期由於五行學説流行,象徵五行之主——土德並同時又是華夏始祖的黄帝,成爲各家崇拜和依托的對象。兵家、法家、醫家、陰陽家、神仙家乃至儒家皆托於黄帝而爲言,《莊子》書中也多處以黄帝爲寓言中的高人。戰國末年,楚文化的老學與北方中原的黄帝崇拜相結合而形成黄老之學,它標志着道家思潮發展到一個新的階段。黄老之學是借黄帝之名,宗老子之學,兼取儒、法、陰陽各家的思想而建立起來的,它在漢初大爲流行。從廣義上講,凡秦漢時期的道家思潮,皆習慣稱呼爲黄老之學;從狹義上講,只有正式托名於黄帝、老子的學説,才是黄老之學,後者的傳授世系是存在的。《史記·樂毅傳贊》説:

> 樂臣公學黄帝、老子,其本師號曰河上丈人,不知其所出。河上丈人教安期生,安期生教毛翕公,毛翕公教樂瑕公,樂瑕公教樂臣公,樂臣公教蓋公。蓋公教於齊高密、膠西,爲曹相國師。

長沙馬王堆漢墓出土的帛書《老子》乙本卷前有《經法》,《十六經》、《稱》、《道原》四篇古佚書,大約就是《漢志》著錄的《黄帝四經》(採唐蘭説),内有黄帝之學,外與《老子》合卷,故世稱“黄老帛書”,最能代表戰國末年的黄老之學。其思想内容如司馬談所説“因陰陽之大順,採儒墨之善,撮名法之要”(《論六家要旨》)。在哲學上崇尚宇宙本原之大道,主張天道自然無爲,指出:“極而反,勝而衰,天地之道也,人之李(理)也。逆順同道而異理,審知逆順,是胃(謂)道紀”(《經法·四度》),“重柔者吉,重剛者威(滅)”(《經法·名理》)。在政治上主張德治與法治的結合,提出“德積者昌,(殃)積者亡”(《十六經·雌雄節》),“主陽臣陰,上陽下陰,男陽女陰,父陽子陰”(《稱》);“正信以仁,兹(慈)惠以愛人”(《十六經·順道》);同時又强調德刑並用,以法度治國,精公無私,賞罰必當,故《君正》説:“法度者，正之至也，而以法度治者，不可亂也”；反對陰謀，“陰謀不祥”（《十六經・行守》）反對優柔寡斷，“當斷不斷，反受其亂”（《十六經・觀》），與陳平所說“我多陰謀，是道家之所禁”（《史記・陳丞相世家》）和召平所說“道家之言，‘當斷不斷，反受其亂’”（《史記・齊悼惠王世家》）可以互相印證。

黄老之學的宗旨在“清靜無爲”四字，其實際政治意義在於政尚簡易，與民休息，故它在戰亂之後百廢待舉的漢初恢復時期受到重視。曹參爲齊相用黄老術，“貴清靜而民自定”，齊國大治（《史記・曹丞相世家》）。“文帝本修黄老之言，不甚好儒術，其治尚清靜無爲”（《風俗通・正失》）。竇太后“好黄帝老子言，帝及太子，諸竇，不得不讀黄帝老子，尊其術”（《史記・外戚世家》）。漢景帝時黄老學者黄生與儒者轅固爭論湯武“受命”的問題，竇太后惱怒轅固，景帝從中調解，反映出道儒兩家互絀的激烈程度。黄老之學在西漢前期發揮了安定社會、恢復經濟的作用，在思想領域比儒學更占優勢。直到武帝即位之初，竇太后迫使武帝免竇嬰、田蚡官職，將趙綰、王臧投入監獄，廢除立明堂改曆服事，對儒家信徒實行打擊，黄老派仍然表現出極大的政治優勢。此外，一批學者如司馬季主、鄭當時、汲黯、楊王孫、安丘生等，皆好黄老之言，司馬遷父子亦贊揚黄老之學，故《漢書・司馬遷傳》說遷“論大道則先黄老而後六經”。這一時期出現的《淮南子》，集幾十年流行的黄老之學的大成，系統發展了黄老之學，形成漢代道家理論的高峰。《淮南子》採擷《老子》最多，其《原道訓》是《老子》以後最爲詳備的道論，其《天文訓》、《精神訓》是漢代最典型成熟的宇宙發生論，其《道應訓》引《老子》五十二處，等於一篇《老子》古注。《淮南子》對《莊子》亦有所吸收，其《俶真訓》借用《齊物論》的文字，其《齊俗訓》上承《齊物論》的同異觀，以及人性各有修短，人性和愉寧靜，治萬物應順其性，因其俗以達乎性命之情，養生以養神爲主，至人、神人、得道之人的脱俗逍遥，皆來自《莊子》。但是《淮南子》不同於先秦老莊之學，它兼採儒、法、墨、陰陽五行諸家學説，以道家的理論爲基礎，將它們融合在一起，又包容了漢代天文學、地理學、醫學、氣象學的許多新成果，提出一系列創造性見解，對於自然、社會、生命、認識、政治、軍事、音樂等諸凡哲學所能涉及的各領域，它都加以論述，體系博大精深，内容豐富多采，是漢代道家上上乘之作。

建元六年，竇太后死，田蚡再度任相，"絀黄老刑名百家言，延文學儒者數百人"(《史記·儒林傳》)。元光二年，董仲舒建策"諸不在六藝之科，孔子之術者，皆絶其道，勿使並進"(《漢書·董仲舒傳》)，武帝於是"罷黜百家，獨尊儒術"，從此道家在政治上失勢，變成一支或顯或隱的學術流派。黄老之學的後期影響，可以嚴遵《老子指歸》、王充《論衡》、河上公《老子章句》爲代表。嚴遵是西漢成帝及稍後時期人，《指歸》稱"道"爲"虚之虚者"，突出其非實在性，其宇宙論的基本命題是"有生於無"，其論證爲："道體虚無，而萬物有形；無有狀貌，而萬物方圓；寂然無音，而萬物有聲。由此觀之，道不施不與，而萬物以存；不爲不宰，而萬物以然。然生於不然，存生於不存，亦明矣。"這種推理方式頗類似於王弼對"天地以無爲本"的證明，《指歸》正是漢代道家向魏晉玄學轉變的中間環節。王充《論衡》成書於東漢明、章時期，其天道觀主元氣自然論，反對鬼神崇拜，懷疑孔孟聖賢，是中古傑出的有膽識的思想家，他兼綜儒道，在社會政治論上主儒家，在天道觀上主道家，自謂其自然論"雖違儒家之説，合黄老之義也"(《自然篇》)。河上公《老子章句》是完整保存下來的較早的《老子》注本，對後世影響頗大。它以精氣説明道，"今萬物皆得道精氣而生"(二十一章注)。所謂道生萬物就是含氣的道分化出陰陽，産生出萬物的自然生化過程。它用"天人相通，精氣相貫"説明老子"不窺牖見天道"，表現出漢代天人感應的思維方式。在養生論上主"愛氣養神，益壽延年"(五十四章注)，認爲"人能養神則不死也"(六章注)，透露出神仙家的思想，爲後世道教所發揮。

總之，漢代道家的特點是容納儒學，博采諸家；顯揚老學，少談莊學；道氣結合，陰陽變通；關注政治，兼重養生。除發揮老學，構造體系外,還不斷出現注釋《老子》之作,有十多家,如《老子鄰氏經傳》、《老子傅氏經説》、《老子徐氏經説》、嚴遵《老子注》、《老子想爾注》以及《指歸》與河上公《注》,鄭玄、馬融也注過《老子》,可見老學確實發達,經久不衰。

道家演變的第五階段便是漢末道教,它是由黄老之學宗教化爲黄老崇拜祭祀活動,並與神仙長生、民間巫術相結合,最後孕育出民間道教。道教在一定意義上是道家發展中的旁支,它繼承和膨脹了道家學説中某些思想成分,卻失去了道家主天道自然和生死氣化的本色,演爲宗教神學,並依托於一定的宗教實體和活動,形成一股可觀的社會力量。《後漢書·襄楷傳》説:"聞宮中立黄老浮屠之祠",漢桓帝"事黄老道"(《後漢書·王渙傳》),遣官"之苦縣祠老子"(《後漢書·桓帝紀》)。張角"奉事黄老道"(《後漢書·皇甫嵩傳》),可知黄老崇拜之風普及於社會上下。在黄老崇拜的氣氛中,有些學者將黄老思想與神仙方術和陰陽化的儒學結合起來,撰著了《太平經》、《周易參同契》、《老子想爾注》等書,初步形成道教的教義和理論。《太平經》作於東漢安、順之際,"專以奉天地順五行爲本,亦有興國廣嗣之術","其言以陰陽五行爲家,而多巫覡雜語"(《後漢書·襄楷傳》),講述神秘的氣化和災異學説,提出天人相通的道教神仙系統,確定修道的原則是養性與積德並重,"内以致壽,外以致理"(《太平經合校》739頁),嚮往太平的社會理想。《周易參同契》成書稍晚於《太平經》,道士魏伯陽撰,其書運用《周易》的陰陽變化之道,參合黄老自然之理,講述爐火煉丹之事,被後世道士稱爲"丹經之祖"。《老子想爾注》是張魯五斗米道的理論著作,它用神仙思想解説《老子》,將老子神化爲"太上老君",將"道"形容成有意志能主宰的尊神,提倡修道長生,"積善成功,積精成神,神成仙壽",開道教從宗教神學的立場注釋《老子》之先河,老子逐漸成爲道教始祖與宗神。五斗米道和太平道的出現,標志着中國道教的正式誕生。後來太平道因舉行武裝起義受到鎮壓,五斗米道則受到招撫,傳到中原,進入上層,並經寇謙之改造,成爲天師道,蔚爲中國道教大宗。漢末道教以神化《老子》爲主,漢以後開始神化《莊子》。唐代尊《老子》爲《道德真經》,《莊子》爲《南華真經》,《列子》爲《冲虛真經》,《文子》爲《通玄真經》。道教的經典,魏晉以後層出不窮,集爲道藏,而始終推尊《老子》爲諸經之首,《莊子》亦受到相當的重視。其他道家重要著作如《淮南子》、《老子指歸》、《老子章句》等,皆被列入道教典籍,以宗教方式重新加以解釋。道家和道教結下了不解之緣。(道家與道教的關係詳見後文)

道家發展的第六階段是魏晉玄學。魏晉玄學是曹魏正始年間由何晏、王弼開創並盛極一時的哲學思潮。從思想來源上說,它上接漢代道家的自然無爲和有以無爲本的思想,以三玄(《周易》、《老子》、《莊子》)爲主要經典依據,企圖用道家的理論來調整失衡的社會關係和知識分子的內心世界,具有道家的風采,其玄學之名稱亦來自《老子》的玄,故玄學基本上屬於道家思潮。當然,玄學家以孔子爲聖人,重視儒家經典如《周易》、《論語》,多數人對綱常名教持肯定態度,所以玄學實際上是道儒合流的產物。不過,儒家的聖人和經典都是用道家精神洗禮過了的,其氣質已經發生了變化。例如王弼認爲"聖人(指孔子)體無,無又不可以訓,故言必及有。老、莊未免於有,恒訓其所不足"(《世說新語·文學》),這樣孔子就成了能體認不可言說之大道的得道者,比老、莊還要道家。《周易》大傳本就是儒道摻雜,經玄學家解釋,更具有道家精神。《周易·繫辭》說:"大衍之數五十,其用四十有九",這本是解說如何開始算卦,王弼卻發揮說:"演天地之數,所賴者五十也。其用四十有九,則其一不用也。不用而用以之通,非數而數以之成,斯易之太極也。"(韓康伯注引)這樣就引出了"將欲全有必反於無"(《老子》四十章注》)的道家式的結論。再說,玄學家肯定名教的方式也與儒者不同。先秦和漢代儒家認爲綱常名教來於天道,基於人的善性,或說人道乃天帝所授天意所定。玄學家則不然,他們認爲自然是本,名教是末,崇本才能舉末,要穩定名教必須使社會設施合乎自然,而玄學家所謂的自然並非神鬼或具有倫理色彩的天道天性,而是萬物自生自成的天然性情，因此須順性而爲，不可化性起僞。自然高於名教，也就是道家高於儒家。因此把玄學稱爲魏晉新道家是恰當的。

玄學早期着重發揮老學，中後期崇尚莊學，沉寂了数百年的莊學得以借玄學而復興。玄學流派各依其理論特點可以分爲何晏王弼的貴無論，阮籍嵇康的自然論，向秀郭象的獨化論，《列子》的肆情論，張湛的貴虛論。何晏著《道論》，集解《論語》，王弼注《老子》，解說《周易》，他們共同建立了玄學貴無論。貴無論從邏輯上探究宇宙的統一性，要給天地萬物的存在找到形上學的依據，這便是無。何晏說："有之爲有，恃無以生；事而爲事，由無以成"（《道論》），王弼說："夫物之所以生，功之所以成，必生乎無形，由乎無名。無形無名者，萬物之宗也"（《老子指略》）。無就是道，其特點是無形無名，不可言狀，與萬有的存在方式正相反對。無之所以能成爲萬物之宗，就在於它不是某物，能避免和超出萬物作爲實存物所帶來的局限性，從而具有了"全"即無限性，既然"無"是全是無限，它就可以包容萬物，故"將欲全有，必反於無也"（《老子》四十章注）。另一方面，作爲宇宙本體的無，又必須通過萬有的存在而體現其廣大無邊的作用，故王弼又說："然則四象不形，則大象無以暢；五音不聲，則大音無以至"（《老子指略》）。貴無論發揮了老子本體論思想，接觸到本質與現象、一般與個別的關係，認識到流動紛紜的現實世界之中有深層的共同本質存在，個別總是與一般相聯繫而存在；但貴無論仍然在一定程度上割裂了本質與現象、一般與個別，把作爲本體的無與作爲現象的有當作母與子、本與末的關係看待，崇無而賤有，守母而存子，似乎無可以獨立於有而存在，一旦如此，無即下落爲一種特殊的有，不再是無限了，這是貴無論的不足處。王弼提出玄學所特有的方法論，即"得意忘言"論，要求思維擺脫語言和感性的束縛，深入體認事物的內在意蘊，越過理論思維的理性方法，運用直覺思維，主體直接滲入客體，與不可言知的大道融合爲一。玄學家認爲，既然道是超乎形象的，只有放棄一般認知過程，用體道的方法才能得道。

阮籍、嵇康開始托好莊學，强調順任事物之自然本性，反對僞借禮法束縛和戕害人的自然性情，提出“越名教而任自然”的口號（嵇康《釋私論》）。阮籍認爲古代的社會最理想，萬物自然相生相成，“各從其命，以度相守”，“無君而庶物定，無臣而萬事理”，和諧而安寧，後來禮法興起，破壞了古昔的純樸狀態，“君立而虐興，臣設而賊生，坐制禮法，束縛下民”，遂使禮法成爲“天下殘賊亂危死亡之術”（《大人先生傳》），他希望社會重新合乎自然之理。嵇康亦認爲鴻荒至德之世，大樸未虧，“物全理順，莫不自得”（《難自然好學論》），而季世陵遲，君王“宰割天下以奉其私”，“矜威縱虐，禍崇丘山”，弄得“喪亂弘多，國乃隕顛”（《太師箴》），只有政尚簡易，賢愚各自得志，才能寧濟四海蒸民。阮籍嵇康欣慕莊周式的逍遥，“與造物同體，天地並生，逍遥浮世，與道俱成，變化散聚，不常其形”（阮籍《大人先生傳》），“矜尚不存乎心，故能越名教而任自然；情不繫於所欲，故能審貴賤而通物情。物情順通，故大道無違；越名任心，故是非無措也”（嵇康《釋私論》）。阮籍、嵇康所理想的純樸自然的社會，就是没有欺詐壓迫、没有爭鬥殘殺的和平安寧的田園式社會；他們所理想的人的自然性情，是指與世無爭、不迷物欲、情趣高雅、自由自在的心態。如果説何晏王弼是玄學主流派，以宗法等級社會的合理狀態爲自然，用自然肯定名教；那麽，阮籍、嵇康就是玄學激進派，以人性的自由健康發展爲自然，用自然批判名教。阮籍性格軟弱一些，内心充滿矛盾，是位外圓内方、外冷内熱的人物。嵇康性格激爽，剛腸疾惡，輕肆直言，非湯武而薄周孔，終遭司馬氏殺害。莊學所特有的批判現實的品格在玄學激進派身上再次得到復活。

向秀、郭象注《莊子》，形成前後一貫、結構嚴密的新莊學體系。《莊子注》問世後，影響極大，“儒墨之迹見鄙，道家之言遂盛焉”（《晉書·向秀傳》），把正始玄風推進到一個新階段，成爲玄學後期的主要代表。向、郭玄學可稱之爲獨化論，其要點是：萬物自生獨化，既不依賴於造物主，又不依賴於虚無，亦不相互依賴，“物各自造而無所待也”;萬物“獨化於玄冥之境”,即“誘然皆生而不知所以生,同焉皆得而不知所以得”,其來源與成因是不可知的,自然就是“不知所以然而然”;萬物之間皆自爲而相因,“雖復玄合,而非待也”,雖然千差萬別,“若各據其性分,物冥其極,則形大未爲有餘,形小不爲不足;苟各足於其性,則秋毫不獨小其小而大山不獨大其大矣”,只要“性足自得”,則萬物的差別便可以看作沒有差別;理想的人格應當是內聖外王,一方面主觀精神上“無心玄應,唯感是從”,達到“與物冥”的物我合一的境界;另一方面又“戴黄屋,佩玉璽”,“歷山川,同民事”,“雖在廟堂之上,然其心無異於山林之中”,他只是順任自然,率性而動而已;名教即是自然,“君臣上下,手足內外,乃天理自然”,“舉小大之殊各有定分”,只要安命樂性,任之而不互羡,就可以“無往而不逍遥”。向、郭的獨化論脱胎於莊學,發展了莊學的內聖外王之道,但它把莊子的“無何有之鄉”拉回到現實社會,對等級秩序採取肯定態度,把莊學“出世”的逍遥,變爲“隨俗”的逍遥。獨化論也追求能包容萬有的最高本體,但它不贊成貴無論那樣到客觀世界中去尋找,它繼承莊學的心靈哲學傳統,認爲最完美的大全只能是主體的一種精神境界,這種境界的主要特點是“無心”;因此能夠“玄同萬物,與化爲體”,小我通過無己實現了大我。這樣就克服了王弼將體用、本末分爲兩橛的缺點,使之打成一片。向、郭反對離開名教談論自然,説明受儒家精神薰染較深,亦是玄學主流派。

《列子》一書托名於先秦列子,實際上其基本思想體系完成於西晋,是魏晋玄學中不同於主流派和激進派的另一派——頹廢派的理論著作,其特點是用自然遺忘名教,而它所謂的自然主要指人的生理感官的舒暢滿足。《楊朱》篇主張及時行樂,“欲盡一生之歡,窮當年之樂”,而這種歡樂即是酒色等情欲的肆恣,放之任之,“勿壅勿閼”。人生的價值僅在於享樂,其他的功名富貴長壽如不同感官快樂相聯繫,都毫無意義,對於名教輿論亦不必顧及。這種頹廢人生態度是當時殘奪成風、天下多故、名教虚僞的現實激出來的,一部份知識分子感到痛苦莫名,企圖用陶醉酒色的辦法,忘掉人間痛苦,形成如此病態心理,其理論實乃是對傳統價值觀念的大膽挑戰,爲中國思想史上所少見。《列子》在宇宙論上傾向於獨化論,認爲萬物"自生自化,自形自色,自智自力,自消自息"(《天瑞》篇);在人生論上主張順命,"直而推之,曲而任之"(《力命》篇),虛心而不虛物。

張湛是東晉人,他的《列子注》引用了何晏、王弼、向秀、郭象諸家之言,進一步提出貴虛論。他概括《列子》的宗旨是:"其書大略明群有以至虛爲宗,萬品以終滅爲驗"(《列子序》),事實上《列子》書中並無此現成結論,它是張湛提煉出來的,主要代表張湛本人的思想。貴無論的"無",有被理解成在萬有之上存在的某種客體的可能,張湛有鑒於此,提出"至虛",用以代替無,表明玄學所追求的超形象的宇宙本體,根本不是某種客體的存在,它只是對無限性絶對性的表述,只表示人對群有自然化生的承認和順應,這只能是人的一種博大精神境界,它包容群有,使群有各得其自然之性。這就免除了有無兩截的毛病,用郭象的境界說深化了王弼的哲學;又免除了郭象獨化論崇有抑無使本體隱没的危險,將獨化論作爲一種玄學本體論的性質突出出來。所以貴虛論是玄學貴無論與獨化論的結合。在人生論上,張湛主張任自然而順名教,既要放逸、玄遠,又要安命順世,"大扶名教"(《力命》篇注)。他反對僞名教對真性情的戕損,因而不同於禮法之士和郭象;又不贊成《楊朱》篇"誣賢"、"過逸"之言,以爲"唯棄禮樂之失,不棄禮樂之用"(《仲尼》篇注),因而不同於頹廢派的肆情。如果說玄學的發展直到《列子》,尚無佛學影響的明顯痕迹,那麼《列子注》中便實實在在有佛學的滲透,這是東晉玄學的特點之一。注文中所說的"萬品以終滅爲驗"便是佛家觀點,其至虛論可與僧肇《不真空論》、《般若無知論》相爲表裏,注中又有神不滅、善惡報應、萬事皆從意生等觀點,顯然來自佛教。《列子注》是玄學最後階段的代表作,其後玄學遂被佛學所取代,或者說玄佛合爲一流。

道家發展的第七個階段便是它的餘緒不絕，綿綿若存，至今猶然。隋唐以後至近現代都可以劃歸到這一階段。除了道家藉助於道教而發展這一宗教旁枝有聲有色以外，道家作爲一大學術流派，從此再也没有出現獨立的强大的社會思潮，也没有産生純屬於本學派的大思想家大學者，但它也没有湮滅，所以稱之爲餘緒不絕。道家的后期存在，具體表現爲以下幾種方式。其一，詮注《老子》、《莊子》，形成道家的章句之學，注家中有道教學者，也有教外學者，個别有佛教學者。注《老子》之知名人物，唐有陸德明、魏徵、傅奕、顔師古、成玄英、李榮、唐玄宗、馬總、杜光庭等人；兩宋至元有王安石、王雱、陳景元、呂惠卿、司馬光、蘇軾、葉夢得、呂祖謙、林希逸、范應元、李道純、趙孟頫、吳澄、林至堅、何道全等人；明有明太祖、薛蕙、釋德清、李贄、沈一貫、焦竑、林兆恩、歸有光、鍾惺等人；清代有王夫之、清世祖、傅山、紀昀、盧文弨、畢沅、姚鼐、汪中、嚴可均、王念孫、俞樾、高延第、陶鴻慶、易順鼎、嚴復、孫詒讓、劉師培等人；民國以來有張之純、馬其昶、楊樹達、羅振玉、吳承仕、馬叙倫、支偉成、奚侗、曹聚仁、陳柱、丁福保、王重民、錢基博、王力、高亨、錢穆、蔣錫昌、勞健、嚴靈峰、張純一、朱謙之、任繼愈、陳鼓應等人。注《莊子》之知名人物，唐有陸德明、成玄英等人，宋有呂惠卿、陳景元、林希逸等人，明有焦竑、釋德清、方以智等人，清有王夫之、姚鼐、王念孫、王闓運、俞樾、孫詒讓、陶鴻慶等人，近現代有郭慶藩、王先謙、章炳麟、馬叙倫、蔣錫田、王叔岷、胡懷琛、高亨、聞一多、錢穆、嚴靈峰、陳鼓應等人。注家中許多都是學術造詣頗深的學者，有考據家，有集注家，有思想家，有文學家，有政治家，有宗教學者，大多抱着研究、考察的態度，老莊之學被當作一門學問受到重視。其二，老莊之學融入别家學術思想之中，構成其有機組成部分。如宋明道學就是以儒爲主，熔儒道佛於一爐，其本體之學尤借重於道家。宋明佛教力主佛儒道三家合流，其中的道乃兼道家和道教而言之。其三，道家的批判精神存在於歷代異端學者的思想言行之中，成爲他們批判不合理現實的武器之一。如晉代鮑敬言之無君論；明代李贄之童心説，何心隱之育欲説，湯顯祖之至情論；清代唐甄之破祟論，袁枚之性靈論，皆得力於莊學精神。其四，道家的美學思想和思維方式存在於歷代文論和文學藝術作品之中。中國的美學思想史、繪畫史、小説史、詩詞史，以及書法、雕塑、音樂等，都表現出一種强烈的道家精神、道家風格，其强烈程度超過儒家的影響。其五，道家思想存在於歷代隱士或失意文人的人生態度之中，成爲他們的重要精神支柱。遍查二十五史，隱逸者不勝枚舉，其或本就淡於政治，或中途受挫而退隱，他們用以安心立命的信仰，不是佛學便是老莊。綜上所述，在玄學之後，道家在形式上衰微了，實際上它的影響更擴大了，無聲地滲透到社會生活許多領域，滲透到民族心理結構之中，它的精神，從來没有死亡。

作者簡介　牟鍾鑒，1939 年生，山東烟臺人。現任中央民族學院哲學系教授。著有《呂氏春秋與淮南子思想研究》，《中國宗教與文化》、《道教通論》(主編)等。

道家注重個體説

涂又光

内容提要　在中國哲學史中，氣學以“氣”的聚散，説明了萬物的生滅，但未能説明何以有類。在氣學基礎上，理學以“理”説明了何以有類，但未能説明何以有個體。道家講“道”，撇開了類，直接在“道”的基礎上以“德”説明何以有個體。以“德”説明何以有個體，以“理”説明何以無個體：這是中國哲學講本體論的兩條道路。本文是對馮友蘭先生《新理學》中有關道家的一個判斷的理解和發揮。

先師馮友蘭氏在《新理學》中説：“道家注重個體，他們不但不説一類事物所必依照之理，似乎對於類亦不注意”（《三松堂全集》第4卷，第90頁）。

道家所説的“道”，不是“一類事物所必依照之理”嗎？不是的。

五十年代後期，對於老莊哲學曾有一陣子熱烈的討論。在討論中，馮氏感到，雙方若要真正針鋒相對，必須首先弄清楚，道家所説的“道”，以及其他主要名詞，到底是什麽意思。要做到這一點，光用某一書的某段某句，是不行的。這要根據道家，主要是先秦道家，不僅是道家專著，而且包括涉及道家的雜著，這些資料的全部，分析比較，融會貫通。這當然不是容易做到的，可是馮氏親自做了，其成果就是《先秦道家哲學主要名詞通釋》。此文發表於《北京大學學報》人文版1959年第4期，收入《中國哲學史論文二集》。其學術意義，與陳淳的《北溪字義》，熊十力的《佛家名相通釋》，屬於一類，鼎立而三。

這裏只說道家的一個最重要的名詞："道"。

從現存資料看，先秦道家有齊道家，即稷下派；還有楚道家，即《老子》派和《莊子》派。稷下道家有《管子・内業》等四篇，所說的"道"是精氣。"道"的這個意義，貫通道家各派，此各派之同。還有各派之異，即各派特點。馮氏指出，《老子》所說的"道"有五個特點：一是"無"；二是"常"；三是"其大無外，其小無内"；四是"周行"；五是"無"與"有"統一。他還指出，《莊子》所說的"道"有四個特點：一是"無有"；二是"非物"；三是"議之所止"；四是"爲之公"，即抽象的"全"。《莊子》所說的"道"，固然也貫通着精氣的意義而主張"通天下一氣耳"（《知北遊》），然而終於達到"無無"，有否定精氣意義的意義。

精氣的意義，《老》《莊》特點的意義，各是什麽，馮氏原書具在，這裏不贅。這裏只特别着重指出一點：這些意義共計十條，没有一條是指"一類事物所必依照之理"。附帶指出：道家哲學的其他主要名詞，也没有一個是指"一類事物所必依照之理"。就是說，從邏輯學名詞分類看，它們都不是抽象名詞。

《老子》全書無"理"字（亦無"類"字）。《老子》主張"道法自然"（第 25 章），"自然"意謂自己如此。自己當然是個體自己。自己如此，相當於《莊子》的"萬物殊理"（《則陽》）。"萬物"是一個一個的個體，"殊理"是各有不同的理，即個體自己生存變化之道。個體自己生存變化，《老子》謂之"自化"（第 37 章，第 57 章）。個體自己生存變化之道，《莊子》謂之"自本自根"（《大宗師》）。《管子・心術上》說："道之與德無間（房玄齡注：道、德同體，而無内外先后之異，故曰無間），故言之者不别也（房注：同體故能不别），間之理者，謂其所以舍也（房注：道、德之理可間者，則有所舍、所以舍之異也）。"這句話説明了"道""德""理"三個名詞所指的東西的關係：道與德在本體上並無分别，因爲都是精氣；但在言語上可以分别道與德，因爲道是精氣，而萬物（包括人）個體所得的精氣（道）就是各個體的德；所以，道是"所舍"，德是"所以（以，讀作已）舍"，精氣彌漫宇宙，而一個個體爲什麼能得並只得它所已得的那些精氣，則是這個個體的理使然。由此可見，稷下派和《莊子》派所說的理，是指個體自具之理，不是指“一類事物所必依照之理”。

馮氏五十年代後期的研究成果，進一步充實和加强了他在三十年代末所著《新理學》中對於道家的判斷，如本文開端所引者。

《新理學》還說：“道家所說之道，頗有似於我們所說的真元之氣”(《三松堂全集》第4卷，第50頁)。“真元之氣”簡稱爲“氣”。新理學的形上學有四個基本觀念(或名詞)：理，氣，道體，大全。其中的氣就是真元之氣。

在新理學看來，道家哲學，其形上學，可稱“氣學”。馮氏的《中國哲學史新編》分宋明道學爲三派：氣學，理學，心學。宋明道家的氣學，如果尋根，就尋到先秦道家。氣學是唯物論，它以氣的聚散，說明萬物的生滅。但是接着就有一個大問題：萬物皆爲氣之聚，何以有的生而爲樹類，有的生而爲人類，總之，何以生成許多的類？這是光用“氣”不能說明的，這就必須講“理”，此“理”乃是“一類事物所必依照之理”。就是說，氣依照樹類之理而聚，乃生樹類；氣依照人類之理而聚，乃生人類；總之，氣依照某類之理而聚，乃生某類。這樣講，顯然大進一步，這是理學的貢獻。專就這點貢獻說，理學并非唯心論，因爲唯物論也要講理。理學之爲唯心論，不在於它講理，而在於它以理爲本。但是接着又有一個更大的問題：同是樹類，或更窄一些，同爲松樹類，何以這棵松樹與那棵松樹不完全相同？同是人類，或更窄一些，同爲地主階級小姐類，何以林黛玉與薛寶釵不完全相同？換言之，何以生成個體？這是光用“理”不能說明的，因爲理只能說明類之所同，只能說明何以有類，不能說明何以有個體。氣學窮而講理，理學窮再講什麼？

這個更大的問題，是新舊理學都沒有真正解決的。新舊理學都接觸到這個問題，都沒有真正解決這個問題：這一點下文另有詳說。專就宋明道學說，在哲學的意義上，理學是氣學的否定，心學是理學(以及氣學)的否定。理學是氣學的否定，而解決了氣學未解決的何以有類的問題。心學是理學的否定，卻并未解決理學未解決的何以有個體的問題，心學是唯心論，亦有貢獻，其貢獻别有所在，玆不具論。

下文就圍繞何以有個體的問題討論下去。

一切事物都是一個一個的個體，或者説，凡存在都是個體的存在。這是眼一睜就看到的事實，問題只在於如何説明它。類當然也存在，但是類的存在是通過本類所有的個體而存在，或者説，類的存在必須具體落實爲個體的存在。

就人而言，人類的存在就是所有個人的存在。除了所有個人的存在，還有什麽人類的存在呢？但是據説，個人與人類的關係，不同於個人與集體的關係。人類等於所有個人之和，集體不等於本集體内個人之和。在正常情况下，集體大於本集體内個人之和。打個比方，集體是一串珍珠，本集體内的個人都是珍珠，一串珍珠比這些珍珠之和多了一根串子，可見集體大於本集體内所有個人之和。此喻雖妙，無奈人不是珍珠。就算集體也有一根串子把本集體内所有個人串起來。這根串子是一定有的，必須有的，問題只在於這根串子是哪來的。如果這根串子是外來的，强加的，那就不用説了。如果這根串子是内在的，自願的，换言之，是所有個人約定的，則這根串子不是别的，只是所有個人的輻射物，可射出，可收回，完全是這些個人自己本有之物。則這根串子并不是在所有個人之外有所增加之物。既然無所增加，所以集體仍然等於（而不大於）本集體内所有個人之和。所謂集體力量大，力量再大也是來自個人，不是來自個人之外。也可能集體力量小，例如“一個和尚挑水吃，兩個和尚抬水吃，三個和尚没水吃”。不光没水吃，還會打架呢。所謂“等於”，雖然是表示“量”的關係，但首先是表示“質”的關係。這根串子是個人内在的，自願的，這就是質的問題，它并不因爲形成集體而變質。正因爲在集體内仍不變質，仍是内在的，自願的，所以在量上無所增加，而是“等於”。

個體是“殊相”，類所依照之理是“共相”。一個個體有許多

“性”,簡直説不清有幾多性。每一性都屬於一個類,依照此類的共相而有此性。例如某甲是好人,又高又胖。他屬於人之類,依照人之類的共相而有人之性;又屬於好之類,依照好之類的共相而有好之性;又屬於高之類,依照高之類的共相而有高之性;又屬於胖之類,依照胖之類的共相而有胖之性。假定某甲這個殊相所有的全部的性是n個,則他屬於n個類而依照n個類的共相。如果完全抽去他所依照的n個類的共相,他這個殊相就只剩下一個零了。由此看來,殊相以共相爲内容,殊相没有自己的内容。殊相不過是共相的復合而已。没有自己的内容,就等於没有了。你可以説,没有自己的内容,總還有個純形式、純符號。純形式,純符號,在(例如)幾何學、邏輯學中是有意義的。但是一個個體,一個殊相,若被説成没有自己的内容,只是一個純形式、純符號,就等於被宣告滅亡。

照上段的説法,就是只有共相,没有殊相。這不是説明何以“有”個體,而是説明何以“没有”個體。這就是共相爲本,即以理爲本。此理學的實質所在,無論新舊,莫不皆然。

舊理學提出“理一分殊”,並有人强調“分殊”,指出“理一”好講,“分殊”難講。可是講來講去,還是除了“理一”别無“分殊”的内容。馮氏在《中國哲學史》“朱子”章曾説:“一類事物之理,若何可同時現於其類之一切個體中,此點朱子未明言,推其意亦可用‘月映萬川’之喻説之”(《三松堂全集》第3卷,第321頁)。“月映萬川”的確是“理一分殊”的妙喻,但此喻不過顯示川中之月乃天上之月的倒影,也不能説明川中之月自己如何。

新理學提出“依照”説,認爲個體依照其類之理,但依照之程度不同,故有個體之間的不同。舊理學認爲個體之間的不同,是由於氣之“性”的不同。新理學認爲氣無“性”,若氣有“性”,則此氣便是實際事物,可以做相對材料,而不是絶對材料,即不是“真元之氣”。要説明個體之間的不同,新理學不着眼於氣的不同,也不着眼於理的不同,而着眼於依照程度的不同。這是新理學比舊理學高明之處,無論如何是進了一步。但依照之程度何以不同,仍然有待於説明。若用新理學來說明,則"依照"是一事,屬於"依照類",個體依照"依照類"之理而有依照之性。個體的依照之性的内容就是依照類的共相,一切個體,其依照之性的内容都是這個依照類的共相,沒有不同,也就沒有依照之程度的不同。所以新理學不能說明個體依照之程度何以不同,猶如它不能說明個體何以有不同,說到底,猶如它不能說明何以有個體。

還有一個普遍性(共性)和特殊性(特性)的問題。這個問題雖然與共相殊相問題有關,但是各是各的問題,不可混爲一談。

一個體不論有多少性,只就此個體看,它的性就是它的性,而沒有普遍性與特殊性的分別。什麼情況下才有普遍性與特殊性的分別呢?只有將個體放在其所屬於的某類之中看,則其依照此類之理而有的性才是普遍性,相對於此普遍性,其餘的性都是特殊性。仍以上文的某甲爲例。只就某甲個人看,他的性沒有普遍性與特殊性的分別。將某甲放在人之類之中看,則其人之性是普遍性,而其餘的好之性、高之性、胖之性等等都是特殊性。若將某甲放在好之類之中看,則其好之性是普遍性,而其餘的人之性、高之性、胖之性等等都是特殊性。餘仿此。普遍性、特殊性雖可如此分別,但它們都是性,其内容都是共相:普遍性的内容是共相,特殊性的内容也是共相。

那麼,什麼是個體性(個性)呢?個體性(個性)就是個體所有的全部的性,而不只是上面所說的特殊性(特性)。個體性(個性)的内容都是共相,除了共相別無個體性(個性)的内容。

上文說過,理學對於本體論的歷史貢獻在於,在氣學講氣的基礎上講理,從而說明了何以有類。它於是從類出發,以類說明個體,乃有以上討論的理論。這顯然沒有真正解決何以有個體的問題。上文已說過理學沒有真正解決何以有個體的問題,經過這一番討論,也許就清楚了。應當顛倒過來,從個體出發,以個體說明類。不過這已不是關於何以有個體的問題,故不在此討論。

現在再回到道家。道家的氣學沒有說明何以有類,它本來就不打算說明它。道家乾脆撇開類,直接講個體。後來理學講“理”以說明何以有類,正如道家講“德”以說明何以有個體。何以有個體?因爲有“德”。德者得也。“德”是個體得於“道”者,得(德)道乃有個體。“道”是精氣,不是共相。“道”生萬物(《老子》第 42 章),而“德”畜之(《老子》第 51 章),乃有個體。《管子・心術上》說:“德者道之舍,物得以生”;“德者得也,謂其所得以然也”。《莊子・天地》說:“物得以生謂之德”。都是這個意思。

說到這裏,馮氏所說的“道家注重個體,他們不但不說一類事物所必依照之理,似乎對於類亦不注意”,意思就更明顯了,更深刻了。這話是從否定方面指出,道家不言類,不言理。若從肯定方面指出,就是道家言道言德,以德說明何以有個體。言德以說明何以有個體,言理以說明何以無個體:這就是中國哲學史中講本體論的兩條道路。

道家說明了何以有個體,於是以個體爲本,從自己做起。《老子》說:“修之於身,其德乃真;修之於家(古音姑),其德乃餘;修之於鄉,其德乃長;修之於邦,其德乃豐;修之於天下(古音虎),其德乃普”(第 54 章)。“身”就是自己,就是個體。有德乃有身,既有身矣,還更要修德。修德範圍,逐步擴大:由身而家而鄉而邦而天下。可見道家以個體爲本,并非個人主義、利己主義,而是要個人以天下爲己任。

馮氏晚年常說,共相殊相問題,是幾千年來哲學家都在討論的真正的哲學問題。它有兩個基本方面:一個方面是依存關係,他晚年深信共相寓於殊相之中;一個方面是以誰爲本,他晚年屬意於以殊相爲本。三松堂有個“飯桌文化”,就是吃飯時他與同桌的二三后輩邊吃邊談。後輩們約稿似地說,已經有了共相爲本的書(貞元六書),再寫一本殊相爲本的書吧。可是忙於《新編》,哪裏顧得。1989 年之際,很有些日子他不大說話。他拚命趕完了《新編》最後幾章,就“呼吸、循環衰竭”了。殊相爲本的書,遲早總會有的。

謹以本文,作爲先生逝世周年的心祭。

作者簡介 涂又光，1927年生，河南光山人。國立清華大學文學院哲學系畢業。國際中國哲學會(ISCP)學術顧問。湖北省社會科學院哲學研究員，著有《楚哲學志》、《老子的哲學結構》等。

道家思想的現代性和世界意義

董光璧

内容提要　在當代科學技術的社會危機中,道家思想的現代意義被科學人文主義者重新發現。李約瑟、湯川秀樹、卡普拉等人發現現代科學的世界觀向道家思想歸復的某些特徵,並以此爲契機試圖建構一種科學文化與人文文化、西方文化與東方文化平衡的新的世界文化模式。本文把道家思想的現代性概括爲四個方面:“道”的概念提供了一種適合新科學的潛實在觀,生成原理替代十九世紀啓蒙哲學“分析重構”的方法論大有前途,循環論對於克服資源、能源和信源危機是一種偉大的回天之力,“自然無爲”的思想爲科學人文主義者的“人與自然的和諧”準備了深邃的生態智慧。

一

一般來説,傳統的慣性是歷史的阻力。但是,在適當的條件下,長期被忽視的古代遺惠也可以成爲創造的源泉。歐洲的文藝復興正是從回憶在中世紀被遺忘的古希臘傳統開始,開創了近代科學文明!道家傳統在中國歷史上雖有幾次微興,總的來説它長期處在被忽視的境遇。但是,在現代科學技術的社會危機中,道家思想的現代性和世界意義被一些科學人文主義者發現。李約瑟(Joseph Needham,1910～　)、湯川秀樹(1907～1981)和卡普拉(Fritjof Capra,1938～　)是其中科學界的代表。李約瑟闡述道家思想的世界意義,湯川秀樹論證道家思想的現代性,卡普拉推崇道家思想中的生態智慧。在克服科學文化與人文文化分裂、東方世界與西方世界隔閡的努力中，一些科學家和人文學者自覺或不自覺地塑造了並且仍在塑造着當代新道家的形象。這是否預示着一場新的文化復興和啓蒙運動的興起？我感到重新發現新道家具有地球船改變航向的歷史意義。黄土文明與海洋文明的融合，有如黄顏色和藍顏色調和出綠色，將產生人與自然和諧的新的綠色文明。

如果我們考察五百多年來人類理智活動的歷史，可以簡單地作如下概括：15 世紀中葉文藝復興勃發，16 世紀中葉宗教改革達到高潮，17 世紀中葉笛卡爾哲學獲得勝利，18 世紀中葉啓蒙運動使哲學獨占鰲頭，19 世紀中葉科學攫取權威，20 世紀中葉科學人文主義興起。歷史在前進，人的思維是不會停止的。它不僅要尋求新的、迄今無人知曉的目標，而且還要弄清自己應向何處去，懷着發現新事物的愉快心情和勇氣走向未來。

如果從人類之旅已完成的行程審視這五百多年來的歷史，它是人類走過的道德社會、權勢社會和經濟社會三大段路的最近的一段，人類之旅的前鋒已開始進入智力社會的行程。每當人類之旅到達一個行程轉折之時，總是要重新確定方向。經濟社會這段行程，以文藝復興發現人和自然開始，以人與自然的分離結束。人統治自然的價值觀所導致的人和自然關係的異化，已經到了必須作出抉擇，實行文化轉向的歷史關頭。面對現代科學技術的社會危機，在人類旅途轉折之時，卡西勒(Ernst Cassirer，1874～1945)要人們重溫“敢於認識”的啓蒙哲學的座右銘，尋找新的世界觀①。於是有科學人文主義興起，道家的“人法地、地法天、天法自然”的“自然人文主義”思想和馬克思的“自然史和人類史彼此相互制約”的思想②被重新發現。生態問題已經成爲政治問題，成爲經濟學的新原則，導出了教育思想的新規範，產生了哲學的新世界觀，甚至促

① 卡西勒：《啓蒙哲學》第 7 頁，山東人民出版社 1988 年版。
② 《馬克思恩格斯全集》第 3 卷，第 20 頁。人民出版社 1972 年版。

使宗教界革新其教論。余謀昌提出“生態文化”概念①,强調人和自然的統一和不可分割:一方面人作用於自然界,改變自然界,使自然人化;另一方面自然作用於人,人學習自然的“智慧”,提高人的素質和人的本質力量,使人自然化;既不是人統治自然,也不是自然統治人,而是兩者相互作用,相互依賴,相互滲透。

東方傳統文化中長期被忽視的道家思想的生態智慧被重新發現,馬克思和恩格斯的有機思想中長期被忽視的生態觀被重新發掘,這意味着從“人與自然的分離”向“人與自然和諧”的復歸。這種復歸既是東方傳統文化的一種世界性的復興,又是一種新啓蒙運動。因爲這種復歸要求,對已經成爲傳統的“人與自然分離”的現代社會,進行自我批判。但是,這種自我批判的任務不是埋沒理性和科學,而是發展、完善理性和科學。但是,現代科學不一定總是沿着17世紀確定下來的路綫前進。有種種迹象表明,現代科學的思想基礎可能走上取法中國古代哲人的某些思想。現代科學觀在某種程度上向道家思想的復歸,表現了道家思想現代性和世界意義。道家思想的現代性和世界意義可從它的四個基本論點——道實論、生成論、循環論和無爲論來討論。

老子在中國哲學史上的地位,猶如蘇格拉底在歐洲哲學史上的地位。人們常説歐洲哲學偏重於自然,而中國哲學偏重於倫理。但是,中國古代哲學家老子卻没有局限在倫理道德的框架裏,他的哲學是從宇宙論出發擴展到人生和政治的。

老子哲學的最高範疇是“道”,它兼具宇宙本原和秩序法則雙重含義。作爲宇宙本原意義的“道”,按老子的規定,它是超感覺的、無限的、永存的、變化不息的、生成一切的總根源。這種作爲宇宙本原的“道”是一種預設的形而上學的實存者。與這種實存意義的“道”相比,作爲秩序法則的“道”不是這種真實存在者本身,而是它那種能在經驗界起作用並可以作爲人類行爲準則的基本特性。也

① 余謀昌:《生態文化問題》、《自然辯證法研究》第5卷(1989)第4期。

就是説,它不是形而上的"道體"而是形而下的"道用"。"道"的最基本的特性,作爲宇宙本原是它的潜質在性,作爲秩序是它的生成和循環性。

"道"是老子哲學體系的邏輯起點,由它展開而引出"無"與"有"的概念。"無"與"有"都是指稱"道"的,是"道"的别名。老子對"道"的解釋用的是對偶的概念"無"與"有"。"道"之奥義,一如"無"與"有"之玄妙。由"道"的涵義而衍生出"無"與"有"的概念。"道"是"無"與"有"的統一。"無"、"有"同出一源而異名,都用來稱指"道",用以表現宇宙從混沌到有序的生成過程。老子在中國哲學史上第一次提出"有""無"這對範疇。魏王弼曾在其《老子注》中説:"欲言無耶!而物以成,欲言有耶!而不見其形。"明沈一貫在其《老子通》中,在批判朱熹主張只是"無"指稱"道"時指出:"老子兼'有''無'而名'道'也,豈但以'無'爲'道'也。"當代學者陳鼓應認爲,沈氏的這種説法是正確的[①]。李伯聰在其《對於"無"的沉思》[②]中,在論述"有""無"範疇認識史時,也認爲老子是"有""無"統一論者,并且指出,割裂"有""無"必然導致否定"生""滅"。老子的"道"之奥義就在於"有""無"的統一。没有這種統一,"道"就不能具有無限的生機。"無"和"有"的統一,乃顯示形而上學的"道"向下落實而産生天地萬物時的一個活動過程。正是由於這一過程,超驗的"道"才和經驗世界緊密聯繫起來。於是而有"道"的生化能力:"'道'生一,一生二,二生三,三生萬物"(第四十三章)。這裏的一、二、三表示"道"生成天地萬物的歷程。雖然指稱"道"的"無"與"有"對偶,但在時序上並不對稱。"天下萬物生於'有','有'生於'無'"(第四十章)。所以"無"在時序上是第一位的。

老子爲什麼要把"道"展開爲"無""有"一對範疇,並用它們指稱"道"呢?因爲他設定"道"是一種無限定物,所以用"無"指稱它;因爲他設定"道"是生成萬物的根源,所以用"有"指稱它。老子用

① 陳鼓應:《老子注釋及評介》第 403 頁,中華書局 1984 年。
② 李伯聰:《對於"無"的沉思》,《自然辯證法研究》Vol. 2,1986,No. 3。

“無”“有”對偶概念指稱“道”是要表明,“道”是“有”與“無”的統一體以及它由隱到顯的活動過程。“道”之“無”,並非子虛或空無所有,而是指“道”的質樸性。“道”之“有”,也並非現實的“有”,而是指“道”的潛在性。“道”是宇宙間最質樸者,它是不可名狀的、混沌的始基。“‘道’常無名,樸。雖小,天下莫能臣”(第三十二章)。老子用“樸”形容“道”的原始無名的質樸狀態。“樸”即無名之譬。“無名天下之始”(第一章)。强名之爲“道”的宇宙始基,就是混然一體的“無名”或“樸”。下面是《老子》中有關“道”的質樸性的最典型的描狀:

> 視之不見,名曰“夷”;聽之不聞,名曰“希”;搏之不得,名曰“微”。此三者不可致詰,故混而爲一。其上不皎,其下不昧,繩兮不可名,復歸於無物。是謂無狀之狀,無物之象,是謂惚恍。迎之不見其首,隨之不見其后。(第十四章)

在這裏老子用一種特殊的方法,遮詮法(遮其所非),即用否定達到肯定的方法,表達他預設的超經驗的“道”。他把許多關於感性經驗的概念,視覺、聽覺和觸覺經驗詞語,否定地用於對“道”的描狀,以反顯它的超經驗的奥義。形而上學的“道”不是一個具象的存在,它是没有形體、没有聲色的,不可感知,不可追詰的混沌。

“道”是一種潛實在,在未成爲現實之前它幽隱不顯。“‘道’隱無名”(第四十一章)。《老子》中有兩段比較典型的關於“道”的潛在性的表述。其一:

> “道”冲,而用之或不盈。淵兮,似萬物之宗;湛兮似或存。吾不知誰之子,象帝之先。(第四章)

這裏的“冲”訓作“虛”,“湛”爲沉、深之意。這段話形容“道”體似虛而實存,其作用不可窮竭,爲萬物之根源。其二:

> “道”之爲物,惟恍惟惚。惚兮恍兮,其中有象;恍兮惚兮,其中有物。窈兮冥兮,其中有精;其精甚真,其中有信。(第二十一章)

這裏,一方面用“恍惚”描寫“道”的若有若無狀,另一方面又用其中“有象”、“有物”、“有精”、“有信”肯定“道”的實在性。

二

“道”實在觀在現代數學和物理學中有明顯體現。數學中的“0”和物理學中的“真空”都是“道”的類似物。

數學是思維的科學，它的最大優越之處是，以最嚴密的形式表達人類各種可能的想象力。像《老子》這樣的著作所表達的思想，歷代注釋家也往往無法澄清那艱深文詞的涵義。但是，數學卻很少使人的理解產生歧義。數學作爲思維科學的數量方面有很多內容是同哲學思想相通的。數學中“0”號的創造以及由它生成自然數的理論，使我們自然地看到“0”和“無”的貫通。

在數學系統中“0”就是“無”，其他數字就是“有”。古代各先進民族，巴比倫、埃及、希臘、中國和印度，早在公元前兩千多年前就能數出相當大的數字，後來又發展出記數符號，但“0”號的出現卻相當晚。真正的“0”號產生在公元 876 年的印度。從“有”到“無”這一步竟費了幾千年。丹齊克對“0”號的出現給予了極高的評價：

> 在沒有發明一個表示空極符號，表示無的符號，也即我們現代的零以前，任何進步都是不可能的。①

對於“0”在數學中的功用和意義，恩格斯(Friedrich Engels，1820～1895)曾作專題論述：

> 零是任何一個確定量的否定，所以不是沒有內容的。相反地，零是具有非常確定的內容。作爲一切正量和負量的界綫，作爲能夠既不是正又不是負的唯一真正的中性數，零只是一個非常確定的數，而且它本身比其他一切被它所限定的數都更重要。事實上，它比其他一切數都有更豐富的內容。……
>
> 但是，任何一個量的無，本身在量上還是規定了的，並且僅僅因此才可能用零來運算。把零作爲一個特定的量的概念而用於運算，使它和其他量的觀念發生量的關係，但這些數學家在黑格爾(G. W. F. Hegel,

---

① 丹齊克著、蘇仲湘譯：《數學、科學的語言》，第 25 頁，商務印書館，1977 年。

1770～1831)那裏讀到這些被普通化爲“任何某物的無,是一個特定的無”時就大驚失色了。①

恩格斯在這裏談的是關於“0”的充實内容,並且把它同黑格爾的哲學中關於“無”的觀點聯繫起來。恩格斯大概不了解中國老子的哲學,它才是真正的“無”的哲學。老子的“無”不只是有豐富的内容,更主要的是它那種無限的生機。20 世紀初,歐洲的一些數學家似乎駕馭了“無”的幽靈,他們從無生成了自然數列,並認識到數學中不可無“無”。

老子的“道生一,一生二,二生三,三生萬物”,從數學上可以理解爲從“0”生成自然數列:

$$N \to 0$$

$$N \to N + 1$$

由“0”生成自然數列的集合是策莫羅(Ernst Zermelo,1871～1953)和馮·諾依曼(John von Neumann,1903～1957)在 20 世紀完成的,儘管意大利數學家皮亞諾(Giuseppe Peano1858～1932)在 1898 年曾提出由 1 生成自然數的數論。

德國數學家策莫羅在 20 世紀初由空集開始給出自然數的定義。如果以{……}表示集合的符號,括號内寫入元素的符號,那末自然數列可以表示如下:

$0=\varphi$,

$1=\{\varphi\}$,

$2=\{\{\varphi\}\}$,

$3=\{\{\{\varphi\}\}\}$,

……

後來,馮·諾依曼又提出一個更易理解的替代辦法:

① 恩格斯著、于光遠譯:《自然辯證法》,第 167—169,人民出版社,1984 年。

$0=\varphi$,

$1=\{0\}=\{\varphi\}$,

$2=\{0,1\}=\{\varphi,\{\varphi\}\}$,

$3=\{0,1,2,\}=\{\varphi,\{\varphi\},\{\{\varphi\}\}\}$,

……

這樣老子的"無"所包藏的無限生機在集合論中得到數學的表達。不僅集合論在理論上給出了"有"生於"無"的證明,而且電子計算機可以很容易地在操作上實現從"0"生成自然數列。

從上述"0"號的產生過程和自然數生成理論,我們看到了"道"的幽靈。至於印度創造"0"號的學者是否受到過老子哲學的影響,雖然我們知道早在公元1世紀中國和印度的文化就有了接觸,但已無從考察。對於自然數生成的數學理論可以肯定地說,其思想淵源與老子哲學無任何直接關係。正因爲如此,它使我們更爲驚奇。人類思想如此古今貫通、中西契合,或許是基因結構決定的。這樣看來,凡是人類思想所能想象的一切,必定總會以各種形式一再復現其精神,人的想象力所能想到的遲早都會實現。如果我們承認這種説法在某意義上是正確的,那麼自覺地回顧古代人的思想必定受到莫大的教益。

"真空"是物理學中的"無"。最初,人們認爲,"真空"就是没有任何東西的空虛的空間。現代物理學告訴我們,"真空"是類似於老子哲學"道"的基態量子場。當然,胡亂引用古人的某些説法來附會現代物理學是没有意義的,更何況老子當初絶没有想爲後來的物理學家得益而寫作,現代科學是在古希臘的基礎上發展起來的。但是,我們没有任何理由認定,只有古希臘人的思想才能充當科學發展基礎的思想。同古希臘思想很不相同的老子哲學已受到當代物理學家的重視。"道"與"場"的出人意料的相似,表明它是很值得重視的、有價值的自然哲學。物理學史表明,人類對"真空"的認識,從古希臘原子論的"虛空"概念,經過曲折的道路,回到了老子"道"的概念上來。

比老子還早，大約在公元前770年左右，古希臘哲學家中就有人認爲，在有萬物之前就已存在着"深邃的虚空"，類似後來老子的"道"。德謨克里特(Democritus，公元前460～前370)的原子論是以對立的兩種存在，不可入的原子和可入的虚空爲基礎建立起來的。在他看來，雖然"虚空"空無所有，但它的實在性也並不比實有更少。因爲邏輯上要求原子有運動的場所——虚空。但是由於亞里士多德(Aristoteles，公元前384～前322)在其《物理學》中，以大量篇幅從邏輯上反駁了虚空存在的觀點，此後否認虚空存在的觀點成爲主流。在中世紀人們把虚空不能存在說成"自然厭惡真空"。

17世紀，原子論在近代科學中復活以後，没任何物質的真空概念又得到承認。輸水虹吸管跨越高山時不起作用以及10米深井裏的抽水泵不起作用等現象成了研究真空存在的對象。伽利略(Galileo Galilei，1564～1642)把虹吸管和抽水泵不起作用解釋爲"自然對真空的阻力"的大小是有限的。中世紀的"厭惡"在這裏變成了"阻力"。托里拆利(Evangelista Torricelli，1608～1647)的實驗演示使當時的人們確信了真空的存在。帕斯卡(Blaise Pascal，1623～1662)的實驗及其利用流體平衡原理的説明又使人們對真空的存在有了較科學的理解。所謂"真空"是氣體的一種減壓狀態，即氣體稀薄的空間。在當今實驗和工業技術領域裏所使用的"真空"概念仍指這種氣體稀薄的空間。没有任何物質分子的虚空稱爲"完全真空"或"絶對真空"。牛頓力學的建立就是借助於這種"絶對真空"的概念——絶對空間。

首先對"真空"即"虚空"的概念提出挑戰的是愛因斯坦(Albert Einstein，1879～1955)。雖然他的狹義相對論(1905)允許虚空存在，但是真空中光速不變的概念又表明了真空的一種物理性質。當他完成了他的引力理論——廣義相對論(1915)以後，他就提出真空不過是引力場的一種特殊狀態的想法。但是，第一個真空物理圖像是由狄拉克(P. A. M. Dirac，1902～1984)提出的。爲了克服他的相對論的電子波動方程的負能困難,他提出兩個假設:所有的負能態都按照泡利不相容原理被電子占據,在負能態的粒子不產生外場,因而對系統的電荷、能量、動量和自旋不作貢獻。所謂"完全真空"就是所有負能態都被占據,而所有正能態都未被占據的區域。從此"真空"概念不再是"虛空",爲理解老子的"無"的本性提供了現代物理學的新視角。

現代場論中的"真空"是處於基態的量子場。電磁場的規範理論表明真空具有一系列的物理性質,如真空漲落和真空極化,它們導致原子的拉姆能級移動和電子的反常磁矩等現象。量子色動力學表明真空是有結構的,具有抗色性。弱電統一理論表明真空具有簡並性,真空破缺提供 W^{+}、W^{-}和 Z^{0}粒子的質量。按照量子場論,各種粒子都是真空的激發態,現實世界的一切都是由真空激發形成的。"真空"回到了老子的包藏着無限生機的"無"。

三

老子作爲宇宙本原的"道",常被人誤解爲"構成的實體"。我們可以借助對古代人的思辨宇宙原理的分類消除這種誤解。科學思想是從探討宇宙的本原和秩序開始的。所謂"本原"意指一切存在物最初都由它生成,或一切存在物都由它構成。我把前一種觀點稱之爲"生成論",而把後一種觀點稱爲"構成論"。生成論和構成論的不同在於,前者主張變化是"產生"和"消滅"或者"轉化";而後者則主張變化是不變的要素之結合和分離。這兩種觀點在古代東方和西方都產生過,但是在東方生成論是主流,而在西方構成論是主流。構成論的思想經由古希臘原子論在近代科學中的復活深遠地影響着科學的思維,而生成論的思想則剛剛進入科學不久,尚未引起科學家的重視。《老子》的"道生一,一生二,二生三,三生萬物"的思想正是中國生成論宇宙觀的最早的明確陳述。

生成論和構成論的差別是造成東西方傳統科學差異的總根源。因爲生成論便於建立概念體系的功能模式,適合於由代數描述,而代數形式又易於發展算法程序,於是形成了中國傳統科學的功能的、代數的、歸納的特徵。因爲構成論便於建立概念體系的結構模式,適合幾何描述,而幾何形式又易於發展演繹推理,於是形成西方傳統科學的結構的、幾何的、演繹的特徵。

近代以來的科學就是沿着構成論的思想思考一切的。將一切現象都歸結爲基本粒子的結合與分離的傾向非常强,儘管許多問題難以說通。因爲這種分析方法曾經使科學獲取衆多成果,而這些成果,諸如汽車、電視機、電腦等的確給人類帶來許多方便和舒適的生活。但是,把一個東西不斷地分割,以致分到原子還要繼續往下分,以便給出一切問題的答案,這種構成論的思維方法遇到很大困難。於是,科學家們便到古代的思想武器庫中挑選武器,生成論便被選出來爲現代科學服務。基本粒子的轉化、宇宙的創生和定律的起源都體現了生成論。

德國物理學家海森伯(Werner Heisenberg,1901～1976)是其中的先覺者。他從粒子物理學研究中領悟到生成或轉化的概念比構成論的概念更有用。在 1958 年紀念普朗克(Max Planck,1858～1947)誕辰100周年的演講① 中,他說:

> ……化學原先給不同的化學元素中的每一種規定了一個原子類型。而後盧瑟福的實驗和玻爾的理論指出,化學家所謂的原子,是由一個核和一個殼組成的。三十年代的核物理學告訴我們,應該把原子核看作由質子和中子組成的一種結構。這樣我們終於認識到,三種最重要的基本粒子,即質子、中子和電子,是一切物質的最終組成部份。可是後來的實驗指出,此外還有許多其他種類的基本粒子,這些基本粒子和前面提到的那些基本粒子的差別,首先在於它們只能生存很短的時間;因爲它們會很快發生放射性衰變,也就是說,轉變成另一種粒子。這樣,介子、超子被發現了,而且我們現在已經知道,大約有三十種彼此不同的基本粒子,其中大多數只有很短的壽命。

① 海森伯:《普朗克的發現和原子論的基本哲學問題》,收入《嚴密自然科學基礎近年來的變化》,上海譯文出版社,1978 年。

這裏海森伯注意到粒子的轉化問題，接着他談到粒子的產生問題：

……在（基本粒子相互）碰撞中，基本粒子確實也會分裂，而且往往分裂成許多部份。但是這裏令人驚奇的一點，就是這些分裂部份不比被分裂的基本粒子要小或者要輕。因爲按照相對論，相互碰撞的基本粒子的巨大動能，能夠轉變爲質量，所以這樣巨大的動能確實可以用來產生新有基本粒子。因此這裏真正發生的，實際上不是基本粒子的分裂，而是從相互碰撞的粒子的動能中產生新的基本粒子。……

於是，他作出哲學結論：

……現代物理學中的基本粒子，完全像柏拉圖哲學中的基本粒子一樣，能夠相互轉化。它們本身不是由物質所組成，但卻是物質的唯一可能形式。能量在它處於基本粒子形式時，在它以這種形式出現時，便變成了物質。

這樣，基本粒子碰撞實驗所表明的這一類現象，猶如一個蘋果分裂爲兩個西瓜，而兩個西瓜結合卻成爲一個蘋果。這的確不能由構成論的觀點得到理解，而生成論卻易於理解它。量子場論中的產生和湮滅算符的概念基礎正是生成論，各種統一場論要求一切粒子從統一場經對稱破缺產生的概念基礎也是生成論的宇宙觀。但是，物理學家們的思想並沒有從構成論完全轉到生成論，他們採取的是構成論和生成論不協調的並用，因此不能徹底克服其理論上的困難。這種困難在 EPR 實驗的理解中最尖銳地表現出來。

EPR 是愛因斯坦、波多爾斯基（Boris Podolsky，1896～1966）、羅森（Nathan Rosen，1909～ ）三位物理學家姓氏的字頭。所謂 EPR 實驗是他們三人在 1935 年合作發表的一篇論文"能認爲量子力學對物理實在的描述是完備的嗎?"引發出來的。他們的這篇文章通過對一個思想實驗的分析，論證要麼量子力學對實在的描述是不完備的，要麼就存在着一種神秘的超距作用。經過近四十年的各種討論和爭辯，這類思想實驗竟在實驗室裏實現了。可以用一個比喻說明這類實驗結果的令人費解。許多對青年夫婦去參加一場考試，進入考場大樓以後每對夫婦要分開，分別進入兩個考場之一。考試結果令人驚奇，每對夫婦中的丈夫和妻子對同一個問題都作出相反的答案。類似地，我們的物理學家對一對對的粒子用儀器進行考問，得到的就是這類答案。對於一對對夫婦來說，這意味着沒有任何通訊手段可以相互通訊；而對於一對對粒子來說，它意味着没有任何物理作用可以發生相關。物理學家和哲學家已經對此進行了各種解釋[①]，但多不能令人滿意。

蘇聯哲學家采赫米斯特羅（иван эаχроσиу μгехМистро）把物理學中的這一疑難歸結爲在亞量子層次上沿用要素集合概念的結果[②]。用翻譯成本文所使用的概念說，這種疑難根源於"構成論"的思維方式。當然，采赫米斯特羅要說的是，要素集合的概念不能完全表達整體性，而不是直接講構成論的局限。或者說他還沒有意識到要素集合的局限性根源於構成論的宇宙觀。所以，他也像物理學家在構成論的框架内引進生成和湮滅概念那樣，把一個完整的世界分爲要素集合的世界和不可分割的整體的世界，從這兩個世界的相互關係入手解決 EPR 疑難。可以說當今絕大多數哲學家和物理學都不願超越構成論這個經驗偪化的樊籬，轉到生成論的領地。鮮有一些放棄構成論觀念的人卻又撿起神秘的"創生論"。在我看來生成論的宇宙原理對於現代科學是適合的。

在一切科學中最接近"道"的莫過於宇宙學中"宇宙創生於無"的理論。但是，它遠不是一個已經受住各種考驗的科學理論，目前尚有許多爭議。

老子的"道生一，一生二，二生三，三生萬物"所闡述的是對如下一些問題的解答：萬物是從哪裏來的？萬物怎樣變成現在這個樣子的？初始條件怎樣？然而，他的這個解答只不過是一個天才的猜測。自從愛因斯坦把相對論用於整個物理宇宙，從而産生了科學的現代宇宙學之後，對這些問題才有了真正的科學探討並給出如下

---

① 董光璧、田昆玉：《EPR 關聯之謎》，陝西科學技術出版社，1988 年。
② 孫慕天：《從集合概念到整體性範疇：訪 и・э・采赫米斯特羅教授》，《自然辯證法研究》第 6 卷（1990）第 1 期。

的解答。

對第一個問題作出的有理論和觀測根據的回答是:萬物來自200多億年以前的一次原始火球的大爆炸。對第二個問題,現代科學宇宙學也大致勾畫出如何從原始熾熱狀態產生元素繼而形成星系的主要過程。對於第三個問題,經過近二十多年的努力也已基本上確認,它就是同愛因斯坦場方程奇點解相聯繫的"奇異狀態"。

這第三個回答被稱爲"彭羅斯—霍金—愛里斯奇异定律"。這個定律被認爲是20世紀物理學思想的重大成就。因爲它預言,可能存在密度、壓力、溫度和空時曲率爲無窮大的超簡並物理狀態。這個回答很自然地導致這樣的問題:這種奇異狀態是否是"宇宙"的開始?從已達到的宇宙學知識水平看,奇點在理論上是我們所知道的那種形式的宇宙物質實際演化的開始。宇宙學家霍金(S. W. Haeking)和愛里斯(C. D. Ellis)把奇異狀態解釋爲宇宙時間的開始,並認爲這有利於古代宇宙產生於無的思想。

宇宙在時間上有開始這一思想是很難被接受的,遭到許多哲學家的反對。但是,"宇宙開端"的概念在宇宙學中又是不可避免的。於是,有人設想,奇點只給宇宙的新歷史奠定開端,而它本身卻只是永恒宇宙前一個發展階段的結束,甚至斷言在奇異狀態之前宇宙經歷了其他許多形式。可是,在相對論的宇宙概念範圍內,假設奇點前的宇宙演化是不允許的。此路不通,又在"宇宙"的概念上作文章,把宇宙學研究的宇宙限定爲"人類已經觀測到的宇宙",即有限的宇宙,並名之爲"我們的宇宙"。可是,這種限定完全不符合現代宇宙學力圖從對宇宙的局部觀測中把握宇宙整體的性質這一事實。這樣就被逼到如何恰當地理解宇宙初始點的物理性質問題。對此,宇宙學家們提出種種方案,其中霍金的"宇宙創生於無"的方案最接近老子的思想。

英國宇宙學家霍金在其"宇宙自足"理論中闡述了空間和時間如何由無產生的問題。所謂"自足"就是不借助外力。我們知道,在亞里士多德的著作中就提出了"有一個不被任何別的事物推動的第一推動”的命題。在中世紀托馬斯·阿奎那(Thomas Aquinas,1224～1274)把“第一推動者”說成是上帝,於是“第一推動”成了他的宗教神學體系的基石。當牛頓(Isaac Newton,1643～1727)把他的力學用於宇宙時,由於無法回答運動的最早的初始條件,也不得不回到“第一推動”。為了回避“第一推動”可以設想宇宙在時間上是無限的,但這與大爆炸宇宙學奇點不可避免是不相容的。奇異狀態就是宇宙的初始條件。這個初始條件是由什麼決定的呢?為了不陷入阿奎那和牛頓的“第一推動”就必須給出宇宙開始的物理機制。18世紀,休謨(David Hume,1711～1776)為了拋開上帝,曾提出“物質世界本身就包含着物質世界的秩序原則”的命題。這就是說,宇宙的初始條件是由宇宙自身決定的,沒有任何東西存在於宇宙之外,沒有任何東西能給出宇宙的開始。所謂“沒有任何東西”,按語義即“無”;所謂宇宙的開端,意即“宇宙的創生”。上述陳述可以等價地陳述為:“無”能給出宇宙的創生。霍金的宇宙自足理論就是研究宇宙如何從“無”創生的問題。他是從時空如何從“無”產生入手的,即從沒有空間也沒有時間的狀態如何產生出空間和時間。他就最簡單的情況作了計算,得出第一個完整的宇宙自足解。雖然它還不能算真正的宇宙解,但它的意義至少在於,宇宙創生問題已成為經驗自然科學的課題。

涉及“有生於無”的宇宙學理論還很多。儘管這同物理學中的能量守恒定律相沖突,但是許多宇宙學家還是這樣去思考。例如,穩恒態宇宙模型就要求在宇宙演化過程有物質創生。穩恒態理論不承認宇宙有開端,但為了服在膨脹過程中宇宙總體密度的減少,引進物質連續創生的假設。為了補充膨脹效應,在一立方厘米的空間中,每秒鐘要產生10^{-43}克的物質,以保證宇宙整體的圖象始終如一。這種理論的倡導者霍伊爾(F. Hoyle)說,物質是創造出來的。邦迪(H. Bondi)更徹底,他說所謂“創造”,不是物質由輻射形成,而是無中生有。

又如,美國宇宙學家古斯(A. H. Gus)提出一個修正大爆炸宇宙模型的"爆脹宇宙模型"。爆脹模型要求,在大爆炸之後的 10^{-43} 秒至大統一對稱破缺之前,有一段宇宙爆脹期。這個模型只有利於解決大爆炸后宇宙的演化問題,并不涉及奇點狀態的物理性問題。但是,他仍然認爲,爆脹模型最徹底的改革是,可觀測宇宙中的物質和能量可能是從虛無中產生的。其根據是大統一理論關於重子數可能不守恒。

老子的宇宙論設想有一個"開端",這個開端是"道"。現代宇宙學作爲精確的科學也已經走到老子曾經作爲猜測達到的情境。老子關於宇宙創生的説法本是爲破除宗教迷信的神造宇宙説而提出來的,把前人視爲至高無上權威的上帝置於渾然的"道"之下。同樣,科學的宇宙創生理論把"宇宙之外是無"作爲邊界條件,從而賦予"無"以物理意義,也是在宇宙問題上掃除神學地盤的一種新的努力。但是,"宇宙創生於無"與唯物論哲學不相容。唯物論哲學的出發點是世界的物質性,時間和空間被視爲物質的存在形式,所以不允許宇宙在時間上有開端,更不容忍這個開始是"無"。這是關於現代宇宙學的哲學爭論的根本問題之一。

應該承認,唯物論哲學是在力學基礎上形成的,在它的某些觀點同新科學發生矛盾時,不能完全不顧新科學的提示。當然,量子論、相對論以及宇宙學這些科學也不是常"道"。特別是宇宙學,由於它採用物理學規律並引入特殊的原理,以局部規律説明整體,嚴格説來不同於嚴格的物理學。我們應當學習湯川秀樹理解《老子》第一章的科學精神。他説:

> 也許我之喜愛這段譯文(第一章),是因爲我是一個物理學家。在伽利略和牛頓於17世紀發現物理學的新"道"之前,亞里士多德物理學就是公認的概念。當牛頓力學建立起來並被認爲是正確的"道"時,牛頓力學就又成了唯一得到公認的概念了。20世紀物理學是從超越"常道"並發現新"道"開始的。今天,這種狹義相對論和量子力學形式下的新"道"已經變成"常道"了。甚至像第四維和幾率幅這樣奇特的概念,現在也幾乎變成慣常的了。找出另一種非常的道和另一種非常的概念的時間已經到了。如果照此理解,那麼,老子在二千三百多年前説的這些話就會獲得

一種非凡的新意。①

前述的粒子轉化似乎比較好理解，宇宙的創生已經很困難，說到自然定律也是從無到有就更抽象難解了。

美國當代物理學家惠勒(John Archibald Wheeler，1911～)正在提倡一種"質樸性原理"，即物理學是從幾乎一無所有達到幾乎所有一切。

惠勒的"質樸"思想來自宇宙學的啓發。因爲在宇宙學中有一種擴大了的馬赫原理。馬赫原理說，慣性同宇宙有關。擴大的馬赫原理認爲，包括微觀物理規律在內的局部規律都是由宇宙結構規定的。按大爆炸宇宙學，宇宙開始於一次突然的大爆炸。因此物理定律也有個從無到有的過程。惠勒在其《物理學和質樸性》②中說：

> 愛因斯坦廣義相對論的成功，爲當代科學開闢了另一個概念：從一個基本的方程將可推知一切。然而，這個概念也碰到了困難，因爲它假設，物理學的方程是被刻在一塊堅硬的花崗巖上的，它是萬古不變的。實際上，方程本身也是由大爆炸形成的。不僅粒子和場本身來自"大爆炸"，就連物理定律也來自"大爆炸"。大爆炸這一建造過程，完全是隨機的。就像遺傳變異和熱力學第二定律一樣，並没有一塊預先刻定的物理定律的花崗巖。

並且他還說：

> 在過去的幾個世紀裏，物理學已經從很少幾條原理導出了如此多的結論，要從幾乎一無所有中導出每一件事情。物理學曾是科學中的最質樸者，它應當更加質樸。

惠勒試圖從一條代數拓樸原理，建立他的"没有定律的定律"這種最質樸的物理理論體系。這條代數拓樸的原理可以表述爲"邊界的邊界爲零"，用數學符號可以表示爲 $\partial\partial=0$。他認爲在全部數中没有哪一條原理比這一條原理更能表示他所謂的物理學質樸特徵。他論證說，電動力學、幾何動力學和色動力學這三個偉大的物理場論，每個都要兩次用到這個原理。這使他決心要從幾乎一無所

① 湯川秀樹著，周林東譯：《創造力和直覺》，第 46 頁，復旦大學出版社，1987 年。
② 《物理學和質樸性：惠勒講演集》，第 19 頁，安徽科學技術出版社，1982 年。

有導出整個物理學。

惠勒的物理學質樸性原理與老子的思想驚人地一致。惠勒根據物理規律由宇宙結構決定這一擴大的馬赫原理,從宇宙創生理論承認宇宙有開端,推論出物理學定律也應是從無到有地有個創生的過程。如果把惠勒的"無定律的定律"同老子的"道"作比較,那與"無定律的定律"相對應的"道"的涵義是"秩序法則"。在老子那裏兼具宇宙本原和秩序法則雙重含義的"道"的創生能力兩個方面。惠勒從宇宙學推論得到結論,物理定律從無到有,與"道"的概念不謀而合。

近三百年人們對物理定律的看法,一直固守其形式不變的觀點。伽利略變換、洛倫玆變換都是爲保持物理定律的形式不變而建立的時空調節關係。恩格斯在19世紀提出自然定律具有歷史性的思想①,很少受到注意。在物理學家中,在惠勒之前,雖有湯川秀樹從老子哲學領悟到物理學"常道"的可變性,但没誰像惠勒那樣徹底地要求,物理定律也要隨宇宙創生一起,從"無"到"有"地創生。在對待物理學定律上充分體現了老子的"道"的質樸性。對於物理學定律形式本身隨其應用條件而變化的觀點,近來有所增强。這種思想也體現着"道"的雙重含義的精神。

在卡西勒看來,18世紀的啓蒙思想在方法論上有兩大特徵。一是分析重建法,二是經驗的原則。分析重建法拋弃17世紀形而上學的演繹法,把認識對象分析還原爲它的終極要素,然後在思想中把這些要素重建爲一個整體。卡西勒認爲這種分析重建法是啓蒙哲學的最根本的方法論特徵,是啓蒙運動作爲旗幟的"理性"的真正功能。經驗的原則反對從原理、原則、公理演繹出現象和事,而主張從現象和事實上昇到原理和原則。這兩個特徵支起的方法論框架極有力地推動了自然科學和社會科學的發展,鑄成19世紀這個科學世紀。

① 舟齊克著、蘇仲湘譯:《數學、科學的語言》,第216頁。商務印書館1977年。

現代科學的發展表明了這種分析重建方法的局限性，它不再完全適合於科學的繼續發展。按我們前面的討論，這種分析重建法就是我們所說法的"構成論"，它已趨向被"生成論"取代。但是經驗的原則並沒有遇到嚴重的困難，它仍可以同"生成論"相適應。新方法論特徵是以生成論和經驗原則支起的新的方法論構架，它要求從整體的動力學認識部份的性質。像18世紀用分析重建法認識自然和社會類比，現在要求以生成論和經驗原則結合的方法論框架認識自然和社會，處理種種問題。我們也可以給這種方法論一個名稱標志它的特徵，不妨叫它"整體生成法"。以這種方法看問題，人與自然應該是和諧的整體，科學文化和人文文化要平衡，東方文化和西方文化要融合，整個宇宙都要處在動態平衡的循環運動網絡之中。

四

古人曾經對循環津津樂道，如中國經學家邵雍(1011～1077)還大膽地建立了歷史循環論。而且他的這種循環論實質是重演論。從經驗來考察，有史以來還沒有歷史重演的嚴格證據。除了盲目崇信者外，嚴肅的學者都無法接受這種歷史觀。19世紀中葉，在生物學和物理學中分別提出了各自的演化理論。生物進化論依據生物表型比較研究，論證物種演化的總趨勢是由簡單向複雜的方向發展，並且推廣這一結論，認爲自然界的發展是從無機到有機，從無生命到有生命。而人文學者又接過生物進化論，把它轉變成有科學支持的社會進化論，認爲自然界發展出生命後的重大進化是由動物發展出人類，人類的發展形成不斷進步的社會。但是，物理學提供的理論卻恰恰相反，根據對熱現象的研究，孤立系統的演化趨勢是達到熵極大的熱平衡狀態，把這種熱演化推論下去得出，按照一切運動都最後耗散爲熱，那麼整個宇宙將最終達到熵極大的熱死狀態。生物進化論爲人類提供了一個樂觀的前景，而熱力學的熵原理則預言了一個人類的末日。

這兩種推論都是把某類現象的規律推廣到整個宇宙。當然,我們可以按照科學思考的規則,根據這些規律的適用條件來判定這種推廣是否合理。比如説,我們可説宇宙不是孤立系統而否定宇宙熱寂説。但是,因爲這種推論涉及的是唯一的宇宙,它又是無所不包的,所以我們無法由經驗判斷"宇宙"是否是孤立系統。當然我們也無力從經驗的角度判定局部規律是否適用整個宇宙。於是,這個問題就給思辨的討論留下了餘地。恩格斯用宇宙大循環假説去克服這個悲觀的宇宙熱寂説。他的思辨的邏輯起點是運動不生不滅並且相互轉化。他假定放射到太空中的熱一定會通過某種途徑轉變爲另一種形式,使已死的太陽重新轉化爲熾熱的星雲,進而開始新的進化,直至出現智慧的花朵。但是恩格斯的思辨並非合理,因爲他假定了只是"宇宙島",或"我們的宇宙",即唯一的宇宙之一部份熱死,這同宇宙熱寂説的"宇宙"概念不是一回事。

在宇宙是否熱死這個問題上現代宇宙學給出一個科學的判定:由於引力的存在宇宙不會熱死。爲什麼呢?從熱的統計理論考慮,所謂孤系統趨向熵極大,實爲系統由熱力學幾率小的狀態走向幾率大的狀態。而且這是在等幾率假設下的結果。但是,由於引力的存在等幾率假設不成立,引力中心處的幾率大於其他地方,所以粒子要向引力中心趨近。在這種向引力中心運動過程中,引力勢能要轉化爲粒子的動能,并導致溫度昇高,熱力學熵增原理失效。否定宇宙熱寂在二擇一的意義上肯定了進化論。但是進化論本身也尚有許多疑問需待説明。究竟什麼是進化?用什麼來度量它?什麼是進化的開頭和結尾?還是無頭無尾?如果有頭有尾,那麼何時開始,何時終了?如果無頭無尾又怎麼能由經驗證明它?

胡文耕的介紹[①] 爲上述問題的一部分提供了例證。從表型分類角度看,物種確系由簡單到複雜地發展着,對此生物學家之間幾

① 胡文耕:《進化、前進與C值悖論》,《自然辯證法研究》第6卷(1990),第4期。

乎没有分歧。但是,在種間、屬間或種屬之間的比較標準上遇到了困難。曾經試圖以擴張、優勢、適應改善、特化、增加對環境的獨立性,增加結構複雜性等爲進化的標準,但都不成功。近些年以信息爲標準以及以細胞内DNA含量爲依據的初期樂觀也都很快消失了,剩下的是DNA－C值悖論。現已查明,反映基組大小的C值與基因數没有對應關係,對大多數動物來説,C值並不與生物的複雜程度相對應。面對DNA－C值悖論,雖然提出一些有啓發的學説,如超循環理論,有助於解決"信息傳遞——複制機制"循環的"信息危機",但終未解決進化量度的難題,而使一些人回到哲學思辨上來,論證所謂一個過程兩個方向,既有進化又有退化的辯證法。但是這個既進化又退化的雙向過程怎麼就造成由簡單到複雜的事實呢?生物學並未給出令人满意的回答,即使是思辨的。物理學對物理系統進化的刻劃則較爲明確:進化是對稱性的破缺。物理化學的耗散結構理論給出有序——無序轉化的物理機制,並且這種開放系統以及與此有關的負熵概念也被推廣到其他科學領域,包括社會現象領域。但這種觀點仍然不能用於"唯一"的整體的宇宙。因爲我們不能把這唯一的宇宙視爲開放系統。設想宇宙整體是循環的,進化只在局部,似乎更合理①。從物理學的角度看這樣的思辨是理想的,它回避了宇宙起始和終結。

建立宇宙大循環觀念有綫索可循嗎?老子"道"的循環是宇宙大循環的原型。科學已經發現衆多的局部物質系統的循環,爲什麼不可接受這種啓發建立起由無數局部循環網結成的宇宙整體的大循環呢?這樣的宇宙大循環對科學有意義嗎?只要想一想我們的科學原理至今只有物質之間的轉化和守恒原理、能量之間的轉化和守恒,只要物質、能量的種類是有限的,就要終歸被耗盡而達終點,只有宇宙大循環原理,在物質、能量種類有限的條件下,有"回天"之力。自然科學要尋找各種循環原理,克服物質、能量、信息的

① 譚署生:《循環演化律》,《自然辯證法研究》,第7卷(1991)。

耗盡危機,給人類以樂觀的科學根據。

陳鼓應在其《老子注釋及評介》(1970年)中,把作爲規律的"道"之規律析之爲二:對立轉化的規律和循環運動的規律。《道德經》中的"反者道之動"(四十章)的"反"字可作"相反",也可作"返回"講。因此,這句話蘊涵了兩重概念:相反對立和返本復初。這兩個概念指示兩種規律;前者是對立轉化規律的概念基礎,后者是循環運動規律的概念基礎。對於老子關於對立轉化規律的觀念,各種注釋皆闡釋和發揮得較多,而對於循環運動規律闡釋發揮較少,且多貶斥。當代新道家并没有把兩者割裂開來理解,而是把前者作爲后者的基礎,反復闡述"循環運動"的重要意義。

陳鼓應認爲,老子重視事物相反對立的關係和事物向對立面轉化的作用,但老子哲學的歸結點卻是返本復初的思想。他説"返"和"復"與"周行"同義,都是循環的意思,這是"反"的第二意義。"反"作"返"講,則"反者道之動"就是説"道"的運動是循環的,循環運動是"道"所表現的一種規律。

> 有物混成……周行而不殆……强之曰"道",强爲之名曰大,大曰逝,逝曰遠,遠曰反。(二十五章)
>
> 致虚靜,守靜篤。萬物並作,吾以觀復。夫物芸芸,各復歸其根,歸根曰靜,是謂復命。復命曰常,知常曰明,妄作凶。(十六章)

這兩段話是《老子》循環論思想的典型表達。"道"是"周行不殆"的。這"周"是圓圈,是循環的意思。"周行"就是循環運動,"周行不殆"就是循環運動生生不息。"道"之曰"大"、"遠"、"逝"、"反",是説"道"的廣大無邊、周流不息地運動着,遠離則必復返。一逝一反就是一個"周行"。

陳鼓應對老子的"返本復初"的循環論思想是持批評態度的。他説:

> (一)老子"返本復初"的思想是很濃厚的。然而是否能返回到"本初"的狀態?同時所謂"本初"的狀態,是否像老子所設想的那樣美好?這退回原頭的想法,實有礙於事物的向前推進。
>
> (二)老子認爲事物的運動和發展是循環狀態的。然而事物的發展狀

態是複雜多端的,有曲綫的發展,也有直綫發展,種種狀況不一而足,未可以單一的循環往復來概括其余。①

卡普拉對"道"的循環運動的理解有他的獨到之處:

中國哲學家們把實在,它的終極元素他們稱之爲"道",看作一個連續的流動和變化過程。按他們的看法,我們觀察其一切現象並參與其中的這個宇宙過程,實質上是動態的。"道"的基本特徵是永不止息的運動的循環性,自然界中一切演化,包括物理世界以及心理的和社會領域的演化,都表現着循環的圖像。中國人引進極性相反的陰和陽,給這一循環思想一個明確的結構,用兩極規定變化的循環:陽極生陰,陰極生陽。

在中國人看來,"道"的一切顯示,一般都由這兩個原極的相互作用生成。許多自然的和生命的現象都具有相反的兩極形相。它們不屬於不同的類,而是屬於單一整體的極端。這對於西方人來說是很難理解的,但是,理解這點卻是重要的。沒有什麽事物只是陰或只是陽。一切自然現象都是兩極之間的一個連續振蕩的顯示,一切轉化都逐漸並且在一個完整的過程中發生。自然秩序是陰和陽之間的動態平衡過程。②

他這裏把"道"的循環運動與陰陽相互轉化聯系起來,以"振蕩"的周期性,理解循環運動。這無疑比從力學運動類比出發,把循環看作一個圓周運動,内涵要豐富得多。這不愧是一位物理學家的理解。卡普拉還進一步把"道"的循環運動同"五行"聯繫起來,真正看到了"道"的循環的模式化。他寫道:

對於陰陽符號,中國人使用一個"五行"系統。通常把"五行"譯爲"五元素",但是這種譯法也太受傳統的束縛了。"行"意味着"行爲"或"做",並且與木、火、土、金和水相聯繫的五個概念,表示在一個很明確的循環秩序中的相繼並且相互影響的量。波克特(Manfred Porkert)已經把"五行"譯爲"五個演化階段"(Five Evolutive Phase),這似乎很適合於描述這一中文術語的動態涵義。中國人從"五行"導出一個延擴到整個宇宙的相似系統。感官、天氣、顏色、聲音、身體部位、感情的狀態、社會關係以及各種各樣的現象都被分爲與"五行"相應的五種類型。當"五行"理論與陰陽循環一起運用時,結果是一個精巧的系統,其中宇宙的每個方面都被

① 陳鼓應:《老子注釋及評介》,第46頁,中華書局1984年版。
② Fritjof Capra, The Turning Point, P. 35, Bantam Books, 1982.

描述爲一個動態圖像整體的一個部分。①

西方古典哲學所提供的遺惠只是萬物都處於永恒産生和消滅的流動之中的思想，并没有明確的宇宙大循環思想，儘管這種思想可以從"永恒流動"推論出來。恩格斯的宇宙大循環思想的來源與古代哲人同類思想的來源是很不同的，它的主要基礎是自然科學的理論成果而不是天才的直覺。這個科學基礎就是能量守恒和轉化定律。恩格斯把它哲學化爲運動不滅的證據，並進而推論到宇宙大循環。

在熱力學剛剛確立之時，德國物理學家亥姆霍兹(H. F. Helmholtz，1821～1894)就在1854年的一次演講中説，按照熱力學第二定律，宇宙最終將處於溫度均勻的狀態，從此宇宙將靜止不動，即熱死。1865年德國物理學家克勞修斯(Rudollf Clausius，1822～1888)提出熱力學第二定律的熵表達方式，孤立系統的自發熱過程朝向熵增加的方向。1867年他把熵增加定律用於宇宙，推論出宇宙終將達到熵極大的熱寂狀態。從此引起一場熱死恐懼。"宇宙熱寂"的結論是科學不完善的結果，但由於對科學的無知而一時竟濫亂成"世界末日將臨"的悲觀情緒。恩格斯用宇宙大循環反駁宇宙熱寂説，實質上是用熱力學第一定律反駁熱力學第二定律。可是這兩個定律在科學上是不矛盾的，熱力學第二定律並不違反第一定律。而恩格斯的論證卻把這兩條定律置於對立的地位。這就是哲學論證的缺陷。現代宇宙學則從引力的存在，回答了宇宙如何不熱死的問題。而亥姆霍兹和克勞修斯的宇宙熱寂説，正是忽略了引力的存在。

馬赫早在19世紀就在批判力學世界觀時指出，不能將自然界中的一種現象的規律作爲説明一切現象的基礎，因爲自然界是各種現象的混合，必須從統一描述它去考慮内部問題。由於引力的存在，熱力學第二定律失效并否定宇宙熱寂説，是對馬赫觀點的一個

① Fritjof Capra，The Turning Point，P. 35，Bantam Books，1982，P. 313

支持。由於引力的存在,宇宙總體的演化,不是從非熱平衡到熱平衡,而是從熱平衡到非熱平衡。這恰好爲恩格斯的太陽重新熾熱假說,提供了一個科學論證的途徑,這正是他所盼望的"自然科學課題"。

牛頓的引力理論只有引力而没有斥力的不對稱性,許多哲學家和科學家感到不滿足。這種不滿足的根源是不能爲宇宙的原動力提供令人滿意的理解。在近代科學之前,這種原動力被歸結爲上帝的推動。牛頓力學展示給人們的這部宇宙大機器,一旦運轉起來,就會按照引力定律的規定永恒地運動下去。但是,對於最初的軌道切向力的來源理論本身不能給出說明。這種理論是不自足的,因爲它還需要"第一推動"。許多哲學家設想用引力對等的斥力存在來解脱這一困境。

康德(Immanuel Kant,1724～1804)在其《自然通史和天體理論或根據牛頓原理試論整體宇宙結構的狀態及其機械起源》(1755年)中,對牛頓的引力理論補充以斥力。星雲物質由於引力而集聚,又因斥力而產生傾斜,最終一部分物質落向引力中心形成太陽,而另有一部份則繞着太陽做圓周運動。他認爲斥力和吸力相互鬥爭才表現出自然界的永恒的生命。

雖然斥力學說流傳下來,卻長期在思辨的水平上。負質量概念提出以後,情況有所改變,因爲它可以由數學計算推論出一些可檢驗的預言。雖然它至今仍然不得任何肯定,但它從宇宙原動力的角度,爲理解宇宙大循環提供了一個綫索。

假想宇宙中存在兩種物質,其質量符號相反。這樣在我們的宇宙中就有了邏輯上對稱的兩種物質:質量符號爲正(+M)的正物質和質量符號爲負(-M)的負物質。規定正物質對正物質和負物質都只有吸引力,而負物質對正物質和負物質只有排斥力,就會得到對循環論非常有利的結論。

首先它可以得出"物質自己運動"的科學圖象。我們假定有一個正物質+M和一個負物質-M,它們之間相距一定的距離。根據前面關於正物質和負物質所具有的力的性質,我們可以推論出物質自己運動的邏輯結論。因爲+M 對−M 的吸引和−M 對+M 的排斥作用,這兩者將如圖所示那樣,

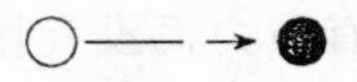

-M +M

以一個均勻的加速度,向着−M 到+M 連續的方向直綫運動。如果正物質和負物質的量不相等,設正物質的質量大於負物質的質量,那末這兩個正負物質的聯合體,在單向加速運動的同時,負物質向正物質靠近直至兩者相撞而同時失去運動。如果相反,負物質的質量大於正物質的質量,那麼,在這兩個正負物質的聯合體單向加速運動的同時,兩者之間的距離逐漸加大,且由於相互作用隨距離的不斷增加而減小速度,運動將最終消失。我們還可以對更複雜的情況,比如多個正負物質的情況,進行分析。這種分析不違反動量守恒和能量守恒定律。在+M 和−M 組合系統,合動量永遠等於 0,而能量、動能的變化和勢能的變化符號相反而抵消,因而也是守恒的。

負質量的概念首先由穩恒態宇宙理論的創始人邦迪在 1957 年提出,其後有邦納(W. Boner)、斯瓦米拉延(W. Swamirayan)和福瓦德(R. Forward)等人發展了他的思想,進行了更精確的計算,證明負質量的概念與廣義相對論是相容的。也就是説,至目前爲止,還没有從邏輯上排除負質量存在的權利。但是,也没有發現存在負質量的證據。

一些科學家設想在茫茫的宇宙深處去尋找負質量的踪迹。有人設想,宇宙深處直徑達 1 億光年的大"氣泡"就可能是由等量的正物質和負物質組成的:所有負物質粒子相互排斥地充塞在這"空洞"中,而所有正物質粒子由於負物質粒子的排斥作用而被推向洞壁,它們在那裏相互吸引而形成星系、恒星、行星和生命。也有人設

想，如果宇宙真的存在有負物質，那末正物質必將吸引它們，比如太陽將會由於負物質的碰撞獲得能量而被加熱。

科學家們對負物質的興趣，主要想利用它的巨大的空間動力。正負物質系統的適當結構，可以無需任何能源或反應物質就能提供非常巨大的單向加速度，有人試圖設計基於電磁場、引力場等無質量"力場"的探測器，以不發生"抵消"作用的方式探測負質量粒子，並用同樣的方式收集它們，以圖利用。但這一切還都是個別有興趣的人的紙上談兵。

我這裏對負物質的興趣在於，它可能爲宇宙大循環提供某種綫索。首先，它提供了物質自己運動的一個物理模型。宇宙只存在等量的兩種物質，只依靠它們相互作用的斥力和引力，運動既可以自動產生，又可以自動消滅，而且不違反能量守恒和動量守恒。正負物質相撞而發生物質湮滅，正負物質也可對稱地產生，而且這種產生和湮滅不違反物質守恒。這樣的一幅宇宙物理圖像非常有利於宇宙循環論。

循環論的最高要求是建立宇宙大循環圖像。要想使這個理想的宇宙循環圖像是科學的，必須以科學的循環原理爲基礎。在科學中已經有不少循環定律。但仍不足以建立起科學的宇宙循環圖像。要得到這樣的圖像，就目前所能想像，至少要有三個科學循環原理：物質循環原理、能量循環原理和信息循環原理。並且這三個循環不是獨立的，因爲物質的循環需要能量的交換，這已成定論；可以設想能量循環需要交換信息，信息循環需要交換物質；如果是這樣，原則上宇宙就可以實現大循環。

令人欣慰的是已經有人在思考科學的循環原理。徐業林報道了作者 1986—1987 年間的實驗，並提出"能量循環"的新概念。該實驗裝置是一組無偏壓二極管，在室溫條件下能單向導電而產生 10^{-8}安培的電流。作者認爲這表明能量的循環是可能的，並給出如下的命題：

可利用 D_T 熱機從能量空間的兩個熱源，幾何空間中的單一熱源）

獲得能量,使之完全變成有用功,而不產生其他影響;無限次地、不衰減地循環使用能量。①

能量循環的想法是很誘人的,只是這個實驗尚未得到公認,同它有關的"能量循環"也未見深入的討論。能量循環原理能否成立,這是個科學的問題,需待進一步的研究。一旦獲得肯定的結果,無疑是循環論的一大支持。

五

老子的"自然無爲"思想就是要人們順其自然,也就是說按規律行事。當時他看到的不是人與自然關係的緊張,而是人與人關係的不自然,當然這種不自然是身居統治地位的人强伸己欲的結果。他當時没有認識到對人的統治是以人對自然的統治爲基礎的,但是他知道自然的和諧應當效法。近代科學技術的加速發展,一方面使人與自然的緊張關係突現出來,另一方面也使人認識到人對人的統治是以人對自然的統治爲基礎的。這就引起人類的警覺:人與自然的關係異化了。

馬克思早就警告過:"自由王國只有建立在必然王國的基礎上,才能繁榮起來。"② 恩格斯説得更具體:"我們統治自然界決不像征服者統治異民族一樣,決不像站在自然界以外的人一樣,相反,我們連同我們的肉、血和頭腦都是屬於自然界、存在於自然界的,我們對自然界的整個統治,是在於我們比其他動物强,能夠正確運用自然規律。"③ 法蘭克福學派的新馬克思主義在理論上發展了馬克思和恩格斯的這些遠見卓識。卡普拉論證"無爲"的老子、"生態的"馬克思和當代主張文化革命的他一脈相通。人與自然的和諧成爲當代人思考的主題,"自然無爲"這一古老的格言又煥發

① 徐業林:《從單一室溫環境獲得能量的實驗與研究》,科學出版社,1988年。
② 《馬克思恩格斯全集》第25卷,第927頁,人民出版社,1972年。
③ 《馬克思恩格斯全集》第20卷,第519頁,人民出版社,1972年。

出新的啓示。

對於老子的"無爲"思想,歷來有兩種誤解:一種是把它詮釋爲一種純消極的無所作爲的思想,另一種是把"無爲而無不爲"貶斥爲"權謀詐術"。許多學者的研究已經糾正了這些誤解,並且闡明了它的歷史和現實的意義。

李約瑟把"無爲"定義爲"禁止反自然的行爲"(refraining from action to nature)。陳鼓應認爲,誤解根源於望文生義,例如,無爲、不爭、謙退、柔弱、虛無、清靜等觀念都曾被人曲解。其實,"無爲"是順其自然,不强作妄爲的意思(這個觀念主要是針對統治者提出的)。"不爭"是不伸一己的侵占意欲(這個觀念也是針對統治者提出的)。"謙退"具有不爭的內涵,要人含藏內斂,不顯露鋒芒。"柔弱"的觀念意在不可恃剛凌物、强悍暴戾。"柔弱"並非懦弱,老子所說的"柔弱"是含有無比的韌性和持續性的意思。"虛"是形容道體的,如四章上所說:"道冲而用之,或不盈。""冲"訓"虛",意指"道"體是虛狀的,虛的"道"體卻能發揮出無窮的作用來。又如五章上說:"天地之間,其猶橐龠乎!虛而不屈。"這是說天地之間是虛空的,但萬物卻是從這虛空中蓬勃生長。可見這個"虛"字含有無窮的創造因子。用在人生的層面上,"虛"含有深藏的意義。"無"有兩種解釋:一是指稱"道"(如一章和四十章);因爲"道"是無形無色而不可見的,所以用"無"來形容它的特性;另一是指空的空間(如十一章)。從上面簡略的解釋中,可以理解老子這些觀念不僅没有消極的思想,相反的,卻蘊涵着培蓄待發的精神,一方面他關注世亂,極欲提供解決人類安然相處之道(如"無爲"、"不爭"、"謙退"等觀念的提出,乃在於呼吁人收斂一己的佔有冲動,以消解社會爭端的根源);另一方面,他要人凝斂內在生命的深度(如"虛靜"觀念的提出,乃在於期望人們發展主體的精神空間)。陳鼓應對老子思想積極性的總體估價,對於深刻理解老子的"無爲"思想大有幫助。

陳鼓應在其著作中討論"老子哲學系統的形成"有一節專釋"自然"、"無爲"。他認爲"自然無爲"是老子哲學最重要的一個觀念。他强調"人法地、地法天、天法道、道法自然"中的"自然"一詞,不是名詞,而是狀詞,它不是指其具體存在的東西,而是形容"自己如此"一類的狀態。老子提出"自然"的觀念,目的在於消解外界力量的阻礙,排除外在意志的干擾,主張任何事物都應該順應它本身所具有的可能趨向而運行。而"無爲"的觀念則是對"自然"一語的寫狀,"自然"和"無爲"這兩個詞是二而爲一的。陳鼓應認定,老子書中凡談到"無爲"的地方,都是從政治的立場而發的,而且提倡"無爲"的動機是出於"有爲"的事情。而"有爲"是指統治者的妄爲,肆意伸張自己的意欲。老子看到當時的統治者,不足以有所作爲,卻偏要妄自作爲,結果適足以形成人民的災難。在這種情況下,老子極力呼吁爲政要"無爲"。陳鼓應認爲"老子著書立説最大的動機和目的就在於發揮'無爲'的思想。甚至於他的形而上學也是基因於'無爲'的思想而創設的。"陳鼓應還認爲,雖然老子的"無爲"思想是以上古社會爲背景産生的,在 20 世紀的今天,政府要做到"無爲"是不可能的,"然而對於減縮獨裁政治的爲禍而言,'無爲'的觀念,仍是空谷足音。……老子'自然無爲'的主張,仍有其時代的意義。"

美國易經學會理事長應鼎成新作《"道"的哲學與"人"的問題》(1990 年),對老子的"無爲"及其相關思想作了闡述。他把"無爲"同"無私"、"無欲"、"無爭"聯繫起來討論。他在文章的結尾處總結説:

> "道的哲學"重心在"無","人的問題"在"有爲"、"有私"、"有欲"、"有爭"。"道的哲學"的道,道乃天,與"人的問題"的人結合,將"有爲"變"無爲","有私"變"無私","有欲"變"無欲","有爭"變"無爭",就無"人的問題",向天人合一的目標邁進,而達到和諧平衡、長治久安、幸福快樂的人生。

在應鼎成看來,這一切都是合乎邏輯的。因爲"人法地,地法天,天法道,道法自然"意味着,自然的運行並没有誰在那裏操持,也没有誰在那裏推行,決無勉强,自然而然的無爲。"無爲"是指自然的道，"天"、"無"、"道"、"自然"、"無爲"是一個東西的五個名稱。所以"道"的哲學亦可稱爲"無爲"的哲學、"無"的哲學、"自然"的哲學、"天"的哲學。

應鼎成的這篇論文對老子的"無爲而無不爲"作了深刻的剖析。他認爲這個思想是"道"的哲學最重要之點。他强調眞正的"爲"一定是"無爲"的"爲"，否則變成爲非作歹、胡作亂爲的"爲"。他認爲"無爲"是最積極、最偉大的思想。"無爲"是一種大無畏精神兼利他思想的無私。無私就"無欲"，"無欲"就"無爭"。老子教人"少私寡欲"。無私就沒有個人利益目的在內，亦沒有達到利益目的不擇手段，既無利益所求，亦無利益顧慮，何事而不可爲，所以就"無不爲"。"無爲"是和平的眞諦兼有自由平等的含義。無爲是無私，無私自必無爭，無爭則世界和平。"夫唯不爭，天下莫能與之爭"就是老子哲學的"清靜爲天下正"的和平觀念。"天地不仁，以萬物爲芻狗，聖人不仁，以百姓爲芻狗"，就是一視同仁的平等思想。應鼎成贊同嚴復(1854～1921)的觀點，把《道德經》視爲"言治之書"。如何經由最佳治道，將亂世轉變爲理想的治世？無爲而治。"居善地，心善淵，與善仁，言善信，正善治，事善能，動善時"(八章)的"善道"就是效法天道的"無爲"，善與道同，道與善同。

在介紹了老子"無爲"思想的正確詮釋之後，我們轉向它對於解決現代科學技術的社會危機之意義。作爲現代科學技術社會危機的一種文化對策而出現的科學人文主義，在老子那裏找到了它的古典楷模。"自然無爲"這一精深的概括足以成爲科學人文主義者的格言。

老子是一位自然人道主義者，或者更廣泛地說是一位自然人文主義者。"人道主義"和"人文主義"通常專指歐洲文藝復興時期的世俗化思潮。如果我們不計較其得名的歷史而重其內涵，那麼中國文化無疑更富有人文精神。歐洲文藝復興運動通過古希臘文化重新"發現"了人和自然，然而卻不幸地走上了人與自然分離的道路。正是這種分離導致當代科學文明的危機。正是在這一危機中，驕傲的西方人才開始回過頭來注視幾個世紀來被遺忘的，主張人與自然和諧的東方文化。

薩頓說：

由於精神上的混亂是如此之深，以致單靠任何一種方法都不可能消除弊病，大概可以肯定任何不把科學人性化包括在內的藥方都不會有任何功效。人們必須找到把科學和我們的文化的其他部份結合起來的方法，而不能讓科學作爲一種與我們的文化無關的工具來發展。科學必須人性化，這意味着至少不能允許它橫冲直撞。它必須成爲我們的文化中的一個組成部份，並且始終是爲其餘部份服務的一部份。①

李約瑟說：

……或許唯科學主義……這種認爲只有科學真理才能認識世界的思想，不過是一種歐美人的毛病，而中國的偉大貢獻或許可以通過恢復基於一切人類經驗形式的人道主義準則，而從這種死亡的軀體上挽救我們。②

李約瑟還於 1942 年寫了一篇論文"中國人在科學人文主義方面的貢獻"③。他說，大多數西方人很少能想到，"遠在我們這個時代以前，中國思想已經前進到科學人文主義的地位"，並認爲有充分理由說"中國是科學人文主義的肇源地之一"。在他看來中國的科學人文學建立在兩個主要基礎上："它從來不把人和自然分開，而且從未想到社會以外的人"。他預測說：

想來没有比歐美和中國文明的合流更偉大的。依我的感覺，我們愈是研究它們兩方面，愈覺得它們像由兩個不同的作曲家所作的兩章不同的交響樂，其主調本是一樣的。

英國劍橋達爾文學院的研究員唐通(Tong B. Tang)寫了一本書，《中國的科學和技術》④，其中 2.4 節以同近代西方科學比較的

---

① 喬治・薩頓著，陳恒六等譯：《科學史和新人文主義》，第 141 頁，華夏出版社，1989 年。

② 潘吉星編：《李約瑟文集》，第 322 頁，遼寧科學技術出版社，1986 年。

③ Joseph Needham and dorothy Needham, # fk Science Outpost # fs, P・259—265, London: Pilot, 1948.

④ Tang B. Tang, Science and Technology in China # fs, London: Longman, 1984.

角度談論中國傳統科學：

> 中國的傳統是很不同的。它不奮力征服自然，也不研究通過分析理解自然。目的在於與自然訂立協議，實現並維持和諧。學者們瞄準這樣一種智慧，它將主客體合而爲一，指導人們與自然和諧。……中國的傳統是整體論的和人文主義的，不允許科學同倫理學和美學分離，理性不應與善和美分離。

上述作者論及的中國傳統文化的特徵在老子的哲學中體現得最清楚。以致當代著名的人文主義物理學家卡普拉說：

> ……在偉大的諸傳統中，據我看，道家提供了最深刻並且最完善的生態智慧，他强調在自然的循環過程中，個人和社會的一切現象和潛在兩者的基本一致。①

老子的思想對於現代科學家究竟產生了什麼樣的影響，這種影響又是在什麼背景下明朗化的，湯川秀樹提供了一個具體的範例。現在我們摘引他關於老子自然人文主義現代意義的評論：

> ……早在二千多年前，老子就已經預見到了今天人類文明的狀況。或者這樣說也許更正確：老子當時就發現了一種形勢，這種形勢雖然表面上完全不同於人類今天所面臨的形勢，但事實上二者卻是很相似的。可能正是這個原因，他才寫下了《老子》這部奇特的書。不管怎麼說，使人感到驚訝的總是，生活在科學文明發展以前某一時代，老子怎麼會向近代開始的科學文化提出那樣嚴厲的指控。②

在這即將開始的從經濟社會走向智力社會的轉變中，作爲智力代表的科學扮演着重要角色。科學在這一轉變中的作用主要體現在它的文化功能，而不是像它在經濟社會中那樣以其生產力的功能起主要作用。這就要求科學必須人性化，而正是這一要求使得老子的自然人文主義思想具有新的啓發意義。當今人類社會需要在現代科學的背景下把這種原始的科學人文主義昇華到高級的科學人文主義。

要發展高級的科學人文主義思想，需要一種批判的懷疑論，克

---

① Frijof Capra，Uncommon Wisdom，P. 36，Simonand Schuster，1989.
② 同上頁注②第 73 頁。

服啓蒙主義的唯科學論和人本主義的反科學論。在這方面道家也提供了原始的模範。老子的"無爲"思想有其懷疑論哲學的根基。當儒家和法家在宮廷里競爭,前者主張仁政後者主張法制之時,道家卻對兩者採取一種懷疑態度。正是這些被儒法兩家排擠到山溝裏去的道家,以其深刻的懷疑精神批判現實,並以"無爲"爲綱設計人道主義的理想社會。

就我所知,似乎是德國當代哲學家曼紐什(Herbert Mannucci)最明確地肯定了老子的懷疑論哲學。他認爲,古老的老子的《道德經》"是一部涉及範圍更廣泛的哲學懷疑論著作,其要旨是闡述人類理性的局限性,以及人類種種價值和道德的相對性"①。

曼紐什把《老子》看作一部懷疑論的著作,並把老子和皮浪(Pyrrhon,約公元前 365～公元前 275)並稱懷疑論的創始人。但是,在《老子》中究竟哪些論述是懷疑論的觀點,他没有具體説。其實無需列舉有哪些陳述屬於懷疑論的,該書總的態度無疑是懷疑論的。他的那種提倡人的行爲要取法"道"的自然性和自發性的"無爲"觀,是對種種"妄爲"的對抗。這種"無爲"的呼吁,對於種種權威的干擾猶如釜底抽薪。這不僅要求那些自認爲是他人命運裁定者,有資格對別人的理想專斷的人的罷手,而且要求那些自以爲掌握了絶對真理而擺出一副權威架式的"布道"癖給別人思想自由。《老子》中的"絶聖棄智"之類的話不過是以高反差的語言强調認識的局限性和理性的局限性。

理性的局限在於它排斥直覺。在我看來,理性的表現形式由低級到高級依次爲邏輯、數學、實驗和直覺。直覺是理性的最高形式,它之比邏輯理性、數學理性和實驗理性高,就在於它具有最高的創造力,它能把握最難把握的東西,比如"善"。我國古代偉大的思想家朱熹(1130～1200)把人性分爲"義理之性"和"氣質之性",認爲

① 赫伯特・曼紐什:《超越經驗僵化的樊籬——我爲何寫〈懷疑論美學〉》,《中國圖書評論》,1990 年,第 1 期。

“義理之性”是善的，“氣質之性”是惡的。這就是說，他認爲“善”和“理性”是相關聯的，也就是說善的行爲是理性行爲。在這個意義上說，善就是理性，而且是最高的理性。邏輯理性、數學理性和實驗理性都不能至善。科學理性只承認這三種理性形式，而把直覺排斥在外，就不能至善。科學必須接受直覺爲理性，才能至善。

懷疑論堅持的懷疑精神可以超越經驗僵化的樊籬，而它所推崇的直覺認識又使經驗昇華爲原理。所以，懷疑論對科學特别重要。老子的懷疑與直覺結合的偉大思想不僅是發展科學的法寶，更是至善的指路明燈。

作者簡介　董光璧，1935年生。中國科學院自然科學史研究所副研究員。主要著作有《易圖的數學結構》、《當代新道家》等。

論老子在哲學史上的地位

張岱年

內容提要　本文從《論語》、《禮記・曾子問》、《呂氏春秋》、《韓非子》等有關記載中，證明孔、老同時。《老子》書爲老聃所著。

懷疑《老子》爲與孔子同時的老聃所著，或根本否定老聃其人的主要理由是《老子》上、下篇有許多戰國時代的詞語。本文對此作了辨析。

辨別《老子》五千言中哪些思想屬於老聃，應以《莊子・天下》篇爲據。《老子》書中關於"道"的章節以及關於柔弱勝剛强的章節是老聃的中心思想。

本文還對老子"道論"的深遠影響作了闡述。指出，從戰國前期直至清代，"道"都是中國哲學的最高範疇，而"道"是老子提出的。

一、老子其人與《老子》其書

關於老子其人與《老子》其書，歷來頗多異論。《史記・老子列傳》說孔子問禮於老子，又說老子著"上下篇五千餘言"，漢魏之世，并無不同意見。首先提出疑問的是北魏的崔浩。但唐宋時代，多数學者仍肯定舊說。清代中期，汪中著《老子考異》，以爲上下篇乃太史儋所著，而太史儋非即老聃。二十年代，疑古思潮興起，梁啓超提出《老子》上下篇非春秋時代的著作。馮友蘭先生《中國哲學史》書中認爲《老子》一書當在孟子之後，莊子之前。錢穆、顧頡剛更提出

《老子》後於《莊子》之說。但是胡適、馬叙倫、郭沫若等仍堅持孔老同時而老年長於孔的舊說。我於1932年亦曾撰文考證老子的年代,認爲《老子》一書應在孔墨之後、孟莊之前。羅根澤同意老在墨後孟前之説,而認爲老子即是太史儋。五十年代,我重新稽考老子年代問題,發現《史記》的記載仍有其不可忽視的旁證,於是重新肯定孔老同時而老年長於孔的傳統記載,七十年代末在拙文《老子哲學辨微》中提出"老子年代新考",改訂了三十年代的意見。兹略述"疑老"與"證老"兩方面的論據,試更加以釐定。

兹先述孔老同時的主要佐證:

(一)《論語》中孔子對於"以德報怨"的評論與對於"無爲而治"的贊揚。

《論語》載:"或曰以德報怨,何如?子曰:何以報德?以直報怨,以德報德"。(《憲問》)按《老子》六十三章有"報怨以德"之語,孔子對"以德報怨"的評論顯然是針對老子的。《論語》又載:"子曰:無爲而治者,其舜也與?夫何爲哉?恭己正南面而已矣"(《衛靈公》)。按"無爲"觀念是老子首先提出的,孔子贊揚舜的無爲,當是由老子的無爲論而引起的。孔子未必見過"上下篇",但是與聞老子的言論,這是孔老同時的重要證據。

(2)《禮記·曾子問》引述了孔子問禮於老聃的一些故事。《曾子問》云:"孔子曰:昔者吾從老聃助葬於巷黨,及堩,日有食之。老聃曰:丘!止柩就道右,止哭以聽變,既明反,而後行。曰禮也。……吾聞諸老聃云。"又說:"孔子曰:吾聞諸老聃曰:昔者史佚有子而死,下殤也,……"。又說:"子夏曰:金革之事無辟也者,非與?孔子曰:吾聞諸老聃曰:昔者魯公伯禽有爲爲之也。"《曾子問》記述孔子與曾子的問答甚詳,恐非實錄,但亦必非全無根據。當時曾子門人習聞孔子問禮於老聃的故事,故有此說。儒家學者絶不可能憑空編造孔子問禮於老聃。韓愈《原道》說:"老者曰:孔子,吾師之弟子也。……爲孔子者習聞其說,樂其誕而自小也,亦曰吾師亦嘗云爾"。事實上絶非如此簡單。司馬遷説:“世之學老子者則絀儒學,儒學亦絀老子。道不同不相爲謀,豈謂是耶?”(《史記·老子列傳》)儒道兩家之爭是相當激烈的,儒家學者何能輕信道家所編造的謊言呢?孔子問禮於老聃之説必有事實的根據。《老子》書三十八章:“夫禮者忠信之薄而亂之首”,對於禮進行了猛烈的抨擊。但是三十一章云:“兵者,不祥之器,非君子之器。不得已而用之,恬淡爲上……。夫兵者不祥之器,物或惡之,故有道者不處。君子居則貴左,用兵則貴右。吉事尚左,凶事尚右。偏將軍居左,上將軍居右。言以喪禮處之。殺人之衆,以悲哀泣之,戰勝以喪禮處之”。這足證老子是通曉吉禮、喪禮的。老子懂禮而又反對禮,這是可以理解的。

(3)《呂氏春秋》中關於孔老關係的記述:《當染篇》云:“孔子學於老聃”。《不二篇》列舉十家:“老聃貴柔,孔子貴仁,墨翟貴兼,關尹貴清,子列子貴虚”云云,將老子列於孔子之前。《貴公篇》云:“荆人有遺弓者,而不肯索,曰:荆人遺之,荆人得之,又何索焉?孔子聞之曰:去其荆而可矣。老聃聞之曰:去其人而可矣。故老聃則至公矣”。記述孔子與老聃對於荆人遺弓而不索有不同的評論。所謂“學於老聃”,當即指問禮於老聃之事。《左傳》昭公十七年記述孔子學於郯子,“郯子來朝”,講述少皞氏以鳥名官,“仲尼聞之,見於郯子而學之”。向老子問禮與向郯子問官是同一類的事。

(4)韓非引述《老子》,稱之爲老聃之言。《韓非子·六反》云:“老聃有言曰:知足不辱,知止不殆。夫以殆辱之故而不求於足之外者,老聃也。”又《内儲説下·六微》云:“權勢不可以借人,……其説在老聃之言失魚也。”下文云:“勢重者,人主之淵也,……古之人難正言,故託之於魚。”這是引《老子》“魚不可脱於淵”之語。此即可證,韓非肯定《老子》書的作者是老聃。

以上是孔老同時及《老子》書爲老聃所著的主要證據。應該承認,這些證據是比較有力的。此外,《莊子》書中關於孔老對話的章節頗多。但《莊子》中多係寓言,並非事實記錄,故不引。

其次，略述疑老的主要理由。懷疑《老子》上下篇非與孔子同時的老聃所著，或者根本否認老聃其人，其主要理由是《老子》上下篇中有許多戰國時代的詞語，如(1)《老子》三章“不尚賢，使民不爭”。“尚賢”之說是墨子提出的，此章反對“尚賢”，應在墨子之後。(2)三十二章“侯王若能守之”、三十九章“侯王得一以爲天下貞”，“侯王”是戰國時期的用語。(3)二十六章“奈何萬乘之主，而以身輕天下”，萬乘亦戰國時用語。(4)十八章“大道廢，有仁義”。十九章“絕仁棄義，民復孝慈”。三十八章“故失道而後德，失德而後仁，失仁而後義，失義而後禮”。“仁義”並舉，不見於《論語》及《左傳》，非春秋時所有。梁任公認爲仁義並舉始於孟子，故《老子》一書應後於孟子。

今試對於這些疑問略加辨析。(1)關於“尚賢”，尚賢之說雖係墨子提出的，但春秋時代已有舉賢之說，孔子亦主張“舉賢才”。(《論語・子路》)《老子》書中“不尚賢”可能是針對“舉賢”而講的，而非對於墨子的反命題。(2)關於“侯王”，侯王固然是戰國時代的習用語，但《周易・蠱卦》已有“上九，不事王侯，高尚其事”，可見王侯並稱並非始於戰國。(3)關於“萬乘之主”，“萬乘之主”確係戰國時的常用語，但《論語・先進》記子路曰：“千乘之國，攝乎大國之間”，以千乘之國爲非大國，大國當遠逾千乘，晉楚等國可能已稱萬乘。(4)最重要的是關於“仁義”並舉的年代問題。《論語》中孔子宣稱“好仁者無以尚之”，又說“義以爲上”，都未嘗以仁義並舉。《左傳》的記載中亦無仁義並舉之例。但“仁義”並舉亦非始於孟子，《墨子・貴義篇》：“子墨子曰：必去六辟，默則思，言則誨，動則事，使三者代御，必爲聖人，必去喜去怒，去樂去悲，去愛，而用仁義”。又《尚同下》：“子墨子曰：今天下王公大人士君子，中情將欲爲仁義，……故當尚同之說而不可不察。”足證墨子時“仁義”已成爲習用語。仁義並舉始於何時？近來我發現，以仁與義相連並舉實始於孔子弟子曾子。孟子引述曾子之言云：“曾子曰：晉楚之富不可及也，彼以其富，我以吾仁；彼以其爵，我以吾義，吾何慊乎哉？”(《孟子・公孫丑下》）曾子生存於春秋戰國之間，到戰國前期，"仁義"成爲常用語了。應該承認，《老子》書中指斥仁義的章節不可能是與孔子同時的老聃所寫，《老子》書有些章節出於戰國。

《老子》書中有些章節出於戰國，是否可以斷言"上下篇"全部都係戰國著作呢？那又不然。春秋戰國時代學者著作都是由門人弟子傳抄而流傳下來的，門人弟子在傳抄中增加一些文句或若干章節，是常有的事。《老子》書中有一些後人增加的文句，不足驚異。而且《老子》上下篇中有些思想是春秋時代人所共同具有的。《老子》七十八章："受國之垢，是謂社稷主；受國不祥，是謂天下王"。《左傳》宣公十五年記晉伯宗曰："國君含垢，天之道也"。與《老子》"受國之垢是謂社稷主"意同。又《韓非子·説林上》引《周書》曰："將欲敗之，必姑輔之；將欲取之，必姑予之"。與《老子》三十六章"將欲歙之，必固張之；將欲弱之，必固强之；將欲廢之，必固興之；將欲奪之，必固與之"意同。這都表明，春秋末年的老聃具有《老子》上下篇的思想是符合當時歷史條件的。

如何辨别《老子》五千言中哪些思想屬於老聃呢？我認爲應以《莊子·天下》篇所説爲據。《莊子·天下》篇論關尹、老聃之學云："關尹老聃……建之以常無有，主之以太一，以濡弱謙下爲表，以空虛不毁萬物爲實。……老聃曰：知其雄，守其雌，爲天下谿；知其白，守其辱，爲天下谿。人皆取先，己獨取後，曰受天下之垢。……曰堅則毁矣，鋭則挫矣。"這裏敘述老聃的思想，主要是兩個方面，一是關於本體論的學説，二是關於貴柔的學説。由此可以肯定，《老子》書中關於"道"的章節以及關於柔弱勝剛强的章節是老聃的中心思想。

有的論者以爲《老子》上下篇文辭簡約，乃是戰國時期道家思想的精言粹語的結集，並非個人的著作，於是有老後於莊之説。事實上此説是不能成立的。《老子》書中有很多"吾"字、"我"字，許多章中的"吾"與"我"，確實是作者自稱，表示作者自己的態度。二十五章:“有物混成,先天地生,……吾不知其名,字之曰道。”四章:“道冲而用之或不盈,淵兮似萬物之宗。……吾不知其誰之子,象帝之先。”這都表明,“道”的學説是作者提出的。四十二章“人之所教,我亦教之。强梁者不得其死,吾將以爲教父。”四十三章“吾是以知無爲之有益。”六十七章:“天下皆謂我道大似不肖,夫唯大,故似不肖。”這都是表明作者的態度。特别值得注意的是七十章:“吾言甚易知,甚易行,天下莫能知、莫能行。言有宗,事有君。夫唯無知,是以不我知。知我者希,則我貴矣。是以聖人被褐懷玉”。這可以説是發牢騷的憤激之言了。孔子臨卒之年曾慨嘆“天下莫能宗予。”(《史記·孔子世家》)。《老子》此章也表示了這種慨嘆。這就足以證明,《老子》上下篇確實是一位獨立思想家的個人著作。

二、老子“道論”的深遠影響

中國古典哲學的最高範疇是“道”,而“道”的觀念是老子首先提出的。春秋時著名政治家子産講到“天道”與“人道”,他説:“天道遠,人道邇,非所及也,何以知之?”(《左傳》昭公十八年)所謂天道指天象變化的規律及其與人事禍福的聯繫。子産此言,含有反對占星術的意義,是進步思想。孔子説:“誰能出不由户,何莫由斯道也!”(《論語·雍也》)其所謂道指人道而言。《論語》記載:“子在川上曰:逝者如斯夫,不捨晝夜”(《子罕》)。朱熹《集注》引程子曰:“此道體也。”宋儒以爲孔子此語是指道體而言,事實上孔子還未有道體觀念。以“道”指天地萬物的本原,始於老子。孔子是否與聞老子關於道的言論,難以斷定。在春秋以前,人們都認爲“天”是最高最大的。孔子説:“唯天爲大,唯堯則之”(《論語·泰伯》)。以天爲最大,這是當時一般人的共識。老子在思想史上第一次提出天地起源的問題,認爲天並非永恒的、並非最根本的,而最根本的是“道”。《老子》二十五章:“有物混成,先天地生,寂兮寥兮,獨立而不改,周行而不殆,可以爲天下母,吾不知其名,字之曰道,强爲之名曰大"。這即表示,稱"先天地生"的本體爲"道",乃是老子首先提出的。所謂"先天地生"即謂在天地未有之先,道已經存在了,道是永恒的。"强爲之名曰大",我認爲"大"當讀爲太。《莊子・天下》篇論老聃"主之以太一","太一"二字應讀爲太與一。太即是道,一是"道生一"之一。老子提出天地起源問題,以"道"爲天地萬物的本體,這是理論思維的一次巨大的躍進。

關於"道",老子作了很多的詮釋。近一二十年來,各種中國哲學史論著中對於老子關於道的學説已有很多的評議,我在拙著《中國哲學大綱》、《中國哲學發微》、《中國古典哲學概念範疇要論》也已多次加以論列,這裏僅對老子所謂"道"的主要含義作一些進一步的解析。

老子所謂"道",無形無名,而又有物有象。一方面,"視之不見名曰夷,聽之不聞名曰希,搏之不得名曰微,此三者不可致詰,故混而爲一。其上不皦,其下不昧,繩繩不可名,復歸於無物,是謂無狀之狀,無物之象,是謂忽恍"(十四章)。"道"是無形無狀的。另一方面,"道之爲物,惟恍惟忽,忽兮恍兮,其中有象;恍兮忽兮,其中有物"(二十一章)。"有物混成,先天地生,……字之曰道"(二十五章)。"道"又是有物有象的,雖然惟恍惟忽,卻是客觀的實體。道生成萬物,而又無所作爲。"道生之,德畜之。"(五十一章)"道常無爲而無不爲"(三十七章)。"無爲"即是没有意志、没有情感的。

老子所謂"道",從其無形無狀來説,没有可感性,在其没有可感性的意義上亦可謂没有物質性;從其有物有象來説,又具有客觀實在性。從其無爲没有意志没有情感來説,可謂又不具有精神性。"道"是超越一切相對性的絶對,可稱之爲超越性的絶對。(十年以前拙文《老子哲學辨微》認爲老子的道是"非物質性的絶對",還不夠準確。"道"也是非精神性的絶對,應稱爲超越性的絶對。)

老子認爲,這"道"是天地萬物的存在根據。天地萬物各自有其特殊性，但又具有統一的普遍的存在根據。四章："道冲而用之或不盈，淵乎似萬物之宗"。三十四章："大道泛兮，其可左右，萬物恃之而生而不辭。"這都是表示，"道"是萬物存在的依據。

老子學說中還有一個與道密切相聯的重要觀念，就是"自然"。二十五章："人法地，地法天，天法道，道法自然"（河上公注："道性自然，無所法也"）。十七章："功成事遂，百姓皆謂我自然"。六十四章："以輔萬物之自然而不敢爲"。自然即是自己如此。道是自然的，百姓是自然的，萬物也是自然而然的。老子提出自然觀念，是對於"天意"、"天命"觀念的反駁，是對於上帝信仰的排擯。四章："道冲而用之或不盈，淵兮似萬物之宗，……吾不知誰之子，象帝之先"。道在上帝之先，實際上這是對於上帝主宰一切的否定。從老子反對信仰上帝來看，可以說老子的道論具有唯物主義的意義。老子的"自然"論可以說是中國古代唯物主義的一個重要形式。

老子提出了"道"的觀念，在戰國時代發生了廣泛的影響。《管子》、莊子、《易傳》、韓非，都接受了"道"的觀念，而各自加以推衍，有所改變。《管子・心術上》云："虛而無形謂之道，化育萬物謂之德"。又云："道在天地之間也，其大無外，其小無內"（文句依《管子校正》校改）。這"道"的觀念顯然來自《老子》。但老子宣稱道"先天地生"，《心術上》則講"道在天地之間"，有所不同。《莊子・大宗師》云："夫道有情有信，無爲無形，可傳而不可受，可得而不可見，自本自根，未有天地，自古以固存；神鬼神帝，生天生地"。這是老子關於"道"的詮說的簡明的概括，辭簡而義備。《周易・繫辭上傳》云："形而上者謂之道，形而下者謂之器"。按《老子》三十二章："道常無名樸"。又二十八章："樸散則爲器"。"道"與"器"的觀念始於老子。《繫辭》的"道"、"器"觀念當係來自老子。《韓非子・解老篇》對於老子的道提出了自己的解釋，以爲道是萬理的總合："道者，萬物之所然也，萬理之所稽也。理者成物之文也，道者萬物之所以成也。……萬物各異理，而道盡稽萬物之理"。（稽，合也。）以理詮道,以道爲理,始於韓非。

如上所述,足證在戰國時期,老子的道論已發生了廣泛的影響。

漢初"黄老之學"盛行,老子受到推崇。漢武帝獨尊儒術,但道家之説仍流傳不絕。魏晉之時,《老》、《莊》、《易》號爲三玄。隋唐時代,儒釋道三教並尊。到北宋而理學興起。理學家恢復了孔孟儒學的權威,但在思想學説中也吸取了老子的若干觀點。張載、程顥、程頤都以"道"爲最高範疇,而解釋不同。張載以道爲氣化,所著《正蒙》云:"由氣化,有道之名"(《太和》)。二程則以道爲理。程頤説:"一陰一陽之謂道,道非陰陽也,所以一陰一陽道也"(《河南程氏遺書》卷三),認爲道是一陰一陽的所以然之理。張程立説不同,但以道指最高實體則是相同的。清代戴震同意張載以氣化爲道的觀點,認爲"氣化流行,生生不息,是謂道"(《孟子字義疏證》),亦以道指世界的本原。

從戰國前期直至清代,"道"都是中國哲學的最高範疇。而"道"這個最高範疇是老子所提出的。應該肯定,老聃在中國哲學史上具有崇高的歷史地位。

1991 年 9 月 13 日

作者簡介 張岱年,1909 年生,河北獻縣人。北京大學哲學系教授、清華大學思想文化研究所所長、中國哲學史學會名譽會長。著有《中國哲學大綱》、《張岱年文集》等。

老子對死亡的看法

——《道德經》第五章新解

[美]陳張婉莘

内容提要 《老子》第五章“天地不仁……”,表示了老子對死亡的看法。本文從三個層次對此加以解釋:第一個層次,從倫理的觀念看。老子對儒家的仁義是採取批判態度的。“天道無親”,就是要從有差等、有偏私的善回歸到包容天地萬物的無偏愛的善。第二個層次,從“個體”和“全體”的關係看,“以萬物爲芻狗”意味着某種必然性,死亡是“個體”回歸“全體”,東方哲學的一般傾向是接受個體必須回歸全體的命運。第三個層次,從造物者本身看。“大”、“逝”、“遠”、“反”爲道生命的四個階段:生(反、大),死(逝、遠),復活(反)爲最高表現。道本身必死亡,萬物之死也就是道之死;道之復生,也就是萬物之復生。道是與衆生共死活的最高生命力。

《道德經》第五章言:“天地不仁,以萬物爲芻狗;聖人不仁,以百姓爲芻狗。”這兩句顯然是《道德經》中最難索解的。“天地不仁”、“聖人不仁”似乎指天地聖人是殘酷的。反對《道德經》的學者,藉此指責它不可能是一部具有較深精神價值的書。如天主教學者羅光就以此爲據批評《道德經》(《儒家形上學》,臺北,1957年版)。對喜好《道德經》而又講倫理的儒者,這兩句話也成了一個癥結。魏源的

《老子本義》可以代表一般儒者設法冲淡"不仁"之説而加以儒化的傾向:"老子見亂世民命如寄,故感而言曰:悲哉天地有時而不仁乎,乃視萬物如土苴而聽其生死也。聖人其不重仁乎,乃視斯民如草芥而無所顧惜也。"但王弼的《老子注》裏表示並不需要爲"天地"、"聖人"辯解:"天地任自然,無爲無造;萬物自相治理,故不仁也。仁者必造立施化,有恩有爲。造立施化,則物失其真。有恩有爲,則物不具存。物不具存,則不足以備載。"王弼的注説明天地或自然界既無意識、無意志,則亦無偏私。這種不偏恰正是允許萬物並生並存的條件。仁者選此棄彼,則萬物不能並生並存。"天地不仁"指的是天地無計度、無選擇,一切任自然,因爲"天地不仁",不作任何價值分别和選擇,故物各得其所。蘇轍(1039—1112)《老子解》指出這種天地的不仁,實際是天地的大仁。

我認爲這兩句給我們最大的啓示應是《道德經》對死亡的看法。下面將分三個層次對此加以解釋。第一個層次是由倫理的觀念看;第二個層次是從個體(individual)和全體(universal)的關係看;第三個層次是從造物者本身的形象看。

在第一個層次上,我們首先得認清,《道德經》對儒家的仁義,是採批評和攻擊態度的。第18章説:"大道廢,有仁義";第19章言:"絶仁棄義,民復孝慈";第38章曰:"失道而後德,失德而後仁"。在道家看來,儒家的仁義是一種狹義的愛,是應該揚棄的。不但《道德經》批評仁義,《莊子》更視學仁義如遭殘刑,以致失去天賜的逍遥。《大宗師》裏許由對意而子説:"堯既黥汝以仁義,而劓汝以是非矣,汝將何以遊夫遥蕩恣睢轉徙之塗乎?"仁義是人造的價值,而非天地自然的施爲。誠如王弼所謂:"造立施化,則物失其真。"

儒家的"仁",雖然最終歸結爲愛衆人,出發點爲愛父母兄弟。

《孟子・盡心上》云:"親親,仁也;敬長,義也"。但"道"的施爲超越了儒家有等分差别的倫理觀,所謂"天道無親"(《道德經》79章),道家要從有差等有偏私的善回歸到包容天地萬物的無偏愛的善(見34、62、77、81等章)。天地超越人世倫常的標準,故而"不仁";聖人取法天地,也不行有差等的"仁"。由此觀之,就《道德經》的立場而言,"天地不仁","聖人不仁"是完全合理的。

二

在第二個層次上,我們討論《道德經》內"個體"和"全體"的關係。"以萬物爲芻狗","以百姓爲芻狗"云云,畢竟承認天地聖人有無情的一面。同一章裏下面兩句:"天地之間,其猶橐籥乎。虛而不屈,動而愈出"將天地比爲大風箱,萬物由此而出,但爲了保障天地得以繼續不斷地造出新物來,萬物亦必將被吞入而消滅,回歸"道"的胎中。從個體生命的短暫和必然滅亡而言,究竟存在有什麼意義?難道只是作天地"全體"的芻狗嗎?對此,《莊子・天運》作了肯定的答覆。莊子解"芻狗"爲祭祀用的草狗:"夫芻狗之未陳也,盛以篋衍,巾以文綉,尸祝齋戒以將之;及其已陳也,行者踐其首脊,蘇者取而爨之而已"。

就個體生命而言,造物者是殘酷的。某一物一旦達到其存在目標,就會被迅速地摧滅。天地聖人以萬物衆民爲芻狗,就是視萬物衆民爲宇宙運遁中一個微不足道的過程,如密爾(G. S. Mill)所說,造物者至少將每一生物都投死一次。黑格爾也認爲,每一個人,甚至於偉大的英雄,都受"理性的狡計"擺布,是爲在世界歷史的演變中出現一個更高的理念的犧牲品:

> 當他們的目的達到以後,他們便凋謝零落,就像脫卻果實的空殼一樣。他們或則年紀輕輕地就死了,像亞歷山大;或則被刺身死,像凱撒;或則流放而死,像拿破崙在聖赫倫娜島上。這一種可怕的慰藉——(就是說

> 歷史的人物没有享受到什麽快樂，所謂快樂只能在私生活中獲得，而他們的私生活每每銷磨在極不相同的外在情况之中），——這種慰藉，在那般需要它的人是可以從歷史中獲取的。（Die Vernunft in der Geschichte, Critical ed. by Hoffmeister, 1955, P. 87）

這種看法，認爲生命僅是曇花一現，而每一個人都有他注定的宿命，待他的角色扮演完了，就得退場讓别人上臺，並不是《道德經》的立場。《道德經》以歷史爲退化的而不是進化的，並不把歷史視爲一個不斷出現更高理念的過程。這個世界已是"道"的充分體現，它毋須發展。

"以萬物爲芻狗"，"以百姓爲芻狗"的意義，因其視萬物和百姓爲祭祀之物，所以還得從古代宗教的立場來了解。杜而未曾指出，古代祭祀，以煙祭天，以血祭地。"以萬物爲芻狗"，即把萬物視爲祭祀的草狗，則可見出在農業經濟社會裏要維持天地創造的無窮性的一種祭祀方式。埃列·諾門（Erich Neumann）對古代農業社會中宗教崇拜的解釋爲我們提供了某種參考：

> 土地的胎盤等待着施肥，血和屍體是她最喜愛的食物。屠殺和犧牲，支解和血祭，是保證土地豐收的魔術。如果我們稱這些宗教儀式爲殘酷，就會誤解其真義。在早期文化裏，這種儀式，甚至在被作犧牲者的眼光裏，都是必需而又明顯的。（《意識的起源和歷史》，新澤西，普林斯頓，1954，P. 54）

因此，我們認爲"以萬物爲芻狗"，並非殘酷，而是意味着某種必然性。

死亡無疑是"個體"回歸"全體"，但東西方哲學史中對死亡的反應呈現兩種不同的趨向。一種是對回歸全體的反抗。柏拉圖和亞里斯多德的形式（Form）哲學，可視爲西方人反抗回歸的典型例證。他們認爲，只有和物質（Matter）結合的個體才必然死亡。如果一個形式能獨立存在，就無死亡可言。西方哲學最高的理想是成爲不死的純形式（pure form），後來聖托馬斯（Thomas Aquinas）稱之爲"獨立的實體"(separate. substance),不必與物質結合而存在。在他們眼底,有一個超越物質世界的精神的形式世界。在形式世界之中,形式或靈魂不會被時空、物質或混沌所吞没。在基督教思想裏,上帝是這形式世界的主宰,他永久地保護着個體,令其不會滅亡。

東方哲學的一般傾向是接受個體必須回歸全體的命運。印度哲學認爲獨我意識是幻覺(maya),而最高的精神境界是全體的伯拉門(Brahman)即個體的阿脱門(Atmen)。在中國,道教反抗死亡的方式是求個體的長生不老。但《道德經》和《莊子》皆以死亡爲不免,雖然個人有永生不死的願望,但全體的永恒的創造性需要個人的死亡。《道德經》第六章指出唯有無私的全體享有無盡的生命。《莊子・大宗師》亦以天地爲一大鎔爐,而死亡就是回歸鎔爐重新鑄造生命。病而將死的子輿不但不反抗他的命運,而且表示完全和造物者合作:"浸假而化予之左臂以爲鷄,予因之以求時夜;浸假而化予之右臂以爲彈,予因之以求鴞炙;浸假而化予之尻以爲輪,以神爲馬,予因之乘之,豈更駕哉!"

如果我們接受子輿的解釋,則道家認爲個人生命是短暫的而不免帶有悲劇性,但又讓人坦然任之。子輿最後也承認他與造物者的合作是出於不得已,但反抗也是徒勞:"且夫物不勝天久矣,吾又何惡焉?"(同上)

三

我們業已從個體的角度展開了討論,現在來考察一下造物者本身的形象。如果按照《道德經》所言:"天地不仁,以萬物爲芻狗",那麼道家最高的"道"或"天"就不是人格性的。這和西方有所不同。黑格爾認爲,西方形上學的演變和進展,是從古希臘以最高存在爲實體,到基督教以最高存在爲有人格的自我的歷程。而黑格爾自己的哲學，則建基於基督教中心思想的人變人，即耶穌被釘在十字架上而征服死亡。所謂"有人格的自我"，黑格爾作了如下解釋：

> 理性的生活不是害怕死亡而幸免於蹂躪的生活，而是敢於承當死亡並在死亡中得以自存的生活。理性只當它在絕對的支離破碎中能保全自身時才贏得它的真實性。……理性所以是這種力量，乃是因爲它敢於面對面地正視否定的東西並停留在那裏。理性在否定的東西那裏停留，這就是一種魔力，這種魔力把否定的東西轉化爲存在。而這種魔力就是上面稱之爲自我意識(subject)的那種東西。(《精神現象學》序言 P.93)

如果我們接受黑格爾對"有人格的自我"的定義，那麼我們又如何看待道家的"道"雖無人格、無自我意識，卻是一個精神價值極高的至上原則。

從《道德經》本文看，退滅不只是物的命運，"道"也有退時，如第 9 章言："功成身退，天之道"。從個體看死亡是殘酷的，而從全體看死亡是生命的另一面。活的東西没有一樣不死，甚至天、道、帝也不免。第 25 章在爲"道"命時說："强爲之名曰大，大曰逝，逝曰遠，遠曰反。"所謂"大"、"逝"、"遠"、"反"，我認爲是指"道"生命的四個階段。"道"的生命有生(反、大)，亦有死(逝、遠)，而以復活(反)爲最高表現。

《道德經》第 4 章言"道""象帝之先"。但在《易經・說卦》裏，"道"的生命變成"帝"的生命。《說卦》對"帝"的生命的描述猶如《道德經》25 章對"道"的生命的描述一般，同樣包括生、死與復活。不同的是在《道德經》裏"道"的生命爲四段，而《說卦》中"帝"的生命爲八段，即八卦：

> 帝出乎震，齊乎巽，相見乎離，致役乎坤，說言乎兌，戰乎乾，勞乎坎，成言乎艮。萬物出乎震。震，東方也。齊乎巽。巽，東南也。齊也者，言萬物之潔齊也。離也者，明也。萬物皆相見，南方之卦也。……坤也者，地也，萬物皆致養焉，……兌，正秋也，萬物之所說也，……戰乎乾，乾，西北之卦也，言陰陽相薄也。坎者，水也，正北方之卦也，勞卦也，萬物之所歸也，……艮，東北之卦也，萬物之所成終而所成始也。

將此與《道德經》合觀則可見，由震至巽，相當於“反”，由離至坤，相當於“大”，由兑至乾，相當於“逝”，由坎至艮，相當於“遠”。《説卦》裏，“帝”的生命也非長生不死，而是死（坎）而復生（震）。這，與《道德經》是一致的。

如果按照《道德經》和《説卦》的觀點，作爲最高原則的“道”、“帝”也不免有死，而萬物的生命、痛苦和死亡已經被納入“道”、“帝”的生命之中，那麽個體生命的悲劇，也是最神聖的全體生命的悲劇。從這一點看，“道”或“帝”究竟是有人格還是無人格，已不是問題。《道德經》裏最神聖的“道”，不具有人格性，並不造成與物的離相。“道”或“帝”本身既必經死亡，萬物之死，也就是“道”或“帝”之死；“道”或“帝”之復生，亦即萬物之復生。因而，與其説“道”是殘酷的，不如説“道”是與衆生共甘苦共死活的大慈大悲的最高生命力。

希臘的最高原則爲不死的實體；基督教的最高原則爲否定自我以肯定自我的意識；《道德經》和《易經·説卦》的最高原則爲“道”或“帝”。與基督教思想不同，基督教以人爲神的最高顯示，而《道德經》則言：“人法地，地法天，天法道，道法自然”（25章）。道家不以人爲神的最高顯示，而是以自然界或生命界的生生不絶爲“道”的最高顯示。

（本文本於作者之書：Ellen. M. Chen：The Tao Te Ching, A New Translation with Commentary, New York: Paragon House, 1989, P. 64－67）

附：本文所引英文著作：

1. G. W. F. Hegel, Reason in History, New York: The Bobbs－Merrill, 1953, P. 41

2. ——. The Phenomenology of Mind, New, York: MacMillan, 1953, Preface, P. 93

3. Erich Neumann, The Origins and History of Conscious-

ness,New Jersey,Princeton:Princeton University Press,1954,P. 54

4. Ellen M. Chen,The Tao Te Ching,A New Translation With Commentary,New York:Paragon House,1989, P. 64－67

作者簡介 陳張婉莘,美國紐約聖約翰大學哲學系教授。

“無”的思想之展開

——從老子到王弼

[日]金谷治

内容提要　本文是想要追究從老子到王弼爲止的“無”的思想之深化過程，特別重點是其實踐觀念的性格。首先《老子》書中的“無”，雖有與“道”同義之説，筆者認爲，“無”字的含義幾乎完全是對“有”之單純否定，它只是“道”的形容詞而已。可是“無爲”、“無知”等詞匯，並不僅止於單是行爲否定。“無”對“有”作單純否定時，它同時也與“有”合而爲一，包含了“有”。就是“無”的思想之萌芽。《莊子》有“無用之用”，《老子》也有“有之以爲利，無之以爲用”，只是並没有其論理。莊子反而闡明“有用是因無用而才成立”之論理，而且呈現“無”的性格是無規定性、無限定性。在何晏思想中，“無”的概念已清楚地建立，與“道”的概念等而視之。最後，王弼解決了何晏留下來的問題。王弼解釋“復歸”爲通過日常的實踐，復歸到横於“有”世界的根底之“無”世界。因此，沈潛到現象的深處，到達“無”的深淵，不受現象諸相拘束，完成主體的理想狀態。“無”的超越性在此已明顯，“道”與“無”結合一起，才始有“道”。“無”到此大致已有形而上學的意味，成爲了王弼的哲學之中心位置。

本文是想要追究從“老子”到王弼爲止的“無”的思想之深化過

程，特別重點是其實踐觀念的性格。早有學者指出，在《老子》中的“無”，已是具有深厚哲理的完成體。假使依據此說，我們也不能否定，《老子》的“無”到王弼時，其哲理已經更加深化，且達到一個頂點。筆者認爲王弼融合老、莊，完成了“無”的思想，本文即是想闡明此見解。

關於《老子》的“無”，有極端對立的兩種解釋。

其一是爲一般所茫然附從的見解，它解釋“無”就是老子所主張的根本理念——“道”，它生成萬物，賦予各種意義的存在，乃至形式概念。就是一種深刻的解釋，其根據是《老子》書中提到的“天下萬物生於有，有生於無”（四十章）、“有之以爲利，無之以爲用”（十一章）。

可是，對上述解釋持反對者認爲《老子》的“無”，僅僅是對“有”持否定意味之樸素概念，無須再特別提出“無”的思想等云云。其根據是，《老子》書中的“無”，此一字的用例，在形式論理上，其意幾乎完全是對“有”之單純否定。

現在，我們就來檢討《老子》書中的“無”這一字的表現方式。如同在“無狀之狀，無物之象”（十四章）、“無知無欲”（三章）等例所顯示的，其大部份關於甚麼行爲、功用、存在等概念，都持否定的意味。“無”這一字的單獨使用，除了上述所言及的第四十章與第十一章外，就只有第二章的“有無相生，難易相成……”。在一百一回用例中，“無”這一字的單獨使用，僅有這三處而已。因此，《老子》並沒有特別具有“無”的思想這一種見解，我想應該是正確的。

但是，反過來一想，“無”這一字雖然僅有三處被單獨使用。在這裏，作爲對諸多“有”的否定之“無”，其本身還是被認爲它顯示了一個獨立的意味地存在。特別是第四十章的“天下萬物生於有，有生於無”中的“無”，它表示了它是“有”的根本，且通過“有”成爲天下萬物的根本。因此，就有“道生一，一生二，二生三，三生萬物”（四十二章），或是“無名天地之始，有名萬物之母”（一章），再將上述與

“道常無名”(三十二章)一比較,就推論出“道→一、二、三→萬物”是“無名(天地之始)→有名(萬物之母)→萬物”,且進一步會再被思索成“無→有→萬物”的圖式。第四十章之所言,也許就是表示了“無”是佔據了“道”的位置。

可是,上述雖這麼說,卻不能因而據此就立即斷言“無”即是“道”。所謂“道常無名”,在這裏的“道”,它並沒有具有清楚的形狀,也並不想冠以任何名稱,在第一章裏和“有名”相對的“無名”,雖然佔據了“道”的位置,不過在此它只是被單純的視爲是“道”的形容詞而已。《莊子・則陽》篇(九章)有提到“道不可有,有(又)不可無”,在漢代的《淮南子・說山篇》(一節)裏,關於所謂的無形、無聲等幽冥也言及“所以喻道而非道也”。這裏所謂的無名或無爲等詞匯所表現的“無”的意思,有必要加以考察一番。

無爲、無事、無名、無知、無欲等詞匯,分別在《老子》中頻頻出現,特別是“無爲”就曾出現過十二次。這表示了這些詞匯在《老子》裏面,都是概念清晰的特殊用語。“無”在這種場合裏,形式上,確實是單純的否定意思。可是,實際上,其詞匯的含意,並不僅止於單是行爲的否定,或是不想冠以任何名稱,它同時也含有更爲特殊的內涵。

關於無爲,我們如果稍作思考的話,就會了解如同“爲無爲”(三章、六十三章)所指出的那樣,無爲本身還是一種行爲、功用。而這種行爲、功用是“有無相生,難易相成……”,在揭示現實的相對性後,並接受此一現實,且又說“是以聖人處無爲之事……”(二章),它思索著如何超越現實世界裏的常識性之世俗對立。而且,又如同“無爲之益”(四十三章)或“爲無爲,則無不治”(三章)等所言,它也帶來現實世界裏的效果。因此,其極致就是“無爲而無不爲”(三十七章、四十八章)。也就是說,它所表現的,即是一種所謂因爲無爲所以萬事才行得通的反面表現方式。

衆所皆知,《老子》中的反面表現方式甚多。與“無爲而無不爲"相類似的表現，就有"非以其無私耶，故能成其私"（七章）、"聖人以其終不自爲大，故能成其大"（三十四章）等顯著的例子。於此，當我們思索這些反面的表現方式是在怎樣的思考基礎上成立時，我們可以參考與此有關連的"貴以賤爲本，高以下爲基。是以侯王自謂孤寡不穀"（三十九章）等說法。總之，舉出所謂貴賤、高下、强弱、雌雄等對立概念，而意圖顛倒常識以收到現實的效果。而且，最重要的是，它一方面說高貴是下賤的基本，但它絕不是要放棄高貴這種東西。換言之，它重視相對立的兩極，而採取常識上世人所不採取的立場。然而，它卻同時也包容攝取了常識性的立場，而成爲更爲優越的立場。先前提到的《老子》反面表現方式的結構，在此應該更爲清楚了。所謂因爲"無私"所以才能夠完成"私"，而"無私"的內容，並不是單純文字字面上的意思，應當將其視爲含有成就"私"的功用，故才能成其私。同樣的，"無爲而無不爲"也可以解釋爲成就萬事的功用，也一起包含在"無爲"之中，"無爲"才因此成爲優越之物。

從以上所述，我們當能了解無爲的內涵也絕不是其文字字面上的單純意思。換言之，無爲與有爲並非處於世俗對立的場合中。而所謂無爲包含攝取了有爲的論理，其實也可以照樣適用在無名與無知無欲的場合。《老子》中"無"的意思必須從這裏思考。"無"對"有"作單純否定時，它同時也與"有"合而爲一，包含了"有"。因此，所謂的"有生於無"也才有可能。

可是，無爲這個概念，它企圖超越現實世界中的常識性世俗對立。而它確實是超出常識的立場，也超越了世俗的立場。但是，其關心到底還是現實的，因爲它把現實世界中的效果作爲最先關心的目標，所以當然並沒有說是要超越於形而上學的世界。此概念照樣也能夠推及到"無"的場合吧！"無"雖然包容攝取了"有"，因而超越了世俗的有無之對立，但還沒有能夠達到完全否定現實存在的形式概念之地步。也就是說，必須將它隸屬於廣泛意思的"有"的思想之中。簡而言之,應當將"老子"視爲"無"的思想之萌芽。它是包含著"有"的一種卓越論理。可是,關於"無"本身的思索,終究是不了了之,依然還是樸素的思想。

我們先撇開《老子》,讀讀《莊子》,在《莊子》也提到無爲與無知無欲,而且將恬淡、寂寞、虛無、無爲當做是理想狀態。可是,作爲"無"的思想,在《莊子》首先必須注意的是,所謂的"無用之用"。這在《老子》也有提到——"有之以爲利,無之以爲用"(十一章),只是《老子》並沒有闡明其論理。換言之,它並沒有指明關於"無"的思索。反而《莊子》說了種種的寓言,從那裏能夠理解其清楚的論理。在此,我就介紹它的一、二則寓言。

在《逍遥遊》的結尾處,有關大瓠和大樹的寓言極爲有名。惠子說大瓠、大樹太大了,沒有利用的方法,而諷刺了莊子議論的放縱。對此,莊子出人意外的表示了其利用方法——大瓠照其原樣作爲樽,漂浮在廣闊的水面上,不是很好嗎?大樹種植在一望無際的原野上,悠悠自適,不是很好嗎?說是沒有利用的場所、方法,會有什麼痛苦嗎?類似這樣的寓言,也散見其他各篇。例如彎彎曲曲滿是瘤子的大木,或是下顎下垂肩膀上吊的殘廢人,它想表達的是,因爲這些都是無用,所以才不會受到來自外來的傷害(《人間世》四、五章),無用反而勝過有用。換言之,它企圖倒轉世俗的價值觀。站在常識的立場來看,也許是無用的東西,事實上,它反而具備有極爲驚人的功用。於此,斷定有用或無用,只不過是微不足道的自作聰明而已。但是,在這裏它還不是所謂"有用是因無用而才成立"之論理。在《外物》中,可以看到這個論理。

在《外物》(七章)中,惠子又向莊子指責說:"你的論說沒有用。"莊子回答說:"因爲知道無用,所以才能談用。大地極爲廣大,人站立之處(人之所用)也只不過是腳之大。可是,如果向四周圍深深的往下挖,只留下腳型之大的話,那你還能站立嗎(人尚有用乎)?"惠子說:"不能站立(無用)。"莊子又說:"那你看,無用的功用之大（無用之爲用）應該很清楚了吧！”同樣的叙述在漢代的《淮南子》中，也曾這麽説“足之所及處甚小，所不及處甚大，故能步行。智之所明處甚窄，所不明處甚廣，故能明晰”（《説林》二節）。

關於“有之以爲利，無之以爲用”的論理，於此應該是很清楚了。而在這種場合裏，足之所及處與所不及處、知識之所明處與所不明處，大致應將它平列區别。然而，它卻呈現了一個明白的事實，即所謂不及、不明，其無用之處，勿寧是作爲根本，大大的擺在我們面前，此無用支撑著有用，且包容着它。無用爲什麽具有這麽大的功用呢？根據前面的譬喻，我們可以思考到“無”的性格是具有無規定性、無限定性。足之所及處，如果被限定只留下那麽一點點，步行當然困難。唯有廣大的大地，茫茫的無規定之中，才能自由的步行。踏出一步，因而劃分“有”的世界，這也是唯有在無規定的自由之中，才能夠產生的。

《莊子·至樂》篇“有至樂無有哉”，作了一個問題提起，即所謂至上之樂到底有没有？之後，它一一舉出一般世俗的樂，説明這些結果只不過是痛苦的種子而已。最後，作成一個結論“至樂無樂”。意即特定的樂是產生痛苦的原因，同時也是阻擋世俗的樂的原因。《莊子》指出真正至上的樂是無限定的，並不能規定它。例如“忘適之適”（《達生》十二章）、“遊無窮”（《逍遥遊》一章及其他）、“遊於無有”（《應帝王》四章）即是表示這種想法。《莊子》又説“覩有者，昔之君子。覩無者，天地之友”（《在宥》七章），指出“無”一方面雖然和“有”對立，其實，它内部包容了“有”，並支撑著“有”，因爲它内涵有無限定的自由度，所以才更被當做是高價之物。

在這裏，值得注意的是所謂“昔之君子”，大概指的是“儒家之徒”。蓋儒家之主張乃是明確的規範主義，但它也尊重清楚載有禮的形式，即使是精神主義色彩極濃的孟子，也是一樣。儒家的教義乃是確定社會體制，並遵從其秩序。這可以説是“覩有者”吧！道家的“無”的尊重，即是與儒家的教義相對抗。它否認儒家所定的社會體制，企圖超越它，在天地自然中，無規定、無限定的自由世界裏遨遊。

當然，那樣的世界，是並不能與"有"平列，單純"無"的世界。道家所尊重的"道"，就是前面《莊子》中所陳述的那樣，既不是"有"，也不是"無"。但是，關於"無"的思索，在《莊子》中已更進一步。"無"如果是因爲其無規定、無限定的性格，因而被尊重的話，那麼相對於"有"，特別被區別、被執著的"無"，當然不值得議論了。在《知北遊》(十章)中，可以讀到名叫光曜的人物對名叫"無有"的人物，所說意義深長的話語："予能有無矣，而未能無無也。及爲無有矣，何從至此哉。"於此，可以得到一個圖式，即有無→無無→無有。又《淮南子》說山篇(一節)也提到"道何以爲體。曰，以無有爲體。"現在，我們可以說關於"無"的思索，已深入"道"的立場，更接近了道家的中心課題。雖然如此，但是將"道"當做"無"，把二者置於相關關係，並更進一步深入思索，則是魏晉的老莊思想了。

和王弼同時代的何晏(？～249)，曾這麼說："所謂道是一無所有的東西，也就是無。從天地以下有實體的東西，也就是有。無卻將它名之曰道。這是因爲天地以下的有，利用了無的功用的原故。"("然猶謂之道者，以其能復用無所有也。"——"無名論")。

此外，續成王弼"易注"的晉人韓康伯也說："道者何，無之稱也。無不通也，無不由也，況之曰道，寂然無體，不可爲象。必有之用極，而無之功顯。(有的功用置於極限，無的功用才能清楚)……"(《繫辭傳》上)。

將"無"和道家最高概念的"道"等而視之，在魏晉時代變得相當普遍。在《老子》裏"道"被形容成是"無"的東西，而在這裏，所謂"無"的概念已清楚的建立，這才能夠被當做是"道"。而又如同何晏在前面引用文中所說的"天地以下的有，利用了無的功用。"除此，他還說："有之爲有，恃無以生。事而爲事，由無以成。"("道論")，更進一步跨越了先前的無用之用的論理，直截了當的指示了橫於有的根源之無的功用。

在何晏的思想中，作爲理想人的聖人，需要是一方面站在“無”的立場，且能同時成功的進入“有”的世界的人物（無名論）。可是，這對一般凡人而言，實在是太難了。根據他的《論語注》所言“不虛心，不能知道”（《先進》篇）。換句話說，“道”是透過虛心，而能夠認識的。此外，他又說：“道不可體，故志（慕）之而已”（《述而》篇）。道即是“無”，於此，其超越的性格更爲明白了。但是，另一方面，這也反而使其思想的實踐性格變得含糊不明確了。何晏的思想發展，也就到此停住了。

而王弼解決了何晏留下來的問題。他利用了《老子》中所能見到的復歸概念和反的概念。他解釋《老子》第四十章的“反者道之動。……天下萬物生於有，有生於無”，爲“有以無爲用，此其反也。動皆知其所無，則物通矣。……天下之物，皆以有爲生，有之所始，以無爲本。將欲全有，必反於無也。”

《老子》的復歸思想，在第十六章裏有述及“萬物並作，吾以觀復。夫物芸芸，各復歸其根”。對此及相關連的第四十章，有各種不同的解釋。極端的說法是將其視爲主張倒回到古代社會，而比較有力的見解則將其視爲存在論的解釋，當做“道”的比喻——是所謂植物生長、枯死的循環性生命活動。在論理上而言，王弼的注釋也是其中的一說，此外，還有各種各樣的說法。像這樣的容許有各種不同的見解，其含糊不明確也於此可見。王弼解決了這個問題，將其解釋爲通過日常的實踐，復歸到橫於“有”的世界的根底之“無”的世界。

王弼在《易注》中，又對復卦的“復其見天地之心乎”，作了以下的解釋“復者反本之謂也。天地以本爲心者也。凡動息則靜，靜非對動者也。語息則默，默非對語者也。然則天地雖大富有萬物，雷動風行，運化萬變，寂然至無，是其本矣。……若其以有爲心，則異類未獲具存矣。”

與此關係很深的是《老子》三十八章注"天地雖廣,以無爲心。……故日以復而視,則天地之心見。……故滅其私而無其身,則四海莫不瞻,遠近莫不至。殊其己而有其心,則一體不能自全,肌骨不能相容。……萬物雖貴,以無爲用。不能舍無以爲體也。……"

"無"的思想之實踐性格,在這些言詞中經常表現出來。現象界具有各種各樣的差別變化。雖然這並不是表示現象界具有臨時的存在性或虛偽性,不過它之所以有各種各樣的差別變化,乃是因爲其具有貫通這些根底的普遍性的"無"。因此,爲了在不受現象諸相拘束的自由立場上,完成主體的理想狀態,有必要返回到"無"的立場。沈潛到現象的深處,到達"無"的深淵,從這裏洞察現象的真的意思。這是由王弼最初被清楚表達的論理。

"無"的超越性在此已不能被否定,如果再參照前面陳述過的動靜語默相對之處,那麼應大致可了解其含意。因爲它並不是對立世界中的"無",所以才有必要返回到"無"的立場。"無"在此已經具有了賦予萬象存在的窮極原因之性格。"清不能爲清,盈不能爲盈。皆有其母以存其形。"(《老子》三十九章注)"用夫無名,故名以篤焉。用夫無形,故形以成焉。"(《老子》三十八章注)萬物無法將"無"排於外,而能成其形。就王弼而言,他的最大重要性是,他將"無"的論理更進一步往前推,且將它推進了形而上學的思考領域裏。

王弼對《老子》四十二章的"道生一,一生二,二生三,三生萬物。……"又作了以下的注。"萬物萬形,其歸一也。何由致一,由於無也。由無乃一,一可無言。已謂之一,豈得無言乎。有言有一,非二如何。有一有二,遂生乎三。從無之有,數盡乎斯。過此以往,[從有之有],非道之流。"

這個解釋是將《老子》的存在論本文,轉爲認識論的論理問題。在這裏,它又表示萬物乃爲萬形,它根據"無"而生成一,把"無"當做是絕對統一原理的形式概念。道家傳統的"道"到此,勿寧已是從屬於“無”的下位。“道以無形無名,始成萬物。”(一章注)王弼於此已很清楚地表示了這個意思。此外,王弼又更進一步明確地說“凡物有稱有名,則非其極也。言道則有所由。有所由,然後謂之爲道。然則道是稱中之大也,不若無稱之大也。”(《老子》二十五章注)在王弼的思想,“道”必須與“無”結合一起,才始有“道”。我們可以說,“無”到此大致已賦予形而上學的意思,且被當做是最高的形式概念,它成爲了王弼的哲學之中心位置。

到底爲什麼道家思想中,那麼尊崇“無”呢?雖然這包含有很複雜的問題,但就像我在前面所列舉的那樣,相對於“視有者”,將自己規定爲“視無者”,這就提供了一個很大的啓示。也就是說,這一派人的思考是認爲超出感覺的微妙存在,比本來是由現實的眼看得見、現實的耳聽得見的現象,來得更爲優越。世界活動現象的本質是虛靜的。“無”本來就是這樣的相對於“有”,而被尊崇。在這裏,並没有考慮到要完全否定“有”。只是爲了方便説明,“無”的優越性,採取了“無”包含攝取了“有”,且支撑了“有”的論理。就是自然的想法。於是,“無”的無規定性、無限定性,使得可以用來反抗社會形式體制的自由概念,也能自覺的理解了。

但是,因爲“無”並没有完全否定“有”,與“有”之間的關係,經常是以混雜的狀態,留下一大堆問題。“無”的存在性完全被否定,而且成爲絶對的形而上學之形式概念時,此問題始獲解決,王弼的思考已大致接近這個層次。賦予現象界萬物存在意義的窮極原因,統一其雜多的差别相,將其當做普遍原理,至此,“無”也才能明確其窮極之根元性。

作者簡介　金谷治,1920年生於日本三重縣。東北大學畢業。文學博士。曾任東北大學、追手門學院大學教授。現爲兩大學名譽教授。著有《秦漢思想史研究》、《管子之研究》等。

生命·自然·道

——論莊子哲學

顏世安

内容提要 本文認爲,對莊子哲學的解析應從兩個主要問題入手,即生命問題和自然問題。從人生苦難中超越,尤其是從對這種苦難的良心負載中,是莊子哲學的一個貫穿綫索。它産生兩個相關主題:一是對人生現實價值的否定,一是對生命應有價值的追求。自然的問題與這個問題是相應的,它的意義在於給出生命追求的最終解釋。自然世界在莊子哲學中不同於通常語義所指的那個經驗世界,它是一個相對於文明困境而存在的意義系統。道是莊子哲學的最高範疇,但它不是生命與自然這兩大系統之外的另一個東西。道就是自然,也即自然作爲世界本來狀態呈現的深奥境界,同時它也是生命在自然中獲得啓示的深奥境界。

莊子哲學有兩個支點:生命與自然。

莊子的時代是一個"人"沉淪的時代,對這種沉淪的憐憫和感傷,是莊子哲學的情感之源;而如何從憐憫世人苦難與罪惡的精神重厄下求得解脱,則是莊子哲學的核心問題;然後,從對生命内在本原(自然生活)的感悟中重新提出尋找精神家園的希望,是莊子哲學最終的旨趣。這三層境界,即憐憫、逃遁和回歸自然,是莊子生命關切的基本内涵。就對生命問題體悟的深度而言,先秦諸子無人能與莊子相比。

自然在莊子哲學中不是通常語義所指的那個有别於文化環境的經驗世界[①]。它有兩層基本的含義。第一,自然是一種生活方式,即歸隱田園的生活方式和通過修煉引發生命内在資源的生活。在這層意義上,自然代表了生命的理想。第二,自然是在一種神秘的經驗方式中展開的宇宙本體。這種神秘經驗方式有些類似審美,但它的主要旨趣是體察世界的深不可測。這個在神秘經驗方式中展現的自然世界就是"道"。在"道"的意義上,自然代表了對世界和人的終極意義的解釋。

本文不同意學術界的一向看法,即把"道"理解爲抽象原則。道就是自然,但這個自然不同於日常經驗的自然,它必須在一種神秘經驗中才能展開。道的根本意義,在於對文明社會賴以建構的文化思維模式和經驗習慣進行清理,爲人生解脱文化困厄進行哲學思考尋求新的觀念基礎。因此,道不僅存在於文化環境之外的自然世界中,而且存在於受文化制約的認知能力之外的經驗方式中。這樣的道,就不再是一個純客觀的自然,而是一種由哲學選擇判定的自然世界的再現方式。在這個世界再現方式中,人類可以找到唯一有價值的生存方式。

莊子生活在一個新舊制度交替的時代,這個時代的痛苦被他理解爲,人類以"有爲的"(即文化的)方式組織社會生活這一總的背離自然的企圖已經從根本意義上失敗了。從此,人們唯一的自救之路就是回到自然。但莊子意識到,回到自然不是一件簡單的事,它需要以最高的智慧去穿越文化習慣構成的障礙。這就是到文化制約的認知能力之外尋求新的經驗方式的含義。這個尋找的過程被莊子表現爲生命在自然中回歸本原的過程,同時,自然實際上也

① 《莊子》中没有"自然"的名詞性用法一般是用"天地"等與"自然"内涵等值的詞表示自然世界。

在這個尋找新經驗的過程中經歷了自身的重新建構。所以,生命與自然這兩個莊子哲學的支點最終在"道"中得到了統一。

莊子哲學是相當複雜的。很難説"生命"、"自然"、"道"這幾個方面就全部涵括了莊子哲學。但本文的思路和分析也許對重新理解莊子哲學的主要内容有所啓發。

一、對痛苦的體驗

戰國時代是士人崛起的時代,士人的活躍深刻影響了此一時期社會政治的發展。此外,士人的文化創造活動也奠定了周秦以後中國文化發展的根基。所謂士人的文化創造活動是一個廣泛的概念,它既包含那種爲創立一種政治制度,一種倫理理想所作的努力,也包含避開制度和倫理問題,從社會黑暗所造成的苦難的深度上體驗生命存在意義的努力。後一種努力在一個具體的時限内顯得是無效的,它只是少數天才脱離歷史進程的痛苦冥想。但是在更廣闊的時間範圍内,這種努力卻漸漸開掘出一片豐沃的文化土壤,因爲天才對苦難和人生困境的尖鋭敏感在一種不斷重複的歷史境遇中漸漸成爲普遍的感受方式。莊子的哲學思考即屬於後一種意義的文化活動,它源起於對人生困境的感悟。

士人境遇在戰國時代有兩層意義上的變動。第一是社會變革提供了士人獵取政治功名的廣闊前景,這使得士人的成就欲望大大地激動起來,並産生出一大批參與政治活動的理論家與實幹家;第二是這種變革打破了傳統貴族田園詩的生活方式,把大批無力參與競爭的士人强行帶入血與火的世界。在這個世界,如莊子這樣貴族氣質的舊文人被拋到社會底層,與販夫野卒混迹在一起。他們穿着破舊的衣服,窮到要向人借糧糊口,因爲經常餓肚皮而形容枯槁。對他們來説,通過奮鬥躋身社會上層的路並非不存在,但那是一條太過凶險艱難的路,充滿着猜忌,陷害與仇殺,那是一條遠遠超出這批士人的教養和性情所能接受範圍的路。所以在這類士人的切身經驗中,社會已經變得疏遠和懷有敵意了。它不屬於他們,他們無法進入它那由新的精神和作風構成的氛圍中去,但是它卻逼迫他們去品嘗被拋到社會邊緣的痛苦,逼迫他們去體驗一種莫名的憤怒。

個人遭際的不幸是一個思想家最原始和本質的感受之源,但個人不幸的含義是很複雜的。簡單地說,它至少有雙重的意義,一重意義是個人不能爲社會所容納,另一重意義是個人不能容納社會。在後一重意義上,個人不幸已經超出個人遭際範圍,而提昇爲對社會的抗議。當莊子拒絶楚威王的聘請時(《莊子·秋水》,又見《史記·老子韓非列傳》。下引《莊子》,僅注篇名),正是感受着這種不能容納社會的痛苦。我們或許仍然可以用個人不幸來界說這種痛苦,但這絶對是一種放大了的個人不幸,它把整個時代造成的困境都變成了個人的負載。個人對這種時代的困境感悟越深,他自己的痛苦就越深。我們可以從下述意義來理解《莊子》文本中所感受的這種大痛苦。

第一,戰爭、暴政導致人口大量被無辜殺戮。用莊子的話説,當今之世,是殊死者殘尸枕藉,披枷帶鎖者連連不斷,横遭刑戮者滿眼皆是(《在宥》)。莊子筆下的一批世外高人也都是這樣慘遭刑傷的"兀者""無趾"之類,他們的高遠淡漠正是世道殘酷的另一種表現。對這種殘酷的殺戮,戰國的其他作家也有所揭露,但莊子的感受獨有不同。他不只是一般地把殘殺行爲歸咎於統治者,而是進一步指出文明社會本身的無可索解的死結。文明社會從一開始(所謂"堯舜之世")就醞釀了一場大災難,這個社會煽惑起人的無窮欲望,卻無力約束,甚至它的一切約束努力都更增加了這些欲望帶來的惡(見《胠篋》)。因此統治者固然是罪魁,但他們的罪卻不是本原的罪,本原的罪在於文明進程自身。這種對罪惡根源的解釋意味着,一切殘暴的行爲都源於一個看不到底的深淵,相對於這個深淵、來說,任何個人的罪行和犧牲都没有自足的意義,它被更深廣的黑暗吞没了。所以,對於無辜的殘殺,莊子的感受常落在"無辜"所包含的無限沉重上。《則陽》篇寫一個叫柏矩的人到齊國去,在市上見到一個被殺死後立在那兒示衆的囚徒。他把尸囚放倒在地,解下自己的衣服蓋到上面,仰天大哭道:"子乎!子乎!天下有大災,子獨先罹之"!這正是面對一種無可究詰具體原因的殘殺的莫名悲哀。被殺者的罪當然不是殘殺的真正原因,煽動起人民情欲,逼使人犯罪的統治者才犯有更深的罪。但這仍然不是真正的原因,真正原因是文明本身孕育了一場它不能控制的大災難,這才是所謂"天下有大災"。這種"大災"作爲殘殺現象的黑暗而深不可測的背景,全部凝縮在莊子對新時代的感受中,並成爲他的人生困境感的基本部分。

第二,由於風氣的轉變,莊子的時代成了一個追逐財富和權力的時代。人在這種追逐中的沉淪對莊子意味着一種比殘殺更深的創傷,因爲生命的意義被完全扭曲了,生機被無謂地耗竭了。莊子不斷地追問,生的意義究竟何在?這個反覆提起的問題表明了一種對現實人生完全失去信任的懷疑態度。《莊子》中最傳神的文字之一就是對一種喪失了價值的生活的揭露。莊子指出,這個時代的人們彷彿都不能自己主宰自己了,他們隨大流地盲目追求共同認可的目標(財與勢),陷溺於共同的迷惑(見《至樂》)。這些拚命追逐外物的人們,就像豬身上的虱子一樣,找到些蹄邊胯下,豬毛疏長的地方,就自以爲廣宮大苑,完全便利的處所,"不知屠者一旦鼓臂布草操烟火,而己與豕俱焦也"(《徐無鬼》)。投諸大火,一旦身敗名裂固然可悲,但更可悲者還不在此,而是在追逐外物的過程使人無休止地處於憂慮緊張,活力生機全被毫無意義的疲憊消蝕殆盡,人早已喪失了作爲人的本性。《齊物論》篇沉重地寫道:

> 一受其成形,不亡以待盡。與物相刃相靡,其行盡如馳而莫之能止,不亦悲乎!終身役役而不見其成功,苶然疲役而不知其所歸,可不哀邪!

人謂之不死，奚益。其形化，其心與之然，可不謂大哀乎！人之生也，固若是芒乎？其我獨芒，而人亦有不芒者乎？

對生的茫然，而不是對死的哀慟，才是對人生困境更深刻的感受。死固然是大哀慟，但這種哀慟背後還有對生的依戀和執着，而生的無意義，則連這一層可以執着的東西也一同毀滅了。莊子對生命尊嚴的喪失有最獨特的感悟，所以他說儒墨之徒不明白人生真正的淪喪，這些人奮力呼號於戴着枷鎖的人叢中，其結果卻是人爲地再加上一重枷鎖(《在宥》)。人生的真正悲劇只他一人孤獨地承擔着。這種孤獨是痛苦的，也是高貴的，就像《逍遥遊》中大鵬展翅絶塵的孤獨是痛苦也是高貴的一樣。正因爲無人理解這種孤獨，莊子只能把内心的迷茫投問於虚空之中：人生是不是本來就這樣茫然呢？是不是别的人並不茫然，只我獨自茫然呢？("人之生也，固若是芒乎？其我獨芒，而人亦有不芒者乎"？)

在莊子哲學中，人生困境感的最深底藴正是一種尊嚴感的喪失。這裏所説的尊嚴是源於貴族傳統的一種精神品格的尊嚴。莊子未必親歷過貴族錦衣玉食的生活，但他的著作中流露出的傷感和孤獨，冷峻和清高，卻無疑是貴族格調的。莊子個人遭際的不幸在於他不能容納這個社會，而不能容納社會在於他的高傲。由於高傲，他拒絶承認失去尊嚴的生活是有價值的，同時也因此承受了比他同時代人更深刻的痛苦。正如成玄英後來在"莊子序"中所説，莊子是"嘆蒼生之業薄，傷道德之陵夷，乃慷慨發憤，爰著斯論"，"其旨深而遠，非下士所聞"(郭慶藩《莊子集釋》卷一)。"下士"大概會拘於莊子的文採，但真正的莊子，卻是從人生的大痛苦中産生出來的。

二、遁世的意義

深刻的困境感導致莊子與社會的疏離。社會生活一片黑暗，使人沉淪。人在社會中不但朝不保夕,而且喪失掉生命的品格,成爲一種盲目的存在。因此,如何逃離這個生活,成爲莊子哲學的一個重要部分。

黑暗的時代產生逃離現實的哲學,這在思想史上是很普遍的。逃離現實大抵體現在兩層意義上,第一層是遁迹世外,避開現實中的一切罪惡和壓力,第二層是精神上反抗現世的秩序和教條。這兩層意義往往不能截然分開,在不同的人身上,只是哪一層爲主的問題。莊子的思想代表了戰國時整個隱士階層,如孔子南遊時遇到的楚狂接輿和荷條丈人(《論語·微子》),趙威后問齊使時提到的於陵子仲(《戰國策·齊策》),以及《莊子》中大量的半寓言性人物。這些人主要是遁世之士,他們隱迹山林,歸耕園畝,不問世事,尤其是不問政務。莊子哲學中對遁迹山林的美化的描述即是對這些人的生活的描述。但莊子作爲隱士階層的思想代表,重點關注的卻是精神反抗。他要爲遁世生活尋找一個解釋,因爲對於一個思想者來說,任何值得過的生活都必定有深刻的理由。遁世的目的是自我解脱,但如果没有深入的精神洞察,即使隱迹山林也未必能真正解脱;反過來,如果精神上徹底解脱了,那麼不必遁迹山林,也可遊心世外。所以莊子說真正的高人並不一定是"伏其身而弗見"的岩穴之士,在日常生活中能夠"深根寧極而待"(《繕性》),同樣是隱者的存身之道。

莊子爲遁世生活尋找到的解釋即是他的相對主義理論。相對主義曾被廣泛地理解爲莊子發明的一種哲學思維方法。其實嚴格地說它並不是一種方法,而是一種觀察世界的態度。這種態度就是,現實中一切被認爲有價值的東西都是值得懷疑的。因爲真正的價值必須來自有精神尊嚴的生活,而這樣的生活如同一首古樸的田園詩一樣早已成爲過去的聲音了。古樸田園生活一旦瓦解,生存即成爲一連串無意義的碎片。正如《齊物論》中所說的那樣,上古時的人是真正高明的,他們與自然渾爲一體,後來的人就漸漸不行了。他們與自然脫離，又把世界割裂成許多部分，又加上人爲的好惡取捨，就這樣沉溺在自己造成的破碎的生存境遇中。《齊物論》中又說道，在這樣的境遇中，價值繫於一件一件的東西，而任何東西都是稍縱即逝，没有恒久意義的。現實生活實際上已經成爲追逐這些稍縱即逝東西的愚蠢過程。莊子舉一個寓言爲例說，有人養一群猴子，早上給它們吃三隻芧，晚上吃四隻，群猴就發怒，換成早上吃四隻，晚上吃三隻，群猴就轉怒爲喜，"名實未虧而喜怒爲用"(《齊物論》)。人生角逐於名利場，與猴子吃芧是一樣可笑的。人世間說穿了其實是一場荒唐夢，相對主義理論即是對這場夢的本質的揭露。比如一個做夢飲酒的人，早晨醒來會因美夢逝去而哭泣，而做夢哭泣的人，早晨醒來又會高興地去田獵，然而夢中的哭泣是夢，早上的田獵又何嘗不是另一場夢，"方其夢也，不知其夢也，夢之中又占其夢焉，覺而後知其夢，且有大覺而後知此其大夢也"(同上)。

對於一般的隱者來說，遁世的理由也許可以很簡單，他個人有重大挫折，或者他無法再在生活中爭取個人前途，這就足夠了。當然他也可以產生一種把他所要離棄的生活貶低一下的欲望，但莊子相對主義理論並不是這樣產生的。對於莊子來說，遁世的含義要嚴重得多。現實生活是否值得留戀，不僅是個人是否還有可能容足於其中的問題，而且是個人是否還應對之保留一種關懷的問題。事實上，相對主義理論之所以那樣激烈地否定現世生活的價值，主要即是爲了從一種關懷的執迷中解脫出來。莊子本是負載着世人的苦難和罪惡生活着的，他不得不爲一個示衆的死囚而大哭蒼天，不得不爲人生的無意義孤獨迷茫。對世人的憐憫感傷本是他的哲學的情感之源，但在相對主義的解釋中，這種憐憫感傷卻被他自己强行消解了。因爲人生一切不過是一場夢，不僅榮辱得失是夢，災難罪惡是夢，便是對災難罪惡的憐憫感傷也是夢。莊子多次說到，一個人企圖解天下大惑，本身就是一惑，他因此而對自己悲憫天下蒼生之"惑"進行自嘲和自解。《天地》篇寫道："……而今也以天下惑，予雖有祈嚮，其庸可得也，知其不可得也而强之，又一惑也。"《徐無鬼》篇又寫道："嗟呼，我悲人之自傷者，我又悲夫悲人者，我又悲夫悲人之悲者，其後而日遠矣"。相對主義理論有瓦解個人所面臨的一切深刻困境的力量，莊子賦予它這種力量，因爲他可以藉此在一個穿透一切的背景上追問自己感世傷懷是否有意義。沒有這樣的徹底懷疑，莊子無法把自己從沉重的困境中拯救出來，爲遁世生活提供一個精神支持。

莊子相對主義理論提供的消解困境方式是逃遁的方式。它提示了一種影響極其廣泛的生活模式，教人們可以不用激烈的行動就能在內心消解一切俗世所給予的精神壓力。它也提示了一種嘲弄規範和準則的遊戲態度，造成一種無可無不可的遊世心態。儘管如此，遁世在莊子哲學中仍然是與尋求人生尊嚴的一面聯繫着的。因爲遁世的目的除了化解一切現實痛苦，以及化解對人世苦難的關懷以外，還在於重新尋找一個有意義的世界。這個世界就是自然的曠遠和神秘。在自然世界中，隱含着莊子認爲真正值得追求的東西。

三、自然的生活

古樸的田園生活已經沉淪在現實中了，它成了一個消逝了的隔日夢境。戰國時代的隱者對田園生活有一種天然的嚮往，老子著名的"小國寡民"就是對這種生活的具體描畫。在莊子哲學中，對這個消逝的夢境的想象已開始變得模糊，它沒有"小國寡民"那樣具體的內容，只是泛泛提到田園生活的簡樸和無憂無慮。但是，另一方面，田園生活中隱含的詩意卻在莊子哲學中變得愈加濃鬱。而且這種詩意與農夫樸野的耕織生活有相當距離，它主要地表現在兩層意義上。一是一種自然生活的風格，它的着眼點不是在農夫式的閑適樸野，而是在開掘生命在自然中獲得的無限源泉；另一層是對自然內在的美(道)的體察。在莊子哲學中,自然世界有深刻的含蘊,自然的持續不斷的現像之流就是這種含蘊的展示過程(詳下節)。按説體察自然美在一般的意義上只是一種"鑒賞",是附加在實際生活之上的一種奢侈品,但莊子賦予這種"鑒賞"非常嚴肅的意義。事實上,莊子認爲只有在"鑒賞"中,生命最深刻的内容才展示出來,人才真正發現他自己的奧秘和尊嚴與何等神奇的世界存在狀態聯繫在一起。也就是説,自然美不是一個與生命隔離的東西,它就是生命品格的展示。在這層意義上,莊子的氣質完全是精神貴族的,而不是農夫的。

前面説過,莊子的遁世和回歸自然是在個人失意之上對整個社會有一種很深的傷感。由於這種獨特的感受,莊子在自然中不僅要尋求個人生活的歸宿,他更要尋求在現實生活喪失了的人的尊嚴。因此,自然在莊子生活中不是一個逃遁的地方,而是拯救靈魂的地方。這樣,自然生活借助於現實人類困境的激發,充滿了神秘的詩意色彩。當然,這種詩意色彩也借助了自然本身的奥妙和神奇。這種奥妙神奇是多方面的,從具體人生的忘情曠達,到手工工匠"順乎自然"的嫺熟技藝,以及古代神秘主義者的養生術,再到大自然的瑰麗和深不可測。這林林總總的"文化以外"的世界,在尋求人生尊嚴這一强大潛在意識的鼓舞下,就構成了莊子哲學"自然生活"的豐富内容。

莊子把自然生活稱作"無爲"。這一概念是源於老子的。在最樸素的意義上,"無爲"就是效法自然(天地)。天地無言而無爲,但周行不殆,萬物化生。因此"無爲"用於生命的原則,就是像自然一樣生活。這個樸素的意義隱含了無限豐富的内容,因爲自然的内涵有多麼豐富複雜,"無爲"的生活方式就有多麽豐富複雜。所以在莊子哲學中,"無爲"的行爲方式在抽象意義是很難界定的。事實上除了一個否定性的限定(必須不是……)外,莊子未給自然生活(無爲)加以任何明確規定。這個否定性的限定就是,必須擺脱文明加諸身心的一切束縛。在這個限定基礎上,莊子似乎暗示一切生活方式都是合乎自然的,都可以領悟自然的無限。莊子哲學中諸多理想人格的千姿百態就說明了自然生活並不拘泥確定的方式,"無爲"可以有非常豐富的內涵。但是,我們細加斟酌,還是發現莊子的自然生活大約可以分爲三種方式(前兩種方式體現自然生活的風格,後一種方式是對自然美的"鑒賞")。不過這個歸類顯然不嚴格,它只是有助於我們理解莊子自然生活的不同層次和境界。更嚴格的歸類有待於對莊子哲學中人格描述的許多模糊難解之處作出明晰的詮釋①。

第一種方式是隱者的方式。隱者就是遁迹世外的人,不過按莊子的解釋,他們也可以生活在俗世,只要內心天然,不萌機務就可以了。隱者通過忘卻利害榮辱而回到自己本身,順其自然生活。這樣的人心靈通達,精神充實,外形也有神韵。如孫叔敖"三爲令尹而不榮華,去之而無憂色",內在神氣毫無所變,"鼻間栩栩然"(《田子方》)。還有人始終像幼童一樣蒙然無覺,但漾溢着新生的朝氣,"瞳焉若新生之犢"(《知北遊》),並常保不衰老。有些人雖然外形殘缺,卻"遊心乎德之和",顯示出生命的內在魅力,使無數普通男女爲之心折神往(《德充符》)。隱者生活暗示文明境遇戕害生命,只要從這種境遇中解脫出來,生命自然有自我充實的潛力。解脫並不容易,正如上一節分析的那樣,它需要非凡的精神努力。但是莊子通過各種形象喻示,在原初意義上,只要擺脫現實利害榮辱的關切,生命就開始領受自然的恩惠了。正是這一基本意義的隱者生活構成莊子自然生活的第一重境界。我們已經看到,莊子在其中關注的不是閑適和樸野,而是開掘生命潛在力量。

第二種方式是修煉者的方式。所謂修煉即修習某種特別的生

① 這個工作需要古代氣功學、民俗學等學科的研究。莊子哲學可能與某種原始神秘宗教有關,因爲許多有關生命境界的說法都十分玄奧難解。

命調控技能，如調息、吐納、導引之類。我把這一方式解釋的寬泛一些，它還包括一些手工藝者的神技，因爲他們達到的境界與吐納導引之士有些相類。吐納導引的特徵是通過修煉引發生命的不可思議的潛在功能，而手工藝者也可以通過技巧修煉引發這種潛在功能。比如庖丁解牛，庖丁技能的熟練已達“官知止而神欲行”，已經很難說是一種單純技巧，它是一種生命潛能的發揮，是內部“自然”和外部“自然”的深度契合。達於這種境界的工藝操作，是手、眼、身、心的感覺全都遺忘在一種合乎自然韵律的舞蹈動作中（見《養生主》）。其餘如“梓慶制鐻”（《達生》）“津人操舟若神”（同上），“痀僂者承蜩”（同上）等描述神技的寓言所含意境莫不如此。相比之下，調息吐納的修煉術好像更加玄奥。這一類描述在《莊子》中很多，類型也十分複雜，其共同特點是趨向神秘，似乎是受到古代神秘主義者的養生術的影響。如《應帝王》篇有一段神巫季咸給壺子相面極爲典型。壺子可能是一個神秘團體的領袖（收授門徒），他爲了不讓季咸看出自己生命玄闕，就控制自己的生機顯現，逐次爲“示之以地文”，“示之以天壤”，“示之以太沖莫勝”，最後的高深莫測的生機展示，是表現爲一片毫無定性的恍惚，“向吾示之以未始出吾宗，吾與之虛而委蛇，不知其誰何，因以爲弟靡，因以爲波流……”這裏顯然有某種身體修煉的神秘調控能力，決非普通遁世曠達的隱者所能問津。修煉者對生命的自然潛能有某種特別神秘的領悟，自然生活在他們這裏達到一種更加深奥玄妙的境界。不過關於這一層，莊子表述有些模糊。他有時把調息導引的工夫與體悟道的最深境界聯繫起來，有時又說導引一類的工夫並非最高境界（見《刻意》）。弄清這個問題目前有些困難，它涉及莊子哲學的某種神秘宗教背景。

第三種方式是領悟自然美的方式。就自然生活的本意是從沉淪的社會中拯救靈魂，並尋求一種高貴品格的生命尊嚴而言，這種方式是最深刻也是最根本的。也就是前面所説的，在對自然美的

“鑒賞”中,人才真正發現了他自己的奧秘和尊嚴是與何等神奇的世界存在狀態聯繫在一起的。因這問題份量較重,需要另闢一節專門分析。

四、自然美的啓示

自然生活使枯死的生命之泉重新涌流。因爲生命的本原是內在於自然,而非內在於文化,所以只要按自然的方式生活,生命就會有蓬勃的生機。但是,自然方式的生活是十分豐富的,可以體現在不同的層次上。莊子最重視的一種自然生活,卻是體驗自然美。這種意義的自然生活,是將對自然美的領悟視作生活最重要的方式。這裏,最重要生活方式不是指維繫生存所必須的方式。儘管莊子本人窮困潦倒,但莊子哲學的貴族氣派卻對生存問題不屑一顧。對莊子來說,生活最重要的方式是生命可以由之達到最本質的存在狀態(高貴、尊嚴)的方式。自然美就是自然世界那神奇複雜、深不可測的萬象大化。面對這個世界,就是面對着一個超越於社會文化領域之上的全新的經驗領域,它一步一步引導那反抗社會生活沉淪和社會文化約束的心靈進入神奇的重新自我發現歷程。

這裏有一個問題需要不煩辭費再加說明。即體驗自然美確實仍然屬於一種自然生活,它與隱者的曠達忘世,煉氣者的調息導引一樣,是通過某種途徑嘗試生命的自然內涵。但同時,體驗自然美又與一般的自然生活不同。它較爲脫離日常語義所指的“生活”,即較爲脫離有形的活動,而專注於無形的生命境界的體驗。在最終的意義上,莊子在自然生活中尋求的人生尊嚴正是一種純粹的精神境界,而這個境界的展開,也正是莊子哲學最富有創造性的內容。當然,按莊子的本意,自然生活應當是把無形與有形,精神與身體結合在一起的。正因爲此,才會有上節分析的前兩種自然生活方式,這兩種方式是有形的“生活”,但都在不同程度上體現了或接近了回歸自然的最高境界。但就莊子哲學所實際闡明的生命理想而言,它的最高和最完美形態,卻是在自然世界中展開的一種屬於單純精神性的東西。(《逍遥遊》中從"知效一官"者,到"辨乎榮辱之境"的宋榮子,再到"御風而行"的列子,最後到"乘天地之正,而御六氣之辯,以遊無窮者",正是以進入單純精神性爲"無待"的最高境界。)理解這一點,是理解莊子生命理想的關鍵。

在莊子哲學中,自然美對應着人世的苦難、罪惡與沉淪,展開了一個漾溢着魅力的新世界。這個世界充滿生機,豐富而神秘。它的無限性挫敗了人類對於心智的盲信,使人產生一種謙卑的意識。人不僅對自然驚嘆、敬慕,而且深感没有資格爲之贊一辭。《知北遊》篇寫"知"北遊於玄水之上,問道於"無爲謂",這位被黄帝譽爲真知"道"的無爲謂,竟然一個字也不願回答,仿佛一張口就褻瀆了自然的無窮。人類認知能力和理解能力在這樣的自然面前真如螢光流水一樣難以照徹深幽。但正因如此,這個使人產生謙卑感,覺得自己不過是滄海一粟的廣闊世界,卻啓示了人對於宇宙和生命的深層意識。它没有以一種外在的無限性壓倒人,而是使人在謙卑的寧靜之中獲得一種深刻的驚異,這種感覺本身就使心靈從現世的束縛中解脱出來,向一個玄奥的境地飛昇。亞里士多德曾經説希臘哲學起源於對自然的驚異(《形而上學》,商務印書館 1983 年版第 5 頁),其實相比而言,莊子哲學才真是有一種對自然的驚異。希臘哲學是驚異於自然的秩序性的莊嚴,由此想到自然深處一定有嚴密的構架。莊子哲學則是驚異於自然的無限性,一切規則、構架這些人類心智能夠企及的存在式様都被消解在這個無限中,它使人獲得一種對於更深奥的存在方式的領悟。

這裏有一個問題需要解釋一下。所謂自然美,並不是形式的絢爛。對形式絢爛有興趣的古典文獻是《易傳》和後來的《文心雕龍》,而不是《莊子》。莊子哲學的自然美旨在通過描述自然的豐富多變揭示深廣的藴含。《逍遥遊》篇大鵬遠視天際時的感覺是:"天之蒼蒼,其正色邪,其遠而無所至極邪”?蒼茫天野的看不透的底蘊才構成“天”的迷人處,因爲它儘管看不透,卻包含一種引導人進入這個蒼茫世界的東西。莊子的自然美可以較爲不精確地詮釋爲神秘,這不是暗夜中漆黑一團的神秘,而是一種引人入勝的光明的神秘。蒼茫的天宇,怒號的風濤,奔騰的江河和無邊的大海,乃至一草一石,一鳥一獸,都是那樣充滿神奇變化而又無可解釋。《田子方》篇借老子之口說:“消息滿虛,一晦一明,日改月化,日有所爲而莫見其功。生有所乎萌,死有所乎歸,始終相反乎無端而莫知其所窮。”這就是宇宙中的“至美”,領悟了這個“至美”就得到了“至樂”,“得至美而遊乎至樂,謂之至人”。“至美”實際上就是自然萬象大化的深刻蘊含,沉浸在對它的體驗中,就是人生最高的愉悅,而能領悟這種最高愉悅的人,才真正算得上是“人”(至人)。自然的“至美”或者說“大美”都是以其神秘而引領人進入一種深奧的世界存在狀態。

自然美可以詮釋爲神秘還有一個原因,就是莊子哲學的體驗自然,是在一種與日常經驗不同的新的經驗方式中展開的。莊子認爲文明社會的習慣已經造成人們以一種虛假的經驗方式認識世界。在人以這種虛假的經驗方式觀察自然時,自然也處於虛假的分散孤立狀態,而不是其本真的深奧連續狀態。《齊物論》篇大段的玄奧文字其實就是講這個問題。因此自然表象的底蘊是不能在人們通常的經驗中出現的,在這個意義上,它實質上是啓示着一個在日常經驗中被阻隔了的潛在世界。所以說自然美是一種神秘,它的真正含義是要引導人通過一個新的經驗方式走向這個潛在世界。

五、道的世界

莊子所理解的自然是不能在日常經驗的語義層面上體現的,它必須在一種神秘的經驗方式中才能被把握。這種在神秘經驗方式中把握到的自然世界就是道。

日常語言中的“自然”一般是指人生活於其中的有別於文化環境的經驗世界，這個世界通常被把握爲一個與人分離的外在世界。可是在莊子哲學中，正是由對這種文化習慣造成的人與自然分離現象的批判和反省，構成一種尋求新的“真實”自然經驗的起點。莊子在《齊物論》中指出，自然經驗的外在化是一個由文明史造成的扭曲的事實，因爲上古時代的人們，是没有這種自然外在意識的。他說：“古之人，其知有所至矣。惡乎至？有以爲未始有物者，至矣，盡矣，不可以加矣。其次，以爲有物矣，而未始有封也。其次，以爲有封焉，而未始有是非也……”。所謂“以爲未始有物”就是没有與自我對立的對象世界意識，與自然渾然一體。這個自然不再是一個外在的環境世界，而是與生命活動內在一體的世界。這種“古之人”的經驗，正是莊子尋求的神秘經驗。“今之人”由於根深蒂固的文化習慣，因此必須“忘我”才能進入這種神秘經驗。《大宗師》中借顏回之口講述了他的修煉過程是先忘仁義，然後“忘禮樂”，最後“坐忘”，也就是從摒棄外部文化規範，深入到摒棄在文化習慣中形成的“自我”。“仲尼蹴然曰：‘何謂坐忘’？顏回曰：‘墮肢體，黜聰明，離形去知，同於大通，此謂坐忘’”。在“坐忘”中，一個人就獲得了超越文化習慣的“真實”自然經驗。莊子對這種神秘的經驗能力，經常從養生或煉氣的角度加以描述。如《人間世》篇還是借孔子與顏回對話方式討論“心齋”（與“坐忘”含義相類），就有“回曰：‘敢問心齋’，仲尼曰：‘若一志，無聽之以耳而聽之以心，無聽之以心而聽之以氣’”。這一類的說法暗示莊子道論有某種原始修煉術的背景。但是在我們有能力對這個背景進行技術分析之前，先對莊子道論作哲學分析是完全可行的。因爲不論莊子道論的各種背景有多麼複雜（本方已經分析了其中的一種重要背景：對人生苦難的體驗），道論本身確實已經上昇爲哲學意識。而照本文的理解，這種哲學意識的最核心之處，就是批判和反省由文化習慣造成的人與自然分離現象，從而尋找一種把握自然真實狀態的經驗方式。同時，這實際上也就是尋找人與自然重新契合的生存方式。

解釋莊子哲學的學者,一直到最近還在把認知"道"説成脱離一切具體事務,進人一種絶對純淨狀態。這種説法其實很表面,而且容易得出"道"是一種抽象狀態的錯誤結論。實際上,莊子道論是要脱離與文化價值糾葛在一起的事物具體狀態,而進人自然本身變幻無窮的豐富具體狀態。也就是説,"道通爲一"既不是一種單純的純淨狀態,更不是一種抽象,而是一種審美(體察神秘)意義上的具體。從道物關係的意義上説,莊子一面認爲道是超越具體物(與文化價值相聯)的,一面認爲道是使物成爲真正的"物"(自然本真狀態)的。後一層特别重要,可是卻往往被解釋者忽略。所謂使物成爲真正的"物",就是賦予物超出文化眼光以外的新的存在意義。莊子認爲,在道介人以前的(文化眼光制約的)自然存在甚至根本就是一種非存在,《齊物論》就證明了日常經驗世界中的自然物都是這樣的"非存在"。《天地》中説金石(即鐘磬)不得道,即無以鳴響。實際上從通常意義説,金石鳴響不過是自然感應,並無神奇之處。但莊子的意思是指,作爲單純自然感應,這種鳴響是相對的,稍縱即逝的,是無意義的。只有這種獨特的感應現象不再被人們習慣的(文化)經驗方式獨立分割時,它才同萬物的不同個體性,不同感應方式聯成神秘而混茫的一片,也就是才得到了道。换句話説,"得道"在這層意義上就是從新的眼光去體察世界,使世界的每一音響,每一閃動都重新被賦予神奇的意義。前述所謂"忘我"或者"坐忘",就是洗除文化眼光後(這過程很困難),在枯寂和靜穆中進人這種新的體察世界狀態。《天地》篇寫道:"視乎冥冥,聽乎無聲。冥冥之中,獨見曉焉,無聲之中,獨聞和焉。深之又深而能物焉,神之又神而能精焉"。如果"能精"是指體察或進人某種純淨狀態的話,那麼"能物"就是指體察或進人某種"深之又深"的具體狀態。純淨的世界和具體的世界是不可分割的。"物物者與物無際,而物有際者,所謂物際者也,不際之際,際之不際也"(《知北遊》)。"物物者"

(道)就是使物成爲"物"的東西。它既是一種純淨狀態,又是使萬物成爲自然本真之"物"的具體。物質本有的分割狀態(物際)就這樣被"物物者"打破,帶入於一片分割與連續交織在一起的混茫狀態。

所以,道實質上是自然世界在神秘經驗方式中的體現。它的素材仍然是自然現象諸特徵的綜合和變化本身,但它同時卻在某種意義上把自然現象變成了日常經驗和理智思考不能把握的另一種東西,一種使其自身運動充滿了神秘韵律的實在。這種變化使得自然的持續不斷的現象之流不再僅僅是它直接呈現的那個樣子,它同時成爲宇宙無限内蘊的展示過程。就像《齊物論》中南郭子綦在"隱几而坐,仰天而噓,答焉似喪其耦"的境界中聽到"天籟"那樣。顔成子遊不能理解這個不同於"地籟"。(自然之聲)的天籟究竟是什麼,南郭子綦告訴他,所謂"天籟"就是"地籟"自張自息的律動本身。當大風吹動衆多孔竅,發出各式各樣的不同音響時,這就是"地籟";但若是領悟到大風與萬物的和鳴都是自發的,並無一個有意識的主宰,卻顯示了一種遠逾任何意識機巧的天然和諧時,那就是聽到了"天籟"。"天籟"不是别的,就是自然之聲,但卻是日常經驗所不能感受的來自宇宙深處的自然之聲。在這種聲音中,溶進了對自然的無限隱含的神秘體驗。

六、道的意義

莊子尋求"古之人"的神秘經驗,是爲了體察自然真實而原始的存在狀態(道)。這種體察的根本含義在於否定文化給予這個世界的意義。人們一直生活在這個現實的意義世界中,按照這個意義世界的各種指令追逐着什麼,又趨避着另外的什麼。社會人群這種整體的可悲行爲表明,文化意義已經把生命完全扭曲,把生機無謂地扼殺和耗盡了。在這個意義系統以内的任何整補救弊都只能徒勞無功,或像儒墨之徒那樣,人爲地再加上一種枷鎖。莊子爲了尋求徹底的解救,不僅清算了有形的文化枷鎖(仁義禮樂),而且清算了無形的文化枷鎖(有物、有封、有是非),也就是清算了文明社會賴以建構的文化思維模式和經驗習慣。在這種徹底的清算之中,莊子描述了一個在前文化(古之人)的經驗方式中展開的世界存在狀態,同時也就是描述了一種前文化的意義系統。當然,毋庸置疑的是,莊子提示的"古之人"的前文化經驗方式,並不是一種真正的歷史追述,而是借古人之名表述的一種哲學理念。

指出這一點是很重要的。事實上莊子提出的前文化經驗方式,並不是一種系統的脈絡清晰的認識論建構,而只是一種對現有文化圖式徹底反抗的哲學理念。它的深刻之處在於一直深入到反抗語言功能和人們習以爲常的經驗方式,試圖另闢全新的經驗途徑和表述途徑來建立一種令人驚愕敬畏的世界狀態。由於這種新的經驗途徑和表述途徑在莊子哲學中並不系統清晰,它有各種複雜的成份,(例如手工工匠的工藝經驗,養生術士的神秘體驗,對大自然的審美經驗,以及對精神絕對尊嚴和自由的思辨式的感悟和體驗等等),由這些經驗途徑和表述途徑建立起來的世界存在狀態(道)就是一種多層次的形態複雜的存在狀態。特別重要的是,這種世界存在狀態作爲一個意義系統的體現者,與反抗文化現狀的個人主觀意識是有直接聯繫的。

這樣,在莊子哲學中,道所意味的真實自然世界就並非一個客觀的現成的存在,它不是一個等待着被揭示的世界,而是一個隨着各種複雜的生命體驗和自然經驗途徑的開創而不斷重新顯現,特別是不斷深化的世界。對道的把握成爲一個過程,這個過程可以表現於符合特定標準的一組經驗;只要某種生命體驗在自然中獲得了潛在的暗示,或者某種自然體驗在生命意識中激發了新的想象,它們就屬於對"道"所意指的世界本來狀態的合於特定標準的經驗。在莊子尋求的神秘經驗方式(或者說途徑)不斷變幻的意義上,我們可以說道是一個多層面的世界狀態。比如我們可以說,道就是自然現象,因爲現象世界直接呈現爲一個無限神秘的存在,在江河横流風濤怒號的自然現象中,"鑒賞"直接就把人們引導出在文化意義世界中的沉淪。我們也可以説道是自然的真理,因爲自然的持續不斷的現象之流中隱含着某種更深層的實在,就像"地籟"中隱含"天籟"一樣,這種由現象到深層的聯繫即是自然向"混沌"的演變,而對"混沌"的神秘經驗更深刻地啓示了與生命意義相關的世界本真狀態是何等的深奥。我們還可以説,道就是生命與自然的合一,或者干脆説道就是生命本身最充分的展開,因爲自然最深奥的本真狀態是由深刻的生命意識投射形成的。莊子經常把"天地(自然)之道"與"聖人之德"混爲一談和或相替换就清楚地表明了這種意識。實際上,道在最深層次上完全溶解了生命與自然。一方面,生命活動經由批判地反省,棄諸了文化意義强加的一切東西,在尋求新的經驗方式過程中又提煉出一種純粹的精神洞察力,它在自然世界中直接洞悉文化世界以外的無限性(這就是前面第四節提到的,莊子生命理想的最高形態是在自然世界展開的一種屬於單純精神性的東西)。另一方面,自然世界經由批判地反省,也棄諸了它在日常經驗和文化符號描述中的形態,而衢一種深不可測的混沌演變。在理想的意義上,這混沌不是别的,它就是生命在掙脱了文化意義的限制之後借助新的素材(自然萬物)對自身所能達到的可能性的想象。

把道歸結爲在一組神秘經驗中展開的多層世界狀態,我們就理解了莊子哲學中道在形態上的多變性。道既是"神鬼神帝,生天生地"(《大宗師》)的,又是"淵乎其居,漻乎其清"(《天地》)的,但又是"在螻蟻"、"在稊稗"、"在瓦甓"(《知北遊》)的。對這複雜的多變形態的分組或分類解釋尚待俟諸來日。這裏只能指出這個多變形態在兩"極"之間有複雜的交互作用關係。兩"極"就是純粹直覺和具體經驗,也就是上節提到的"能精"和"能物"。就純粹直覺一極而言,莊子之道經常是世界真理,大化根源,充滿形而上學意味。但就具體經驗一極而言，莊子之道又經常是某個具體的東西和某種具體的品德。決不能説莊子重視形而上學而輕視具體之物，實際上就莊子哲學的理想而言，形上的理念是一定要回到具體的。因爲在具體的世界中，才有林林總總的個性和變化，形上意義才有寄托。莊子説真正的高人可以“目擊而道存”(《田子方》)，就是提示了一個把深奥的理念努力歸結爲可以直接體驗(“看”到)的具象化過程的目標。所以在某種意義上，道的最高境界是重新回到自然表象世界，是在靜穆和枯寂中體驗自然之内在韵律神秘的展開過程，從自然的一草一石，一山一水乃至稊稗瓦甓中把握最高智慧。

作者簡介　顔世安，1956年生，山東曲阜人。1986年獲史學碩士學位，現爲南京大學歷史系講師。著有《莊子道論新釋》等論文。

《周易》的思想精髓與價值理想

——一個儒道互補的新型的世界觀

余敦康

内容提要　本文論證《易傳》圍繞着"一陰一陽之謂道"所展開的思想體系，是自然主義與人文主義的有機的結合。就其思想淵源而言，它的自然主義的思想是繼承了道家，人文主義的思想是繼承了儒家，因而總體上體現了儒道互補的特徵。《易傳》根據一致百慮、殊途同歸的包容原則把儒道兩家的思想整合爲一個新型的世界觀，一方面避免了道家的蔽於天而不知人的缺陷，同時又避免了儒家的蔽於人而不知天的缺陷，使二者互相補充，較完整地論述了天與人、自然與社會的整體和諧。這種整體和諧的思想也就是《周易》的思想精髓與價值理想的本質所在。

表面上看來，在《周易》的結構形式中，傳是解經之作，依附於經而存在，應該是經爲主體而傳爲從屬；但是就思想內容實質以及所體現的文化意義而言，經卻是依附於傳而存在的，正好顛倒過來，傳爲主體而經爲從屬。自從《易傳》按照以傳解經、牽經合傳的原則對《易經》進行了全面解釋之後，《易經》原來所具有的那種宗教巫術的思想內容和文化意義便完全改變了，其卦爻符號和卦爻辭只是作爲一種思想資料依附於傳而存在，被《易傳》創造性地轉化成爲具有人文理性特徵的思想內容和文化意義。由於《易經》的卦爻符號與卦爻辭含義模糊，曖昧不明，相互之間本無內在的邏輯聯繫，《易傳》的解釋往往不能自圓其說，矛盾牴牾、扞格難通之處甚多，這就產生了不少的歧義，爲後人進一步的解釋留下了大量的餘地。其實後人的解釋也往往陷入不能自圓其說的困境，無論怎樣殫思竭慮，耗費畢生的精力，也難以彌合經傳之間的紕漏，從文字上和邏輯上把《周易》全書的內容講通。但是，在二千多年來的《易》學研究中，除了個別的例外如南宋的朱熹，幾乎所有的人都遵循着《易傳》的思路，以傳解經，牽經合傳，從來沒有考慮到應當擺脫傳爲經所塗的粉墨臉譜，去闡明《易經》的本義，恢復歷史的真相。這是一個很值得注意的文化現象，說明人們研究《周易》的目的和興趣所在主要是傳文的解釋而不是經文的本義，傳文受到重視的程度要超過經文。其所以如此，是因爲在傳文的解釋中蘊含着一種立足於人文理性的《易》道，貫穿着一種代表中國文化根本精神的思想精髓與價值理想，人們遵循《易傳》的思路去作進一步的解釋工作，主要是爲了把這種思想精髓與價值理想完整地繼承過來，作爲在新的歷史條件下進行思考的精神的原動力。

現代哲學家金岳霖先生曾經指出，每一個文化區有它的中堅思想，每一中堅思想有它的最崇高的概念，最基本的原動力。現在這世界的大文化區只有三個，一是印度，一是希臘，一是中國。它們各有它們的中堅思想，而在它們的中堅思想中有它們的最崇高的概念與最基本的原動力。中國的中堅思想似乎儒道墨兼而有之，其最崇高的概念似乎是"道"，思想與情感兩方面的最基本的原動力似乎也是"道"。關於道的思想屬於元學的題材而與知識論不同。研究知識論可以站在知識的對象範圍之外，用冷靜的態度去研究它。研究元學則不僅在研究對象上求理智的了解，而且在研究的結果上求情感的滿足。知識論的裁判者是理智，而元學的裁判者是整個的人。不道之道，各家所欲言而不能盡的道，國人對之油然而生景仰之心的道，萬事萬物之所不得不由，不得不依，不得不歸的道才是中國思想中最崇高的概念，最基本的原動力。道可以合起來說，也可以分開來說。自萬有之合而爲道而言之，道一，自萬有之各有其道而言之，道無量①。

金岳霖先生的精闢言論，對於我們準確地理解《周易》的思想精髓與價值理想，把握中國文化的根本精神，具有極大的啓發意義。按照金先生的看法，在世界的三個大文化區中，中國文化之所以不同於印度文化和希臘文化的特色，關鍵在於它形成了一個以道爲最崇高的概念與最基本的原動力的中堅思想。這個中堅思想是儒道墨兼而有之的，儘管他們對道的理解存在着很大的分歧，各道其所道，因而此道非彼道，但都普遍地致力於追求行道、修道、得道，以道爲最終的目標。如果分開來說，道無量，有關於自然層面的天道、地道，也有關於社會人事層面的人道，如果合起來說，則道爲一，即把天地人三才之道囊括而爲一個統一的整體。這個道一之一，其準確的含義就是"天地與我並生，萬物與我爲一"之一，是把作爲主體的整個的人包容其中的，因而金先生稱之爲元學的題材，使之與知識論嚴格地區別開來。知識論雖然同樣是以宇宙整體作爲思考的對象，但是這種思考是站在知識的對象之外，撇開了整個的人，採取了主客對立、天人分離的形式進行的，是一種純粹理智的冷靜的思考。至於對道的思考則不僅求理智的了解，而且求情感的滿足。就這種思考是以外在的宇宙整體爲對象求理智的了解而言，其中必然蘊含着一種思想精髓，一種核心觀念，一種對宇宙整體的全面的深刻的把握。就這種思考同時爲了求情感的滿足而言，其中也必然貫注了思考主體的內在的價值理想，否則就不能動我的心，怡我的情，養我的性。由於這種思考的最終目標是追求行道、修道、得道，即不僅通過個人的踐履把自己由特殊性提昇到道的普

① 參閲金岳霖：《論道》第 15～17 頁。

遍性的層次，使自己的全身心滲透着一種深沉的宇宙意識，而且把自己對道的理解推行於天下，使之成就一番事業。所以總起來說，這種思考完全打破了天與人、主與客、知與行的界限，也完全打破了特殊與普遍、內在與外在、個體與全體的界限，它既是整個的人把握世界的方式，也是整個的人在世界之中的唯一的生存方式，本體論、知識論、行爲論混然不分，思想精髓與價值理想合而爲一。這種以道爲最崇高的概念與最基本的原動力的中堅思想是在先秦儒道墨各家共同努力之下形成的，如果不把這種中堅思想提到世界文化史的高度進行宏觀的考察，就無從理解中國文化的根本精神及其薪火相傳的强大的生命力，也無從理解中國文化區別於印度文化與希臘文化的本質所在。

體現在《易傳》之中的《易》道當然也是以道作爲自己的中堅思想，但是由於它形成於學術大融合業已蔚然成風的戰國中後期，而且自覺地超越學派成見，根據殊途同歸、一致百慮的包容原則對儒道墨各家的文化創造進行綜合總結，所以它所表述的中堅思想與其他各家相比具有更大的普遍性，更能全面地代表中國文化的根本精神。漢代以後，人們一直遵循着《易傳》的思路，以傳解經，牽經合傳，對《周易》進行再解釋，這種表面上看來似乎不足爲訓的研究方法，實際上是在新的歷史條件下繼承和發揚了中國文化的中堅思想，反映了古人關於研究《周易》的共識。在古人的心目中，從來没有人把《周易》看成一堆上古的史料，也從來没有人抱着純粹理智的冷靜的態度，像研究古董似的，“折戟沉沙鐵未銷，自將磨洗認前朝”，去恢復歷史的真相，而是把它看成一種富有活力的精神資源，一種神聖權威的思想原則。人們之所以對它産生莫大的興趣，孜孜不倦地去研究，是因爲他們切身地感到，這部古代的典籍與自己有着一種內在的超時代的精神聯繫，唯有把自己作爲整個的人完全置身於其中，帶着濃厚的感情色彩，沉潛玩味，把它的精神資源和思想原則化爲己有，才能把自己的把握世界的方式提到《易》

道的高度,爲自己確立一種合理的生存方式。正是由於古人對《周易》具有這種共識,所以由《易傳》所開創的易學傳統才得以綿延不絶,久而彌新,而中國文化的中堅思想也在歷代易學家的共同努力之下發展爲一道生命洋溢、奔騰向前的洪流,在世界文化體系中占據了不可動摇的地位。

從這個角度來看,古人的那種以傳解經、牽經合傳的研究方法是未可厚非的,如果反其道而行之,以經觀經,以傳觀傳,致力於從事疑古辨僞的工作,把《周易》改變成歷史考據學或文字訓詁學的研究對象,那麼體現在《周易》之中的文化意義和中堅思想便完全失落了。我們現代人當然不會同意古人的那種"四聖一揆"的説法,文化發展的層次歷然的階段性是必須弄清的,而且我們生活在中西文化沖撞和融合的時代,也不可能像古人那樣,把《周易》奉爲唯一的神聖權威,用來對我們所面臨的挑戰作出有效的回應,但是,貫穿於其中的那種代表中國文化根本精神的思想精髓與價值理想仍然是值得我們珍視的,古人的那種不以理智而以整個的人爲裁判者的沉潜玩味的研究方法仍然是值得我們繼承的。由於藴含於《周易》之中的《易》道本來不屬於知識論的題材,而是元學的題材,所以我們不應該用研究知識論的方法,以純粹理智的冷靜態度來研究它,而應該像古人那樣當作一種精神上的追求,把研究《周易》當作一件繼承和發揚中國文化根本精神的大事。

關於《易》道的特徵,在《易傳》中有一系列經典的論述。古代的易學家往往是結合自己的切身體會對這些論述進行逐字逐句的訓釋,創立新解,通過這種經學的方式來發掘其中的意藴,汲取精神的營養,推動易學的發展。我們從古人的一些有代表性的看法中可以歸納出三個方面的内容,第一是思維模式,第二是價值理想,第三是實用性的操作。這是個三位一體的完整的結構。實際上,在西周的天命神學以及儒道墨各家的思想體系中,也全都包含着這三個方面的内容,從世界史的宏觀角度來看,可以説是中國思想不同於印度思想與希臘思想的共同的特徵，而不僅僅是《易》道的特徵。《莊子・天下》篇描述了中國思想的這種共同的特徵：

> 古之所謂道術者，果惡乎在？曰：無乎不在。曰：神何由降？明何由出？聖有所生，王有所成，皆原於一。
>
> 古之人其備乎！配神明，醇天地，育萬物，和天下，澤及百姓，明於本數，繫於末度，六通四辟，小大精粗，其運無乎不在。

這就是說，中國思想的最古老的源頭，其外延"無乎不在"，是一種囊括天人的十分宏闊的整體之學，其內涵則收縮而爲一，這個一即道一之一，天人合一之一。因而這種天人整體之學一方面"明於本數"，同時也"繫於末度"，前者稱之爲"道"，後者稱之爲"術"，合稱"道術"。所謂"明於本數"，是說對天人整體有一個根本的理解，並且從中抽繹出一個統一的原理，一個核心的觀念。由於這個統一的原理或核心的觀念是統貫天人的，與人性的本質有着內在的聯結，所以"本數"也就很自然地包含着思想精髓與價值理想兩個層面。所謂"繫於末度"，是指實用性的操作層面而言的，即把對天人整體的根本理解用於"育萬物，和天下，澤及百姓"，處理各種各樣具體實際的問題，參與運化而無所不在。《莊子・天下篇》認爲，諸子百家的思想都是繼承這個最古老的源頭即"古之道術"發展而來的，但只是各執一端，而没有窺見"道術"之全體。按照這個說法，中國思想的共同的特徵就是這種天人整體之學，各家普遍致力於追求"明於本數"與"繫於末度"的有機的結合，來建立一個天人合一的思想體系。但是，由於各家對天人合一有不同的理解，對天人關係的處理有不同的傾向，所以儘管他們的思想都屬於天人整體之學的範疇，其互不相同的理論形態與學派特徵仍然清晰可辨。先秦時期，中國思想經歷了一個由合到分又由分到合的曲折的過程。如果我們聯繫中國思想的這個總的發展綫索及其共同的特徵，對儒道墨三家和《易傳》的思想作一番比較分析，也許會對《易》道的特徵把握得更爲具體，理解得更爲全面。

就基本思路而言,這種天人整體之學一方面援引天道來論證人道,另一方面又按照人道來塑造天道,實際上是一種循環論證。照古人看來,這種循環論證是合情合理的。因爲他們對天道的研究,目的並不在於建立一種以天道爲對象的純粹的自然哲學,而是爲人道尋找合理性的根據,所以往往按照人道來塑造天道,極力使天道符合人道的理想;但是另一方面,爲了證明人道的理想不是主觀臆想,而是符合天道的自然法則,所以往往援引天道來論證人道,極力使人道具有如同天道那樣的客觀確實性的根據。因此,這種天人整體之學所論述的天道往往包含着人道的內容,其所論述的人道也往往包含着天道的內容,天與人的界限是很難劃分的。古人把這種循環論證的思路叫做天人合一,意思是通過"以人合天"與"以天合人"的兩個過程的不斷的循環往復來把握天人整體。這種"天人合一"的思路是由西周天命神學首先確定下來的,後來爲儒道墨各家普遍繼承。但是各家在建立自己的思想體系時往往割斷了這種思路的循環往復而偏於一端,有的偏重於"以人合天",有的偏重於"以天合人"。大致說來,道家的思想屬於偏重於"以人合天"的類型,雖然他們也研究人道,但是重點卻是研究天道,極力使關於人道的主觀理想符合天道自然無爲的客觀規律。儒墨兩家的思想恰恰相反,偏重於"以天合人",他們主要關心的是社會政治倫理問題,往往是根據關於人道的主觀理想去塑造天道,反過來又用這個被塑造了的天道來爲關於人道的主觀理想作論證。因而這三家的思想各有所蔽。荀子站在儒家的立場批評道家,認爲"莊子蔽於天而不知人"(《荀子·解蔽》)。如果我們站在道家的立場,也可以批評儒墨兩家是蔽於人而不知天。

以墨家的思想爲例,他們對人道的理想主要是兼相愛、交相利,爲了給這種理想作論證,他們塑造了一個能賞善罰惡的有意志的天神,認爲天志是喜好兼相愛、交相利而憎惡别相惡、交相賊的。這是一種典型的"以天合人"的思路,其所謂"天志",不過是一種主觀的投影,宗教的信念,缺乏任何客觀確實性的根據,在傳統的天命神學業已解體的歷史條件下,是不可能爲這種人道的理想作出令人信服的論證的。

儒家的理想與墨家同樣偏重於人道,他們也是按照"以天合人"的思路來塑造天道的。比如孔子保留了天的有意志的屬性而使之倫理化,反過來用這個天來爲自己的倫理思想作論證。孟子强調由盡心知性以知天,其所謂天並不是指稱客觀的自然之天,而僅僅是人性本質的外化。孟子曾說:"誠者,天之道也。思誠者,人之道也"。(《孟子·離婁上》)爲什麼"誠"這個倫理範疇能成爲天道的本質,其客觀確實性的根據究竟何在,孟子並没有作出令人信服的論證。因此,用天人整體之學的標準來衡量,儒墨兩家的思想都是蔽於人而不知天,在天道觀方面有着明顯的缺陷,不是十分完整的。

道家的思想主張因任自然,認爲人道應當效法天道的自然無爲的法則。人們通常把這種思想歸結爲自然主義,其實並不準確,因爲道家的思想和儒墨兩家一樣,也是圍繞着天人關係這根主軸而展開的,同屬於天人整體之學的範疇,其區别之點關鍵在於道家所遵循的思路偏重於以人合天。比如老子說:"天地不仁,以萬物爲芻狗;聖人不仁,以百姓爲芻狗"(《老子》五章)。莊子說:"畸人者,畸於人而侔於天"(《莊子·大宗師》)。"忘己之人,是之謂入於天"(《天地》)。由於道家的這種獨特的思路,所以儘管他們對天道作了大量的研究,提供了一系列具有客觀確實性的見解,但在人道觀方面卻表現出明顯的缺陷,蔽於天而不知人,不是一種完整的天人整體之學。

《易傳》的思想是戰國末年學術大融合的產物。就其天道觀而言,顯然是接受了道家的思想,但卻避免了道家的那種蔽於天而不知人的缺陷,而與人道的主觀理想緊密結合起來。就其人道觀而言,顯然是接受了儒家的思想,但卻避免了儒家的那種蔽於人而不知天的缺陷,而使之建立在對天道的客觀理解的基礎之上。因而與其他各家相比,《易傳》在處理天人關係問題上,没有割斷“以天合人”與“以人合天”的循環往復的過程而陷於一偏,更爲徹底地貫徹了天人合一的思路,更爲全面地體現了中國思想的共同的特徵。

我們可以設想,如果按照道家的那種“以人合天”的思路繼續向前發展,是可以逐漸排除對人道的關懷而轉向對天道的客觀理智的研究,從而形成一種類似於西方的科學傳統。如果按照儒墨的那種“以天合人”的思路繼續向前發展,也是可以逐漸減少對天道的興趣而集中研究人道的問題,從而把社會政治倫理思想從天道觀中分離出來,使之形成爲獨立的人文學科。但是,就中國思想的總的發展綫索而言,這兩種傾向都受到了抑制,天與人的關係始終是糾纏扭結在一起,難捨難分。其所以如此,固然是爲“天人合一”的共同的思路所決定,但是根本原因卻在於中國各家思想都以“天人合一”的整體作爲共同的研究對象。《莊子·大宗師》指出:“庸詎知吾所謂天之非人乎?所謂人之非天乎?”“故其好之也一,其弗好之也一。其一也一,其不一也一。”這就是說,由於天人本來結爲一體,所以不管研究者的主觀喜好以及所遵循的思路如何,其所謂天必然包含人的內容,其所謂人也必然包含天的內容,“天人合一”的關係是根本無法强行分開的。

雖然如此,天與人在中國思想中仍然是可以分開來說的。天指稱自然,人指稱社會。就整體而言,二者固然是合而爲一,但就部分而言,卻是分屬於兩個不同的領域。《老子》二十五章:“故道大,天大,地大,人亦大。域中有四大,而人居其一焉。”《繫辭下》“《易》之爲書也,廣大悉備,有天道焉,有人道焉,有地道焉。”正是因爲中國思想的這種共同的研究對象既可以合起來說,也可以分開來說,所以由此而形成的中國的中堅思想與印度、希臘的中堅思想相比,也就有了很大的不同。金岳霖先生曾根據情感與理智方面的不同的感受進行了宏觀的比較。他指出,“印度思想中的‘如如’最本然,最没有天人的界限。我們既可以隨所之而無不如如,在情感方面當然最舒服。中國思想中的'道'似乎不同,它有由是而之焉的情形。有'是'有'由'就不十分如如。可是'道'不必太直,不必太窄,它的界限不必十分分明,在它那裏徘徊徘徊,還是可以怡然自得。希臘的 Logos 似乎非常之尊嚴;或者因爲它尊嚴,我們愈覺得它的溫度有點使我們在知識方面緊張;我們在這一方面緊張,在情感方面難免有點不舒服"①。

照金岳霖先生看來,中國的"道"既不像印度的"如如"那樣最没有天人的界限,在情感方面最舒服,也不像希臘的"邏各斯"那樣高據於人之上,使我們在知識方面緊張,而是介乎二者之間,在理智與情感方面取其中道。中國的"道"有由是而之焉的情形。所謂"是",是指多少帶一點冷性的自然律。爲了求得這種自然律,必須以冷靜理智的態度對外在於人的整體作一番客觀的研究。所謂"由",是指把這種自然律與整個的人的生存方式聯繫起來,用以安身立命,作爲行道、修道、得道的最高依據,在情感方面多少感到一點自在。因此,中國思想對由是而之焉的"道"的追求,使理智與情感兩方面都受到了抑制。如果説道家的"以人合天"的思路偏重於研究冷性的自然律,但一當落實到人,就有了一個昇溫的過程,不致於冷到像希臘的"邏各斯"那樣,變成一個純粹的知識論的對象。如果説儒家的"以天合人"的思路偏重於闡發滲透着熱烈情感的人文理想,但一當去尋求這種理想的客觀依據時,就有了一個降溫的過程,不致於熱到像印度的"如如"那樣,完全抹煞天人界限,隨所之而無不"如如"。從這個角度來看,中國思想在世界文化體系中走的是一條中間的道路,它的自然主義的傾向總是受到人文主義的抑制,它的人文主義的傾向也總是受到自然主義的抑制。它所追求的最高境界是自然主義與人文主義的内在的聯結,合天人,通物我,只有達到了這個境界,才能較爲全面地把握那個由天人所共同

① 參閱金岳霖:《論道》第 19 頁。

構成的整體，對由是而之焉的“道”有所言說。中國思想與印度、希臘思想的這種區別是具有本體論意義的。由於這種區别，所以中國思想在理智與情感方面產生了一種相互制約的作用，使得道家的思想没有發展成爲一種純粹的自然主義，儒家的思想没有發展成爲一種純粹的人文主義，雖然兩家不免各有所偏，但也不會偏得過遠，都没有擺脱天人關係這根主軸。就總的發展趨勢而言，儒家往往要從道家那裏汲取自然主義的營養來補充自己，道家也往往要從儒家那裏汲取人文主義的營養來補充自己，從而在中國思想中逐漸形成了一種儒道互補的基本格局。這種儒道互補也許就是中國思想發展的普遍的規律或必然的歸宿，因爲只有把儒道兩家各有所偏的傾向結合起來，相互補充，才能使“天人合一”的思路得以全面地貫徹，通過“以人合天”與“以天合人”的不斷地循環往復來把握那個天人整體。

早在先秦時期，這種儒道互補的基本格局就已經開始形成了。《易傳》的思想體系就是一個顯明的例證。人們常説《易》、《老》互通，這就是承認《易傳》與道家的思想有着内在的聯結，二者的核心觀念是可以互通的。但是另一方面，人們也常把《易傳》説成孔子所作，或者儒家後學的作品。這種説法雖然查無實據，卻也事出有因。因爲就其關於社會政治倫理的價值理想而言，《易傳》與儒家的密切關係確實是不容否認的。實際上，在《易傳》的思想體系中，儒道兩家思想的成份都兼而有之。如果我們從以儒補道的角度來看，把《易傳》的學派屬性歸結爲道家，固然是持之有故，但是反過來，如果從以道補儒的角度來看，把它歸結爲儒家，也未嘗不是言之成理。莊子曾説：“以道觀之，物無貴賤；以物觀之，自貴而相賤。”(《莊子·秋水》)我們今天研究《易傳》，没有必要再重復由歷史所造成的種種“以物觀之”的學派成見了，而應該學習莊子的那種“以道觀之”的超越態度，站在中國文化根本精神的宏觀的角度，把它看作是儒道兩家思想不分軒輊的互補，是先秦思想發展的必然的歸宿，它非道非儒,亦道亦儒,是一種自然主義與人文主義有機結合的新型的世界觀。如果我們從這個角度來看,或許可以排除一些外在的干擾,對蘊含於《易傳》深層結構之中的思想精髓與價值理想能有一番更爲親切的體會。

《易傳》的思想體系完全是圍繞着"一陰一陽之謂道"這個命題而展開的。這是一個合天人、通物我的命題,是自然主義與人文主義的有機的結合,《易傳》的思想精髓與價值理想集中體現在這個命題之中。《繫辭上》第五章:

> 一陰一陽之謂道,繼之者善也,成之者性也。仁者見之謂之仁,知者見之謂之知,百姓日用而不知,故君子之道鮮矣。顯諸仁,藏諸用,鼓萬物而不與聖人同憂。盛德大業至矣哉!富有之謂大業,日新之謂盛德。生生之謂易,成象之謂乾,效法之謂坤,極數知來之謂占,通變之謂事,陰陽不測之謂神。

仔細體會《易傳》的這一段論述,我們可以看出《易》道與儒道兩家思想的一系列同中之異及異中之同的複雜微妙的關係。

第一,儒家的孔孟對人性作了大量的研究,並把人性的本質歸結爲天命,但卻沒有認識到天實際上是一個受一陰一陽的規律所支配的自然運行的過程,所以在孔孟的思想中,找不到絲毫陰陽學說的痕迹。道家的老莊把陰陽提昇爲一對重要的哲學範疇,但只是用來論述天道而未涉及人道,沒有把陰陽和人性的本質聯繫起來。《易傳》認爲,"一陰一陽之謂道,繼之者善也,成之者性也",用陰陽範疇來貫通天人,並且依據這對範疇建成了一個"天人合一"的完整的體系。這在先秦思想史上,可以說是獨樹一幟,既不同於儒家,也不同於道家的。但是,這個命題顯然是對儒道兩家的綜合總結,也可以說是既有儒家的影響,也有道家的影響。老子曾說:"萬物負陰而抱陽,冲氣以爲和"。(《老子》四十二章)這個思想與《易傳》的"一陰一陽之謂道"是完全相通的。如果把這個思想進一步與人性的本質聯繫起來,就可以得出"繼之者善也,成之者性也"的結論了。孔子在探索人性本質的最高依據時經常追溯到天,他曾說:“天何言哉?四時行焉,百物生焉”。(《論語·陽貨》)如果孔子再進一步探索支配這個自然運行的內部規律,也是可以得出“一陰一陽之謂道”的結論的。由此看來,只要全面地貫徹“天人合一”的思路,把“以人合天”與“以天合人”這兩個過程結合在一起,就必然呈現出一種儒道互補的發展趨勢。《易傳》的思想就是這種發展趨勢的必然的歸宿,所以它非道非儒,亦道亦儒,如果勉强把它歸結爲某一家,就不是它的本來面目了。

第二,《易傳》通過“一陰一陽之謂道”這個命題展開了一個“生生之謂易”的整體觀,這是一個“天人合一”的整體觀,自然主義與人文主義相結合的整體觀。照《易傳》看來,這個整體陰陽推移,變化日新,化育萬物,生生不已,但又無思慮,無作爲,無好惡,“鼓萬物而不與聖人同憂”。就這個整體不與聖人同憂而言,顯然是接受了道家的影響,帶有自然主義的色彩。老子曾說:“故道生之,德畜之,長之育之,亭之毒之,養之覆之,生而不有,爲而不恃,長而不宰,是謂玄德”(《老子》五十一章)。但是另一方面,由於這個整體是把人包容其中的,與人的生存方式息息相關,因而從人的觀點來看,其生生不已可謂之盛德,其化育萬物可謂之大業,“顯諸仁,藏諸用”,又與老子所說的那種“天地不仁”的冷性的自然主義不相同,而具有較爲濃鬱的人文主義的色彩。這顯然是接受了儒家的影響,把客觀外在的自然倫理化了。

第三,《易傳》認爲,“一陰一陽之謂道”與人的認識論的關係是一個主客契合的過程。所謂“仁者見之謂之仁,知者見之謂之知,百姓日用而不知”,是說道統天地人物,是一個既仁且智的全體,人以這個全體作爲客觀外在的認識對象,由於各人的稟賦有偏厚,志趣有歧異,只能認識全體的某一個局部,甚至茫然不知。雖然如此,道之全體流行於百姓日用之間,無論人們認識與否,始終是客觀存在的,這也是衡量人的認識是否全面的一個客觀的標準。爲了使自己的認識能與道之全體契合無間，必須一方面以聖人爲榜樣，對天地之道作一番冷靜理智的仰觀俯察，另一方面，還必須在提高主體的認識能力上下功夫，不斷充實發揮自己所稟賦的善性，把自己的志趣擴展到與道相契合的全面性的程度。可以看出，《易傳》的這種認識論既不同於儒家，也不同於道家，實際上是對儒道兩家思想的綜合總結。嚴格説來，按照儒家的那種"以天合人"的思路，是很難發展出一套真正的認識論的思想來的。孟子認爲"萬物皆備於我"，把客觀外在的認識對象完全納入主觀之中，因而所謂認識僅僅是一種主觀内省的活動。他所主張的由"盡心以知性，由知性以知天"，就是從這種思想出發的。道家與儒家恰恰相反，主張"人法地，地法天，天法道，道法自然"，完全排除人的主觀的志趣、期望和理想，以客觀外在的自然爲法。這是一種把主觀完全納入客觀之中的思想，雖然可以使人的認識具有較多的客觀確實性的根據，但卻過分地强調了理智的了解，而忽視了情感的滿足。《易傳》的認識論的思想似乎是力求在儒道兩家之間取其中道。就其天道觀而言，它否定了孟子的"誠者天之道也"的說法，從道家的自然主義那裏汲取了營養，提出了"一陰一陽之謂道"的命題。這個"道"是客觀外在的，與孟子的那種主觀投影的"天道"有着根本性的區别。但是，就其人道觀而言，它又否定了道家的那種忘己、無情的説法，而接受了孟子的"思誠者人之道也"的思想。因爲客觀外在的道與人性的本質有着内在的聯結，"繼之者善也"，所謂"繼"就是天人接續之際，人所稟賦的善性本身就是從天道而來的。因此，一個完整的認識過程既不能像儒家那樣把客觀完全納入主觀之中，也不能像道家那樣把主觀完全納入客觀之中，而應該是主與客的契合，内與外的溝通。《易傳》的這種認識論的主張照顧了理智的了解與情感的滿足兩個方面，其實就是"以人合天"與"以天合人"兩個過程的結合，自然主義與人文主義的結合，是取儒道之所長而去其所短的一種儒道互補的思想。

《易傳》的這種儒道互補的思想，就其研究的對象與追求的目標而言，不僅與儒道兩家相通，而且與其他各家也是相通的。先秦時期，包括儒道墨在内的各家都以天人整體作爲共同的研究對象，都力求用自己的體系來把握這個天人整體的根本原理，作爲行道、修道、得道的最高依據。《繫辭下》指出："天下同歸而殊塗，一致而百慮"。這就是説，由於各家的研究對象是共同的，所以雖"百慮"而"一致"，由於各家的追求目標是相通的，所以雖"殊塗"而"同歸"。《易傳》對先秦各家思想的這個總的看法，代表了中國文化的根本精神，體現了中國思想的共同特徵，可以説是一種遠見卓識，比與它同時進行綜合總結工作的荀子和《呂氏春秋》要高出一籌。荀子站在儒家的立場，學派成見過於强烈，儘管他明顯地接受了道家的自然主義的思想，提出了"天行有常，不爲堯存，不爲桀亡"的命題，把天看作是自然之天，但又認爲，"唯聖人爲不求知天"(《荀子・天論》)，用儒家的人文主義來排斥道家的自然主義。雖然如此，當荀子探索禮之所本時，又援引道家的自然主義作論證，認爲禮有三本，"天地者，生之本也；先祖者，類之本也；君師者，治之本也。"(《禮論》)這就使得荀子的天人之學不能自圓其説，陷入了自相矛盾的困境。《呂氏春秋》不固守某一學派的門户之見，在這一點上與《易傳》是相同的，但它對各家學説的兼收並蓄，卻没有形成一個完整的體系，特别是没有形成自然主義與人文主義的有機的結合，提煉爲類似於《易》道的那種《呂氏春秋》之道，所以歷來被人們視爲雜家。《易傳》的綜合總結之所以高出這兩家，是因爲它所提煉而成的"一陰一陽之謂道"，這個命題緊緊抓住了天人關係，把各家探索這個問題所呈現的自然主義的傾向與人文主義的傾向結合在一起，對天人整體的外延與内涵作了完整的表述。

"一陰一陽之謂道"，這個道是可以合起來説也可以分開來説的。如果分開來説，有天道、地道、人道。專就天道、地道而言，研究的對象是人的生存的環境，客觀外在的自然。由於中國古代社會建立在農業經濟的基礎之上,對自然環境有着强烈的依賴,所以不論具有何種傾向的學派都十分關注自然的和諧。因爲只有自然處於和諧的狀態,才能有一個適合於人的生存環境,才能爲社會政治倫理的各種操作提供必要的條件。從這個角度來看,對天道、地道的研究,實質上就是一個如何理解和論證自然的和諧的問題。比較起來,這種研究以具有自然主義傾向的道家占有絶對的優勢。道家把天地之道看作是由陰陽兩大勢力相反相成的作用所構成的和諧。比如老子所説的"萬物負陰而抱陽,冲氣以爲和",强調的是一個和字。道家的這種自然和諧的思想是頗具説服力的,對各家都產生了影響。《説卦》所説的"立天之道曰陰與陽,立地之道曰柔與剛",顯然是繼承了道家的這種自然和諧的思想發展而來。再就人道而言,研究的對象是社會人際關係。先秦時期,天下大亂,禮壞樂崩,社會人際關係受到了嚴重破壞,面臨着一個如何重新整合使之歸於和諧的問題。各家都提出了自己的整合方案,墨家的方案是兼愛尚同,道家的方案是無爲而治,儒家的方案是禮樂仁義,方案雖互不相同,整合的目的卻是一致,都是圍繞着社會和諧問題所進行的探索。《説卦》所説的"立人之道曰仁與義",顯然是選擇了儒家的整合方案,繼承了儒家的社會和諧的思想。因此,《易傳》的天地人三才之道包括了自然和諧與社會和諧兩個方面。如果合起來説,"一陰一陽之謂道"這個命題所表述的就是天與人的整體和諧,自然與社會的整體和諧。《易傳》的這種整體和諧的思想是以天人關係爲主軸從兩個方面來展開的,一方面是通過人道來看天道,把天道看作一個客觀外在而又與人的生存息息相關的自然運行的過程,其中貫穿着一條自然和諧的規律;另一方面是參照天道來看人道,强調人應效法天地,根據對客觀外在的自然和諧規律的準確理解,來謀劃一種和諧自由舒暢的社會發展的前景,使得社會領域的人際關係能夠像天地萬物那樣調適暢達,各得其所。可以看出,這就是中國思想所普遍追求的那種由是而之焉的"道",既有理智的了解,也有情感的滿足，思想精髓與價值理想、自然主義與人文主義是緊密結合、融爲一體的。

《易傳》對卦辭"元亨利貞"的解釋，也集中體現了這種天與人、自然與社會的整體和諧的思想。如果說"一陰一陽之謂道"這個命題是側重於表述天人整體的內在的運行規律，那麼"元亨利貞"則是側重於表述天人整體的外在的生生不已、變化日新的總體特徵。《易傳》在解釋乾卦卦辭"元亨利貞"時指出：

> 大哉乾元，萬物資始，乃統天。雲行雨施，品物流行，大明終始，六位時成，時乘六龍以御天。乾道變化，各正性命，保合太和，乃利貞。首出庶物，萬國咸寧。(《乾卦·彖傳》)
>
> 元者善之長也，亨者嘉之會也，利者義之和也，貞者事之干也。君子體仁足以長人，嘉會足以合禮，利物足以和義，貞固足以干事，君子行此四德者，故曰乾元亨利貞。(《乾卦·文言》)

《易傳》在解釋坤卦卦辭"元亨利牝馬之貞"時說：

> 至哉坤元，萬物資生，乃順承天。坤厚載物，德合無疆，含弘光大，品物咸亨。牝馬地類，行地無疆，柔順利貞，君子攸行。(《坤卦·彖傳》)

仔細體會這幾段解釋，可以看出，其中也是貫穿了一條"天人合一"的思路，一方面是通過人道來看天道，另一方面又參照天道來看人道，既論述了自然的和諧，又論述了社會的和諧。就自然的和諧而言，元者萬物之始，亨者萬物之長，利者萬物之遂，貞者萬物之成，元相當於春時萬物之發生，亨相當於夏時萬物之長養，利相當於秋時萬物之成熟，貞相當於冬時萬物之收藏，因而元亨利貞不僅表現了自然界萬物生成的全過程，而且通過貞下起元的周而復始的運動，表現了自然界的生生不已、變化日新的蓬勃的生機。支配這種運動過程的內部機制是陰與陽的協調配合，和諧統一。獨陽不生，獨陰不生，陰陽必相互交合而始生。乾爲純陽，坤爲純陰，故乾元"萬物資始"，坤元"萬物資生"。萬物生長有賴於陰陽之交合，故乾之亨爲"品物流行"，坤之亨爲"品物咸亨"。陰陽交合而達到如同老子所說的"冲氣以爲和"的境地,則萬物成形,各得其性命之正,這就是"利貞"。如果萬物長久保持自己的性命之正,使之調適暢達,融洽無偏,這就是"太和"了。"太和"是一種最高的和諧,是陰陽兩種相反相成勢力的最完美的結合。照《易傳》看來,這種自然的和諧既無神靈的主宰,也不需要人爲的干預,它按照"元亨利貞"的自然的程序運行,"鼓萬物而不與聖人同憂"。但是,由於人道必須效法天道,天道的自然和諧是人道的社會和諧的最高依據和效法的榜樣,所以"元亨利貞"也給人們啓示了四種行爲的美德。元給人啓示仁,亨給人啓示禮,利給人啓示義,貞給人啓示智。君子效法天道而行此四德,"足以長人","足以合禮","足以和義","足以干事",這就可以進一步去參與天地的化育,謀求社會的和諧,做到"首出庶物,萬國咸寧"了。

就"元亨利貞"所表述的自然的和諧而言,是與道家的思想相通的,清代易學家惠棟在《易例》中曾對此作了很好的論證。《莊子・田子方》說:"至陰肅肅,至陽赫赫。肅肅出乎天,赫赫發乎地,兩者交通成和而物生焉。或爲之紀,而莫見其形。"惠棟解釋說:

> 至陰,坤也。至陽,乾也。肅肅出乎天,坤之乾也。赫赫發乎地,乾通坤也。至陰至陽,乾坤合於一,元也。兩者交通,亨也。成和而物生,利也。六爻得正,貞也。元亨利貞,既濟定也。或爲之紀而莫見其形,易也。故曰:易無體。

惠棟在《易例》中還指出,"元亨利貞,乃二篇之綱領"。"元亨利貞,皆言既濟。卦具四德者七,乾、坤、屯、隨、臨、無妄、革,皆言既濟。"這就是說,既濟卦的象數結構,最爲完美地體現了"元亨利貞"的義理,表述了自然和諧的思想。既濟卦䷾坎上離下,是由乾坤兩卦昇降交合變化而成的。坤五降居乾二而成離,乾二升居坤五而成坎。坤之乾相當於莊子所說的"肅肅出乎天",乾通坤則相當於莊子所說的"赫赫發乎地"。天地交通,乾坤合一,這就是元、亨。卦中六爻的配置,初與四、二與五、三與上,陰陽相應,協調配合,成和而物生，這就是利。陽居陽位，陰居陰位，六爻得正，這就是貞。《雜卦》說："既濟，定也。"定就是穩定，唯有和諧才能穩定。既濟卦的象數結構之所以穩定，就是因爲乾坤兩卦按照元亨利貞的程序昇降交合而形成了高度的和諧統一，所以惠棟認爲，"元亨利貞，既濟定也。"

但是，《易傳》的自然和諧的思想畢竟與道家大不相同。道家偏重於站在自然本身的角度來看自然，力求用一種冷靜理智的態度對自然進行客觀的觀察，因而他們的思想多少帶一點冷性，雖然把自然看作是一個和諧的統一體，但是，"天地不仁"，其本身並不蘊含任何與人的價值理想相關的倫理意義。《易傳》與道家不同，它力求把自然主義與人文主義結合在一起，既要觀乎天文，也要觀乎人文，隨時隨地從自然的和諧中來探尋其所蘊含的倫理意義，謀劃社會的和諧。《賁卦・彖傳》說："賁亨，柔來而文剛，故亨。分剛上而文柔，故小利有攸往，天文也。文明以止，人文也。觀乎天文以察時變，觀乎人文以化成天下。"《易傳》的這個思想顯然是用儒家的人文主義補充了道家的自然主義，反過來說也一樣，用道家的自然主義補充了儒家的人文主義，是一種儒道互補的思想。

另一方面，《易傳》的社會和諧的思想雖然繼承了儒家，但也不盡同於儒家。照《易傳》看來，爲了謀劃社會的和諧，必須效法天道，順應物理之固然，尊重客觀規律性，而不能像儒家那樣，"知其不可而爲之"，片面地强調發揮主觀能動性。因此，《易傳》從不就人事而論人事，往往是推天道以明人事，力求把人的行爲準則建立在對天道的客觀理解的基礎之上。《易傳》的這個思想實際上是把人文價值理想提高到深沉的宇宙意識的層次，援引道家的自然主義對儒家的人文主義進行了一次理論上的昇華，如果我們把《易傳》的這個思想和儒家的典型代表人物孔子、孟子的思想作一番比較，是可以明顯地感覺到這種深沉的宇宙意識的。比如：

天地交，泰。後以財成天地之道，輔相天地之宜，以左右民。(《泰卦・

象傳》)

豫,順以動,故天地如之,而況建侯行師乎!天地以順動,故日月不過而四時不忒。聖人以順動,則刑罰清而民服。豫之時義大矣哉。(《豫卦·彖傳》)

天地養萬物,聖人養賢以及萬民。頤之時大矣哉。(《頤卦·彖傳》)

天地感而萬物化生,聖人感人心而天下和平。觀其所感,而天地萬物之情可見矣。(《咸卦·彖傳》)

恒,久而不已也。利有攸往,終則有始也。日月得天而能久照,四時變化而能久成,聖人久於其道而天下化成。觀其所恒,而天地萬物之情可見矣。(《恒卦·彖傳》)

天地睽而其事同也,男女睽而其志通也,萬物睽而其事類也,睽之時用大矣哉。(《睽卦·彖傳》)

天地革而四時成,湯武革命,順乎天而應乎人,革之時大矣哉。(《革卦·彖傳》)

歸妹,天地之大義也。天地不交而萬物不興,歸妹,人之終始也。(《歸妹卦·彖傳》)

日中則昃,月盈則食.天地盈虛,與時消息,而況於人乎,況於鬼神乎。(《豐卦·彖傳》)

天地節而四時成,節以制度,不傷財,不害民。(《節卦·彖傳》)

我們曾經指出,先秦時期,中國思想經歷了一個由合到分又由分到合的曲折的過程。所謂由合到分,是說諸子蜂起,百家爭鳴,學術由原始的統一而走向分裂。《莊子·天下篇》對這個階段的思想作了總的評價:"判天地之美,折萬物之理,察古人之全,寡能備於天地之美,稱神明之容。是故內聖外王之道,暗而不明,鬱而不發,天下之人各爲其所欲焉以自爲方。"這是一個不帶學派成見的客觀的評價,雖然如此,各家都以天人整體之學作爲共同的研究對象,都能窺見"古之道術"的某一個局部,因而他們的文化創造也都有值得肯定之處,只是由於各執一端,往而不返,缺乏一個全面的觀點,這才造成學術的分裂。究竟怎樣才能把各家的文化創造綜合總結在一起，建立一個完整的體系，使之與"古之道術"全面相符呢？當先秦思想發展到由分到合的階段，各家都對這個問題進行了緊張的探索。有站在道家的立場吸收了儒家、法家思想的，如黄老之學；有站在儒家的立場吸收了道家、法家思想的，如荀子；有站在法家的立場吸收了道家以及法、術、勢三派思想的，如韓非；有站在墨家的立場而抛弃了天志的概念，轉向自然科學研究的，如後期墨家；有站在雜家的立場兼收並蓄的，如《呂氏春秋》。至於《易傳》的立場，則很難歸結爲哪一家，它所持的那種殊塗同歸、一致百慮的包容原則，實際上是超越各家的，如果勉强説它有一個立場，可以認爲，它是站在"古之道術"的立場、中國文化根本精神的立場對各家的文化創造進行綜合總結的。按照《莊子·天下篇》所説，"古之道術"皆原於一。這個一就是道一之一，天人合一之一。《易傳》不僅把儒道兩家的人文主義與自然主義的思想結合在一起，用"一陰一陽之謂道"這個命題概括了這個道一之一，"天人合一"之一，而且作爲一部解經之作，接上了自伏羲以至《易經》的中國文化的古老的源頭，所以它的綜合總結具有更大的普遍性，其中所藴含的思想精髓與價值理想更能代表中國文化的根本精神。自從《易傳》形成以後，人們一直是經傳不分，把《周易》看成是一部完整的著作，習慣於認爲，"伏羲氏始畫卦，而天人之理儘在其中矣"。這種看法雖然與歷史的真相不符，但卻把《周易》置放在一個至高無上的超越的地位，既具有神聖的權威而又能爲各家所接受。這確實是一種十分奇特的文化現象，值得我們去反覆地研究。

作者簡介 余敦康，1930年生，湖北漢陽人。現任中國社會科學院世界宗教研究所研究員，研究生院教授。

《易傳》與楚學齊學

陳鼓應

内容提要　依《史記》所載,《易傳》的傳承譜系多屬齊、楚人。楚學與齊學的文化内涵極其相似,這是由於它們共同地以老學爲其主體思想。本文從《彖傳》、《繫辭》的思想内容的内證上,論述《易傳》屬於齊、楚道家而非魯學、儒學之作。

中國古代哲學的發展具有地區性,恐怕現在没有人否認這一點。按任繼愈先生的看法,在先秦,主要可以區分出四種地區性的文化類型,即鄒魯文化、燕齊文化、三晉文化和荆楚文化①。這四種不同的文化類型各自具有特殊的文化精神,因而孕育出了不同的思想果實:鄒魯文化孕育了儒家,三晉文化誕生了法家,而荆楚文化和燕齊文化則培育出了道家和陰陽家。當然,這只是概而言之。若究其細節,則要複雜得多。本文主要從地區文化的角度,探討一下《易傳》的形成與楚學齊學的關係②。

一、易學在楚齊兩地的傳承

《易傳》是對《易經》的解釋,共包括《彖》、《象》、《繫辭》、《文

① 參見任繼愈:《中國古代哲學發展的地區性》,收於《中華學術論文集》,中華書局,一九八一年。

② 前人皆有"魯學"、"楚學"、"齊學"等的用法,"學"之含義較"文化"爲窄,主要指思想形態的東西。

言》、《序》、《雜》等幾個部分。《易傳》的創作，漢人曾歸功於孔子，如《史記・孔子世家》稱："孔子晚而喜易，序《彖》、《象》、《説卦》、《文言》。"《漢志》亦云："孔子爲之《彖》、《象》、《繫辭》、《文言》、《序卦》之屬十篇。"然而，經過宋代歐陽修、清代崔述及近代學者的研究，已知孔子作《易傳》的説法實不能成立。主要根據有二：一是《易傳》有七種十篇，但各傳之間無論在文章體例還是思想傾向上都有相當的差别，甚至同一傳之内也有矛盾之處，故顯非一人之作；二是將《易傳》的思想傾向與《論語》所記孔子的思想做一比較，便可發現二者的思想性格不相契合。正如傅斯年先生所説："《論語》上孔子之思想絶對和《易・繫》不同。"① 從《論語》來看，孔子注重現實的倫理政治即人道方面，而罕言天道，故弟子不得聞性與天道。其於《易》也只重其倫理道德方面的意義，這從其所引恒卦爻辭"不恒其德，或承之羞"中即可看出。而《易傳》則大談天道，本天道以明人事。此外，在一些概念的使用上，《易傳》與《論語》亦有顯著的不同。馮友蘭先生就曾分析過《易傳》與《論語》中"天"概念的不同意義，從而得出孔子不作《易傳》的結論②。因此，《易傳》非一人一時之作，它的出現晚於孔子，當在戰國時期。然而，具體則是戰國前期還是戰國後期，學者間尚有很大爭議。我們的意見認爲，《易傳》的主要部分成於戰國中後期。即以《易傳》中最早産生的《彖傳》而論，也當成於孟子、莊子之後，對此，朱伯崑先生所著《易學哲學史》從思想上作了詳細的考訂。③ 另外，從概念的使用來看，《乾・彖》中有"各正性命"一語，而"性命"連用，乃是孟莊以後才有的④。

《易傳》的作者究竟是誰，現在我們很難一一確定了。漢代人從

---

① 傅斯年：《與顧頡剛論古史書》，收於《傅斯年選集》第三卷，臺北文星書店，一九六七年。

② 馮友蘭：《孔子在中國歷史中的地位》，見《三松堂學術文集》，北京大學出版社，一九八四年。

③ 朱伯崑：《易學哲學史》上册，北京大學出版社，一九八六年。

④ 參見劉笑敢：《莊子哲學及其演變》，中國社會科學出版社，一九八八年。

孔子作《易傳》的說法出發，曾編訂了一個孔子傳易的譜系。《史記・仲尼弟子列傳》云："孔子傳易於瞿，瞿傳楚人馯臂子弘，弘傳江東人矯子庸疵，疵傳燕人周子家豎，豎傳淳于人光子乘羽，羽傳齊人田子莊何。"《漢書・儒林傳》也有大同小異的記載。對於這個傳授系統，前輩多有懷疑，如錢穆云："孔門傳經系統見於史者惟易，而易之於孔門，其關係亦最疏，其僞最易辨。"① 即以傳授系統本身而論，也存在許多疑點。第一，年代上有問題。崔適《史記探源》嘗謂："瞿少孔子二十九歲，是生於魯昭公十九年。至漢高九年，徙田氏關中，計三百二十六年，而商瞿至田何止六傳。是師弟子之年，皆相去五十四、五，師必年逾七十而傳經，弟子皆十餘歲而受業，乃能幾及，其可信邪？"② 即以孔子卒年公元前四七九年算起，到漢光田何之世，也有約二百八十年。這二百八十年中，傳授只有六代，是頗爲可疑的。第二，孔子是否傳過《易》。從《論語》來看，孔子學說與《詩》、《禮》等關係密切，與《易》則較疏。司馬遷謂孔子晚而喜《易》，可能是事實。《述而篇》記子曰："假我數年，五十以學易，可以無大過矣。"從中我們一方面可知孔子晚年確曾讀過《易》，另一方面，也可知孔子於《易》並無深入之研究，傳《易》之事似不可能。錢穆《先秦諸子繫年》曾詳辨孔門無傳經之事，他說："孔子之門既無六經之學，諸弟子亦無分經相傳之事。自漢博士專經傳授，而推以言先秦，於是曾思孟荀退處於百家，而孔子之學乃在六藝，而別有其傳統。"③ 因此，漢人所謂孔子傳易之事可謂事出有因，卻查無實據。我們以爲，漢儒以傳易始於孔子，正如道家以老子之學本於黄帝，都是出於依托附會，而非歷史事實。第三，按照這個傳授系統，孔子之後的第二代傳人是商瞿。《史記・仲尼弟子列傳》有商瞿，謂少孔子二十九歲。然商瞿之名不見於先秦典籍，而漢代關於

① 參見錢穆：《先秦諸子繫年》上卷，中華書局，一九八五年。
② 參見錢穆：《先秦諸子繫年》上卷，中華書局，一九八五年。
③ 參見錢穆：《先秦諸子繫年》上卷，中華書局，一九八五年。

商瞿之記載，又有矛盾之處，故前人頗有懷疑此人者。如葉夢得云：“自司馬遷以來，學者皆言孔子傳易商瞿。瞿本非門人高弟，略無一言見於《論語》。性與天道，子貢且不得聞，而謂商瞿得之乎？”① 傅斯年謂：“孔子一生未提過《易》，而商瞿未一見於《論語》，也成了孔門弟子了。孔門弟子列傳一篇，其中真有無量不可能的事。大約是司馬子長跑到魯國的時候，把一群虛榮心造成的各‘書香人家’的假家譜抄來，成一篇‘孔子弟子列傳’。”② 因此，錢穆說：“（商瞿）其人尚在若有若無間，遑論傳《易》之事哉？”③

如上所述，漢儒所記的傳易系統有一些問題——主要問題即在源頭上，即虛托孔子及其弟子商瞿。而從馯臂子弘以降，則較近史實。

從馯臂子弘到田何，反映出這樣的一個重要情況：即其傳人之中，楚人居二（馯臂子弘、矯子庸疵），燕人居一（周子家豎），齊人居二（光子乘羽，田子莊何）。可以看出，從田何上溯五代到馯臂子弘，在時間上正是戰國中後期，而在地域上來看，傳《易》者幾乎全爲楚齊兩地之人。這兩點是饒有意義的，因爲戰國中後期正是《易傳》創作的時期。而由於易學在楚齊兩地流傳，因此，《易傳》也就打上了鮮明的楚學與齊學的印記。

二、《易傳》與楚學

如前所述，傳《易》者中，馯臂子弘和矯子庸疵都是楚國人。我們由此可以想見《易》學在戰國時於楚國必流傳較廣。一九七三年長沙馬王堆漢墓出土的帛書中有《易經》及《易傳》，其中《易經》之排列順序與今本大異，另外《易傳》共包括六篇，除與今本略同的

① 參見錢穆：《先秦諸子繫年》上卷，中華書局，一九八五年。
② 同前注傅斯年文。
③ 同前注錢穆文。

《繫辭傳》外,還有《二三子問》、《繆和》、《昭力》等,多爲關於《易》之問答。這無疑是《易》學流傳於楚國的鐵證。

近些年來,隨着考古發現的增多,楚學或者説楚文化的研究取得了長足的進步。就思想方面來説,學者多以老子、莊子爲楚學的代表。因此,探討《易傳》與楚學的關係,主要地也就是探討一下以《彖傳》、《繫辭》爲代表的《易傳》與老子、莊子的關係。

《彖傳》解釋六十四卦的卦名、卦義及卦辭,是《易傳》中最早的一篇。從文字方面來看,高亨先生説:"《彖傳》多有韵語……我對此曾加以研究,知其韵字多超越先秦時期北方詩歌如《易經》卦爻辭及《詩經》等之籓籬,而與南方詩歌如《楚辭》中之屈宋賦及老莊書中之韵語之界畔相合。"[①] 高氏並舉例言之,如《乾·彖傳》用天、形、成、天、命、貞、寧押韵,《訟·彖傳》用中、成、正、淵押韵等,南方詩歌韵語中多有之,北方詩歌韵語中則無之。並由此得出結論説,《彖傳》必爲南方人所作,這無疑是頗有説服力的。

當然,文體僅爲聯繫之一端,實際上,就思想方面言之,《彖傳》、《繫辭傳》與老子、莊子的關係亦頗爲緊密。囿於篇幅,茲僅舉其大者而論之。

(一)陰陽説

陰陽是中國哲學史上一對非常重要的範疇,其本義是指物體對於日光的向背,向日爲陽,背日爲陰。後來成爲表達自然之氣的概念,如西周末年的周太史伯陽父即以陰陽二氣來解釋地震的發生。從哲學史來看,老子説:"萬物負陰而抱陽,冲氣以爲和"(《老子》四十二章),第一個用陰陽二氣來解釋萬物的構成。其後莊子尤喜談陰陽,如《大宗師》云:"陰陽之氣有沴,其心閑而無事",《則陽》

① 高亨:《周易大傳今注》,齊魯書社,一九七九年,第七頁。

云:“天地者形之大者也,陰陽者氣之大者也”。《秋水》云:“自以比形於天地,而受氣於陰陽”,這是以陰陽爲兩種根本的自然之氣。莊子還認爲,這陰陽二氣就是人及萬物的直接根源,《大宗師》云:“父母於子,東西南北,唯命之從。陰陽於人,不翅於父母。”《田子方》云:“至陰肅肅,至陽赫赫。肅肅出乎天,赫赫發乎地。兩者交通成和而物生焉。”老、莊的陰陽觀,對《易傳》發生了巨大的影響。

《莊子・天下》篇說:“《易》以道陰陽”。實際上,《易經》中並無“陰陽”一詞,只有中孚卦九二爻辭“鳴鶴在陰,其子和之”中出現了一個“陰”字。以陰陽解《易》始於《彖傳》,《泰・彖傳》云:“泰……内陽而外陰,内健而外順”《否・彖傳》云:“否……内陰而外陽,内柔而外剛”。這裏陰陽分别指坤乾兩卦象。到了《繫辭》那裏,陰陽的概念已運用得非常普遍,而且意義更加抽象。如《繫辭》上云:“陰陽之義配日月。”《繫辭》下云:“陽卦多陰,陰卦多陽,其故何也?陽卦奇,陰卦偶,其德行何也?”又云:“乾坤其易之門邪?乾陽物也,坤陰物也,陰陽合德而剛柔有體。”這裏陰陽或指卦象,或指爻象,或配日月,或配乾坤,已經不是指兩種氣體,而成了表達兩種根本對立的性質的概念。當然,《繫辭傳》並未完全捨棄陰陽作爲兩種氣體這層意思,如“陰陽不測之謂神”,乃至於“一陰一陽之謂道”中的陰陽就包含着“氣”的成分。

《易傳》用陰陽解釋《周易》,而且將陰陽概念一般化,提出“一陰一陽之謂道”這一命題,應該說是本於老莊而又高於老莊。如前所述。陰陽概念之成爲哲學範疇是由老莊發其端的。朱伯崑先生說:“戰國前期和中期,陰陽學說是由道家倡導起來的。而儒家的代表人物,從孔子到孟子都不講陰陽説。《論語》中無陰陽辭句。孟子是戰國中期的儒家大師,《孟子》中亦無陰陽説。儒家的典籍《中庸》,據説是孔子的孫子子思的作品,其中亦無陰陽説。這説明戰國中期以前魯國的儒家學者,並不以陰陽爲一種範疇解釋事物的性質和變化。"① 這足以說明,至少在陰陽説這一點上,《易傳》是楚學,而不是魯學的產物。

(二)剛柔説

以剛柔解《易》始於《彖傳》。如《屯·彖傳》云:"屯,剛柔始交而難生。"《否·彖傳》云:"否……內柔而外剛。"這裏剛柔分別指乾坤兩卦的卦象,又如《蠱·彖傳》云:"蠱,剛上而柔下,巽而止。"《恒·彖傳》云:"恒,久也。剛上而柔下,雷風相與,巽而動。"這兩卦中的剛柔分別指艮卦、巽卦和震卦、巽卦,可知八經卦中凡陽卦卦象皆可稱剛,陰卦卦象皆可稱柔。然而在《彖傳》中,剛柔最主要地還是指陰陽三爻,即陽爻(—)爲剛,陰爻(--)爲柔。如《睽·彖傳》云:"睽……説而麗乎明,柔進而上行,得中而應乎剛。"《旅·彖傳》云:"旅,小亨,柔得中乎外,而順乎剛"等等。以後《繫辭傳》承繼《彖傳》以剛柔解《易》的傳統,認爲剛柔相推是事物變化的原因,如"八卦成列,象在其中矣。因而重之,爻在其中矣。剛柔相推,變在其中矣","剛柔相推而生變化","是故剛柔相摩,八卦相蕩。鼓之以雷霆,潤之以風雨。日月運行,一寒一暑"。這比《彖傳》對剛柔的理解更抽象了一步。

《易傳》運用剛柔概念來解釋《易經》,與楚學亦頗有淵源關係。我們知道,《詩經·商頌》中就有"不剛不柔,敷政優優"的説法,《左傳·文公五年》亦引《商書》曰:"沈漸剛克,高明柔克"。但是,以剛柔爲一對範疇説明事物的性質,則始於楚人。如《國語·越語》下記楚人范蠡云:"用人無藝,往從其所,剛柔以御,陽節不盡,不死其野",即以剛柔講兵法。老子更是從哲學上加以概括,主張柔弱勝剛强,如《老子》七十八章:"弱之勝强,柔之勝剛,天下莫不知,莫能行"。四十三章:"天下之至柔,馳騁天下之至堅。"而魯學的代表孔孟則不喜談剛柔。因此,《易傳》之運用剛柔概念,溯其源無疑是受

① 同前朱伯崑書第三三——三四頁。

到了以范蠡、老子爲代表的楚學的影響。

(三)自然主義的天道觀

《易傳》通過對《易經》筮法的解釋,形成了系統的天道思想。如"太極生兩儀,兩儀生四象,四象生八卦",既可以說是對揲蓍成卦的描述,也可以被理解爲對宇宙形成過程的說明。這就使得《易傳》一方面與《易經》相聯繫,另一方面又擺脱了《易經》的巫術領域,而進到了哲學天道觀的高度。在這一轉變過程中,老莊的自然主義思潮對《易傳》產生了重大影響。

《易傳》天道觀的一個重要内容就是認爲萬物的產生是天和地交感的結果。《彖傳》說:"天地感而萬物化生"(咸卦),《繫辭傳》也說:"天地絪緼,萬物化醇;男女構精,萬物化生。"在《易傳》作者看來,天地交感產生萬物的過程就像"雷雨之動滿盈,天造草昧"一樣,完全是自然的,並無絲毫神秘的色彩。而且《彖傳》在解釋乾、坤兩卦時,還具體分析了天和地在產生萬物過程中的不同作用。乾、坤兩卦的《彖辭》說:

> 大哉乾元,萬物資始,乃統天。雲行雨施,品物流形。大明終始,六位時成,時乘六龍以御天。乾道變化,各正性命,保合大和,乃利貞。首出庶物,萬國咸寧。

> 至哉坤元,萬物資生,乃順承天。坤厚載物,德合無疆。含弘光大,品物咸亨。

天始萬物,地生萬物,這"始"與"生"的區别與老子所謂"無名天地之始,有名萬物之母"中"始"與"母"的區别是完全一致的。從前李鏡池先生曾經說過:"《彖傳》乾、坤二卦的說解是來自《老子》的,而且要從《老子》所說的來理解《彖傳》,才明白這些話的意義。"譬如,"《彖傳》可能取《老子》的'道大'之意,改大爲元。這個'乾道',即天道,'天法道'的'道'。先天地生,故曰統天。"又如"'保合太和'的'太和',則是《老子》所謂'萬物負陰而抱陽,冲氣以爲和'。

'太和'是陰陽對立而又統一的氣。"①這的確是反映了思想史的實際。我們知道,中國系統的天道思想是由老子首創的。老子承繼前人思想,建構了一個以"道"爲核心的哲學體系,而道的一個核心内容就是"自然"。所謂"道法自然",所謂"萬物莫不尊道而貴德。夫道之尊,德之貴,莫之命而常自然"等,表達的就是這一思想。《易傳》的天道觀在具體内容上與《老子》有很多相似之處,但是更重要的是,它們在本質上都是自然主義的。如《彖傳》所説"雲行雨施,品物流形",《繫辭傳》所説"《易》無思也,無爲也"等與老、莊無論在語詞上,還是在思想内涵上,都非常相似,都表現同樣的天道自然觀。

這裏,我們可以舉出以孔孟爲代表的鄒魯儒家來做一個參照。孔子罕言天道,從《論語》來看,孔子雖然也有"天何言哉?四時行焉,百物生焉,天何言哉?"的説法,從中似可透露出某種自然主義的氣息,但是更多的則是對主宰之天的肯定,這點馮友蘭先生早就説過,此不贅述②。而孟子主要講的也是義理之天即所謂道德之天。把這與楚文化背景中孕育出的老莊思想做一比較,我們就既可看到鄒魯文化與荆楚文化的地區差異,也可以看到《易傳》與楚學的密切關聯。

以上從陰陽説、剛柔説以及自然主義的天道觀三個方面分析了《易傳》與以老莊爲代表的楚學的關係,這當然不能反映問題的全部,而且老莊也不能涵蓋楚學的整個内容。譬如一九七三年底在長沙馬王堆漢墓中與帛書《老子》一起出土的《黄老帛書》,作爲楚學的一個内容,與《易傳》也有密切的關係。如《經法·六分》説:"王天下之道,有天焉,有人焉,又有地焉",《易傳》也講天、地、人三材之道;《六分》説:"唯王者能兼覆天下,物曲成焉",《繫辭》説"範圍天地之化而不過,曲成萬物而不遺";《十大經·果童》説:"觀天於

① 李鏡池:《周易探源》,中華書局,一九七八年,第三四〇頁。
② 同前注馮友蘭文。

上，視地於下，而稽之男女。”《繫辭傳》説：“仰則觀象於天，俯則取法於地，近取諸身，遠取諸物”；《姓爭》説：“夫天地之道，寒熱燥濕，不能並立，剛柔陰陽，固不兩行”，《易傳》則説：“立天之道曰陰與陽，立地之道曰柔與剛”；《稱》篇説：“知天之所始，察地之理，聖人糜論天地之紀”，《繫辭傳》説：“易與天地準，故能彌論天地之道”……如此等等，因襲之迹，一望即知。足爲《易傳》與楚學關係密切之又一證據。

三、《易傳》與齊學

《易傳》創作的時代即戰國中後期，正是齊學興盛的時代。自從田齊桓公（或説威王）於臨淄西門的稷下設立學宮以來，各國、各派的學者都雲集於齊，其著名者如淳于髡、鄒衍、田駢、慎到、環淵、接子等，皆不治而議論，使齊國成爲當時中國的學術中心。如此，則《易傳》之與齊學發生關係，亦爲頗合情理之事。

要探討齊學，今存《管子》一書是最爲重要的思想材料。據大多數學者的意見，《管子》一書是稷下學宮中學者們的著作匯編。以下，我們主要依據《管子》中的《心術上》、《心術下》、《白心》、《内業》四篇來討論一下《易傳》與齊學的關係。爲明瞭起見，我們先把《管子四篇》與《易傳》特別是《繫辭傳》中文意相同的地方引錄於下：

1.《内業》：“凡物之精，此則爲生，下生五穀，上爲列星，流於天地之間謂之鬼神。”又云：“思之而不通，鬼神將通之。非鬼神之力也，精氣之極也”。

《繫辭傳》：“精氣爲物，遊魂爲變，是故知鬼神之情狀。”

2.《内業》、《心術下》：“日新其德。”

《繫辭傳》：“日新之謂盛德。”

3.《内業》：“凡人之生也，天出其精，地出其形，合此以爲人。和乃生，不和不生。”

《繫辭傳》:"天地絪緼,萬物化醇;男女構精,萬物化生。"

4.《内業》:"道滿天下,普在民所,民不能知也",又云:"此稽不遠,日用其德"。又云:"彼道不遠,民得以産。彼道不離,民因以知。"

《繫辭傳》:"一陰一陽之謂道……百姓日用而不知。"

5.《内業》:"一物能化謂之神,一事能變謂之智。化不易氣,變不易智"。

《繫辭傳》:"陰陽不測之謂神。"

6.《内業》:"治言出於口,治事加於民,然則天下治矣。一言得而天下服,一言定而天下聽,公之謂也。"

《繫辭傳》:"言出乎身,加乎民。行發乎邇,見乎遠。言行,君子之樞機,樞機之發,榮辱之主也。言行,君子之所以動天地也,可不慎乎。"

……

這裏面最可注意者當屬精氣説,以中國哲學發展的順序來看,精氣説最早是在《管子》中提出來的。《内業》篇説:"精也者,氣之精者也",以"精"爲精微之氣,並明確地提出了"精氣"的概念(見前所引)。《内業》篇認爲,精氣是包括五穀、列星、鬼神、聖人在内的萬物的來源。很顯然,這就是《繫辭傳》所謂"精氣爲物,遊魂爲變,是故知鬼神之情狀"之所本。

除此而外,研究《易傳》與齊學的關係時還應注意今本《繫辭傳》中的"大衍之數"章。《繫辭上》説:"大衍之數五十,其用四十有九。……天一,地二,天三,地四;天五,地六;天七,地八;天九,地十。天數五,地數五,五位相得而各有合。天數二十有五,地數三十。凡天地之數五十有五,此所以成變化而行鬼神也。"馮友蘭先生曾説:"這個説法,並不是《繫辭傳》的原意,因爲無論是《易經》或《易傳》都不講五行。五行和八卦,一直到戰國末還是兩個體系。上面所說的五行和十個數目的關係是陰陽五行家的說法。"[1] 這種說法是有道理的。一九七三年底馬王堆漢墓出土的帛書《周易》的《繫辭傳》中正無《大衍之數》章。而今天我們見到的《周易》通行本,是由齊人田何傳下來的。沿此上溯,我們即可尋見"大衍之數"章的來源。我們知道,戰國後期陰陽五行說頗盛,而其中心就在齊國,其代表人物就是齊國的鄒衍。《易傳》戰國後期流傳於齊國,受到陰陽五行學說的浸染,正是意料中事。

四、《易傳》與稷下

先秦號稱諸子百家,但以道家和儒家的影響最大。儒家興於鄒魯,而道家則盛於齊楚,其地域的分野還是比較明顯的。在先秦各地區文化之中,齊和楚的文化內涵是最相似的,這種相似性主要就表現在它們都以道家思想爲主體:在楚是老莊,在齊則是稷下黃老之學。如前所述,《易傳》與楚學、齊學都有密切關係,故與道家思想淵源至深。

先秦道家各派思想的代表作,我們可以舉出《老子》、《莊子》、《黃老帛書》、《管子》四篇等,這些同時也是反映楚學和齊學面貌的作品。這些著作有一個共同的特點,就是它們都以道爲宗,重天道自然、陰陽變化之理,並推天道以明人事。這也就是司馬遷所說的"究天人之際",我們今天所謂的哲學。這與《論語》、《孟子》等言必稱仁義,罕言天道的特徵是明顯不同的。將《易傳》與這兩類書相較,我們會發現,它更近於《老子》、《莊子》、《黃老帛書》及《管子》四篇,而遠於《論語》、《孟子》。同道家之書一樣,《易傳》也以道爲宗,宣稱"一陰一陽之謂道",《易傳》也重視天道自然、陰陽變化,大談天道、地道、人道,要人道歸本於天道。從這方面來講,《易傳》與老

---

① 馮友蘭:《中國哲學史新編》第二册,人民出版社,一九八四年,第三三〇頁。

莊等的思維理路是完全一致的。當然,《易傳》特别是《繫辭傳》中,也講仁義,似乎與儒家同,但是,仁義也並不是儒家的專品。譬如孟子辟楊墨,楊朱、墨翟都講仁義,稷下黄老之學也講仁義,陰陽家鄒衍也講仁義。因此,不能認爲講仁義者一定是儒家,關鍵是其如何講仁義,仁義又在其學説中占一個什麽樣的地位。例如鄒衍,其仁義節儉思想“僅是鄒學中的枝葉而非其本根。鄒學之‘要其歸’,仍在陰陽變動中的大道。”①

就《易傳》而言,仁義在其思想體系中究竟是占一個枝葉的地位,還是本根的地位呢?從理論内容來看,無疑是屬於枝葉部分。《彖傳》是《易傳》中形成最早的一個,但仁義在其中幾乎没有被涉及。《繫辭傳》中有仁義觀念,也只是作爲人道的部分内容出現,而不是其思想的核心所在。其他各傳大皆如此。因此,我們認爲仁義在《易傳》思想體系中並不像在孔孟那裏,占有一本根的地位。相反,對於天道的重視,對於天道與人道關係的探索,卻幾乎是《易傳》各個部分共同探討的主題。在這個意義上,《易傳》是一部以道家爲主,融合儒、墨、法各家而形成的作品。

如正文所述,《彖傳》基本上是楚人的作品,而《繫辭傳》與楚學、齊學都有着密切關係。《易傳》創作的時代,即戰國中後期,當時齊國是天下學術的中心,稷下學宮吸引了來自各國的著名學者。老子的思想在稷下影響最大,莊子的後學也可能到過稷下。由於馬王堆帛書《易傳》中並無《彖傳》,因此,我們推測《彖傳》可能是楚人在齊國稷下所作。而《繫辭傳》在思想上與齊學本來就有較深淵源,如精氣説、陰陽五行思想、剛柔説等,特别是精氣説,乃是稷下道家所特有的理論,所以,《繫辭傳》作於稷下的可能性最大。

我們推測《彖傳》和《繫辭傳》可能作於稷下,除了思想上的聯

① 謝扶雅:《田駢和鄒衍——戰國時齊道家底西派》,《古史辨》第五册下篇,上海古籍出版社,一九八二年,第七四六頁。

繫以外,還考慮到齊國特殊的社會背景。衆所周知,戰國時代齊國發生了一次重大的歷史事件,即從陳國遷來的田氏取代了姜氏,而成了齊國的君主。田氏代齊之後,爲論證其獲得統治權的合理性,於是,一方面抬出黄帝作爲高祖,另一方面,則設立稷下學宮,招賢納士。我們認爲,《頤卦・彖》所説:"天地養萬物,,聖人養賢以及萬民",即是田齊《養士》政策之反映,而《革卦・彖》所謂"天地革而四時成,湯武革命,順乎天而應乎人",則是士人爲論證田氏代齊之合理性而造的輿論。此外,《繫辭傳》中所表現出的崇尚剛健的精神,從理論上講,是對老子重視柔弱之反動,從社會背景上來看,也未嘗不是田齊氏採取一系列革新措施的反映。而"盛德大業"則正是處於積極向上、繁榮富强階段的齊國社會物質、精神風貌的一種寫照。

作者簡介 陳鼓應,一九三五年生,福建長汀人。曾任臺灣大學哲學系副教授。現任美國加州大學研究員,北京大學哲學系教授。主要著作有《悲劇哲學家尼采》、《老子注譯及評價》、《莊子今注今譯》、《老莊新論》等。

《易傳·繫辭》思想與道家黄老之學相通

胡家聰

内容提要 《易傳·繫辭》一向被視爲儒家典籍。但經縝密研究,《繫辭》思想與《管子》中道家黄老思想及帛書《經法》等四篇黄老思想有相通之處。本文舉出大量例證,進行比較研究,以論證《繫辭》思想與道家黄老之學聲息相通。

在《易傳》各篇中,《彖傳》的形成最早,而《繫辭傳》的哲學意味最濃。讀陳鼓應先生《〈易傳·繫辭〉所受老子思想的影響》及《〈易傳·繫辭〉所受莊子思想的影響》兩文①,深受啓發。這裏進一步提出問題:《繫辭》作者受不受《管子》中道家黄老思想及帛書《經法》等四篇黄老思想的影響呢?經筆者對文獻資料進行爬梳搜剔,比較研究,答案應當是:《繫辭》思想與道家黄老之學聲息相通。

這裏先説一下《易傳·繫辭》和道家黄老之學的時代性。學術界公認,《易傳》各篇是解釋《易經》的,撰著於戰國時期,《彖傳》年代早些,《繫辭》約寫在戰國後期②。而戰國中後期恰是"百家爭鳴"形成了高潮。《管子》中的道家黄老之作,以道家學派爲本位、又融合齊法家、儒家、陰陽、形名等學説,誕生於田氏齊國稷下之學,係

① 陳鼓應先生兩篇論文,收在他的專著《老莊新論》[中華書局(香港)1991 年版]内,此書即將由上海古籍出版社出版大陸版。

② 此據朱伯崑《易學哲學史》考證:"《彖》的形成年代,不會早於孟子,可以定於戰國中期以後,孟子和荀子之間。"又説:"《繫辭》的上限當在《彖》文和《莊子·大宗師》之後,乃戰國後期陸續形成的著述,其下限可斷於戰國末年。"見《易學哲學史》上册,北京大學出版社 1986 年版。

學術交流、爭鳴的產物。黄老帛書《經法》等四篇，亦是與此或有先後的著作① 注意了戰國中後期各學派學術交流、爭鳴的時代特徵，有助於對《易傳·繫辭》與道家老莊及黄老思想相通的理解。

《系辭》與道家黄老思想相通，有哪些處呢?現依次進行比較和分析。

一、"彌綸天地之道"

《繫辭上》提出：

> 《易》與天地準，故能彌綸天地之道。仰以觀於天文，俯以察於地理……
>
> 範圍天地之化而不過。

這兩句話的文意甚明，是説《易》書以天地爲準則，故能包絡天地萬物之"道"；所謂"範圍天地"，義同於"彌綸天地"；"彌"、大也，"綸"、纏裹也(據古注)。

令人驚異的是，"彌綸天地"這個詞語，竟在黄老帛書《稱》中找到了。原文是："知天之所始，察地之理，聖人麋論天地之紀。"首先，此"麋論"聲同於彼"彌綸"，係同聲假借；其次，此處"知天之所始，察地之理"，彼處"彌綸天地之道"後，緊接"仰以觀於天文，俯以察於地理"，兩處文意相合。

更令人驚異的是，"彌綸天地之道"的古義，竟在《管子·宙合》中找到了(以下凡引《管子》只記篇名)：

> 天地，萬物之橐也，宙合有(讀又)橐天地。(經文)天地苴萬物(苴，包苴也)，故曰萬物之橐(囊橐之橐)。
>
> 宙合之意，上通於天之上，下臬於地之下(臬，原作"泉"，據《管子集

① 參看胡家聰:《〈管子〉中道家黄老之作新探》及《黄老帛書〈經法〉的政治哲學》，前者刊在《中國哲學史研究》1987 年第 4 期，後者刊在《中國哲學史研究》1988 年第 4 期。

校》王引之説改，臬、古“暨”字，暨、及也)，外出於四海之外，合絡天地，以爲一裹。散之至於無間，不可名而出(原作“山”，據《管子集校》改)，是大之無外，小之無内。故曰有(讀又)橐天地。

讀此“宙合之意……”一段文字，使人豁然開朗。《繫辭》所説的“彌綸天地之道”，恰指“合絡天地，以爲一裹”、“大之無外，小之無内”的自然“道”體。

進一步追問：這種“合絡天地，以爲一裹”的自然主義“道論”，又從哪裏來的？它淵源於老子道家哲學：“天地不仁，以萬物爲芻狗；……天地之間，其猶橐籥乎！虚而不屈(不屈、不窮也)，動而愈出。”(《老子》第五章)何謂“橐籥”？意指冶鑄金屬所用的風箱，“橐”是噓風熾火的皮橐；“籥”是竹管，用以接皮橐之風氣，吹爐中之火。老子哲學原意是説，天地無所偏愛，任憑萬物自然生長；而天地之間不正像個風箱嗎?風氣空虚但不會窮竭，發動起來而生生不息。這正是“道法自然”的老子宇宙論，以風箱鼓氣的皮橐爲喻，從而導出了自然“道”體“合絡天地，以爲一裹”、“大之無外，小之無内”等道論。這種黄老道論的進一步傳播、延伸，便出現撮其要義的帛書《稱》所説“彌綸天地之紀”，以及《繫辭上》的“彌綸天地之‘道’”。

這裏着重指出：《宙合》與《心術上》均係《管子》中道家黄老學派寫作年代較早、並且思想互通的作品。體裁均有經有解。其思想主要是闡發君道“無爲”、臣道有爲的“君人南面術”；其年代約撰於田齊威、宣之時。

依上述論證，可以找到“彌綸天地之道”的來龍去脈：

《老子》第五章——《宙合》的“宙合之意……”——帛書《稱》的“彌綸天地之紀”和《繫辭》的“彌綸天地之‘道’”。從這裏可以清楚地察知，《繫辭上》之《易》與天地準，故能彌綸天地之‘道’……“故神無方而《易》無體”的整體文意，乃是以黄老道論解《易》的典型，其中那個“道”字，確係道家自然型的“道”，並非儒家倫理型的“道”。

二、天地生萬物的"道、德"論

《繫辭》中論及天地生萬物之處頗多，如：

> 乾知大始，坤作成物(《繫辭上》)。天地絪緼，萬物化醇。男女構精，萬物化生(《繫辭下》)。
>
> 天地之大德曰生(《繫辭上》)。
>
> 生生之謂易(指變易，非指《易》書，《繫辭上》)。

我們知道，儒家孔、孟學說中幾乎找不到天地生萬物等論說，而在老莊、黃老道論中卻有多處。《繫辭》作者接受了上述道論的思想資料，而又加以改造，用來解《易》。就上引諸處文字，可以找到兩條傳承、推衍的轍迹。

首先，天地生萬物的層次。黃老道論《樞言》說："凡萬物陰陽兩生而參(讀三)視……"所謂"萬物陰陽兩生而三視(視，與"生"對言，亦生也、存活也，如《老子》"長生久視之道")"，明顯因襲老子哲學天地生萬物的生化層次，即"'道'生一，一生二，二生三，三生萬物。萬物負陰而抱陽，冲氣以爲和。"(第四十二章)這裏的"一、二、三"正表示由原始渾沌爲一的"道"體生天地、現陰陽，有了天地、陰陽而後生成萬物(指生物)，萬物都是"負陰而抱陽，冲氣以爲和"生化出來，亦即《樞言》所說的"萬物陰陽兩生而三視"。然而，這種抽象概括爲"一、二、三"的天地、萬物生化層次，被黃老帛書作者具體描繪出來，體現在《十六經・觀》依托黃帝之言：

> 黃帝曰：群群□□□□□□□爲一囷(指龐大的穀倉，借喻天地未分開的渾沌狀態)，無晦無明，未有陰陽。陰陽未定，吾未有以名(即老子所說"無名，天地之始。")。
>
> 今始判爲兩，分爲陰陽，離爲四[時]，(此處殘缺十一字)因以爲常。其明者以爲法，而微道是行("明"、"微"對言)。行法循□，□□牝牡。牝牡相求(相求，即相交)，會剛與柔；柔剛相成，牝牡若(讀乃)刑(形)。

依托黃帝這段話恰是"'道'生一，一生二，二生三"的展開描述。這種天地生萬物有層次生化的道論，被《繫辭》作者襲取了，來强化了其中的"陽剛陰柔"，重新表述爲"乾（指天）知大始，坤（指地）作成物"，以及"天地絪緼，萬物化醇。男女構精，萬物化生。"這後一句，與《十六經》所寫的"牝牡相求，會剛與柔；柔剛相成，牝牡乃形"，不正是同樣的涵義嗎？由此可見，《繫辭》因襲道論的踪迹十分明確。

其次，天地養萬物的功能。黄老道論《宙合》說："天淯養（養字原作"陽"，據《管子集校》丁士涵說改），無計量；地化生，無泮崖（泮字原作"法"，據《管子集校》改）。"這也是說天地生養萬物。天地、萬物都是由原始"道"的本體生化出來的，天陽、地陰，"陰陽合德"（《繫辭下》），因而天的陽氣養護萬物無法計量，地的陰氣化生萬物没有邊際。與此應合的黄老思想在帛書《十六經》也有表述：萬物的生化，"下會於地，上會於天。得天之微，時若（以下殘缺十字），寺（通"恃"或"待"）地氣之發也，乃夢（萌）者夢（萌）而茲（孳）者茲（孳）。天因而成之，弗因則不成，[弗]養則不生。"萬物得到"天之微"的陽氣，又依恃"地氣之發"的陰氣，所以才能"萌者萌，孳者孳"，從而"陰陽合德"，生生不息，繁衍無窮。這是天地養育萬物的功能。

這種黄老思想在《繫辭》中的表述，就是"天地之大德曰生"和"生生之謂易"。這兩句話是一個意思，萬物得到"天淯養"、"地化生"的養育，才能"萌者萌而孳者孳"那樣生生不息。其實，這種道論淵源於老子哲學："'道'生之，'德'畜之，物形之，勢成之。是以萬物莫不尊'道'而貴'德'。'道'之尊，'德'之貴，夫莫之命而常自然。"此即老莊、黄老自然主義"道、德"論的源頭。

不可忽略，《繫辭》中所用的"道、德"概念，哪處是道家自然型的，哪處是儒家倫理型的，應作具體分析。比如"一陰一陽之謂'道'"、"天地之'大德'曰生"，這都明明是自然主義的"道、德"論。

三、"道"的"精氣"說及"神明"論

《繫辭》中與黄老道論名著《内業》等哲學思想相通的，有以下數處：

精氣爲物，遊魂爲變，是故知鬼神之情狀。(《繫辭上》)

以言乎邇(近也)則靜而正，以言乎天地之間則備矣。(《繫辭上》)

其受命也如嚮，無有遠近幽深，遂知來物。非天下之至精，孰能與於此？(《繫辭上》)

聖人以此齋戒，以神明其德夫。(《繫辭上》)

以通神明之德，以類萬物之情。(《繫辭下》)

陰陽合德(指天陽、地陰)，而剛柔有體，以體天地之撰(撰，爲也)，以通神明之德。(《繫辭下》)

上引各條，同發展了老子哲學的黄老名著《内業》、《心術》中的"精氣"說、"應物"說及"神明"論聲息相通，有綫索可尋。

其一，"精氣"說。《内業》這篇長論，把"道"爲"精氣"的哲理發揮得淋灕盡致。如：

凡物之精，化則爲生(化字原作"此"，據《管子集校》改)。下生五穀，上爲列星。流於天地之間，謂之鬼神；藏於胸中，謂之聖人。是故此氣(此字原作"民"，據《管子集校》改)，杲乎如登於天，杳乎如入於淵，淖乎如在於海，卒(讀猝)乎如在於己。是故此氣也，不可止以力，而可安以德；不可呼以聲，而可迎以意。敬守勿失，是謂成德；德成而智出，萬物畢得。

天主正，地主平，人主安靜。……能正能靜，然後能定。定心在中，耳目聰明，四肢堅固，可以爲精舍。精也者，氣之精也。

這裏表述的"精氣"説主要有兩方面：一是，精氣即"其大無外，其小無内"的自然型的"道"之本體，它是物質性的，可以生化爲形形色色的東西，以至流於天地間爲鬼神等。二是，它有認識論的意義，"聖人"内心能正能靜，"道"的精氣便能進入"心"的館舍，這就是"得道"。在黄老學派看來，"道之與德無間"，"德者，得也"，指"得其

所以然"(據《心術上》),"得道"屬於"心爲'道'舍"的認知"其所以然"的認識論。

反回頭考察上引《繫辭》前兩條。第一條說"精氣爲物,遊魂爲變,是故知鬼神之情狀",其文意顯然因襲上引《内業》的精氣說,但把"下生五穀,上爲列星"等丢開了,單單加了"遊魂爲變",由此能知"鬼神之情狀",便使無神論的道論向有神論方面傾斜。

第二條說"以言乎邇則靜而正,以言乎天地之間則備矣",這正與《内業》的認識論相通,意即聖明之人,"能正能靜,然後能定;定心在中,……可以爲精舍",内心正靜,精氣進入"心"的館舍,即是"得道"。所以說,"人能正靜,……乃能戴大圜(指天),而履大方(指地),鑒於大清,視於大明;敬愼無忒,日新其德,遍知天下,窮於四極"(《内業》)。這不正是"言乎天地之間則備矣"嗎?其中"日新其德"亦見《繫辭上》,表述爲"日新之謂盛德"。

其二,"應物"說。道家黄老哲學認識論的具體化,强調"應物"、"待物",如《心術上》說:"'君子之處也若無知',言至虛也。'其應物若偶之',言時適也。……故物至則應,過則舍也。"所謂"應物",指以虛靜如明鏡止水般的心態,如實地不增不減地反映客觀事物,認知其本質、規律,這即是"得道"的"得其所以然"。《宙合》中所說:"聖人博聞多見,畜'道'以待物……"這裏的"待物",亦指等待所來之物,而以虛靜之"心"如實反映。黄老帛書《稱》亦闡發此意:"'道',無始而有應。其未來也,無之(指所待之物);其已來,如之(指畜"道"以待物的所畜之"道")。有物將來,其刑(形)先之。建以其刑(形),名以其名(指據物之形、實,按實而定名)。"這也是"應物"說。

反回頭考察上引《繫辭》第三段,所謂"其受命也如響,無有遠近幽深,遂知來物。非天下之至精,孰能與於此",與"精氣"說、"應物"說對照:一、"至精"是襲用"心爲精舍"的概念,用心精專,專心致志,心不二用;二,"遂知來物"指以虛靜之心以應來物,察知其本質、規律，弄清寓於其中之理。

其三，"神明"論。在黄老學派那裏，有關"神明"一詞，指通過"心"的思維器官認知寓於客觀事物中的本質、規律，即是"得道"，"道"即是"神"。《心術上》的表述最典型："世人之所職（守也）者精也。去欲（内心去欲），則宣（宣，通也）。宣則靜矣，靜則精。精則獨矣（用心精專不二），獨則明。明則神矣。神者至貴也，故館不辟除（指去除内心私欲等不潔之物），則貴人不舍也。"這說的是"心"之官能所起思維加工場的認識過程，所提的"明則神"，"神"之進入"心"的館舍，"神"乃無意志的。《内業》也說："形不正，德不來；中不靜，心不治。正形攝德，天仁地義，則淫然而至。神明之極，昭（原作"照"，讀"昭"）乎知萬物，中守不忒。"這裏的"神明之極"與前所說"明則神矣"、"神者至貴"有同樣涵義，均指"得道"的認識論。恰如帛書《經法》所說："道者，神明之原也。"

反過來再看上引《繫辭》那"神明其德"、"神明之德"等三條，可見均襲用黄老道論的概念。所謂"以通神明之德"，仍有認識論的意味；而"聖人以此齋戒，以神明其德"，便向宗教迷信傾斜了。尤其是《繫辭上》的"蓍之德圓而神，卦之德方以知（智）"那一整段，其中的"神"字多有蓍卦的神秘色彩。徐志鋭先生說得好："行筮占卦，本來是宗教迷信的一種具體手段。《周易大傳》將其與天地自然規律拉在一起，企圖賦予它以科學的意義，改變其性質，但無論如何解釋，它的實質則是改變不了的。"[①] 這很對。

四、天、地、人"三才"說及"易簡"說

《繫辭》中的天、地、人"三才"說及乾、坤"易簡"說對後世影響深遠，諸如：

---

① 徐志鋭：《周易大傳新注》，齊魯書社 1988 年版第 430 頁。

《易》之爲書也，廣大悉備。有天道焉，有人道焉，有地道焉。兼三材(《説卦》稱三才)而兩之……(《繫辭下》)

六爻之動，三極(三，爲三才，指天、地、人；極，極至)之道也。(《繫辭上》)

乾以易知，坤以簡能。易則易知，簡則易從。……易簡而天下之理得矣。(《繫辭上》)

夫乾，天下之至健也，德行恒易，以知險。夫坤，天下之至順也，德行恒簡，以知阻。(《繫辭下》)

上引《繫辭》四條，前兩條係"三才"説，後兩條係"易簡"説，均與道家黃老思想相通。

首先，天、地、人"三才"説。《管子》中的道家或道法家多"天、地、人"聯提之處。如：

上度之天祥，下度之地宜，中度之人順，此所謂三度。(《五輔》)

天不一時，地不一利，人不一事。(《宙合》)

天有常象，地有常刑(形)，人有常禮，一設而不更，此謂"三常"。(《君臣上》)

天或維之，地或載之。天莫之維，則天以(已)墜矣；地莫之載，則地以(已)沉矣。……人有治之，辟之若夫雷鼓之動也。(《白心》)

從《管子》所表述"天、地、人"聯提數處可以看到主要幾點：(1)從總體看，人類社會生產生活無法離開天地，亦即不能離開天、地、人的總體的辯證聯繫。(2)天、地、人三者都在運動變化着，但其中寓有"常、則"的規律性。(3)天、地、人儘管各有其運動變化的規律性，但"天不一時，地不一利，人不一事"，情況都很複雜。《宙合》强調要作多方面具體研究，不可局限於"一時"、"一利"、"一事"的"曲説"，而要作"博爲之治"的"廣舉"。還應提到，孟子曾兩次去齊國，他强調的"天時不如地利，地利不如人和"(《孟子・公孫丑下》)，重點在"人和"，恰與《五輔》所説"人道不順，則有禍亂"相合，均着眼於政治。

黄老帛書亦屢次論及"天、地、人"，如"王天下者之道，有天焉，有人焉,又(讀有)地焉。三者參用之……"(《經法・六分》)又如"故王者不以幸治國,治國固有前道,上知天時,下知地利,中知人事。"(《十六經・前道》)這類説法與《管子》中黄老道論相合。

《繫辭》所説"《易》之爲書也,廣大悉備,有天道焉,有人道焉,有地道焉",這裏的"三才之道"可能是作者深受黄老道論的思想影響,襲用其天、地、人三"道"的概念,重新概括爲"三才"。追本溯源,天、地、人之聯提當出於老子學説:"'道'大,天大,地大,人亦大。域中有四大,而人居其一焉。"(《老子》二十五章)經過老子、黄老到《繫辭》,"四大"竟變成了"三才"。而在後世的童蒙讀物《三字經》中,"三才者,天地人"成了順口溜,而它的淵源正是道家黄老。

其次,乾坤"易簡"説。從《繫辭》説來,乾爲天、爲陽,坤爲地、爲陰,"乾知大始,坤作成爲",因而"乾以易知,坤以簡能;易則易知,簡則易從",是順理成章的。問題是:"易、簡"的概念從哪裏來的?

回答:"易、簡"出於道家黄老學説。稷下黄老之作《尹文子》寫道:

> ……以名稽虚實,以法定治亂;以簡[制]煩惑,以易御險難。萬事皆歸於一,百度皆準於法。歸一者,簡之至;準法者,易之極。

這不恰恰與《繫辭》的"易、簡"概念吻合嗎?同上文義藴相近的話亦見黄老帛書:

> 一者,"道"其本也。……一以騶化(騶,讀趣,意即促),少以知多。……操正以正奇("正"指正名),握一以知多。(《十六經・成法》)
>
> 得"道"之本,握少以知多;得事之要,操正以政(正)奇(指正名,以名稽虚實)。(《道原》)

《尹文子》並非僞書,乃黄老道論[1]。上引黄老帛書,雖無"易、簡"詞語,但文意相合,所謂"握一以知多",恰與《尹文子》之"歸一者簡之至"義藴相同,其原意是"得'道'之本"、"得事之要",猶今言抓住根

---

[1] 參考胡家聰:《〈尹文子〉與稷下黄老學派》,《文史哲》1984年第2期。

本、掌握要領。《繫辭》作者把黃老道論常用的概念借用過來,才有"易則易知,簡則易從"之説。

五、把握"原始反終"的自然規律

《繫辭》作者强調把握天體運行的自然規律,這體現在:

> 是故法象莫大乎天地,變通莫大乎四時,縣(懸)象著明莫大乎日月。(《繫辭上》)

> 日往則月來,月往則日來,日月相推而明生焉。寒往則暑來,暑往則寒來,寒暑相推而歲成焉。往者屈也,來者信(古伸字)也,屈信(伸)相感而利生焉。(《繫辭下》)

> 原始反終,故知死生之説。(《繫辭上》)

> 變通者,趣(讀趨)時者也。(《繫辭下》,"趨時"即"變通"因於四時)

> 廣大配天地,變通配四時,陰陽之義配日月,易簡之善配至德。(《繫辭上》)

上引諸條均有"天地"、"日月"、"四時"的天體運行,即所謂"原始反終"的循環往復。闡發這種"原始反終"的自然哲學,不僅老莊道論,尤其黃老道論更爲突出。現將相通之處列於次。

上引《繫辭》前兩條均論及天地、日月、四時的運轉是循環往復,其"相推"的運行有其客觀規律。這承襲《管子》中年代較早的《形勢》所説:"天不變其常,地不易其則,春秋冬夏不更其節,古今一也。"這裏的"常"、"則"、"節"均指客觀規律。猶老子哲學"知常曰明"(《老子》十六章),"知常"指認知、把握規律行事。

這種論説天地,日月、四時有關天體運轉、循環往復,在黃老帛書中太多了,爲避免繁瑣,僅舉《經法·論》的一段:"天執一以明三:日,信出信入,南北有極,[度之稽也;月,信生]信死,進退有常,數之稽也;列星有數,而不失其行,信之稽也。"這裏"天執一(指"道")以明三",不正是"三光者,日月星"(《三字經》)嗎?據此日、月、星運轉的客觀規律，接着便概括爲："明以正者，天之道也。適者，天[之]（原無，依文意補）度也。信者，天之期也。極而[反]者。天之生[性]也。必者，天之命也……"這裏的"天"，義即老子"'道'法自然"的自然，"天之道"（《形勢》多見）即自然之"道"，《荀子·天論》即"自然"之論。上引帛書這段文字説明什麽？（1）它是以從春秋到戰國的天文學進一步發展爲客觀依據①，人們對天體運行的測算更精確，才能據以表述爲"適者，天之度"、"信者，天之期"、"極而反者，天之性"、"必者，天之命"等，在這以前的老子、孔子時代的文獻是找不見的。（2）其中天體運行的自然規律，如天地、日月、四時等均包羅在内，與《繫辭》幾乎處處相合；尤其"極而反者，天之性也"，即《繫辭上》所説的"原始反終"；而"必者，天之命也"，即《繫辭上》所説"樂天知命，故不憂"，這是道家的"天命"論，並非天有意志的天命論。

六、陰陽、剛柔"相推"的變化觀

陰陽、剛柔的相推、相摩因而産生變化，是《繫辭》中很突出的樸素辯證法思想，主要有以下各條：

乾，陽物也。坤，陰物也。陰陽合德，而剛柔有體，以體天地之撰（撰，爲也），以通神明之德。（《繫辭下》）

夫乾（爲陽），天下之至健（剛）者也……；夫坤（爲陰），天下之至順（柔）者也……。（《繫辭下》）

變動不居，周流六虚；上下無常，剛柔相易。（《繫辭下》）

剛柔者，立本者也；變通者，趣（讀趨）時者也。（《繫辭下》）

是故剛柔相摩，八卦相蕩。鼓之以雷霆，潤之以風雨；日月運行，一寒一暑。（《系辭上》）

剛柔相推，而生變化。（《繫辭上》）

① 參考陳遵嬀《中國天文學史》，上海人民出版社版。

上引均有“陰陽”、“剛柔”詞語,而《易經》卦辭、爻辭均無此詞語。《繫辭》此類概念從哪裏來?當淵源於道家、陰陽家。現分作“陰陽”、“剛柔”等三個層次,分别論證其相通之處。

其一,“陰陽”之説。上引第一條的“陰陽合德而剛柔有體”,使人想起老子哲學的天地生化萬物,“萬物負陰而抱陽,冲氣以爲和”。這種陰陽變化説,可以看作中國式的樸素辯證法,從春秋到戰國逐漸普及開來。《管子》中帶有黄老色彩的《乘馬》寫道:“春秋冬夏,陰陽之推移也;時之短長(指四時),陰陽之利用也;日夜之易,陰陽之化。”這裏所説的“陰陽”的推移、變化,均與《繫辭》相合,成爲其思想資料的來源。

黄老帛書中所寫有關“陰陽”之説有二、三十處,與上引《繫辭》各條多相通。(1)論陰陽化變:“夫天有[恒]榦,地有恒常,合[榦與]常,是以有晦有明,有陰有陽。……陰陽備物,化變乃生。”(《十六經・果童》)這裏,同上引《繫辭》所論天陽、地陰及陰陽、剛柔相推、相摩文義相合。(2)“剛柔陰陽”連用。更引人注意的是《十六經・姓爭》説:“夫天地之道,寒涅(熱)燥濕,不能並立;剛柔陰陽,固不兩行。兩相養,時相成。”這裏很突出的是“剛柔陰陽,固不兩行”,這是説的矛盾的對立面,但又“兩相養,時相成”,不正是既相反、又相成的辯證法嗎?這種“剛柔陰陽”相反相成,促進事物變化之理,亦與《繫辭》中的“陰陽合德,而剛柔有體”、“剛柔相推,而生變化”的精神實質相通。

其二,“陰陽大義”。其中包含着“陰陽”、“剛柔”説,見於帛書《稱》:

> 凡論,必以陰陽[明]大義。天陽地陰。春陽秋陰;夏陽冬陰。晝陽夜陰。大國陽,小國陰。重國陽,輕國陰。有事陽,而無事陰。信(伸)者陽,而屈者陰。主陽,臣陰。上陽,下陰。男陽,[女陰]。[父]陽,[子]陰。兄陽,弟陰。長陽,少[陰]。貴[陽],賤陰。達陽,窮陰。取(娶)婦姓(生)子陽,有喪陰。制人者陽(其後有“制人者”三字,係衍文),制於人者陰。客

陽,主人陰。師(軍隊)陽,役(勞役)陰。言陽,黑(默)陰。予陽,受陰。諸陽者法天,天貴正,過正曰詭,□□□□,祭乃及。諸陰者法地,地[之]德,安徐正靜,柔節先定,善予不爭,此地之度而雌之節也。

反覆玩味上段文意,給人以深刻印象是"陰陽"概念的擴大化,從自然界擴大到社會政治人事,而與《繫辭》思想多相通。研究時請注意:(1)其出發點應是"一陰一陽之謂'道'";(2)特別是開頭的"以陰陽明大義"依次展開後,而到結尾"諸陽者法天"、"諸陰者法地",首尾緊緊呼應。現將《繫辭》與帛書《稱》文義相通處列表如次。

《繫辭》

(1)乾(爲天),陽物也。坤(爲地),陰物也。

(2)天尊地卑,乾坤定矣。

(3)卑高以陳,貴賤位矣。

(4)男女構精,萬物化生。

乾道成男,坤道成女。

(5)動靜有常,剛柔斷矣。

(6)寒往則暑來,暑往則寒來,寒暑相推而歲成焉。

(7)上下無常,剛柔相易。

(8)往者屈也,來者伸也……。

(9)剛柔者,晝夜之象也。

剛柔相推,而生變化。

(10)《易》與天地準,故能彌綸天地之道。

崇效天,卑法地,天地設位,而《易》行乎其中矣。

帛書《稱》

(1)天陽,地陰。

(2)主陽,臣陰(據《管子·明法》:"尊君卑臣,非計親也……"君尊臣卑,與主陽君陰相通,具有天尊地卑之意,君主通稱"天子")。

(3)貴陽,賤陰(按:社會有貴有賤,反映以君主爲首的等級制)。

(4)男陽,女陰。

(5)有事陽(有事指動),而無事陰(無事指靜)。

信(伸)者陽(喻剛),屈者陰(喻柔)。

(6)春陽,秋陰。夏陽,冬陰。

(7)上陽,下陰。

(8)信(伸)者陽,而屈者陰。

(9)晝陽,夜陰。

(10)諸陽者法天……;諸陰者法地……

從上列《繫辭》與帛書《稱》

相通處的對照,說明什麼呢?(1)最重要的末尾"諸陽者法天"、"諸陰者法地",而與《繫辭》的"《易》與天地準"之效天、法地吻合一致。其不同處,僅僅爲了解《易》,《繫辭》加上"乾、坤"表示天、地而已。(2)《稱》的開頭"必以陰陽明大義",實質上是將"陰陽"之說擴大爲義理,《繫辭》亦是如此,從自然現象擴展到社會政治人事,爲維護以君主爲首的封建等級制作合理性造說,兩者是一致的。(3)其撰著年代決不在老子開始著書的春秋末(老子書中只有"萬物負陰而抱陽"這一處),而必在老莊、黄老道論及陰陽家說盛傳的戰國中後期。

其三,"剛柔"說的歷史演變。《繫辭》中的"剛柔"說,是老子哲學的繼承和發展。兩者的不同處在哪裏呢?老子道論多講"剛柔",如"柔弱勝剛强"(三十六章)、"守柔曰强"(五十二章)、"堅强者,死之徒;柔弱者,生之徒"(七十六章)、"弱之勝强,柔之勝剛,天下莫不知,莫能行。"(七十八章)"剛、柔"的對立面統一,在老子看來應持守柔弱,柔弱是矛盾的主要方面,概括一句就是"弱者,'道'之用。"(第四十章)而且,老子的"剛柔"哲學不與"陰陽"結合。然而,到《繫辭》卻發生了很大變化,一是"剛柔"與"陰陽"結合了,即所謂"乾,陽物也;坤,陰物也。陰陽合德,而剛柔有體。"不僅如此,"剛、柔"的對立統一變成了以剛作爲矛盾的主要方面,如"乾(爲陽),天下之至健也(剛健)……;坤(爲陰),天下之至順也(柔順)……"很明白,剛健爲主導,柔順爲從屬。與老子哲學的"柔弱勝剛强"等思想大相徑庭。兩者之間這種演變,有其歷史的中間環節,這就是淵源於稷下"百家爭鳴"的道家黄老之學。衆所公認出於稷下的《管子》書,其中"剛柔"的詞語只二處,不在道家作品内[①]。而道家黄老之作如《宙合》、《心術》等均闡發君道"無爲"、臣道有爲,强調順應

---

① 這兩處"剛柔"詞語,一處在《七法》:"剛柔也,輕重也,大小也,實虛也,遠近也,多少也,謂之計數。"一處在《小匡》:"管仲曰:升降揖讓,進退閑習,辨(辯)辭之剛柔,臣不如隰朋。"

“天、地、人”規律施政，而持守“柔弱”、“守柔曰强”等説法已經淡化了。尤其是黄老帛書增强了積極成分，精確表述了“剛柔、陰陽，固不兩行，兩相養，時相成。”更强調社會政治合於“天之道”，即“靜作得時，天地與之；靜作失時，天地奪之。”(《十六經·姓爭》)尤其在當時“天下大爭”的形勢下，作者抛棄了老子的“不爭”之論，提出了“夫作爭者凶，不爭[者]亦無成功。”(《十六經·五政》)這種黄老思想的變化，由老子哲學“剛、柔”矛盾以柔弱爲主導；逐漸轉向“剛、柔”矛盾之以剛健爲主導。這是《繫辭》傳承老子“剛柔”道論的一座橋梁，是邏輯和歷史的一致。雖然《繫辭》糾正了老子哲學過分强調柔弱的片面性，但是也把“乾爲陽剛(君尊)，爲天下之至健”、“坤爲陰柔(臣卑)，爲天下之至順”固定化了，即“天尊地卑，乾坤定矣”，以此爲鞏固封建君權服務。

七、與黄老思想相通的其他幾處

(1)道“百姓日用而不知，故君子之道鮮矣。”(《繫辭上》)此句前承“一陰一陽之謂道”，無疑是道家自然哲學之“道”。爲何又説“百姓日用而不知”呢？這個觀點在《管子》道家黄老之作多有，如：

> “道”之大如天，其廣如地，其重如石，其輕如羽。民之所以(以，用也)，知者寡(《白心》)。

> “道”，不遠而難極也，與人並處而難得也。……唯聖人得虚道，故曰“並處而難得”(《心術上》)。

“道”的“百姓日用而不知”的觀點，在帛書中亦有表述：“……人皆以之(用之)，莫知其名；人皆用之，莫見其刑(形)。”(《道原》)這是因爲，老子“道法自然”的“道”是看不見、聽不到、摸不着，因而是“無名”、“無形”的。

據此可知，《繫辭》的“百姓日用而不知”確指道家之“道”，但接着所説“故君子之道鮮矣”又把它的真相掩蓋起來，加上了“君子”

一詞，使人錯以爲是儒家學說。

(2)"亂之所生也，則語言以爲階。君不密則失臣………是以君子慎密而不出也。"(《繫辭上》)在黄老道論中，多論君主應保持周密，貴周，深囿。如：

> 先王貴當，貴周。周者，不出於口，不見(現)於色；一龍一蛇，一日五化之謂周(《樞言》)。
>
> "不出於口，不見於色"，言無形也；"四海之人，孰知其則"，言深囿也(《心術上》)。

上引《管子》道家之作兩處，均有君主保持慎密，"不出於口，不見於色"之論，前者謂之"貴周"，後者謂之"深囿"，與《繫辭》之"君不密則失臣"相合。

但應指出，《繫辭》這段文字乃依托"子曰"表述的，最後一句"是以君子慎密而不出也"，又加上了"君子"，因而把出於黄老道論的真相掩藏了。

(3)"祐者，助也。天之所助，順也……"(《繫辭上》)。這裏前面有"子曰"二字，未抄。若問：依托孔子所說的"天之所助，順也"這個觀點，究竟從哪裏來？追本溯源，出於黄老學說的自然天道觀：

> 其功順天者，天助之；其功逆天者，天圍(違)之。天之所助，其小必大；天之所違，雖成必敗。順天者有其功，逆天者，懷其凶(《形勢》)。

這就很清楚了，《繫辭》的"天之所助，順也"本屬自然天道論，"天"乃無意志、非主宰之"天"。與此同義的道論，亦多見於黄老帛書：

> 順者，動也(指舉動順於天道)。正者，事之根也。執道循理，必從本始……
>
> 極而反，盛而衰，天地之道也，人之李(理)也。逆順同道而異理，審知順逆是胃(謂)道紀(均見《經法・四度》)。

前引《形勢》係自然天道觀論"順逆"的哲學概括，此引《經法》所謂"逆順同道而異理"、"審知順逆，是謂道紀"，乃是在原基礎上新的哲學概括。《繫辭》依托孔子，實際襲用的是黄老思想不是很明白嗎？

(4)"古者包犧(伏羲)氏之王天下也，……仰則觀象於天，俯則觀法於地……於是始作八卦。"(《繫辭下》)伏羲作八卦源出於此，後世盛傳。問題是伏羲之"王天下"，難道"王天下"是原始社會的事嗎？回答是否定的，它是戰國盛傳的提法，亦多見於黄老學説，如：

> 欲王天下而失天之道，天下不可得而王也。得天之道，其事若自然；失天之道，雖立不安(《形勢》)。
>
> 今有土之君……大者欲王天下，小者欲霸諸侯(《五輔》)。
>
> 王天下者有玄德……王天下者，輕縣(懸)國而重士……(帛書《經法·六分》)。

由此可知，《繫辭》之"伏羲氏之王天下"，十分明顯地顯示着戰國時代的色彩①。

總括一句話，《繫辭》内容與道家黄老思想相通，究竟誰因襲誰？答案應是：《繫辭》不僅深受老莊、而且深受黄老道家的影響。

包括《繫辭》在内的《易傳》各篇，似是道家學派著作。筆者撰此文旨在抛磚引玉，以期進一步恢復《易傳》學派戰國時的本來面目。

作者簡介 胡家聰，1921 年生，北京人。現任中國社會科學院政治學所研究員。發表有《管子》研究論文三十餘篇。

① 按：《繫辭》的確作於戰國，並非漢代人作品。據于豪亮遺作《帛書〈周易〉》云："馬王堆漢墓出土的帛書《周易》分爲三部分。……第三部分《繫辭》，同今本《繫辭》有相當出人……"(《文物》1984 年第 3 期)。

從馬王堆帛書本看《繫辭》與老子學派的關係

王葆玹

内容提要　道篇文章從分析《繫辭》帛書本與通行本的差别入手,來探討《繫辭》與道家的關係問題。文中指出,帛書《繫辭》不包括"子曰易之義"句下的三千餘字,與通行本《繫辭》有巨大的差别:通行本論及周文王、顔回、大衍之數的章節,均不見於帛書本;通行本關於重卦問題的矛盾説法,也是帛書本所没有的。再聯繫到帛書本中避諱的情況,可以知道它是現存最原始、最可靠的《繫辭》傳本。這傳本中的道家思想傾向,比通行本更爲明顯,更加强烈。通行本"太極"二字在帛書本寫作"太恒",并不是《繫辭》的最高範疇,而馬王堆三號墓主人的原籍當在陳地,與老子有密切的聯繫,由這些情況可以證明,《繫辭》作者乃是戰國晚期老子學派的成員。易學中的老子一派可能發源於春秋時期的陳國,在春秋晚期轉移到齊國,在戰國時期以齊國稷下爲中心向各國擴散,對吞併了陳國的楚國發生了很大的影響。大概由於這個緣故,漢初楚地才出現了司馬季主與淮南九師這些兼通《易》、《老》的人物。

影響力堪與《詩》、《書》、《老》、《莊》相提並論的《易傳·繫辭》,自西漢以後一直被看作儒家的作品,直到近代,一些學者才認識到《繫辭》可能與道家有關。1989 年,《哲學研究》刊出陳鼓應先生《〈易傳·繫辭〉所受老子思想影響——兼論〈易傳〉乃道家系統之作》一文(見第一期),認爲《繫辭》思想與老子一脈相承,乃是道家系統的作品。數月之後,《哲學研究》又發表呂紹綱先生《〈易大傳〉

與〈老子〉是兩個根本不同的思想體系——兼與陳鼓應先生商榷》一文(見同年第八期),對陳説作了尖鋭的反駁。這一爭論已引起國内外學術界的注意,但多數學者仍堅持《繫辭》爲儒家作品的傳統意見。筆者認爲,陳先生的見解實際上是很精緻、很正確的,如果仔細考察一下通行本《繫辭》關於易簡、道器、言意、幾神等等的議論,的確可以看出有濃厚的道家色彩。而從馬王堆帛書本中,還可找到許多這方面的證據。1973年,長沙馬王堆三號漢墓出土了帛書《周易》,包括《易經》、《繫辭》和幾篇佚書,除《易經》以外均未發表。根據有幸見到帛書的一些學者的介紹,可以推斷帛書《繫辭》是現存最早的、最可靠的《繫辭》傳本,與通行本有巨大的差異,通行本的一些重要章節,并未包括在帛書本當中,而是帛書《繫辭》卷後佚書《易之義》的組成部份,它們出現在通行本《繫辭》裏,乃是戰國以後的學者加以改編的結果。如果將這些後加的章節删去,便會看出《繫辭》的道家思想傾向比我們原來所承認的還要强烈,并可得出進一步的結論:《繫辭》思想雖與老、莊都有相通之處,但更接近於老子,完全可説是戰國晚期老子學派的代表作品。

一、問題的提起

《繫辭》與道家典籍的相似之處本是不少的,例如《繫上》所説的"形而上者謂之道,形而下者謂之器",就很像是老子的道論;《繫辭》所説的"書不盡言,言不盡意",像是從莊子學派的言意理論發展來的。然而古今多數學者卻都堅持《繫辭》的作者屬於儒家學派,這是爲什麼呢?究其原因,主要有二,其一,《史記》、《漢書》有關於儒家易學傳系和孔子編纂《繫辭》的記載,這在歷代學者眼裏有着很大的權威性;其二,在通行的孔穎達疏本《繫辭下傳》的第四、第六和第八章①,分別有稱贊周文王和顏回的文字,容易被當作儒家

① 本文所説的"通行本"均指孔穎達疏本。

著作的標誌。

關於易學傳系等問題，將在本文結尾之處論述，這裏只談一下《繫辭》稱贊周文王和顏回的問題。《繫辭下傳》說：

易之興也，其於中古乎？作《易》者其有憂患乎？（第六章）

易之興也，其當殷之末世、周之盛德邪？當文王與紂之事邪？（第八章）

這種關於周文王"盛德"的議論，在戰國時代是一種帶有學派傾向性的說法。戰國時期，儒家的特點是"祖述堯舜，憲章文武，宗師仲尼"，其中的重點在於"憲章文武"，亦即孔子所說的"從周"。墨子譏斥儒家的"法周而未法夏"爲"非古"，表明墨家的立場是尊崇夏禹而拒絕"憲章文武"。刑名、法術兩家尊崇"後王"，對周文王等"先王"持輕蔑的態度。陰陽家論述歷史，超越三代而"上至黄帝"。道家對周代聖王的敵意最大，例如《老子》抨擊周代禮制爲"亂之首"，《莊子》說周代聖王"亂天下"，《文子》說周代聖王"離道以爲僞"，《淮南子》則大量抄襲《文子》，帛書《黄帝書》只尊崇黄帝而不提周王。這樣看來，通行本《繫辭下傳》稱贊周文王的文字，很自然地會被多數學者看成是儒者的手筆，只會有個別學者同意這些文字出於道家人物之手。

再看通行本《繫辭下傳》第四章關於顏回的論述：

子曰：顏氏之子，其殆庶幾乎！有不善未嘗不知，知之未嘗復行也。

對這段文字可以作相反的解釋，傳統的意見認爲，這裏的"顏氏之子"是顏回，"子"是孔子，這裏所提倡的"有不善未嘗不知，知之未嘗復行"，即是儒家在善惡知行方面的主張。具有創新精神的學者認爲，這裏的"子"和"顏氏之子"都出自道家的假託，就像《莊子》的作者假託孔子和顏回立論一樣。再說《論語》所記述的顏回的事迹，本就類似於後世道家隱者的風格。兩種解釋都可以講得通，但傳統的意見佔有很大的優勢。這可能是習慣使然，但如果聯想到上述《繫辭》論及周文王的文字以及《史》、《漢》關於《易傳》的說明，便會意識到在現在的情勢下，傳統意見佔據優勢乃是難以避免的。

闕於《繫辭》爲道家作品的創見雖很精緻,富於生動性與革新性,但由於通行本《繫辭》有上述幾節文字,大概很難指望多數學者放棄《繫辭》爲儒家作品這一傳統的意見。不過,假如我們承認馬王堆帛書《繫辭》是現存最早的、最可靠的《繫辭》傳本,假若我們對帛書《繫辭》與《易之義》兩篇做出嚴格的區分,顯示出《繫辭》帛書本與通行本的巨大的差異,情況或許會有所改變。

二、《繫辭》帛書本與通行本的比較

自馬王堆三號漢墓出土帛書《周易》以來,一些學者已將其中的《繫辭》與通行本做了仔細的對照。他們都承認《繫辭》帛書本與通行本有差別,但對這差別的程度卻有兩種説法,一種説法以爲帛書《繫辭》有六千餘字,字數超過通行本;另一種説法認爲帛書《繫辭》僅有三千字左右,字數少於通行本。兩者所估計的字數竟相差一倍,堪爲《繫辭》研究中的闕鍵問題,對《繫辭》是否爲道家作品的爭論可以產生很大的影響。

持上述第一種説法的,有曉菡《長沙馬王堆漢墓帛書概述》(刊於《文物》1974 年第 9 期)、張政烺、周世榮等先生闕於帛書的座談紀要(出處同上)、中國科學院考古所與湖南省博物館寫作小組《馬王堆二、三號漢墓發掘的主要收獲》(刊於《考古》1975 年第 1 期)、于豪亮《帛書周易》(《文物》1984 年第 3 期)等。這些學者表述了帛書出土後學術界的初步意見,説帛書《繫辭》分爲上下兩篇,上篇約三千字,包括通行本《繫辭上傳》等一至第十二章,僅缺其中的第八章;還包括通行本《下傳》的前三章,以及第四章的一部份、第七章的後面數句和第九章。下篇從“子曰易之義”一句開始,約三千七百字,包括三個部份,第一部份是不見於通行本的兩千餘字,第二部份是通行本《説卦》的前三節,第三部份包括通行本《繫辭下傳》的第五章、第六章、第七章的前面部份和第八章。上下兩篇合計約六千七百字。

持上述第二種說法的，有韓仲民《帛書〈繫辭〉淺說——兼論易傳的編纂》（刊於《孔子研究》1988 年第 4 期）和張立文《〈周易〉帛書淺說》（見於《中國文化與中國哲學》1988 年號，三聯書店 1990 年 12 月初版）兩篇文章。兩位先生指出，帛書《繫辭》只包括“子曰易之義”一句以前的三千餘字，而“易之義”句以下的三千餘字，則構成與《繫辭》不同的另一篇佚書。他們的理由可歸結爲四點：一、帛書《繫辭》第一行頂端有墨釘，是篇首的標誌，而第四十七行頂端也有墨釘，從“子曰易之義”開始，“顯係另一篇佚書”；二、帛書《易經》六十四卦之間無墨釘，不分上下篇，因而帛書《繫辭》“當亦無上下篇之分”；三、帛書《繫辭》所缺的通行本章節分別見於兩篇佚書，《易之義》篇只是這兩篇佚書之一，因而不會是《繫辭》下篇；四、在“子曰易之義”句以前的帛書《繫辭》中，通行本上下兩篇的首尾章節均已完備，不應另有下篇。

筆者同意韓、張兩先生的說法，認爲帛書中“子曰易之義”句以下的一篇，的確是與《繫辭》不同的佚書，張立文先生稱其爲《易之義》，是很恰當的。有一種情況可以支持這一論斷，即今本《繫辭》“重卦”說的自相矛盾之處可由此獲得解決。

通行本《繫辭》提到伏羲“始作八卦”，使後人相信易卦的産生有一個從“畫卦”到“重卦”的過程，“畫卦”是指由伏羲畫出八個三畫的卦，“重卦”是指將八卦兩兩相重，構成六十四個六畫的卦。然而關於“重卦”的時間，通行本《繫辭》講得非常含混，例如《下傳》第二章說：

> 古者包犧氏之王天下也，……於是始作八卦，以通神明之德，以類萬物之情，作結繩而爲罔罟，以佃以漁，蓋取諸離。包犧氏没，神農氏作，斲木爲耜，揉木爲耒，耒耨之利，以教天下，蓋取諸益。

假如伏羲（包犧）所取的“離”是六畫的離卦（䷝），那麼“重卦”的工作便應當是由伏羲完成的，漢代以後王弼、孔穎達等人都持“伏羲重卦”說，便是以此爲依據的。假若伏羲所取法的“離”是三畫的離卦（☲），那麼“重卦”的工作便應當是由神農完成的，因爲神農所取法的益卦肯定是六畫而不是三畫。西漢以後的鄭玄、淳于俊、皇甫謐、司馬貞等人都持“神農重卦”説,即是根源於此。上文提到的通行本《繫辭》的兩節文字也與“重卦”問題有關,其中一節説:“易之興也,其當殷之末世、周之盛德邪?當文王與紂之事邪?”另一節説:“易之興也,其於中古乎!作《易》者其有憂患乎!”這兩段話明確指出周文王參與了《周易》的製作過程,而他的參與只能被理解爲“重卦”,司馬遷、揚雄、王充、班固及後代史家大多堅持“文王重卦”説,也都是根源於《繫辭》。人們依據同一部《繫辭下傳》通行本,竟在“重卦”問題上得出三種不同的結論,無怪乎歐陽修等人要對《繫辭》提出懷疑了。

有趣的是,我們一旦把帛書中“子曰易之義”句以下的一篇看作是與《繫辭》不同的著作,上述的自相矛盾之處就不復存在了,因爲通行本《繫辭下傳》“易之興也其於中古乎”一節與“易之興也,其當殷之末世、周之盛德”一節,均不見於“易之義”句以前的帛書《繫辭》,僅見“易之義”句以後的一篇,這一篇已被命名爲《易之義》。通行本《繫辭下傳》包括論及文王的兩節,顯然是戰國以後的學者補充進去的。面對這樣的情况,恐怕人們就不會再同意“易之義”句以下的帛書文字是《繫辭》的内容,而應承認帛書《繫辭》不分篇,僅三千字左右。

通行本《繫辭》和《説卦》都有“三才”説,《繫辭下傳》第八章説:“《易》之爲書也,廣大悉備,有天道焉,有人道焉,有地道焉,兼三材而兩之,故六。”《説卦》第二節説:“立天之道曰陰與陽,立地之道曰柔與剛,立人之道曰仁與義,兼三才而兩之,故易六畫而成卦。”這兩節都對天道、地道和人道加以區别,認爲陰陽體現天道,柔剛體現地道。而通行本《繫辭上傳》的前三章説:“天尊地卑,乾坤定矣。卑高以陳,貴賤位矣。動靜有常,剛柔斷矣”,又説:“剛柔者,晝夜之象也”,“易與天地準,故能彌綸天地之道”,其中所謂“剛柔”顯然分别是天地的屬性,與“立天之道曰陰與陽,立地之道曰柔與剛”的意思不盡相同。湊巧的是,通行本《繫辭上傳》的前三章僅見於帛書中

"子曰易之義"句以前的《繫辭》,而不見於由"子曰易之義"句開始的一篇;通行本《繫下》第八章與《説卦》第二節的三才説則見於由"易之義"句開始的一篇,不見於此句以前的《繫辭》。這一巧合也表明,"子曰易之義"一句頂端的墨釘,乃是區分《繫辭》與《易之義》兩部著作的標誌,不是區分《繫辭》上下篇的標誌。

至此已可以肯定,帛書《繫辭》只包括:孔疏本《繫辭上傳》的第一至七章,第九至十二章;《下傳》第一至三章,第四章的一部份,第七章的後兩數句,第九章。其餘的孔疏本章節,例如論及周文王和顏回的三章、論述"大衍之數"的《上傳》第八章以及論述三才的文字,均不包括在帛書《繫辭》之內。排除了這些章節,便可看出《繫辭》帛書本的道家思想傾向,比通行本更爲明顯,更加强烈。

三、帛書《繫辭》是老子一派的傳本

從帛書《繫辭》中排除掉論及周文王、顏回、"大衍之數"和三才的一些章節之後,可以得出兩個結論:第一,帛書《繫辭》的道家思想比通行本更爲激烈,而且更具體系性;第二,戰國道家原有老子學派和莊子學派之分,帛書《繫辭》的思想與黄、老及莊學都有相通之處,但更接近於老子,可説是戰國晚期老子學派的傳本。

我們知道,戰國時期的不同的學派,往往有不同的歷史觀,編造出不同的聖王系統。通行本所提到的古代聖王,依次爲伏羲、神農、黄帝、堯、舜、周文王,其中的堯舜只是被附帶地提一下,没有顯露出多少敬意。現在辨明帛書《繫辭》没有提到周文王,便可確定它的編者所崇敬的聖王僅有三位,即伏羲、神農和黄帝。在戰國時期尊崇羲、農、黄的學派,絶不可能是儒家,因爲當時儒家所尊崇的只是堯、舜、禹、湯、文、武,對羲、農、黄是不大提的。直到西漢中葉,司馬遷《五帝本紀》仍這樣説:"百家言黄帝,其文不雅馴,薦紳先生難言之。孔子所傳《宰予問五帝德》及《帝繫姓》,儒者或不傳。"意即當時儒者仍不肯談論黄帝和黄帝以前的人物,《大戴禮記》中《五帝德》、《帝繫》兩篇論及黄帝,卻未得到當時多數儒者的認可。帛書《繫辭》也絶不會出自墨家,因爲墨子"法夏",這離伏羲時代的距離十分遥遠。羲、農、黄的系統也不大可能出現在久已佚失的戰國陰陽家的著作裏,因爲陰陽家代表人物鄒衍論述歷史的週期,不過"上至黄帝"。農家所崇拜的是神農,也不是伏羲。法家的人物和著作倒是提到過羲、農、黄三名,但未表示敬意,也不像是帛書《繫辭》的編者。大致上可以説,在戰國時代尊崇羲、農、黄的學派,僅有道家。然而道家内部各派的説法也不一致,莊子更爲尊崇的是伏羲以前的很多"至人",對黄帝則是兼有褒貶。帛書《黄帝書》假託黄帝,但未顯露出崇敬羲、農的意思。在歷史觀方面與帛書《繫辭》最接近的早期道家著作,大概要屬《文子》。《文子》所尊崇的正巧是羲、農、黄三位,對伏羲以前的人物未加談論,對黄帝以後的聖王多有貶辭。河北定縣漢墓出土了《文子》竹簡本,表明這部書的成書時代比原來大家估計的要早得多。而這書的作者爲老子後學這一點,自班固以來一直爲學者所公認。那麼可以作一初步的推測,帛書《繫辭》與《文子》當屬同一個學派,亦即老子一派。

考察一下帛書《繫辭》哲學中的最高範疇,可以支持這一推測。通行本《繫辭上傳》第十一章説"易有太極,是生兩儀",第八章説"大衍之數五十,其用四十有九,分而爲二以象兩",過去大家認爲這裏的"太極"即是"大衍之數五十"中不用的"一",是《繫辭》哲學的最高範疇。由於"太極"在先秦典籍中僅見於《莊子》,因而陳鼓應等先生只斷定《繫辭》爲道家作品,没有更明確地將《繫辭》作者限定在老子一派的範圍之内。現在知道帛書《繫辭》没有包括"大衍之數五十"一章,使情況稍有變化。據韓仲民先生的文章的介紹,"易有太極"一句在帛書《繫辭》中作"易有太恒","太恒"意即"大常"或"恒常",不像是一個確定的範疇,而像是一種縮略語,指某種恒久不變的東西。而帛書《繫辭》所謂的恒常不變的東西,即是形上之道。《繫辭》説:"形而上者謂之道,形而下者謂之器",又説:"易與天地準,故能彌綸天地之道",可見其所謂的形上之道即是《老子》所說的天地之道。老子認爲這種道是“無形”的，因而《繫辭》稱其爲“形而上”；老子認爲這種道“獨立而不改，周行而不殆”，因而《繫辭》稱其爲“太恒”。這就是說，帛書《繫辭》與《老子》的最高範疇，是完全相同的。

帛書《繫辭》出於楚地墓葬，墓主人是利倉之子，利倉以長沙王國丞相的身份受封軑侯，職務和封地都在楚地的範圍。關於他的姓名，《史記・惠景間侯者年表》寫作“利倉”，《漢書・高惠高后文功臣表》寫作“黎朱倉”，馬王堆二號漢墓出土“長沙丞相”、“軑侯”、“利倉”三印，證明《史記》寫作“利倉”是正確的①。這肯定不是河南利氏，因爲河南利氏是在西漢以後由叱利氏改成的。《元和姓纂》說：“楚公子食采於利，因以爲氏。”這話也很可疑，因爲宋代的《古今姓氏書辨證》說：“晉大夫食邑於利，因爲利孫氏”，《路史》說：“楚有利孫氏”，可見《姓纂》所說的利氏乃是利孫氏，與利倉官印所刻的“利”氏不同。西漢前後，姓利的人物極其罕見，唯在西漢初期出現了三位，即是利幾、利倉和利乾，利幾在漢高帝初期爲潁川侯；利倉在漢惠帝二年封侯，在高帝年間當已擔任長沙國丞相一職；利乾爲中山王國丞相，時間與利倉可能相去不遠。三人的時代、身份都相似，很可能出自同一家族。據《史記・高祖本紀》，利幾原是項羽部將，在項羽失敗以前的身份是“陳公”，考慮到項羽所封的王、公多是戰國時代王公的後裔，至少原籍在封地之內，那麼他封利幾爲陳公一事，便顯示出利幾可能是陳地的人，恰是老子的同鄉。而《路史》說：“老子之後有利氏，老子祖名利貞，後爲氏。”這與利幾爲陳人的情况相符，也與利倉之子用黄老帛書隨葬的情况形成巧合。我們當然不能據此冒然斷定利倉一族是老子後裔，但至少能證明利倉家族原籍在陳並奉老子爲祖先。漢代隨葬品的選擇往往十分慎重，并且往往出自死者的遺囑，例如《後漢書・周磐傳》說：周磐爲《尚書》經師，死前囑咐：“編二尺四寸簡，寫《堯典》一篇，并刀、筆各

① 陳直《史記新證》已指出了這一點。

一，以置棺前”，即是一證。葬於三號漢墓的利倉之子很可能是發源於陳地的老子學派的人物，因此才將貴重的帛書本《老子》、《繫辭》置於墓中，隨他進入死後的世界。

關於《繫辭》與《老子》在陰陽剛柔等問題上的一致性，其他學者已作了論述。將這些論述與本文所提供的證據結合起來，可以肯定帛書《繫辭》是由老子一派的人物編定的。

四、帛書本是《繫辭》最可靠的傳本

上面的結語實際上已有這樣的含義：《繫辭》帛書本是現存最早的、最可靠的《繫辭》傳本，最能反映《繫辭》最初寫定時的原貌。然而在西漢文帝初年，司馬季主已提到“伏羲作八卦，周文王演三百八十四爻”（見《史記·日者列傳》），這一見解是《繫辭》帛書本所不具備的，只能是以通行本爲依據，也就是說，通行本《繫辭》的編定時間不得遲於漢文帝初年。我們能斷定帛書《繫辭》的編定時間比這更早嗎？

首先，讓我們來探討一下帛書《繫辭》的抄寫時間。在戰國秦漢時期，用貴重的縑帛抄寫古書是件鄭重的事，更何況是貴族的隨葬品，因此避諱應當嚴格。帛書《老子》乙本避劉邦諱，即是帛書避諱的重要例證。上文提到《繫辭》通行本“易有太極”句在帛書本寫作“易有太恒”，“恒”字觸犯漢文帝名諱，可見帛書本的抄寫時間不得遲於漢文帝初年。通行本寫作“太極”，當是漢文帝初年以後的抄寫者因避諱而改。張政烺《帛書六十四卦跋》說，帛書《二三子問》抄寫在六十四卦之後，“《二三子問》的後段適爲卷尾”（見《文物》1984年第3期）；韓仲民的文章說，帛書《繫辭》與卷後幾篇佚書抄寫在一張帛上，這幾篇佚書是《易之義》、《要》、《繆和》、《昭力》等（見《孔子研究》1988年第四期）。《文物》1974年第7期載有帛書《易經》斷片的照片，爲早期隸書，字體與《老子》乙本相似，乙本避漢高帝諱而不避漢惠帝、文帝諱，高亨先生斷定“它是劉邦稱帝以後、劉盈爲帝以前抄寫的”(見《文物》1974 年第 11 期)。帛書《易經》也是如此,其中提到“有復盈缶”、“射雉”等,凡“征”字均寫作“正”,分別觸犯了漢惠帝劉盈、高后呂雉和秦始皇嬴政的名諱;《易經》帛本與通行本均無“邦”字,未觸犯漢高帝諱①。從這些情況來看,帛書《易經》只能是抄於秦代以後、漢惠帝以前,約在劉邦稱帝的時期。據于豪亮《帛書周易》一文的介紹,帛書《繫辭》中的卦名比帛書《易經》更爲古奥,例如帛書《易經》中“既齊”、“未齊”、“屯”、“渙”、“訟”、“蹇”等卦名,均與通行本相同,帛書《繫辭》卻分別作“既濟”、“未濟”、“肫”、“奐”、“容”、“蹇”等。現在雖無從了解帛書《繫辭》的字體及其與帛書《易經》的具體關係,但至少可以肯定,帛書《繫辭》不會抄寫於《易經》之後,亦即不會遲於漢高帝時期。

帛書《繫辭》的編定時間自然應早於它的抄寫時間,至遲應是在秦代編成的。《繫辭》是戰國晚期的作品,帛書本的編定時間與此非常接近。上文已證實,在“重卦”問題上的矛盾說法只見於《繫辭》通行本,不見於帛書本;與《說卦》一致的“兼三材而兩之”一節也僅見於通行本,不見於帛書本,那麼可以肯定帛書本的編定時間早於通行本,比通行本更爲可靠。通行本乃是漢初學者對帛書《繫辭》改編的產物,這些學者將帛書《繫辭》與《易之義》的部份文字合編在一起,加以增删,便產生了“伏羲畫卦,文王重卦”的易學史觀。這改編的工作大概是在高后臨朝稱制的時期完成的,司馬季主在漢文帝初年、司馬遷在漢武帝年間所見到的,都是這種改編本。改編本的流行,使《繫辭》的早期傳本日益罕見,因而帛書本才能以稀爲貴,成爲貴族的隨葬品。不過在漢武帝初期,有些熱衷於收集古書的諸侯王大概還有這種早期的傳本,《淮南子・要略》說:“伏羲爲之六十四變,周室增以六爻”,這話雖承認六畫卦是由文王創作的,但也提到伏羲曾有“爲之六十四變”的創舉,可說是《繫辭》原作

---

① 秦始皇諱“政”,兼諱“正”字,秦代文獻凡“正”均改作“端”。西漢時期,“邦”字一律改作“國”,“盈”字改作“滿”,以避高、惠兩帝名諱。呂后臨朝稱制時,“雉”字多改寫爲“野鷄”。

者的思想的變相的延續。

五、早期易學的學派分野

現在人們常說易學是專屬儒家的學問,這實際上是漢初儒者所編造的神話。早期易學的學派分野實際上很複雜,其中包括道家、陰陽家、儒家等,道家中老子一派可能在其中佔有最重要的位置。

《史記》、《漢書》都指出,秦始皇焚書坑儒時未焚《周易》,表明易學在當時絕不是專屬儒家的學問。《論語》中只有一句話提到了《周易》的書名,而學術界對這句話的校勘、斷句問題還有很多爭議。在早期儒家所用的經書中,《易》的重要性遠不及《詩》、《書》、《禮》、樂和《春秋》,它的儒學色彩十分淡薄。只是在劉歆改變五經次序之後,《周易》才上昇到五經之首,成爲重要的儒家經典。

《史記·日者列傳》所附的褚少孫文字說:

> 臣爲郎時,與太卜待詔爲郎者同署,言曰:"孝武帝時,聚會占家問之,某日可取婦乎?五行家曰可,堪輿家曰不可,建除家曰不吉,叢辰家曰大凶,曆家曰小凶,天人家曰小吉,太一家曰大吉。"

應注意這裏的占筮流派也就是易學流派,《易》在秦代焚書時被公認是"卜筮之書",西漢官方易學中的梁丘賀、京房兩家,都以占筮應驗而著稱。《繫辭》雖有哲學化的傾向,仍將"以卜筮者尚其占"看作是"聖人之道"。褚少孫所說的"天人家"可能是"天文家"之誤,天文、五行、太一、堪輿、叢辰、曆家等學派的著作,均見於《漢書·藝文志·術數略》,而未列入《漢志》中的《六藝略》和《諸子略·儒家類》,可見這些學派多數不在儒家的範圍。考慮到《莊子·天下篇》有"《易》以道陰陽"的斷語,可以推測褚氏所說的天文、五行、曆家等占筮流派都與陰陽家有關。褚氏所說的太一家可能屬於黄老學派中的黄學一派,因爲這一派常將"帝者體太一"當作口頭禪。褚氏所提到的"占家"似未包括老子一派,這大概是由於老子一派的易學偏重於哲理的緣故。

《史記·日者列傳》所介紹的司馬季主,是一位兼通黄、老、《莊》、《易》的人物,《傳》中所載的他的言論提到卜筮和《易》中的法象,也引述了《老子》所說的"上德不德,是以有德"和《莊子》所說的"君子之道",褚少孫所補的文字還說他"通《易經》,術黄帝、老子",因而司馬季主可說是當時道家易學的集大成者。《漢書·藝文志·六藝略》著錄了《淮南道訓》二篇,爲淮南王劉安門下的九位易學家所撰,玩味"道訓"之名,可以推測這九位學者可能是道家易學老子一派的成員。

淮南九師的活動時間是在西漢景、武之際,司馬季主的活動時間是在西漢高后、文帝之際,帛書《繫辭》抄寫於高帝時期,撰作於秦代以前,從中可以看出一條道家易學的發展綫索,這綫索的頂端是帛書《繫辭》所代表的老子學派的易學。如果我們繼續上溯,便會想起《戰國策·齊策》中關於齊宣王與顔斶話的記載,顔斶先引述《易傳》的文字,後引述《老子》"雖貴必以賤爲本,雖高必以下爲基"的格言,很像是在稷下活動的兼治易學與老學的學者。上文已說明馬王堆三號墓主人的原籍可能在陳地,而在戰國時代統治齊國的恰是來自陳國的陳氏家族,將這情況與顔斶的情況相聯繫,可以看出一種可能,即道家易學中的老子一派可能發源於陳國,在春秋晚期轉移到齊國,在戰國時期以齊國的稷下學宫爲中心,向各國擴散,而受其影響最大的可能是吞併了陳國的楚國。大概由於這個緣故,楚地才能出現兼通《易》、《老》的司馬季主與淮南九師,並出土了帛書《老子》與老子學派所編定的《繫辭》。

作者簡介 王葆玹,1946年生,北京人。中國社會科學院哲學所副研究員,撰有《正始玄學》一書及《天人三策與西漢中葉的官方學術——再話"罷黜百家,獨尊儒術"的時間問題》等文。

《黄帝四經》書名及成書年代考

余明光

内容提要　1973 年長沙馬王堆漢墓出土的《老子》乙本卷前古佚書，自八十年代以來，研究者爭論最爲突出的是關於這部書的書名和它成書的時代問題。本文從《漢書・藝文志》所載道家文獻中，把有關黄帝之書逐一與古佚書進行對比研究，最後論定只有《黄帝四經》這一書名才符合這部古佚書的内容，故應命名爲《黄帝四經》。本文還以古佚書所載的内容與《鶡冠子》、《管子》、《韓非子》諸書所載相同之處作了詳細的對比研究，並究其先後作了詳細的辨證，認爲古佚書出自戰國晚期或秦漢之際的論點是缺乏歷史依據的，而《黄帝四經》皆早於上述著作，故其成書年代應在戰國中期。它早於《莊子》、《孟子》，至少應與《孟子》同時。

1973 年長沙馬王堆 3 號漢墓出土的《老子》乙本卷前古佚書四篇，經唐蘭先生的考證，認爲它就是《漢書・藝文志》上所列的《黄帝四經》。後來我根據此書作了詳細的研究，認爲它就是歷史上道家"黄老"思想的代表作，戰國時期百家學術之林的《黄帝》家。並據此寫成《黄帝四經與黄老思想》一書，以闡述這個學派在歷史上的作用和恢復它在歷史上的地位。

但自這部古佚書問世後，隨着對它的研究逐步深入，學術界也提出了不少的問題。其中尤以這部書的名稱和它成書的年代問題最爲突出，本文試就這兩個問題提出一些粗淺的看法，以供學術界討論、批評和指正。

一、書名辨析

關於這四篇古佚書的書名問題，從出土以後的研究和討論來看，有的認爲第二篇《十六經》記載了黄帝與其大臣力黑、閹冉、果童等人的談話和事迹，可能是《漢志》上所列的《黄帝君臣》十篇；有的則認爲是列入兵家陰陽家類的《力牧》十五篇。但是到了八十年代以後，很多學者以爲它既是黄老思想的代表作，因之也就統稱這本古佚書爲《黄老帛書》①。

《黄老帛書》這個名稱是非常含混不清的，它既不是書名，也不見於古史各代藝文志，只是我們今天爲了方便起見才這樣概括稱呼它。

《黄老帛書》如果是指馬王堆出土的《黄帝》書和《老子》書合卷本的省稱，那毫無疑問是正確的。但有的著作並不是在這個意義上使用這個稱呼，而是單指《老子》乙本卷前的那四篇古佚書，把《老子》帛書排除在外，這樣就非常偏頗了。筆者以爲這樣稱呼或這樣命名都很不科學，也不妥當，所以我們還是應該盡量正確地爲它定名。

這本古佚書屬於"黄帝"書是無疑的。這在學術界已經取得了共識，至於它是《黄帝四經》呢？還是"黄帝"的别的什麽書，這就只有依據古代文獻來考定它了。

《漢書·藝文志》上所載道家文獻中，屬於黄帝之學的只有五種：

《黄帝四經》四篇

《黄帝銘》六篇

《黄帝君臣》十篇

《雜黄帝》五十八篇

---

① 吴光：《黄老之學通論》第 129 頁。

《力牧》二十二篇

除了《黄帝四經》外,這四篇古佚書是否是其它幾種黄帝書呢?首先是否是《黄帝銘》?《漢志》所載是六篇,顯然與古佚書篇數不符。顧實《漢志講疏》説:"黄帝《金人銘》,見於《荀子》、《太公金匱》、劉向《説苑》;黄帝《巾几銘》,見於《路史》。其六銘尚存其二也。"今取其佚文與古佚書對照,從文體到内容均不相同,可見古佚書不是《黄帝銘》;其次,是否是《黄帝君臣》十篇呢?也不像。一是篇數不符。二是講黄帝君臣的只有《十六經》。但《十六經》是由十五小篇組成,真正涉及到黄帝君臣的也只有八小篇。更何況有關黄帝的傳説、神話還夾雜其中。可見這四篇古佚書也不是《黄帝君臣》十篇;至於是不是《雜黄帝》五十八篇呢?古佚書所顯示的是非常有思想理論系統的著作,與《雜黄帝》這一名稱也實在太不相合。篇數也相差甚遠;那末是否是《力牧》二十二篇呢?在《十六經》中確有力牧這個人物,但除了力牧外,還有太山之稽、果童、閹冉等黄帝臣,如都視之爲力牧之書,也不符合事實,再加上篇數也不相合,所以這本古佚書也不可能是《力牧》。

最後,剩下的只有《黄帝四經》這本書了。古佚書是否就是《黄帝四經》?我們回答是肯定的。其理由是:

1. 古佚書四篇與《黄帝四經》的篇數是相符合的。

2. 文體也是相符的。古佚書中已有兩篇標題明確爲"經"。剩下的二篇,一爲《稱》,一爲《道原》,雖未標出"經"字,但卻是"經"的體裁,内容提綱挈領,文字簡明古樸,説明它是"經"。

3. 古佚書四篇,前後相貫,渾然一體,《四經》足當其稱。有些人説,這四篇文章結構比較鬆散,内容並不連貫。事實並非如此。這四篇文章,體裁雖然有别;但内容是連屬的,思想體系和方法也是一貫的。《經法》是全書之綱,其它三篇都是闡發其主旨和論證其理論基礎的。形成一個非常嚴密而又互相聯繫的整體。如《經法》篇説:"道者,神明之原也。"《十六經》就説:"道有原而無端。"而至第四篇就是《道原》,對"道"加以全面發揮;《經法》篇中有"稱以權衡"

一段，而第三篇就是《稱》；第二篇《十六經》中有《雌雄節》一小節，《稱》篇則應之曰："此地之度而雌之節也"；《經法》篇中有"陽竊""陰竊"和"褔傳達刑"之語，而《十六經》也爲之呼應發揮。這種前後呼應，渾然一體，足可說明這四篇是個整體，決不是隨便拼湊而成。可見只有《黄帝四經》這部書才與此情況相符。

4.《隋書・經籍志・道經部》指出："漢時諸子道書之流有三十七家。……其黄帝四篇，老子二篇，最得深旨。"這裏所謂"黄帝四篇"也就是《漢書・藝文志》所說的《黄帝四經》。所謂"黄帝四篇，老子二篇"也就是我們今天所見到的帛書黄、老二書的合卷本。這是實物證明。這兩書在漢代確實影響大，《老子》且不說，即如《黄帝四經》而言，漢代的文獻，如《史記》、《淮南子》、《春秋繁露》、《說苑》、《漢書》等重要典籍，差不多都引有此書的詞句，這就足可證明這部書在漢代"最得深旨"這句話的意義。所以唐蘭先生推定這部古佚書爲《黄帝四經》是非常有說服力的①。

二、成書年代

關於《黄帝四經》的成書年代問題，在學術界主要有以下幾種看法：

(1)認爲它成書於戰國中期左右；

(2)認爲它成書於戰國末年；

(3)認爲它成書於西漢初年或秦漢之際。

以上的幾種看法，見仁見智，皆持之有故，言之成理。但爲什麼會産生如此大的分歧呢？這主要是和其所依據的史料的甄别和分析有關，我是贊成第一種看法的，認爲此書當成書於戰國中期，即公元前四世紀左右。我對唐蘭、龍晦兩先生的考證作過仔細的研究，認爲他們的考證是正確的、有力的。並且補充了我的幾點意見，

---

① 唐蘭：《馬王堆出土〈老子〉乙本卷前古佚書研究》載《考古學報》1975 年第 1 期。

進一步證明此書成於戰國中期左右①。

"晚出論"者認爲,此書有一百三十多處與先秦一些古籍内容相同或相近,因此只有兩種可能:"或者帛書抄襲其它古籍,或者其它古籍抄襲帛書。……似以帛書抄襲他書的可能性更大一些。"並以《鶡冠子》、《管子》、《韓非子》等書爲例對照與古佚書相同字句,以證其帛書抄自上述古籍,以明帛書出自戰國末年以至秦漢之際②。

先秦古籍,由於各家學説,交光互影,互爲影響,故詞句多有雷同之處,這是不足爲怪的。但孰先孰後,蛛絲馬迹,仍然可以分辨,尋找出它們發展的綫索來。

(一)帛書與《管子》四篇的先後辨析

就晚出論者所舉的《管子》、《鶡冠子》和《韓非子》這三部書來看,《鶡冠子》和《韓非子》是戰國末期的著作,年代上都要較《管子》中的大部份篇章爲晚。因此,問題的關鍵就在於弄清帛書和《管子》孰先孰後。對於《鶡冠子》和《韓非子》,我曾把它們與帛書做過認真的比較和鑒別,認爲是它們抄襲了帛書,而不是相反。但基於以上的理由,本文姑略去不談。下面主要談談《管子》書的問題,是否它早於帛書呢?這也是有待商榷的。

《管子》書非作於一人又非作於一時,但就與帛書有密切關係的《心術》上下、《白心》、《内業》四篇來看,它們無疑爲稷下道家的代表作品,學界公認它們成於戰國中後期。若仔細分析它們與帛書相同的字句,便可發現帛書要較《管子》四篇爲早。下面從《管子》四篇演繹帛書的内容,來做一證明:

1、帛書《經法·道法》曰:"道生法。"

《管子·心術》上即演繹爲:"法生乎權,權生乎道。"多了"權"

---

① 參見拙著《黄帝四經與黄老思想》第 17—20 頁。

② 黄釗:《關於〈黄老帛書〉之我見》,載《管子學刊》1989 年第 4 期。又見吳光:《黄老之學通論》第 129—131 頁。

這個中間環節。

2.帛書《經法・道法》曰:"故同出冥冥,或以死,或以生,或以敗,或以成。"

《管子・内業》演繹爲:"道也者,……人之所失以死,所得以生也;事之所失以敗,所得以成也。"增加了"人"和"事"。

3.帛書《十六經・成法》:"一之解,察於天地。"

《管子・心術》演繹爲:"是故聖人一言解之,上察於天,下察於地。"而《内業》篇亦爲:"一言解之,上察於天,下極於地。"

4.帛書《十六經》曰:"能一乎?能止乎?能毋有己?能自擇而尊理乎?"

《管子・心術》演繹爲:"能專乎?能一大乎?能毋卜筮而知凶吉乎?能止乎?能已乎?能毋問於人而自得於己乎?"《内業》篇則爲:"能摶乎?能一乎?能無卜筮而知之乎?能止乎?能一乎?能勿求諸人而得之己乎?"《心術》和《内業》此段文字對帛書内容的演繹,似乎還有個中間環節,這中間環節,便是《莊子》書。《莊子・庚桑楚》有這麼一段文字:

> 南榮趎曰:"趎願聞衛生之經。"老子曰:"衛生之經,能抱一乎?能勿失乎?能無卜筮而知凶吉乎?能止乎?能已乎?能捨諸人而求諸己乎?"

這段文字與《管子》文完全相符,所以我猜想《心術》《内業》諸篇文字也許參照了《莊子》的文章,可見它的年代還應在《莊子》之後。

從上述帛書與《管子》諸篇文字的對比中,我們可以看到,帛書文字較爲簡樸,而《管子》四篇行文則較爲周密,它對帛書的演繹發揮是明顯的,因此,《管子》四篇成書於帛書之後也是清楚的。

除了這四篇外,在《管子》其它篇裏也有抄帛書的地方,並且是抄錯了的。如《十六經・順道》說:"立於不敢,行於不能,單(戰)視(示)不敢,明勢不能。守弱節而堅之,胥雄節之窮而因之。"《管子・勢篇》在因襲時卻省縮爲"行於不敢而立於不能,守弱節而堅處之。"在帛書中,"守弱節"與"胥雄節"是對應的,而《管》著只襲用了

“守弱節而堅之”一句，把“胥雄節”一句丢了。造成文義上的重大缺陷與錯誤，這種紕漏繆誤也足證《管》著成於帛書之後。

(二)“晚出論”的其它幾項問難的回答

1.謂“黔首”一詞爲秦代所專有，而帛書《十六經・姓爭》有“黔首乃生”一句，可爲帛書晚出之證。其實“黔首”一詞在戰國早、中期就有了。見於文獻的有：

(1)《禮記・祭義》：“因物之情，制爲之極，明命鬼神，以爲黔首則，百衆以畏，萬民以服。”

(2)《内經》曰：“黔首共飲食，莫之知也。”

(3)《戰國策》魏策二：“惠公曰：‘……先王必欲少留而扶社稷安黔首也，’……。”

(4)李斯《諫逐客書》曰：“今乃棄黔首以資敵國，卻賓客以業諸侯。”李斯上書是在公元前 237 年，而秦“更名民曰黔首”是在公元前 221 年，可見“黔首”一詞由來較古，決非秦代所專有。

(5)段玉裁《説文解字注・黑部》“黔”字注曰：“《秦始皇本紀》二十六年，更名民曰黔首。應劭曰：‘黔亦黎黑也。’《祭義》：明命鬼神，以爲黔首則。《正義》云：此孔子言，非當秦世，錄記之人在後變改之耳。”

由此可見，“黔首”一詞，在春秋末世孔子之時已經有了。降至戰國，此詞未廢，迨至秦代，因尚水德，故尚黑色，因取“黔首”一詞以代“黎民”。可見“黔首”一詞，不足以證帛書爲秦代作品。近人黄雲眉《史學雜稿續存》指出：“祭統、内經實先秦，此黔首之稱古矣，恐不自秦也。”黄氏的分析是正確的。所以“黔首”一詞並不能證帛書爲晚出。

2.謂戰國早中期的著作都不題篇名，而帛書篇末都有題名，是爲帛書晚出的證明。這也不符合歷史事實，請看下列著作和資料：

(1)《孫子兵法》一書成於春秋末世，已有篇名。《史記・孫子吳起列傳》載吳王闔閭對孫武説：“子之十三篇，吾盡觀之矣。”證明

《孫子兵法》成書時即爲十三篇,1972年山東臨沂縣銀雀山漢墓出土的《孫子兵法》殘簡,發現有提爲《吳問》篇的佚文。1978年7月,青海大通縣上孫家寨西漢木簡《孫子》出土,都有篇名,證明孫武確有兵法十三篇。而清代學者畢以珣還輯錄了孫武的佚文,都收在《孫子叙錄》一書內,也證明是有篇名的。我們怎麼能夠認爲只是到了戰國末期或者是"到了荀、韓,才有名篇之例"呢?所以,帛書在戰國中期題有篇名並不奇怪。

(2)《老子》一書,成書較早,但其中所引用的舊說逸言,當然就比《老子》書更早。如《老子》曰:"是以《建言》有之曰:'明道若昧'……"(第四十一章)這《建言》就是早於《老子》的古佚書名。可見春秋戰國之際已有書名、篇名的了。

(3)孟子曰:"盡信書,則不如無書。吾於《武成》,取二三策而已矣。"孟子在這裏講的《武成》就是《尚書》的篇名,可見在孟子之前的《尚書》已經有篇名是無疑的。今本《尚書》經考訂有二十八篇爲可靠材料,這廿八篇都有篇名。

(4)其它如《墨子》、《孟子》書均有篇名。這些都早於荀子、韓非,我們怎麼能說戰國早中期的書籍没有篇名呢?

以上數例足可證明出於戰國中期的黄帝帛書題有篇名是正常的。認爲題有篇名是晚出的證明,這是没有歷史依據的,也不符合歷史事實。

3.謂帛書內容駁雜,兼採諸家學說之長,是爲思想大融合的產物,故帛書不可能過早成書。這種說法也是似是而非。先秦諸子,百家學說,皆同源而異流,無論早晚,彼此皆交光互影,廣爲吸收,以成其說。如謂戰國前期各派只是"互黜"而不互相吸收融合,那是片面的,即以墨家《墨經》爲例,即集名言、自然、數學、力學、光學、認識、辯術、辯學、政法、經濟、教學、倫理於一爐[①]。如從墨家整個思想體系考察,則各家思想均有反映。稍後的儒家大師子思、孟軻,

① 譚戒甫:《墨經分類譯注》序言。

亦何嘗又不是盡量吸取其它各家思想以成其説，正如《荀子・非十二子》所説的那樣："子思、孟軻案往舊造説，謂之五行。"這些都説明融合、吸收是百家成説的共同規律。當然道家學説更是如此。現在有些人以自己今天的觀念來代替古人的認識，這是不妥的。如"道家"的定義，本來司馬氏父子在《六家要旨》中已説得明明白白，這就是古代人對道家的看法。"黄老"學説，在漢文帝以前的召平時代①，即已論定爲道家，以後司馬氏父子又在《六家要旨》中加以概括總結，這就是自戰國以來對道家總的看法。故道家吸收各派之長，這正好反映了道家的特點，也正是道家高於其它各家的地方。正因爲如此，所以司馬談才如此高度評價道家。我們今天不能以現代的觀點認爲它吸收了各家的學説，就説它"駁雜"而改變這個學派的屬性。更不能説它融合了其它各家的思想就説帛書晚出。從帛書整體來看，它發揮的主要是道家的"道論"，對其他各家思想的吸收也都是圍繞這個中心來闡述的。

在這裏我還要特別提及的是認爲帛書吸收了陰陽家的思想，是爲帛書晚出的證據，這是值得商榷的。從歷史來考察，具有哲學含義的"陰陽"概念的提出，最早的還應該是《老子》書，帛書《黄帝》只是把楚文化中的陰陽術數思想吸收過來，以闡述《老子》所講的"陰陽"的哲理，使這一思想更具有政治性和實用性②。所以帛書中的陰陽思想，與鄒衍之流大概是無關的。而後來的鄒衍倒是從道家這裏把"陰陽"這一思想吸收過去而發展成家的。因此帛書不但早於陰陽家鄒衍，而且還給後來的陰陽家以强烈的影響。

（三）帛書成於戰國中期

帛書成於戰國中期，唐蘭先生已有詳盡的考證；我在拙著中又作了補充論述。本篇結合學術界的討論，再次辨析證明帛書成於戰國中期。從以上論述中，可以得出於下結論：

---

① 參見《史記・齊悼惠王世家》召平所言道家。
② 參見拙著《黄帝四經與黄老思想》第 236 頁。

1.《管子》與帛書的對比研究證明了《管子》在帛書之後，而且因襲帛書並發展了帛書中的某些思想，成爲道家黄學學派中的重要一員。衆所周知，《管子》四篇等作於戰國中後期，它因襲繼承了帛書的思想，這就證明帛書只能是戰國中期的作品了。

2.慎到是齊國稷下學士，曾受帛書的影響，繼承發揚了道家黄老之學①。慎到生活於公元前四世紀，因而帛書當然就在戰國中期成書了；這個推測應當是不會錯的。其次稷下盛行的堅白異同和五德終始之説，這在同時期的或稍後的重要作品中都有所反映，證明這個問題是當時學術界討論的一個中心。可是在帛書中卻没有絲毫的反映與痕迹，這也就間接的，有力的反證了帛書的成書早於稷下學宫之時，這也就是公元前四世紀早中期了。

3.《鶡冠子》書中記載了龎子問鶡冠子，卓襄王問龎煖，武靈王問龎煥幾篇文章，可見鶡冠子與龎子（按：可能就是龎煥、龎煖兄弟或龎氏父子等類人物）有密切的關係。今據《史記·年表·趙世家·燕世家》等篇考龎煖爲趙將是在趙悼襄王三年至九年期間（即公元前 242——前 236），鶡冠子是他們的長輩，其活動時間當在四世紀末至三世紀中期，可見帛書成書應在四世紀。這一推測與《史記·樂毅列傳》所記黄老之學相傳世襲的年代是相符合的。從蓋公上推至樂臣公、樂瑕公、毛翕公、安期生、河上丈人凡五代，一代凡三十年，五代即一百五十年。曹參請教蓋公是在公元前 202 年，上推 150 年，即到前 352 年了，也就是前四世紀中期了。可見帛書成於公元前四世紀左右是有根據的，故我們論定帛書成書於戰國中期。它早於《莊子》、《孟子》，至少與《孟子》同時。

作者簡介　余明光，1935 年生，湖南長沙人。1960 年中山大學歷史系畢業。現任湖南湘潭大學歷史系主任、副教授。著有《黄帝四經與黄老思想》、《道家文化與中國現代化》等。

---

① 參見拙著《黄帝四經與黄老思想》第 18－19 頁。

《黃帝四經》和《管子》四篇

王　博

內容提要　《黃帝四經》和《管子》四篇是研究先秦黃老之學的兩種重要文獻。本文通過對它們的比較研究，認爲《黃帝四經》當產生於戰國早中期之際的楚國，可能和吳起變法的背景有關。之後，它由一些學者帶入稷下學宮，對《管子》四篇發生了很大的影響。

在《黃帝四經》出土以前，《管子》一書，特別是其中的《心術上》、《心術下》、《白心》和《內業》四篇(以下簡稱《四篇》)，乃是人們研究戰國時期黃老之學的主要材料。依據這四篇，再加上齊威王的"高祖黃帝"，郭沫若先生曾得出"黃老之術，值得我們注意的，事實上是培植於齊、發育於齊、而昌盛於齊的"這樣一個結論①。這種說法在學界影響頗大，幾乎沒有什麼人提出異議。然而，隨着 1973 年長沙馬王堆漢墓帛書《黃帝四經》(以下簡稱《四經》)的重新發現，情況就發生了很大的改變，郭沫若先生主張的可靠性遇到了衆多的挑戰。首先是唐蘭先生考證《四經》成書於公元前 400 年前後，並推測它可能是鄭國的隱者所作②。隨後，龍晦先生則從方言、用韻等方面斷定《四經》乃是西楚淮南人的作品③。這以後，還有人主張《四經》與越或秦有關，也有學者論證它仍是齊國政治背景下的產

① 郭沫若：《郭沫若全集》歷史編第二卷，人民出版社，1982 年第 155－156 頁。

② 唐蘭：《馬王堆出土〈老子〉乙本卷前古佚書的研究》，《考古學報》，1975 年第 1 期。

③ 龍晦：《馬王堆出土〈老子〉乙本前古佚書探原》，《考古學報》，1975 年第 2 期。

物。雖然到此爲止，學界對《四經》的認識尚未統一，但是，有一點是毫無疑問的，那就是：它的發現，深化了人們對黃老之學的認識，使得學者有可能清理出戰國時期黃老之學發展的一個綫索。以下，筆者就試圖通過對《四經》與《四篇》的比較研究，來分析一下戰國時期黃老之學發生和發展的情況。

一

《四經》與《四篇》之間的關係，從唐蘭先生開始，許多學者均曾予以注意。值得指出的是，它們之間的關係並不僅僅表現爲基本精神的一致，而且在許多語句和具體提法上，都存在許多完全或基本相同之處。這種情況，使得學者們都相信，在《四經》和《四篇》之間，一定存在着一個先後的問題。但是，在究竟誰先誰後的問題上，卻存在着截然相反的意見。

造成這種現象的原因，一方面固然是由於某些問題本來就十分複雜，因而很容易引起人們理解上的差異，譬如，基本相同的句子在《四經》和《四篇》中都有，而單純就其本身來判別孰先孰後有時確實十分困難；另一方面，也和人們對於《四經》和《四篇》產生年代的看法不同有關。

當然，上面所說的兩方面也是互相聯繫着的，這裏只是爲了論述的方便，纔把它們分開。以下，我們就先來分析一下《四篇》和《四經》產生的年代。首先談一下《四篇》。

關於《四篇》，我們首先應該注意的當然是郭沫若先生的意見，在《宋鈃尹文遺著考》及《十批判書》中，郭沫若先生提出《四篇》乃是宋鈃、尹文的作品，具體地說，《心術》、《內業》是宋子書，《白心》屬於尹文子。我們知道，宋鈃、尹文爲戰國中期人，約與孟子同時，宋鈃恐怕還要年長於孟子。因此，《四篇》的創作年代就一定不會晚於戰國中期。同時，郭沫若先生還認爲孟子“浩然之氣”的說法本於

《四篇》,所以《四篇》要先於孟子而成書①。這種說法影響很大,至今仍有擁護者,但也受到了許多批評。首先,這《四篇》是否爲宋尹遺著。朱伯崑先生曾撰《〈管子〉四篇考》②,列舉了幾點理由,足以駁倒其爲宋尹遺著的主張。其次,《四篇》既然不是宋尹遺著,那麼是什麼人的作品呢?有些學者認爲是愼到一派的作品,雖然很有理由,但似乎言之過鑿。在這一點上,我覺得蒙文通先生的意見值得重視。蒙先生說:"《管子》中的《心術》、《内業》、《白心》等篇,我以前認爲是愼到、田駢的學說,也有同志從'白心'二字着眼,認爲這幾篇是宋鈃、尹文的學說,如果從或使論來看,也可以說是接予的學說,《白心》一篇把'或使'闡發得很明透,已見前論,此不贅述。總的來說,這些學者都是黄老派,他們同在稷下,必然相互影響,說這幾篇書是黄老派的學說就可以了,似不必確認其爲何人的書"③。需要補充的一點便是,從《四篇》吸收了宋鈃、尹文、愼到、田駢及接予等的學說來看,它一定要較他們晚,大概是稷下學士中黄老派的作品。

那麼,晚能晚到什麼時候呢?這方面,李存山先生的意見值得重視。李先生曾列舉了《四篇》與《莊子》的相通之處,並着重分析了其中的幾條,得出了"《管子》四篇不僅'揣摩'過《莊子》内篇,而且'揣摩'過《莊子》外、雜篇中的較早作品"④的結論,我以爲是十分正確的。當然,李先生認爲《四篇》還受到了《繫辭傳》的影響,恐怕是顛倒了次序。我以爲,《繫辭上》"精氣爲物,游魂爲變,是故知鬼神之情狀",當是受了《四篇》精氣說的影響。

這樣,《四篇》創作的年代就大體確定了下來,它當是在戰國後期,《莊子》之後,《繫辭》寫作之前。接下來,我們再來看一下《四經》。

---

① 參見《郭沫若全集》歷史編,第一、二卷。
② 見《中國哲學史論文集》第一輯,山東人民出版社,1979年。第107—127頁。
③ 蒙文通:《古學甄微》,巴蜀書社,1987年,第281頁。
④ 李存山:《中國氣論探源與發微》,中國社會科學出版社,1990年。第155頁。

關於《四經》的成書年代，目前學界也有着很大的意見分歧。歸納起來，主要有戰國中期説、戰國後期説、以及秦漢之際或漢初説幾種。比較起來，我以爲戰國中期説比較合理。這種説法最早由唐蘭先生提出，以後李學勤、余明光等先生也加以支持。陳鼓應先生在一篇文章中也説："《黄老帛書》（即指《黄帝四經》——引者）的成書上限當在戰國中期，理由如下：第一，全書没有明顯受《孟子》或《莊子》影響的痕迹；第二，縱覽全書，文字古樸超過孟莊；第三，最重要的是：從詞匯演變規律來看，是先有單詞，然後發展爲複合詞，從單詞到複合詞的關係中可論證成書的早晚。在《黄老帛書》中，'道'字出現了六十八次，'德'字出現了三十七次，卻没有一例'道德'連用的複合詞；'精'字出現了八次，'神'字出現了八次，而亦没有'精神'二字連用之例"①。

陳先生所舉的幾點理由，尤其是第三點，我以爲是很有説服力的。除此而外，還有一點值得注意的，就是《經法・六分》中多次提到"强國"、"中國"和"小國"，這種强國、中國、小國並存的情況應該是戰國中期以前的事情。到了戰國後期，小國幾乎全被兼併，基本上只存在幾個大的諸侯國了。

因此，我以爲《四經》成書的年代最晚不能超過戰國中期，這樣，單從外在的關係來推論，《四經》應該是早於《四篇》的。那麼，事實是否真的如此呢？更重要的，我們還需要根據它們的思想内容做一個内在的比較。

我在前面曾經提到，單純就兩部書中有相同的句子就來判斷孰先孰後是十分困難的。一般情況下，古人引書並不加以標出或説明，另外，事物的發展也是很複雜的，有時是從簡到繁，有時又從繁到簡，因此，根據繁與簡，具體與抽象的差别，有時並不能正確地判别出時間的先後。當然，也不是没有鑒别的辦法。下面，我就從幾個方面來加以説明。

---

① 陳鼓應：《老莊新論》，香港中華書局，1991年。第126—127頁。

第一,《白心篇》首句較古的本子都作"建當立有,以靖爲宗"。從王念孫起,因不明"當"、"有"之義,故多改字而讀。王念孫認爲,"當"當爲"常","有"當爲"首",皆字之誤也,因改"建當立有"爲"建常立道";何如璋則認爲,"當"乃"常"字,"立"乃"无"字,以形近而誤。這樣,"建當立有"就應該是"建常无有",何氏並引《莊子·天下》"建之以常無有"爲證。以後,陶鴻慶、許維遹等從王說,張佩綸、郭沫若等則從何說①,至今人趙守正著《管子注譯》,亦從王說,竟無以"建當立有"爲正者。實際上,"建當立有"句並不誤,不必通過改字的方法來解釋。"當"在《四篇》中雖然沒有較多的說明,但是,在《四經》中,它乃是一個非常重要的觀念。玆舉《四經》中一些講"當"的語句於下:

①"參以天當"。(《經法·道法》)

②"誅禁不當"、"過極失當"、"故惟聖人能盡天極、能用天當","是謂過極失當"。(《經法·國次》)

③"内外皆順,命曰天當"。(《經法·四度》)

④"受賞無德,受罪無怨,當也"。(《經法·君正》)

⑤"七法各當其名,謂之物"。(《經法·論》)

⑥"興兵失理,所伐不當,天降二殃。"(《經法·亡論》)

⑦"數日,歷月,計歲,以當日月之行"。(《十六經·立命》)

⑧"過極失當"。(《十六經·正亂》《十六經·姓爭》)

⑨"上下不當"。(《十六經·本伐》)

⑩"取予當,立爲□王;取予不當,流之死亡。"(《稱》)

可以看出,除了闡發道論的《道原》一篇外,在《經法》、《十六經》及《稱》中都有"當"的觀念,並認爲"用當"是聖人才能做到的事情,而不當則會受到懲罰。這無疑就是《白心》所謂"建當"及"非吾當,雖利不行"之所本。

這裏順便談一下"立有"的問題。朱伯崑先生曾指出,《白心》篇

① 參見《郭沫若全集》歷史编,第六卷。

中“是以聖人之治也,靜身以待之,物至而名自治之”,“名正法備,則聖人無事”,即是對首句“建當立有,以靜爲宗”的解釋①,這是非常正確的。“立有”中之“有”也就是“有形有名”之謂。“立有”的觀念實際上也是承襲《四經》而來。《十六經·立命》云:“吾畏天愛地親民,立有命,執虛信”。“有命”即有名,“虛信”即靜,因此,《十六經》中的這句話就應該是《白心》“立有”及“以靜爲宗”之所本。另外,《稱》所謂“建以其形,名以其名”,也即是“立有”之意。

第二,《白心》篇中還有論兵的一段是這樣說的:“兵之出,出於人;其人入,人於身。兵之勝,從於適;德之來,從於身。故曰:祥於鬼者義於人,兵不義不可。”《四篇》中論兵的地方不多,大概就這麼一處,在上引最後一句的前面有一個“故曰”,顯示出這乃是從別處而來。那麼,來源在哪呢?就在《四經》。我們知道,《四經》中的《十六經》主要即是談兵的,其中《本伐》把世上的兵道分爲三種:“有爲利者,有爲義者,有行忿者。”《四經》的作者是主張義兵的,《前道》云:“聖[人]舉事也,閤於天地,順於民,羊(祥)於鬼神,使民同利,萬夫賴之,所謂義也”。這應該就是《白心》所引那句話的出處。

第三,“神明”起初本是用來指稱外在的神靈的概念,但是到了戰國中後期,它卻成了一個重要的哲學範疇,《莊子》、《管子》、《繫辭》、《文子》、《韓非子》等都在大體相同的意義上使用這一概念。關於“神明”之由宗教意義而轉變爲哲學意義的具體時間,從現有的文獻資料來看,我以爲與《四經》有密切的關聯。《經法·名理》云:“道者,神明之原也。神明者,處於度之內而見於度之外者也。處於度之內者,不言而信。見於度之外者,言而不可易也。……神明者,見知之稽也。”這當是哲學史上對“神明”意義的第一次規定,或許正是從這開始,“神明”纔上昇爲一個哲學範疇。以後,不論是《莊子》、《管子》,亦或是其他什麼書,都是在《四經》規定“神明”的意義上來使用這一概念,而未加以新的界說。此外,就《四篇》而言,“神

① 見前引《中國哲學史論文集》第一輯,第107—123頁。

明”共出現兩次，一次見於《心術上》：“潔其宮，開其門，去私毋言，神明若存”；另一次見於《内業》：“正形攝德，天仁地義，則淫然而自至神明之極，照乎知萬物。”《心術上》以“毋言”作爲“神明”存在的前提，正是發揮《經法》中“不言而信”之旨；而《内業》所説“神明之極”，則同於《經法》之“神明之原”，當指道而言，下面的“照乎知萬物”，也正是承《經法》以“神明”爲“見知之稽”而來。

第四，如前所引陳鼓應先生的統計，《四經》中“道”和“德”都出現有幾十次，卻無一“道德”連用之例，而《四篇》中的《内業》卻有“反於道德”之語。根據複合單詞的出現要晚於單詞的詞匯演變規律，《四篇》也應較《四經》爲晚。

第五，《四篇》中提出了“氣”和“精氣”的範疇，用來説明世界萬物及人類認識能力的形成。《内業》説：“凡物之精，此則爲生。下生五穀，上爲列星。流於天地之間，謂之鬼神；藏於胸中，謂之聖人。是故此氣……。”自此以後，黄老作品如《文子》、《鶡冠子》、《吕氏春秋》、《淮南子》等都沿襲並發展了“氣”或“精氣”的思想。但是，“氣”或“精氣”的思想在《四經》中並無任何體現。《四經》中曾出現幾次“氣”字，如《十六經·行守》説“是故言者心之符也，色者心之體也，氣者心之浮也”，《道原》説“星辰雲氣”，皆就具體的血氣、雲氣而言，没有什麼真正哲學上的意義。這點也應該是《四經》早於《四篇》的一個證據。

因此，無論從外在的方面，還是從内在的方面考察的結果，我以爲《四經》都是要早於《四篇》的。

二

《四經》和《四篇》不僅有時間先後的區别，而且還有着地域上的差别。《管子》一書，雖然學界對其性質還有不同的看法，但其形成於齊地是没有什麼人懷疑的。而其中的《四篇》，一般人也都認爲是齊稷下黄老學者的作品。但是關於《四經》，問題就恐怕没有這樣簡單。前面曾經約略提到過，關於《四經》產生的地域，有着鄭、楚、越、秦、齊等不同的説法。而從目前的情形來看，尤以齊、楚的主張者最多，爭論也最激烈。

確定《四經》產生的地域是非常重要的，它直接牽涉到人們對黄老之學發生問題的認識。在齊、楚這兩種對立的意見中，我認爲以《四經》爲楚國作品的根據要更充分和可靠。龍晦先生指出《四經》中運用的楚言、楚諺，以及其與《淮南子》在用韵方面的一致，從而斷定它爲楚人作品，説服力很强①。李學勤先生提出過的"馬王堆帛書凡能推定作者地望的，大都是楚人的著作。馬王堆帛書的内容不是雜糅無章的，它代表了戰國到漢初楚文化的傳流"②，也是一個很有力的旁證。除此而外，我在下面還想提出兩點來論證《四經》的產生於楚而非齊。

第一：《四經》中的《十六經》裏有兩處論及黄帝戰蚩尤之事。《五正》云："黄帝於是出其鏘鉞，奮其戎兵，身提鼓鞄，以遇蚩尤，因而擒之。帝箸之盟，盟曰：反義逆刑，其刑視蚩尤。反義倍宗，其法死亡以窮。"《正亂》亦云："於是出其鏘鉞，奮其戎兵，黄帝身遇蚩尤，因而擒之。剝其□革以爲干侯，使人射之，多中者賞。劁其髮而建之天□，曰蚩尤之罶。充其胃以爲鞫，使人執之，多中者賞。醢其骨肉，投之苦醢，使天下嗛之。"蚩尤在我國的古史傳説中是一個有名的部落首領，由於不同民族與其的關係不同，因而對其的態度也不同，反映在古史傳説中，蚩尤就具有不同的形象。具體地説，在周、楚等地的傳説中，蚩尤乃是作爲一個作亂的首領而爲黄帝所殺，而在齊地的傳説和習俗中，他卻是以黄帝的一個得力大臣、且死後被祀爲兵主的形象出現的。

周人的傳説見於《逸周書》和《尚書》中。《逸周書·嘗麥解》云："昔天之初，誕作二后，乃建設典。命赤帝分正二卿，命蚩尤於宇少昊，以臨四方，司□□上天未成之慶。蚩尤乃逐帝，爭於涿鹿之阿，

① 同前引唐蘭《馬王堆出土〈老子〉乙本卷前古佚書的研究》。
② 李學勤：《馬王堆帛書與〈鶡冠子〉》，《江漢考古》，1983年第2期，第51頁。

九隅無疑。赤帝大慴,乃悦於黄帝,執蚩尤,殺之於中冀,以甲兵釋怒。"《尚書·呂刑》亦雲:"若古有訓,蚩尤惟始作亂,延及於平民,罔不寇賊鴟義姦宄,奪攘矯虔。而民弗用靈,制以刑……。"楚人的傳説我們可以《山海經》爲代表,《大荒北經》云:"蚩尤作兵伐黄帝,黄帝乃令應龍攻之冀州之野。應龍畜水,蚩尤請風伯雨師從大風雨。黄帝乃下天女曰魃,雨止,遂殺蚩尤。"

關於齊人對蚩尤態度的記載,我們可以在《史記》及《管子》中找到。《封禪書》曾記秦始皇東游之事,其中説"八神將自古而有之,或曰太公以來作之。齊之所以爲齊,以天齊也。其祀絶莫知起時。八神……三曰兵主,祠蚩尤。蚩尤在東平陸監鄉,齊之西境也。"這是齊人以蚩尤爲兵主而祀之,且其與天主、地主、陰主、陽主、日主、月主、四時主並祀,可見蚩尤在齊人心目中地位之高。另《管子》中曾有兩篇提到蚩尤,《五行》篇説:"昔者黄帝得蚩尤而明乎天道,得大常而察乎地利……黄帝得六相而天地至,神明至。蚩尤明乎天道,故使爲當時。"這是以蚩尤爲明天道者而爲黄帝之佐。《地數》篇雲:"修教十年,而葛盧之山發而出水,金從之。蚩尤受而制之,以爲劍、鎧、矛、戟,是歲相兼者諸侯九。雍狐之山發而出水,金從之。蚩尤受而制之,以爲雍狐之戟、芮戈,是歲相兼者諸侯十二。"這是以蚩尤與兵有密切關係,與祀之爲兵主的説法相合。

可以看出,《四經》中蚩尤的形象與周、楚的傳説正合,而與齊人的傳説不同。這應是《四經》作於楚而非齊的一個重要證據。

第二,從前蒙文通先生曾經指出:"總的説來,北方的道家不反對仁義,南方的道家反對仁義,在這一根本差别下,就處處都有殊異了。"① 如老子、莊子屬南方道家,故非薄仁義;而楊朱爲北方道家,則不反仁義。用這一點來衡量,我們便可發現《四篇》與《四經》之間有着一個比較明顯的差異:《四篇》一般是道、德、仁、義、禮、法並提,而《四經》則主要重視道和法,卻絶少或根本不涉及仁、義和

① 同前引蒙文通《古學甄微》第 271 頁。

禮。

我們先來看一下《四篇》。《心術上》説："虛無無形謂之道，化育萬物謂之德，君臣父子人間之事謂之義，登降揖讓、貴賤有等、親疏之體謂之禮，簡物小大一道、殺僇禁誅謂之法"。"禮者，因人之情，緣義之理，而爲之節文者也。故禮者謂有理也。理也者，明分以諭義之意也。故禮出乎理，理出乎義，義因乎宜者也"。《心術下》云："凡民之生也，必以正平。所以失之者，必以喜樂哀怒。節怒莫若樂，節樂莫若禮，守禮莫若敬。外敬而内靜者，必反其性。"《内業》篇云："天仁地義，則淫然而自至神明之極，照乎知萬物。"可以看出，《四篇》中頗多儒家的氣息，不僅談到了仁、義、禮，而且還講樂和詩。這當是齊國黄老學的特點。

與《四篇》相比，《四經》對仁、義、禮便不那麼重視，更不必談什麼樂和詩了。據筆者粗略的統計，《四經》中的《經法》、《稱》和《道原》三篇中均未提及仁、義或禮，《十六經》中"仁"字出現一次，作"體正信以仁，慈惠以愛人"，"禮"字亦不見，"義"字出現了幾次，但均指"義兵"而言，没有什麼哲學上的意義。

因此，從《四經》和《四篇》對待仁、義、禮等的不同態度來看，也可證明它們非同一地域的作品，且以《四經》成於楚的可能性最大。

曾經有學者撰文認爲：《四經》中對法、形名等的重視應該是一定的吏治改革下的産物，而在戰國後期，只有齊國纔出現過吏治改革，楚國則衰敗無能。因而主張《四經》只可能是齊國背景下的作品①。這種看法把《四經》的出現與社會政治背景聯繫起來，我以爲是頗有意義的。但它把《四經》産生的年代定在戰國後期，這本身就存在問題。如果《四經》産生在戰國中期前後，而不是在戰國後期，那麼，此種主張也就失去了前提。實際上，從戰國時期政治改革的情形來看，它最初乃是在三晉大地上興起的。首先是李悝在魏文侯時代變法，隨後則有吳起在楚和商鞅在秦的變法，吳起和商鞅都在

① 參見《管子學刊》，1990年第4期，知水先生文。

魏國做過多年的官，其受魏國變法氣氛的影響當是很自然之事。比起他們來，鄒忌在齊威王時的改革不僅時間要晚，而且其影響也要小得多。

就本文的研究來看，最值得注意的當然是吳起在楚國的變法，它可能正是《四經》賴以出現的社會政治基礎。吳起本衛國人，曾事魏文侯、武侯，爲西河守，以用兵聞名於世。後至楚國，爲楚悼王變法。其變法的措施，要在鼓勵耕戰、富國强兵，以爭於天下，與《四經》的主張是一致的。以下就吳起變法之措施，並結合《吳子》一書，來談一下其與《四經》的關係。

1.《韓非子·和氏篇》云："吳起教楚悼王以楚國之俗曰：'大臣太重，封君太衆。若此，則上逼主而下虐民。此貧國弱兵之道也。不如使封君之子孫三世而收爵祿，絶滅百吏之祿秩，損不急之技官，以奉練選之士。'"這是要抑制大臣的勢力，而重賢能之士。《四經》中也有類似的觀念。《經法·六分》云："凡觀國，有六逆：其子父、其臣主，雖强大不王。"又說："大臣主，命曰壅塞。在强國削，在中國破，在小國亡。"《亡論》篇也說："六危……二曰大臣主……五曰左右比周以壅塞。"《經法》認爲，"君臣易位謂之逆"，"逆則失本"，它要求"主主臣臣，上下不逝，……主執度，臣循理"，認爲這樣才是"君臣當位"。此外，《四經》還主張，"王天下者，輕縣國而重士，故國重而身安；賤財而貴有知，故功得而財生；賤身而貴有道，故身貴而令行。"（《經法·六分》）並要求"賢不肖當位"。（《四度》）

2.《戰國策·秦策》記范睢云："吳起事悼王，使私不害公"，蔡澤云："吳起爲楚悼罷無能，……塞私門之請。"《經法·道法》云："使民之恒度，去私而立公。"《四度》篇云："去私而立公，人之稽也。"

3.《吳子·圖國篇》云："是以有道之主，將用其民，先和而造大事，不敢信其私謀，必告於祖廟，啓於元龜，參之天時，吉乃後舉。"《十六經·前道》："聖人舉事也，闔於天地，順於民，祥於鬼神"與此義合。

4.《吳子・圖國篇》云:"凡兵之所赴者有五:一曰爭名,二曰爭利,三曰積惡,四曰内亂,五曰因饑。其名義有五:一曰義兵,二曰强兵,三曰剛兵,四曰暴兵,五曰逆兵。禁暴救亂曰義,恃衆以伐曰强,因怒興師曰剛,棄禮貪利曰暴,國亂人疲、舉事動衆曰逆。"《十六經・本伐》一段話與此類,其文曰:"世兵道三,有爲利者,有爲義者,有行忿者。所謂爲利者,見□□□饑,國家不暇,上下不當,舉兵而[栽]之,唯無大利,亦無大害焉。所謂爲義者,伐亂禁暴,起賢廢不肖。……所謂行忿者,心雖忿,不能徒怒,怒必有爲也。成功而無以求也,即兼始逆矣。非道也。"

5.《吳子・圖國篇》記吳起述楚莊王語曰:"寡人聞之,世不絶聖,國不乏賢,能得其師者王,能得其友者霸。……"。《稱》篇云:"帝者臣,名臣,其實師也;王者臣,名臣,其實友也;霸者臣,名臣,其實□□……。"

6.《史記・孫子吳起列傳》:"武侯浮西河而下,中流,顧而謂吳起曰:'美哉乎山河之固,此魏國之寶也!'起對曰:'在德不在險'……""在德不在險"的思想在《四經》中也有體現,《經法・亡論》云:"德薄而功厚者隳……守國而恃其地險者削。"

7.《吳子・圖國篇》:"天下戰國,五勝者禍,四勝者弊,三勝者霸,二勝者王,一勝者帝。是以數勝得天下者稀,以亡者衆。"《十六經・雌雄節》:"夫雄節而數得,是謂積殃,凶憂重至,幾於死亡。雌節而數亡,是謂積德,慎戒毋法,大祿將極"與此似。

8.《吳子・圖國篇》:"古之明王……安集吏民,順俗而教,簡募良材,以備不虞。"《經法・君正》云:"一年從其俗,二年用其德,三年而民有得,四年而發號令,[五年而以刑正,六年而]民畏敬,七年而可以征。"

吳起作爲兵家,與孫武並稱;作爲法家,同商鞅齊名,他嘗學於曾子,受業於子夏,據說還傳過《春秋》,又對老子的思想有所了解如《吳子・圖國篇》云:"夫道者,所以反本復始",嚴靈峰先生認爲即老子"歸根復命"之説也①。這樣的情形與《四經》重法談兵論道也是非常一致的。當然,這並不是説《四經》是吳起或其門人弟子的作品,而只是想説明吳起變法可能正是《四經》產生的社會基礎,《四經》大約正是形成於吳起變法時期或稍後。吳起變法主要是在公元前 381 年,唐蘭先生推測《四經》成書的下限當在申不害相韓之年即公元前 351 年以前,時間上也正是相合。

因此,在楚國存在着《四經》產生的社會政治條件,是無可置疑的。另外,從思想淵源上講,《四經》受了老子及范蠡思想的重大影響。老子本陳人,後陳滅於楚,故《史記》又稱其爲楚人,范蠡本就是楚人。他們的思想在楚地流傳,並影響到《四經》的作者,乃是極合情理之事。所以,無論是從社會背景還是從思想淵源上來看,説《四經》作於楚國都是可以成立的。

三

關於黄老之學的發生,從前的學者都比較重視齊國。典型之説如郭沫若先生,認爲黄老之學的由孕育而發生而發展,都是在齊地實現的。其根據除了《管子》一書尤其是《四篇》外,主要地還有古器物銘文《陳侯因資敦》中關於齊威王"揚皇考昭統,高祖黄帝,邇嗣桓、文,朝問諸侯,合物厥德"的記載。郭沫若先生説:"這裏的'高祖黄帝,邇嗣桓、文',是説遠則祖述黄帝,近則承繼齊桓、晉文之霸業。黄帝的存在已經爲齊國的統治者所信史化了。齊威王要'高祖黄帝',這應該就是黄老之術,所以要托始於黄帝的主要原因。"②

但是,根據我們論證的《四經》早於《四篇》,且《四經》產生於楚地的結論,以郭沫若先生爲代表的對黄老之學的看法就需要給以重新評價。黄老之學可能並不是發源於齊,而是發源於楚的。

已經有人提到,這裏還需强調指出的一點是,推崇黄帝、以黄

① 參見嚴靈峰《莊子叢著》第九册,第 367 頁。
② 郭沫若《郭沫若全集》歷史編第二卷第 115 頁。

帝爲始祖並不是齊國特有的現象，黄帝的信史化似乎也並不從齊威王纔開始。早在春秋時期，黄帝就已經被認爲是夏族、周族等的祖先。如《國語·晉語四》記載司空季子説“黄帝之子二十五人……黄帝爲姬”，即以姬周爲黄帝的正統後代，而《周語下》中太子晉提出“黄炎之後”的説法，也把黄帝視爲鯀、禹的先祖。此外，《國語·魯語上》還記載展禽論述四代祀典，其文曰：“有虞氏禘黄帝而祖顓頊，郊堯而宗舜；夏后氏禘黄帝而祖顓頊，郊鯀而宗禹；商人禘舜而祖契，郊冥而宗湯；周人禘嚳而郊稷，祖文王而宗武王”。這個祀典實際上把虞、夏、商、周都納入了始於黄帝的譜系之中，以後齊威王（有虞氏之後）之要“高祖黄帝”，即承此而來。

事實上，按照戰國時人們已有的看法，當時各大諸侯國國君的世系大概都可追溯到黄帝。如越王勾踐爲夏后氏之苗裔，秦國祖先爲顓頊，而顓頊爲黄帝之孫，故秦靈公時作吳陽上畤，祭黄帝。楚王族之屈原自稱“帝高陽之苗裔”，帝高陽即顓頊、黄帝之孫。其他如三晉、魯等，更不必提了。齊國的情況稍稍複雜一些，最初本由太公望立國，爲姜姓炎帝之後，從春秋末到戰國初，漸漸被從陳國來的田氏取代。齊威王時剛剛取代姜齊不久，因此，他之“高祖黄帝”，標明世系，一方面當是爲了與姜齊劃清界限，另一方面可能也是爲了與其他諸侯國認同，以論證其爭霸鬥爭的合理性。

因此，從外在的方面來看，各個諸侯國都存在依托黄帝來立言的可能性，非獨齊爲然。這是應該明確的第一點。

第二點，孔墨俱道堯舜，而不及黄帝。因而黄老之學出於孔墨之後當屬無疑。由此看來，《四經》可能正是黄老學的奠基性著作，而《四篇》則是它的進一步發展。首先，黄老學之得名，顧名思義，當是有一種理論，它依托黄帝，卻又與老子學説有密切的關聯，這和《四經》的特點是一致的。《四經》中的《十六經》，有很多篇都是借黄帝之口來立言，顯示出其依托黄帝的性質。而《四篇》中雖然有很多提法與《四經》一致，卻絕無托黄帝立言之現象。其次，《史記》上説：“申子之學，本於黄老，而主刑名”，又説：“慎到，趙人。田駢、接子，齊人。環淵，楚人。皆學黄老道德之術，因發明序其指意”。此中田駢、接子、環淵之著作已不可考，而《申子》、《慎子》卻都有受《四經》影響之處。從這來看，司馬遷所謂“黄老”即指《四經》或至少包括《四經》在内當爲無疑。第三，最初學黄老者，以年代而論，當推申子和慎子。申子本鄭人，後爲韓相，慎到趙人，皆非齊人。此外環淵爲楚人。從這種情形來推測，《四經》可能就是由慎到、環淵輩帶至齊國，從而影響到《四篇》作者的。

第三，馮友蘭先生曾説，黄老之學是道家和法家的統一①。這話基本上是不錯的。但值得指出的一點是：這種統一有時是以道家爲主，有時又是以法家爲主的。就《四經》來説，我以爲它乃是具有法家思想傾向的學者主動利用道家思想來論證法家政治的作品。在這裏，道是虚的，法和形名卻是實的，道是爲法和形名來服務的。另外，就《四經》所塑造的黄帝形象來看，與列子、莊子講的不同，而與兵家孫武所言相合。山東銀雀山漢墓竹簡《孫子兵法》有“黄帝伐赤帝”一節，記述黄帝“已勝四帝，大有天下”，《四經》中謂黄帝“唯余一人，兼有天下，四達自中”當即承此而來。兵家與法家本來即有極深的淵源，如吳起爲兵家，又主持變法；商鞅爲法家，又善於用兵。是故蒙文通先生嘗謂兵家應歸入法家②。而《列子》言黄帝登假，《莊子》内篇言黄帝得道而登雲天，皆爲養生成仙之帝王形象，與《四經》不類。由此，我們也可明白爲什麽好多學本《四經》者後來都成了法家的重要代表，如申子、慎到即是其中著名者。

而《四篇》在這點上與《四經》即有了明顯的差異。《四篇》雖也講法，但没有《四經》那麽突出。另外，《四篇》也不像《四經》那樣對“兵”有濃厚的興趣。這使它顯得比《四經》要超脱得多。它似乎更重視對道、德、虚、靜、氣等做理論上的探討，雖然也不離開現實的政治。它當是屬於黄老學中以道家爲主的一派。

最後需要指出的是，本文在行文過程中主要論述了《四經》和

① 馮友蘭：《中國哲學史新编》，第二册。人民出版社，1984 年，第 195 頁。
② 同前引蒙文通《古學甄微》第 285—288 頁。

《四篇》的不同之處，而於其一致的方面未加强調。實際上，儘管《四經》和《四篇》之間在年代上有先後之別，地域上有南北之分，但它們在大的方面仍是非常一致的，都體現出了“以虛無爲本，以因循爲用”、“君無爲而臣有爲”等思想特點，而且都有兼綜道、儒、墨、法、名等的傾向，因而都可以納入黃老學的範疇之下。

作者簡介 王博，1967年生。內蒙古赤峰人。1982年考入北京大學哲學系。現從朱伯崑先生攻讀博士學位，主要從事先秦道家思想研究。論文有《老子與夏族文化》、《老學非楚學論》等。

論尚黄老與《淮南子》

潘雨廷

内容提要　本文乃潘雨廷先生遺稿。論文首先闡明了《淮南子》的産生和漢初崇尚黄老的學術氣氛，以及劉安家族遭遇和劉安本人個性之關係，進而闡明《淮南子》思想實和"九師易"有關，屬先秦漢初的易道思想的發展，强調黄老易學對《淮南子》思想主旨之影響。

研究《淮南子》這部書，必宜分三方面説明原委方能深入了解其書的價值。其一：須研究淮南王劉安的史實，對其身世與遭遇，決不可忽視。其二：須研究在淮南王劉安親自主持下，利用門下食客的智慧，分頭寫作而綜合成書，故《淮南子》一書的内容，既未可忽視劉安本人的思想，尤不可不注意實有衆多的作者。其三：最關重要的事，更須深入研究當時的客觀環境及學術氣氛。以下綜合三方面加以研究，可歸諸本題之所以名"尚黄老與《淮南子》"。

考當時的客觀環境正在起重大的變化，學術氣氛亦在從尚黄老變爲尊儒術，而《淮南子》一書，基本在研究黄老之術，宜逐步與時代思潮不合。至於劉安（前 179～前 122）的身世，爲劉邦之孫，劉長之子，漢武帝（前 156～前 87，前 140～前 87 在位）的堂叔。其間的關係，當從劉邦談起。

劉邦（前 256～前 195）五十一歲開國（前 206），天下實未安定，四年（前 203）立黥布爲淮南王，六年項羽卒（前 201），八年（前 199）劉邦過趙時年已五十八歲，趙王獻張傲美人，九年（前 198）生子劉長,時邦正怒趙王,未理其事。張傲美人憤而自殺,邦旋悔之,使長以呂后爲母。十一年(前196)十月淮南王黥布反,平之而於十二年(前195)封長爲淮南王,時僅四歲。未久邦卒。呂后子惠帝即位七年(前194~前188),權爲呂后所掌握,繼之,呂后自稱帝八年(前187~前180),賴舊臣安淡立高祖中子,母薄姬,是謂文帝(前179~前157)在位廿三年。是年劉安生(前179),而其父劉長性情暴燥,三年入朝(前177),年廿二歲,爲雪母仇,以金椎椎辟陽侯,文帝母子及大臣,皆懼長。雖有請罪之舉,僅屬形式,旋返國。儼然有天子之象,文帝及諸大臣當然不能容。六年,遷其國,長不願受辱而自殺,年僅二十五歲。十二年(前168)淮南民有爲長不平者,作歌悲之,詞曰:"一尺布,尚可縫;一斗粟,尚可舂;兄弟二人,不能相容。"可見淮南民猶憶及劉長之治國,當然仍有好感。文帝聞之,追尊諡淮南王長爲厲王,爲之置園復如諸侯儀,十六年(前164)三分厲王封地以封其三子勃、賜、安,勃爲衡山王,賜爲廬江王,安爲淮南王。是年淮南王劉安僅十六歲。景帝三年(前154),吳楚反,數月破之,厲王三子不與於亂,景帝嘉之。安爲人好讀書鼓琴,不喜弋獵狗馬馳騁,善治百姓。武帝十七歲(前140)即位時,安已四十歲,於建元二年(前139)入朝,武帝年僅十八,於安爲侄。安與武安侯田蚡善。及元朔三年(前126)入朝,武帝年三十一歲,正當有爲之時,安已五十五歲,宜有賜几杖不朝之寵。考安於十六歲至五十五歲的四十年間曾"招致賓客方術之士數千人,作爲內書二十一篇,外書甚衆,又有中篇八卷言神仙黃白之術,亦二十餘萬言"(《漢書》本傳)。此爲劉安的成就。"時武帝方好藝文,以安屬爲諸父,辯博善爲文辭,甚尊重之,每爲報書及賜,常召司馬相如等視草乃遣。初,出入朝,獻所作《內篇》新書,上愛秘之,使爲離騷傳,旦受詔,日食時上。又獻頌德及長安都國頌。每宴見,談說得失及方技賦頌,昏莫然後罷"(同上)。此當指建元二年(前139)事,時已上新出之《內書》二十一篇,上愛秘之。故《淮南子》內篇之成書,且及所作之賦,宜以是年論。《漢書·藝文志》"淮南道訓二篇,淮南王安聘明易者九人號九師易",此外爲"淮南内二十一篇,淮南外三十三篇"。又"淮南王賦八十二篇,淮南王群經賦四十四篇",若道訓與外篇未知何時上於武帝,至遲在五十五歲。唯八卷二十餘萬言言神仙黄白之術的中篇,因劉安自殺,或當時已佚失,且有大批學者被害,其思想知識,基本皆失傳,具體之斲輪,尚不限於書本之文獻。故武帝之滅淮南對中國的思想文化爲不可彌補的大損失,似不小於秦始皇之焚書坑儒。今詳究劉安之思想,對祖母自殺,父雖爲報仇而又爲文帝所逼而自殺,對皇室内幕之怨恨,不言而喻。然安與其父的性格恰反,已由武而文,是否於武帝不利,決非安一方面之故,當武帝十八歲直至三十一歲時,其情皆能相得,何以僅隔四年,又逼安自殺,且成誅及萬人之大獄。此於劉安一方外,宜注意武帝的思想變化。因淮南封地近於高祖開國之處,且秦漢之發展方向恰反。秦立足於西北"天極",面向東北東南滅六國以統一天下。漢劉邦本處於東南而面向西北滅秦以開國,將卒猶恨惠帝之不似己,及舊臣平呂后專政而有文景之治,仍無發展漢朝大業之際計劃,若劉長之狂燥,或反能得邦之賞識,惜年僅四歲而邦卒,此亦無可奈何之事,不期長子安又生成文景之思想,而景帝之子武帝,直有劉邦、劉長之志。其間三四代人的性格變化,殊可研究其遺傳信息。先示以下表,數字爲繼位之次:

①父劉邦 {
③呂后(母)—子②惠帝
薄姬(母)—子④文帝—子⑤景帝—子⑥武帝
張傲美人(母)—子劉長—子劉安
自殺　　　　　自殺　自殺
}

更以今心理學之向外性與向内性分辨劉邦四代人的性格,又成一表數字爲輩分:

性格 {
向外:①劉邦—②劉長—④劉徹(武帝)
向内:②惠帝—②文帝—③景帝—③劉安
}

由上二表可見漢室開國後百餘年的形勢,劉邦不滿繼位之惠帝,宜有呂后之事。文帝之繼呂后,不期又似惠帝,對劉長之性格勢必不能容,逼其自殺而后悔之,仍爲文帝的性格所決定,亦不可忽視竇后的思想。於景帝滅吳楚後仍誅晁錯者,亦有合於景帝之性格,而安弟兄三人與於吳楚未反,既有其父之事爲戒,於安更由其性格所決定,宜景帝一代與武帝初期,安自然能相處無事而於文化思想大有成就。至於武帝之性格,實有其向外之大志。劉長因其地位向外的性格,大受限制,而武帝則名正言順,宜由以繼劉邦之志而擴大之,勢必向西開發。且征西南夷又爲地勢所限,唯西北一路更可發展秦之"天極"。於建元三年(前 138)張騫出使匈奴,曾至大宛、大月氏、大夏、康居等國,行時百餘人,凡十三年(前 138～前 126)唯二人還,武帝對此事可云最適合其個性,乃決定進一步開發西域,亦正當賜安几杖不朝之時。故安不朝之四年中,武帝於元朔五年(前 124)派衛青將兵十餘萬人出朔方,於六年又封騫爲博望侯,正積極準備第二次通西域。適當大軍西北出征之時,於東南國基何可不正。且自竇太后卒(前 135),早已一心尊儒術而排斥百家,然而劉安的思想仍主黄老之風兼及儒術以治國,況有衆多賓客及兵力,宜與武帝之思想行動,逐漸不同,抵觸情緒與日俱增,終造成沉痛的悲劇。今不必爲劉室家屬中辨是非,而爲中國的思想文化,實宜爲劉安悲。以下準今日僅存的《淮南子内篇》,結合當時的學風,深入研究其作者及價值,並推測已散佚之諸書之内容。

先可考察爲劉長不平而作歌者。時在文帝十二年,亦即劉安十二歲,以安之日後發展觀之,此歌未嘗不可視爲劉安自作。當其六歲時,其父劉長自殺。門下食客未必散儘,當安之知識漸開,何能無怨,故此歌即非安自作,必屬其父之門下士所作。當十六歲安繼承爲淮南王時,門下食客勢必驟增,爲此歌者或在其中,且安於十六歲至四十歲之二十的年間,已成《淮南子内書》二十一篇,門下參於作此書者,年齡當長於安,且早期之賓客方士平均年齡可能與其父年齡相近。年最長者可生於秦始皇(前 259～前 210)時,自秦始王卒至成《淮南子》僅七十一年,有七八十歲的老學者,皆生於秦,且此輩學者父兄先師的知識,仍能保持戰國末年的狀况,尚未受秦始皇之干擾。故劉安的作風,一如戰國末的四公子,即齊之孟嘗君,趙之平原君，魏之信陵君，楚之春申君。以學術言更如秦之呂不韋，所成之《淮南子內篇》(前 139)實與《呂氏春秋》(前 239)可相互比擬，雖已相差約百年，猶能保存戰國時的學風，未爲專主一家之說。要而言之，《呂氏春秋》的內容，貴能總結戰國末年黃河流域流行的各種學術思想。主要於黃河上流爲秦，中流爲三晉，下流爲燕、齊、魯。呂不韋雖亡，秦始皇仍能酌取其旨，當天下既一而復造成焚書坑儒之災，實因秦博士中猶存齊風。若易學整體之哲理屬卜筮而未成禁書，然各國之讀易法，實多不同。漢初由尚黃老而成爲尊儒術，其思想之變化亦在對整體易學的認知問題。漢興九年徙齊田何於秦杜陵以授易，猶重齊易以正單屬卜筮之秦易，故漢易基本出於田何。然時有洛陽周王孫，雖從田何學而自有三晉之學風，與呂不韋及其門客的思想有關。其後丁寬既從田何學又從周王孫學，方能得較完備之易義，後歸梁孝王爲丁將軍以滅吳楚之反(前 154)。此係易學之內容與楊何(元光元年前 134，征爲大中大夫)授於司馬談父子之齊易不儘相同，因已多三晉易及長江流域的楚易。若九師所作有與於易理之，"淮南道訓二篇"當於丁寬及田何、周王孫以外的楚易有關。故《淮南子》之論易於司馬遷之論易不同。易學整體之尚黃老，又與司馬談《論六家要指》之尚黃老不同。以下表示漢初易學之部份傳授關係：

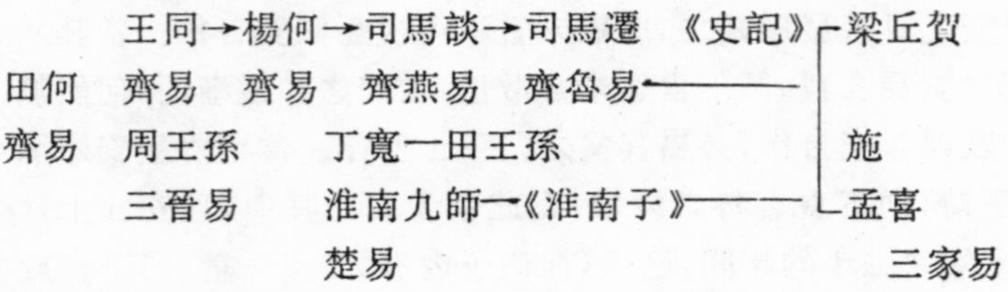

王同→楊何→司馬談→司馬遷　《史記》┌梁丘賀
田何　齊易　齊易　齊燕易　齊魯易←────┤
齊易　周王孫　　丁寬一田王孫　　　　　│施
　　　三晉易　　淮南九師一《淮南子》───└孟喜
　　　　　　　　楚易　　　　　　　　　　三家易

下附可靠的時間表

公元前 198 年高祖九年田何由齊徙秦杜陵授易。邦 59 歲。劉長生。

前 179 年文帝前元元年劉安生。

前 174 年文帝前元六年劉長自殺。

前 164 年文帝前元十六年劉安爲淮南王聘明易者九人號九師易。

前 154 年景帝前元三年丁寬爲梁孝王將軍平吳楚反。
前 145 年景帝中元五年司馬遷生。
前 139 年武帝建元二年劉安上《淮南子内篇》。
前 134 年武帝元光元年楊何徵爲大中大夫。
前 122 年武帝元狩元年劉安自殺。
前 110 年武帝元封元年司馬談卒。

由上表合諸可靠的時間，與漢初的學術思想，因易學來自秦火，故仍能保存戰國末年的各國學風。今研究《淮南子》必須於數千賓客方士中重視明易之九師，方能待其要。不幸武帝後獨尊儒術，易雖然被尊爲六藝之源而其内容反爲儒術所限。戰國本具之易學，經秦始皇以卜筮限之，漢武帝更以六藝囿之，故論易主黄老之道訓二篇亦乏人重視，於三家易中唯孟喜獨有所傳，或尚與淮南九師易有關。再者淮南分内外篇者，似爲《抱樸子》所取則，外篇中或多治國之理，今内篇尚存可爲佐證。最可惜者爲中篇二十餘萬言，或治獄時已散佚，劉向曾得其煉金法以上於朝，奈未成而險遭殺身之禍。此證中篇之神仙黄白術，乃兼先秦已有成就之道教内外丹，内丹歸諸醫學，外丹歸諸化學，同屬易學製器尚象的重要部分。干劉向失敗後僅有流傳者唯東漢徐從事、魏伯陽、淳於叔通合著之《參同契》一書，此書中謂取法於《龍虎經》者，或即《淮南子》之中篇，惜未能證實。可見武帝之滅淮南，使中國先秦的科技知識什九失傳，此爲中國二千餘年來的莫大損失。幸《淮南子内篇》尚存，故先秦及漢初所認識的道猶可概見。漢初之尚黄老，主要以道言之，黄老云者仍歸伏羲氏之易道，能準此以觀《内篇》，庶可迎刃而解。故不知九師何能知劉安之思想？以下具體摘錄《内篇》之言，庶可免空論之失，先錄要略之言，可知與易學之關係，殊可解二千年來重視“經學易”之束縛。

按《淮南内二十一篇》，實僅二十篇，最後一篇名爲“要略”，猶自作之提要，殊能得二十篇之要義，尤要者有總結全書之旨，其言曰：“故著書二十篇，則天地之理究矣，人間之事接矣，帝王之道備矣。其言有小有巨,有微有粗,指奏卷異,各有爲語。今專言道,則無不在焉。然而能得本知末者,其唯聖人也。今學者無聖人之才,而不爲詳説,則終身顛頓於混溟之中而不知覺寤乎昭明之求矣。今易之乾坤,足以窮道通意也,八卦可以識吉凶知禍福矣。然而伏羲爲之六十四變,周室增以六爻,所以原測淑清之道,而捃逐萬物之祖也。夫五音之数不過宮商角徵羽,然而五弦之琴不可鼓也。必有細大駕和而後可以成曲。……誠通乎二十篇之論,目者凡得要,以通九野,徑十門,外天地,捭山川。其於逍遥一世之間,宰匠萬物之形,亦優游矣。若然者,挾日月而不姚,潤萬物而不耗,曼兮洮兮,足以覽矣。藐兮浩兮,曠曠兮可以游矣。"此實能得出入無疾之理,且歸諸"伏羲爲之六十四變,周室增以六爻",非明易之九師,何能見此。可由《繫辭下》伏羲始作八卦之文,更進一步。惜《道訓二篇》已佚,未能究其詳,幸存此《内篇二十一篇》尚可得其旨。必本《要略》之文,始可證二十篇中雖不言八極即八卦、陰陽即乾坤、太乙即太極無極等,而理實可通,武帝尊儒術而重視易,不可不察其受劉安之影響。

既得全書之旨,更宜深人以究二十篇之要。

一、原道訓——此篇論道,猶闡明"易有太極"之象。全篇屢及陰陽相對之概念,即發揮"一陰一陽之謂道"之概念。《要略》曰"原道者,盧牟六合,混沌萬物,像太一之容。"虞翻注"太極太乙也"即準此而言。《要略》義曰"若轉丸掌中,足以自樂也。"此以丸喻道,即莊子所謂"市南宜僚弄丸兩家之難解"(《雜篇·徐無鬼》),亦即"蓍之德圓而神"之象。宋邵雍"自作真贊"曰"弄丸余暇,閑往閑來",自注丸謂太極。即據此"轉丸掌中"之語,再者今尚流傳轉丸掌中作爲健身之用,據此可見,其來源之古,養生貴自樂,正原道之旨。

二、俶真訓——此篇猶總結《莊子》之旨:"及世之衰也。至伏羲氏,其道昧昧芒芒然,吟德懷和,被施頗烈,而知乃始,昧昧楙楙,皆欲離其童蒙之心,而覺視於天地之間,是故其德煩而不能一。乃至神農、黄帝,剖判大宗,竅領天地,襲九竅,重九熱。提挈陰陽,嬈挠剛柔，枝解葉貫，萬物百族，使各有經紀條貫。於此萬民睢睢盱盱然，莫不竦身而載聽視，是故治而不能和下。棲遲至於昆吾夏后之世，嗜欲連於物，聰明誘於外，而性命失其得。施及周室之衰，澆淳散樸，雜道以僞，儉德以行，而巧故萌生。周室衰而王道廢，儒墨乃始列道而議，分徒而訟。於是博學以疑聖，華誣以脅衆。弦歌鼓舞，緣飾詩書，以買名譽於天下。繁登降之禮，飾紱冕之服。聚衆不足以極其變，積財不足以贍其費。於是萬民始惜觟高跂，各欲行其知僞，以求鑿枘於世而錯擇名利。是故百姓曼衍於淫荒之陂，而失其大宗之本。”其叙古史，本伏羲神農黄帝而忽堯舜，有意排儒。若謂伏羲而知乃始，指“始作八卦”而“卦之德方以知”，又特用“蒙卦六五童蒙”之象以保其真。若伏羲之仰觀俯察等，便童蒙覺而亦視於天地之間，是故其德煩而不能一。雖然方而不忘圓，亦何礙於知，此論伏羲等之象，所以發展先秦早已存在的易學史，且執於道而忍乎儒，以見漢初尚黄老之道，合諸《莊子·天下篇》論，《淮南子》較《莊子》更重黄老，此見戰國末與漢初之異。

三、天文訓——《要略》云“天文者，所以和陰陽之氣，理日月之節，開塞之時，列星辰之行。知逆順之變，避忌諱之殃，順時運之應，法五神之常，使人有以仰天承順而不亂其常者也。”以今而言，猶以天文爲坐標，實即合律歷而一，明種種周期之變。觀《呂氏春秋》之視易，尚以卜筮爲主(詳另見《論秦易》)，而《淮南子》論易，已進而見其理。考卦象與天文之配合，以陰陽之義觀之，早已相通，然先秦之易尚以數爲主。因數而變成今日一(陰)、一(陽)之符號，其來未遠，故此《天文訓》之義，可繪成種種卦象圖。因卦象之大義本爲坐標之符號，暢論天地陰陽方圓幽明内外水火天干地支等等相對之易義，其後勢必有孟喜之孟氏易及京房之京氏易，若卦氣圖、八宫等等。圖可後出，圖中所示卦象之義於律於曆，莫不有據於先秦之象。《淮南子》繼承先秦古説，此篇猶爲承前啓後主要之關鍵。然尚於二十四向用東北爲報德之維，西南爲背陽之維，東南爲常羊之維，西北爲蹄通之維。雖未用艮坤巽乾四卦而已有其象。

四、墬形訓——已有取於《山海經》之説，與總結黄河流域文化的《呂氏春秋》不同。安之賓客中，必多南方之學者。五行中用壯老生囚死的概念，或承騶衍之説，亦有蜀楚吳越之學風。

五、時則訓——仍與《呂氏春秋》相同，與《卦氣圖》亦同義，以明十二月令之象。

六、覽冥訓——"夫陽燧取火於日，方諸取露於月，天地之間，巧厤不能舉其數，手徵忽怳，不能覽其光，然以掌握之中，引類於太極之上，而水火可立致者，陰陽同氣相動也。此傅説之所以騎辰尾也。……今夫調弦者，叩宫宫應，彈角角動，此同聲相和者也。"《要略》曰："引人之意，繫之無極，乃以明物類之感，同氣之應，陰陽之合，形埒之朕，所以令人遠觀博見者也。"此視陽燧方諸之爲物，能引類於太極之上總其旨於"要略"，即明物類同氣之感應，可引人之意歸於無極。考太極爲陰陽兩儀之本，語出《周易・繫辭》，無極之詞，乃出《老子》，由太極之上而繫於無極，正《淮南子・覽冥篇》之旨，宋周敦頤之《太極圖説》，首句曰"無極而太極"，引起理學中大辯論，而其原即出於此，可喻《淮南》一書，與易學關係之密切。此訓又明伏羲之象，且合女媧言，謂"使萬物各復歸其根，則是所修伏羲氏之迹而返五帝之道也。夫鉗且大丙，不施轡銜，而以善御聞於天下，伏羲女媧不設法度，而以至德遺於後世，何則？至虚無純一，而不嘤喋苛事也。周書曰：掩雉不得，更順其風。今若夫申韓商鞅之爲治也，掙拔其根，蕪棄其本，而不窮究其所由生，何以至此也。"更見其已合南北方文化而言，此見九師説易，既不同於秦易，亦不同於齊易，與司馬談所主之黄老易，亦有所辯。此訓之末曰："譬若羿請不死之藥於西王母，姮娥竊以奔月，悵然有喪，無以續之。何則？不知不死之藥所由生也。是故乞火不若取燧，寄汲不若鑿井。"此所以劉安又重視黄白術，貴能大其幻想而歸諸實用。

七、精神訓——"有二神混生，經天營地，孔乎莫知其所終極，滔乎莫知其所止息。於是乃别爲陰陽，離爲八極，剛柔相成，萬物乃形。煩氣爲蟲，精氣爲人，是故精神天之有也，而骨骸者地之有也。

精神入其門而骨骸反其根，我尚何存。是故聖人法天順情，不拘於俗，不誘於人，以天爲父，以地爲母，陰陽爲綱，以時爲紀，天靜以清，地定以寧。萬物失之者死，法之者生。夫靜漠者，神明之定也。虛無者，道之所居也。是故或求之於外者，失之於內；有守之於內者，失之於外，譬猶本與末也。從本引之，千枝萬葉，莫不隨也。……故曰一月而膏，二月而胅，三月而胎，四月而肌，五月而筋，六月而骨，七月而成，八月而動，九月而躁，十月而生。"此猶深入研究"近取諸身"，唯莫知終極而止息，乃有陰陽八極，是即八卦之象，非儒崇道，全書之旨，此訓中尤多，而陰陽八極，且謂至人當"處大廓之宇，游無極之野，登太皇，馮太一，玩天地於掌握之中，夫豈爲貧無富肥臞哉。"純乎道法自然之象。《要略》曰："不以物易己，而堅守虛無之宅者也。"是即今日所謂當理解生命起源之機。而易理中亦宜明乎此。若三家易中，施梁丘賀僅立卜而理歸諸儒，唯孟氏維尚能知象，惜爲尊儒所限，製器尚象易，知者日少，乃漸趨空說義理而無實用，此弊起於廢黃老易。《淮南子》之可貴，尚能保存先秦之黃老易，當深入研習《淮南子》後，可見無極之本義，由精神骨髓又可得天地人三才之易學整體。

八、本經訓——"其言略而循理，其行侻而順情，其心愉而不僞，其事素而不飾，是以不擇時日，不占卦兆，不謀所始，不議所終。安則止，激則行。通體於天地，同精於陰陽，一和於四時，明照於日月，與造化者相雌雄。是以天覆以德，地載以樂，四時不失其敘，風雨不降其虐，日月淑清而揚光，五星循軌而不失其行。"此明循理順情而不僞飾，當不擇時日，不與卦兆等。是乃基本發展易學之理。雖不占卦兆而重視陰陽四時八極五星之象數，易學又進一步與自然科學結合。又曰："帝者體太一，王者法陰陽，霸者則四時，君者用六律。秉太一者牢籠天地，彈壓山川，含吐陰陽，伸曳四時，紀綱八極，經緯六合，覆露照導，普氾無私。蠉飛蠕動，莫不仰德而生。陰陽者承天地之和，形萬殊之體。含氣化物，以成埒類。贏縮卷舒，淪於不測。終始虛滿，轉於無原。四時者，春生夏長，秋收冬藏，取予有節，出入有時。開闔張歛,不失其叙。喜怒剛柔,不離其理。六律者生之與殺也,賞之與罰也,予之與奪也。非此無道也。故謹於權衡準繩,審乎輕重,足以治其境内矣。"此言全準易理而言,所謂帝王霸君,實爲宋邵雍《皇極經世》之皇帝王霸所取法。《淮南子》輕視堯舜,《皇極經世》始於堯,又見時代之不同,於易理實未嘗不同。

九、主術訓——《要略》曰:"主術者,君人之事也。"考此内篇二十一,即進於武帝者。而此訓,正所以望於武帝。訓中有曰:"故不言之令,不視之見,此伏羲神農之所以爲師也。"此當建元二年尚以爲是,當元朔時張騫回國後,已不甘於不言不視,則視劉安爲主,宜有以滅之安國基。

十、繆稱訓——《要略》曰:"假象取耦,以相譬喻,斷短爲節,以應小具。所以曲説攻論,應感而不匱者也。"而此訓所述,每引《易》之原文,斷章取義,是之謂"玩辭"。可見九師之於易學,實能知合知分,斯爲可貴。引易共六見。

1、"故至德者,言同略,事同指,上下一心,無歧道旁見者。遏障之於邪,開道之於善,而民鄉方矣。故易曰:'同人於野,利涉大川。'"

2、"故君子懼失仁義,小人懼失利。觀其所懼,知各殊矣。易曰:'即鹿無虞,惟入於林中。君子幾,不如舍,往吝。'"

3、"聖人在上則民樂其治,在下則民慕其意。小人在上位,如寢關曝纊,不得須臾寧,故易曰:'乘馬班如,泣血漣如。'言小人處非其位,不可長也。"按:"不可長也"正釋小象"何可長也"。可作武帝初年已有小象之一證。

4、"動於上不應於下者,情與令殊也。故易曰'亢龍有悔'。"

5、"聖人在上,化育如神。太上曰'我其性與'。其次曰:'微彼其如此乎'。故詩曰'執轡如組',易曰'含章可貞'。"

6、"今夫夜有求,與瞽師併。東方開斯照矣。動而有益,則損隨之。故易曰'剝之不可遂盡也,故受之以復'。"按此引自《序卦》,可證當武帝初年已有,且與卦爻辭並觀,是之謂繆稱歟!又見易詩並引，其來未心古。

十一、齊俗訓——此訓同齊世俗以見其幾。叙太公望與周公之對言，雖是後人逆探而杜撰，九師取之以釋坤初，其理確有其幾。文曰："昔，太公望、周公旦受封而相見。太公問周公曰：'何以治魯'？周公曰：'尊尊親親。'太公曰：'魯從此弱矣'。周公問太公曰：'何以治齊？'太公曰：'舉賢而上功。'周公曰：'後世必有劫殺之君。'其後齊日以大至於霸，二十四世而田氏代之。魯日以削，至三十二世而亡。故易曰'履霜堅冰至'。聖人之見，終始微言。"按是之謂"數往者順，知來者逆"，兼此順逆之理，易學之所以能成爲整體。

十二、道應訓——此訓全以老莊之理觀古今之事，結句引"老子曰，化而欲作，吾將鎮之以無名之樸也"。此無名之樸，亦可以無極喻之，足以盡古今之迹，理仍在其中。

十三、汜論訓——首載聖人之製作，皆準《繫辭下》之説，且曰："古之所以爲治者，今之所以爲亂也。……夫聖人作法而萬物制焉，賢者立禮而不肖者拘焉，制法之民不可與遠舉，拘禮之人，不可使應變，耳不知清濁之分者，不可令調音，心不知治亂之源者，不可令制法，必有獨聞之耳，獨見之明，然後能擅道而行矣。"此見古今治亂之變，當有獨聞獨見者庶能知其源，是即尚象之理。又曰："自古及今，五帝三王，未有能全其行者也，故易曰：'小過亨利貞，言人莫不有過而不欲其大也'。"此釋小過卦辭義殊可取，亦即易要無咎而無之之象，唯獨聞獨見者可得之。《繫辭下》曰："易窮則變，變則通，通則久"。於《要略》則曰："兼稽時世之變而與化推移者也。"

十四、詮言訓——"洞同天地，渾沌爲樸，未造而成物，謂之太一。……真人者，未始分於太一者也"。此書立一太一之名，似較太極更高之層次，亦即無極太極之合。又以廣成子當坤卦六四，其言曰："廣成子曰愼守而内，周閉而外，多知而敗，毋視毋聽，抱神以靜，形將自正，不得之己而能知彼者，未之有也。故易曰'括囊無咎無譽'"。又曰"大樂必易，大禮必簡，易故能天，簡故能地。大樂無怨，大禮不責，四海之内，類不系統，故能帝也。"乃有取於"易簡而天下之理得矣"之義。究其實,反有合於孔子《論語·陽貨》"子曰:禮云禮云,玉帛云乎哉;樂云樂云,鐘鼓云乎哉。"而大異於《荀子·非相篇》"故易曰括囊無咎無譽,腐儒之謂也"。

十五、兵略訓——《要略》曰:"所以知戰陣分爭之非道不行也。"於道則曰:"古得道者,靜而法天地,動而順日月,喜怒而合四時,叫呼而比雷霆。音氣不戾八風,詘伸不獲五度,下至介鱗,上及毛羽。條修葉貫,萬物百族,由本至末,莫不有序。是故入小而不偪,處大而不窕。浸乎金石,潤乎草木,宇中六合,振毫之末,莫不順此道之浸洽滒淖,纖微無所不在,是以勝權多也。"此所謂道,亦即陰陽八卦五行之理。於"善修行陳"又及"望氣候星,龜策禨祥"等,皆有得於象數,其間實有無窮之機,貴能體乎時空之際,是以"勝權多也"。

十六、説山訓——"故釣可以教騎,騎可以教御,御可以教刺舟"。此已及抽象之教,所以能成教之象。必循此理乃可理解易學之象。又當時已知"慈石能引鐵,及其於銅則不行也。"

十七、説林訓——"聽有音之音者聾,聽無音之音者聰,不聾不聰,與神明通,卜者操龜,筮者端策,以問於數,安所問之哉。"必及不聾不聰,是猶莊子所謂在材不材之間,庶能無問於數而任自然。此訓言物之理,亦多可取。伏羲有本於"遠取諸物"是其義。

十八、人間訓——引史事明損益之變,乃曰"孔子讀易至損益,未嘗不憤然而嘆曰,益損者,其王者之事與。事或欲以利之,適足以害之。或欲害之,乃反以利之。利害之反禍福之門户,不可不察也。"又曰:"今霜降而樹穀,冰泮而求獲,欲其食則難矣。故易曰潛龍勿用者,言時之不可以行也。故君子終日乾乾,夕惕若厲無咎。終日乾乾以陽動也。夕惕若厲以陰息也。因日以動因夜以息,唯有道者能行之。"孔子讀易,當可有其事,唯並未作鄭學之徒所數之《十翼》,此不可不辨。此釋損益之反復變化本屬易義。又釋及乾初三二爻,可見二千餘年前,本用此義。

十九、修務訓——此訓論世事之本,故以"神農乃始教民播種五穀，相土地，宜燥濕肥墝高下，嘗百草之滋味，水泉之甘苦，令民知所避就”説起，是猶本諸農業社會的生産力。引有“蓋聞傳書曰，神農憔悴，堯瘦臞舜黴黑，禹胼胝，由此觀之，則聖人之憂勞百姓甚矣。”是同孟子之思想，然已上推至神農，故與“言必稱堯舜”者不同。又提及“昔者蒼頡作書，容成造曆，胡曹爲衣，后稷耕稼，儀狄作酒，奚仲爲車，此六人者皆有神明之道，聖智之迹，故人作一事而遺後世，非能一人而獨兼有之。各悉其知，貴其所欲達，遂爲天下稱……”能重視具體之修務，始有合於易學之哲理，亦爲易學中最可重視者，《繫辭下》之“蓋取章”即此義。故此“修務訓”宜與“氾論訓”同觀，惜讀易者每多忽視或誤解。能準“蓋取章”以論易象，自然識此“修務訓”與易學之關係。《要略》曰：“所以使學者孳孳以自幾也”。此九師之易，所以可貴也。

二十、泰族訓——“故寒暑燥濕，以類相從。聲響疾徐，以音相應也。故易曰：‘鳴鶴在陰，其子和之’。又曰‘故大人者，與天地合德，日月合明，鬼神合靈，與四時合信’。”則與《文言》之乾五基本同義。至於明六經之失曰：“易之失也卦，書之失也敷，樂之失也淫，詩之失也辟，禮之失也責，春秋之失也刺。”合其他五字觀其義，“易之失也卦”未誤。凡春秋之失也刺，所以罪孔子，於易所以罪伏羲之始作八卦，鑿破混沌而不見太乙，非其失乎。繼之兼論六經之得失曰：“緒業不得不多端，趨行不得不殊方。五方異氣而皆適調，六藝異科而皆同道。溫惠柔良者，詩之風也。淳龐敦厚者，書之教也。清明條達者，易之義也。恭儉尊讓者，禮之爲也。寬裕簡易者，樂之化也。刺幾辯義者，春秋之靡也，故易之失鬼，樂之失淫，詩之失愚，書之失拘，禮之失忮，春秋之失訾。六者聖人兼用而裁制之。失本則亂，得本則治。其美在調，其失在權。”此論六藝得失之象，殊可參考，尤要者宜知兼用之本。又釋豐上曰“‘易曰豐其屋，蔀其家，窺其户，闃其無人。’無人者，非無衆庶也，言無聖人以統理之也。”凡全書中釋卦爻辭之義，皆得玩之旨。此訓與易學關係最大，莫若論參五。《易繫辭上》有“參五以變”之文，究作何解，誠難一致。而此釋殊確切。

其文曰"昔者五帝三五之莅政施教,必用參五。何謂參五?仰取象於天,俯取度於地,中取法於人。乃立明堂之朝,行明堂之令,以調陰陽之氣,以和四時之節,以辟疾病之菑。俯視地理,以制度量。察陵陸水澤,肥墽高下之宜。立事生財,以除饑寒之患。中考乎人德,以制禮樂行仁義之道,以治人倫而除暴亂之禍。乃澄列金木水火土之性,故立父子之親而成家。別清濁五音六律相生之數,以立君臣之義而成國。察四時季孟之序,以立長幼之禮而成官,此之謂參。剌君臣之義,父子之親,夫婦之辯,長幼之序,朋友之際,此之謂五。乃裂地而州之,分職而治之,築城而居之,割宅而異之,分財而衣食之,立大學而教誨之,夙興夜寐而勞力之,此治之紀綱已然,得其人則舉,失其人則廢。"此與董仲舒之說,實有同功異曲之妙。當劉安上此內篇二十一篇時,叔侄之猜忌尚未成,唯其有各種專業的賓客,故其著作能成爲層次分明的學術結構。更重要的《要略》實能言其要。故研究《淮南子》而不知九師易,勢將芒茐無涯,尚黃老而有其本"伏犧之六十四變",且下及"周室增以六爻"之大義,乃能成滅秦繼周之功,惜武帝另有獨尊儒術以開闢西域之大志,淮南之作風,何能不爲所猜忌。况安之子孫,亦未必如安之性情,此所以必遭滅國之禍。雖然,迄今1987年,劉安已亡2109年而其一生五十九歲中確能好讀書鼓琴,最後宜闡明安所得律曆同源之理,以見劉安思想之本根。

按《淮南子·天文訓》之旨,不僅論天文之曆,並以論音樂之律。見淮南子律曆相通圖。律曆合論,先秦之古說。合律呂於時空,庶見三才合一之易道。以十二律呂旋相爲宮之樂理,其來亦古,庶見人情之變。以六十調合於六十甲子之名,於所存之古文獻中,以此書爲最早。凡三分損益以得十二律呂之數值,且不計其奇零而僅取其整數,亦不可爲非,能以實用爲主。繼此以發展者,始爲京房之六十律,則以理論爲主。先錄《天文訓》原文:"以三參物,三三如九,故黃鐘之律九寸而宮音調。因而九之,九九八十一,故黃鐘之數立焉。黃者土德之色,鐘者氣之所種也。日冬至,德氣爲土,土色黃,故曰黄鐘。律之数六,分爲雌雄,故曰十二鐘以副十二月。十二各以三成,故置一而十一,三之爲積,分十七萬七千一百四十七,黄鐘大数立焉。"以下明三分損益而取其整数。更重要者,即在十二律吕以旋宫成六十調,其言曰:"以十二律吕應二十四時之變。甲子,仲吕之徵也;丙子,夾鐘之羽也;戊子,黄鐘之宫也;庚子,無射之商也;壬,夷則之角也。"準之,可得六十調以合六十甲子之旋宫,詳見"淮南子五音旋宫圖",及"淮南子旋宫六十調以當六十甲子表"。觀上二圖一表,足以見劉安之象。迄今之南曲,僅主五音,《淮南子》中言之已明,二千餘年未變,蓋有天籟存焉。

以此紀念之,或能慰安之情。三代自殺之怨,其可已乎。

作者簡介 潘雨廷(1925—1991),上海人,1949年畢業於聖約翰大學教育系。生前任華東師範大學古籍研究所教授、中國《周易》研究會副會長、上海市道教協會副會長。著有《周易表解》等,及未刊稿《讀易提要》、《道藏提要》、《易學史論文集》、《道教史論文集》、《易老與養生》。

《大學》、《中庸》與黄老思想

（臺灣）莊萬壽

内容提要 《大學》、《中庸》是宋明以後儒者所引用的重要經典，視爲孔、孟之學的理論基礎。然《學》、《庸》文句及其表現之觀念，實含有非孔孟一系之思想，前人對此頗多論述。由於晚近多種黄老帛書之出現，使戰國晚期至秦漢之際的學術壁壘爲之淡化，其中界乎道、儒之説者，有助於對《學》、《庸》之再認識。因此，本文乃從哲學史之立場，擷採古籍及新出土資料，以重新探索《大學》、《中庸》與黄老之關係。本文分别就《學》、《庸》中若干文句、思想，以哲學思想、歷史、社會諸層面，一一考述，以顯現與秦漢間黄老思想之關係。

一、黄老思想

早在一九五五年錢穆先生著《中庸新義》一文，自稱："匯通老、莊、孔、孟。"後又著《中庸新義申釋》一文稱"《中庸》本書，據鄙見窺測，本是匯通《莊子》以立説。"以及其他有關《老莊》的論文[①] 表示《中庸》由《莊子》而來，他舉出"中""庸"出於《齊物》論："樞始得其環中"及"爲是不用而寓諸庸"、以及"育"、"明"、"止"……等詞皆出自《莊子》。因此徐復觀先生先後著《中庸的地位問題》、《有關思想史的若干問題》[②]，逐一加以反駁。主要原因正如徐氏所説：他是要

① 錢穆《老子書晚出補説》、《莊子通辨自序》，收入《莊老通辨》，三民書局。
② 收入《中國思想史論集》，學生書局。

達成莊子先於老子而成爲道家始祖及《易傳》、《大學》、《中庸》皆出《老莊》的目的(同上書,第100頁)。以致未免牽强附會,但徐氏也深信"儒道分途,自戰國時起,即從來没有淆亂過,若《中庸》係繼承《莊子》及更晚的《老子》,係屬於道家系統,而非祖述儒家思想,則此書應當爲《莊子》或《老子》的後學所著。"(同上書,102頁)徐氏也就是認爲學術没有混種,只有純種,以致所論亦有過當,惜又未及見新出土的《黄老帛書》。

所謂"黄老"一詞,是托名黄帝與老子之學,雖然在西漢初才見於史傳,但最初在戰國中葉就慢慢在醞釀,主要是隨著《老子》書及其章句的廣泛流播而形成於戰國,其思想以精、氣、靜、虚、無爲而治爲要,並偶有仁義、刑名、寢兵等一些現實社會理念。兹附表於次:

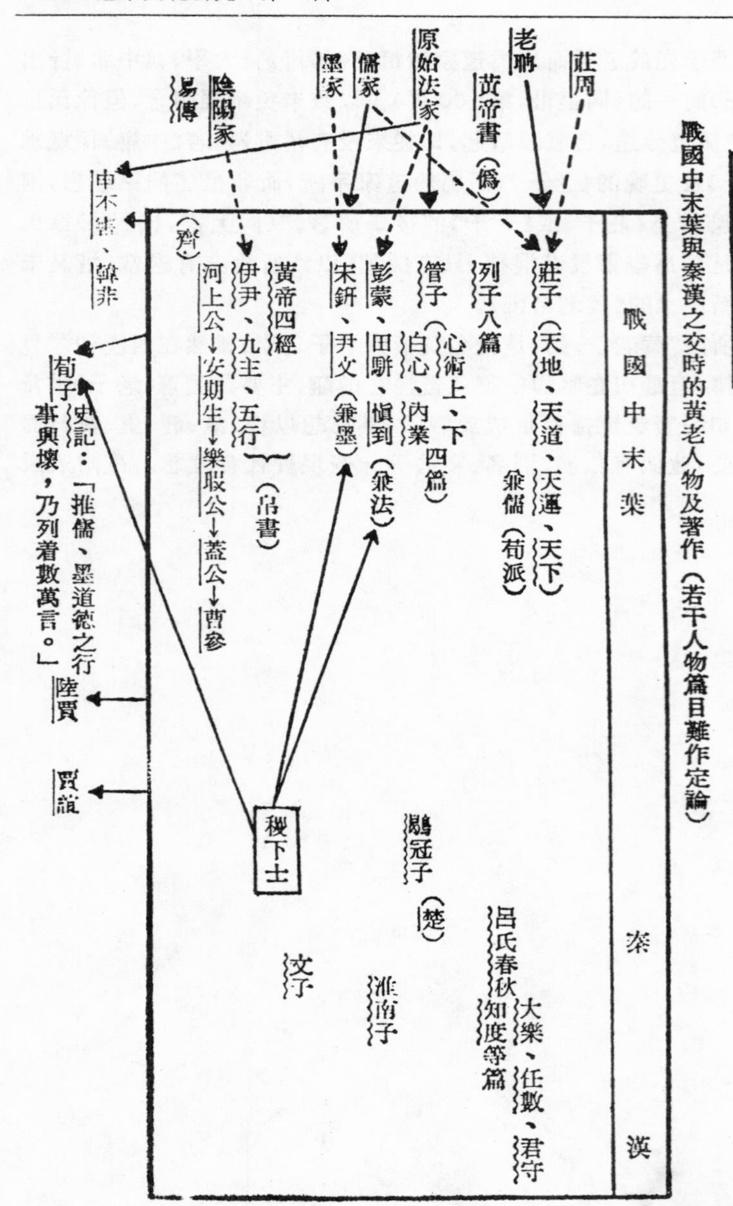
黃老學派簡表
戰國中末葉與秦漢之交時的黃老人物及著作（若干人物篇目難作定論）
戰國中末葉
秦
漢
莊周
老聃
黃帝書（僞）
原始法家
儒家
墨家
陰陽家
易傳
申不害、韓非
莊子（天地、天道、天運、天下）
兼儒（荀派）
列子八篇
管子（心術上、下 白心、內業 四篇）
彭蒙、田駢、愼到（兼法）
宋鈃、尹文（兼墨）
伊尹、九主、五行
黃帝四經
（帛書）
河上公→安期生→樂瑕公→蓋公→曹參
（齊）
荀子
史記：「推儒、墨道德之行事興壞，乃列着數萬言。」
陸賈
賈誼
稷下士
鶡冠子（楚）
呂氏春秋
大樂、任數、君守 知度等篇
文子
淮南子

由表所列,可以知道黄老學派十分複雜、龐大。到了漢初,對政治社會的影響更大,而戰國末到秦漢之交的學術思想、政治行爲就很難脱離它的羈絆。西漢初司馬談論《六家要旨》中的道家及東漢班固《漢書·藝文志》所稱的道家的前半,都是指黄老思想。《論六家要旨》:

> 夫陰陽、儒、墨、名法、道德,此務爲治者也。……道家使人精神專一,動合無形,贍足萬物,其爲術也,因陰陽之大順,采儒、墨之善,撮名、法之要,與時遷移,應物變化,……指約而易操,事少而功多。

班固《漢志》:

> 秉要執本,清虚以自守,卑弱以自持,君人南面之術,合於堯之克攘……放者爲之則欲去禮學、仁義,獨任清虚,可以爲治。

班固開始所講的"君人南面之術",是一個政治化的道家,最後再談到一個不好的"放者爲之,則欲去理學、仁義、獨任清虚可以爲治",是典型的老莊思想。(在《漢書·藝文志》常用二分法,把思想學派原始純真的部分認爲是壞的,墨家、農家等家就是這樣偏頗的批判。)這對漢初的社會影響非常巨大,所以説《學》、《庸》這兩篇文章在這大環境下,即使與老子、莊子主流思想無關,但很難擺脱受到黄老思想影響。

二、《大學》與黄老思想

(一)"格物、致知、誠意、正心"到"修身、齊家、治國、平天下"的系統

格物、致知、誠意、正心一直到修、齊、治、平,由內而外的整個架構,一向被認爲是儒家之精粹。常有人動不動就説這是儒家的"内聖外王"。《天下篇》過去爭議很大,有以爲是儒家作的,有以爲是莊子作的,其實它是以黄老思想的立場來寫,至爲清楚。熊十力用内聖外王解釋八個條目,這八個條目"正心"向内的四個條目是内聖,修身是"修身爲本",他認爲修身是核心,應該提出來統攝七

個條目，而齊家，治國、平天下是外王，一般以爲是儒家之說，而視爲當然①。可是在《論語》卻找不到這樣由修身到平天下的架構，倒是出現於老子。

《老子》五十四章：

善建者不拔，善抱者不脱，子孫以祭祀不輟。修之於身，其德乃真；修之於家，其德乃餘；修之於鄉，其德乃長；修之於國，其德乃豐；修之於天下，其志乃普。故以身觀身，以家觀家，以鄉觀鄉，以國觀國，以天下觀天下，吾何以知天下然哉？以此。②

在老子的價值上，並非一步一步擴大到統治天下，而是指以自然的"道德"爲内蘊，而後不斷擴充到天下，成爲無爲的天下。而"以身觀身……"是以修道之身，觀照一身；以修道之國，觀照一國。在價值上雖與《大學》的"絜矩之道"不同，但在方法上卻是相同的。

老子由身、家、鄉、國以至天下，脈絡非常清楚，是《莊子・天下》篇内聖外王架構的原型。

《莊子・天下》篇：

天下之治方術者多矣。……聖有所生，王有所成，皆原於一。不離於宗，謂之天人。不離於精，謂之神人。不離於真，謂之至人。以天爲宗，以德爲本，以道爲門，兆於變化，謂之聖人。以仁爲恩，以義爲理，以禮爲行，以樂爲和，薰然慈仁，謂之君子。以法爲分，以名爲表，以參爲驗，以稽爲決。……古之人，其備乎，配神明，醇天地，育萬物，和天下，澤及百姓，明於本數，系於末度……天下大亂，賢聖不明，道德不一，……是故内聖外王之道，闇而不明，鬱而不發。……

"聖有所生，王有所成，皆原於一"，"一"是道，是聖王之道，就是黄老思想的理想，以"聖"爲宗旨，再吸收"王"的觀念，而成爲儒道政治的綜合架構。"不離於宗，謂之天人"，天人標榜一個"天"出來，本來在《逍遥遊》裏只有至人、神人、聖人，這裏多標一個天人出來，由天、神、至人一直到"聖人"都屬於道家的。"以仁爲恩，以義爲理，以禮爲行……謂之君子"是儒家的；"以法爲分，以名爲表……

---

① 熊十力先生《讀經示要》卷一，廣文書局版 107 頁。
② "修之於國"一本作"邦"，帛書及王弼本皆作"國"。

以稽爲決”有兩個講法，一個是傾向法家，一個是傾向荀子學派。若依《天下》全篇來看是傾向儒家的荀派，不是法家。“古之人其備乎，配神明，醇天地，育萬物，和天下，澤及百姓”這幾句話來看和《中庸》思想是相符的；“以參爲驗，以稽爲決”，以及“明於本數，系於末度”近似受稷下黄老影響的荀派語言；最後《天下篇》作者很惋惜，因方術繁多而造成“内聖外王之道，闇而不明，鬱而不發”。以上所謂内聖是講到“王有所成，皆原於一，不離於精、不離於真，以天爲宗，以德爲本”，這是内聖。“以名爲表，以參爲驗，以稽爲決”，落實到制度上，就是所謂外王。我們必須了解内聖外王本是道家黄老思想架構。尤其内聖，純是道字的精神之所在，即是《讓王》篇所説：“道之真以治身，其緒餘以爲國家，其土苴以治天下”①。

《管子》的《心術》也有這樣的架構，它提出“心”字，由内在的心安而到國治。《心術》下：“心安，是國安也。心治，是國治也。功外而民從，則百姓治矣。”

接下來，值得注意的是《孟子》。《孟子》和《大學》的關係是很密切的。《孟子·離婁》上：“人恒有言：天下國家；天下之本，在國；國之本，在家；家之本，在身。”

有的學者，認爲《大學》出於《孟子》②，其理由之一就是根據孟子這一句話，但顯然忽略了“人恒有言”一語並不是孟子説的，雖没證據是出自道家，但可從當中看出先於孟子的人確有這樣的構思，這和老莊思想的關係可能是最密切的。到了漢初，又可以看到《淮南子》的《詮言訓》有更細緻的層次，講到了心、性：

能有天下者，必不失其國；能有其國者，必不喪其家；能治其家者，必不遺其身；能修其身者，必不忘其心；能原其心者，必不虧其性；能全其性者，必不惑於道。

又《淮南子·泰族訓》：“故心者，身之本也；身者，國之本也。”

《淮南子》二則系統相同，《詮言訓》所引爲詳。《淮南》爲漢初道

---

① 《讓王》篇“治天下”，即指儒家的平天下。
② 勞榦：《大學出於孟學説》，中央研究院史語所集刊。

家，理所當然的以“道”爲歸，雖與《老子》五十四章思想不儘相同，但整體而言，並無矛盾，一脈相承，前後一貫，而後來遂又創造了“格物”“致知”，它應該是在《淮南子》以後儒者所產生的架構。此外，還有亦屬於黄老思想的《列子説符》①：“詹何對曰：‘未嘗聞身亂而國治者也，故本在身，不敢對以末。’”

綜合以上所有從心、性至國家、天下的架構，幾乎都全是黄老學派的資料，而這樣《大學》就很難説與它們無關，而一可獨立於外。

（二）明　德

孔子、孟子皆不言“明德”，一般認爲《大學》中有《康誥》曰：“克明德”。就是明明德的由來，而事實古書引證，常是斷章取“字”而已，像《大學》引詩云“穆穆文王，於緝熙敬止”之“止”應爲語尾助詞，但卻解作“止於仁”之“止”②《尚書康誥》：“顯考文王，克明德，慎罰，不敢侮鰥寡。”

是指文王能夠以好的德行，謹慎用刑罰，不敢欺侮鰥寡等弱者，明德目的是要明鑒刑罰，因此就有學者以爲大學明德而引“克明德”是斷章截句，有失原旨③。而《大學》稱：“古之欲明明德於天下者，先治其國，欲治其國者先齊其家……致知在格物。”即明明德要先做到八條目，即天子要先格物、致知、誠意、正心、修身、齊家、治國、平天下，而後方爲明明德，也就是平天下是明德的極致目標，這與西周初年的“克明德”有何有關係④？平天下即明德的説法，正又出現於七十年代馬王堆出土的帛書上，《黄帝四經・經法》：“天下太平，正以明德，參之於天地，而兼覆載而無私也，故王天下。王天下者之道，有天焉，有人焉，又（有）地焉，參者，參用之，□□而有

① 見拙作《列子導讀》壹《黄老思想的先驅》。金楓出版社，1988年8月。
② 見于省吾：《澤螺居詩經新證》卷下，詩經中止字的辨釋。木鐸版177頁。按後世如朱熹之注“必至於是”之意，皆受《大學》誤引的影響。
③ 王大千先生：《明明德釋義》，吸人《大學論文資料彙編》274頁，高雄師院編。
④ 明明德統括八條目，《大學》文意至爲明確，學者早已有此説。趙澤厚先生《對大學明明德的解釋質疑》，彙編277頁。高明先生《學庸研究之回顧與前瞻》，彙編439頁。

天下矣”(帛書《老子》附《黄帝四經》,198 頁,臺北河洛出版社)。

這段話指王天下之道,即天下太平,要以天子之明德爲正,然後無私的如天地之覆載而與天地爲參,與《大學》之平天下爲明德相符,也與《中庸》聖人以至誠“贊天地之化育”“與天地參矣”之精神相同,□□兩個闕文,疑是明德,明德而有天下矣。這樣猶如儒家的文字出現於黄老之學的《黄帝書》中,不是徐復觀先生所能預料的,原來儒道是相混的(徐復觀:《中國思想史論集》第 102 頁)。

至於明德的明,及《中庸》“自誠明,自明誠”的“明”,並不是《論語》中子張“問明”的明①,也不是《孟子》的明。《大學》的“明明德”是全文的主旨,明是内在的觀照,這樣可能還是比較接近老子的“明”,“明”在道家黄老中的地位遠比儒家要深刻重要。徐氏稱莊子的“明”,與儒家明善不同的看法,跟這個問題是無關的(同上書,108 頁)。

《老子》十六章:“夫物芸芸,各歸其根,歸根曰靜,靜曰復命曰常,復命曰常,知常曰明”。

又三十三章:“知人者智,自知則明”。

《管子·心術》:“靜則精,精則獨立矣,獨則明,明則神矣。”

明有觀照省察之工夫,所以黄老學者以爲可以服天下,也正是《大學》的“平天下”。《黄帝四經·道原》:“明者,固能察極,知人之所不能知,(人)服人之所不能得,是謂察稽知□極。聖王用此,天下服。”

(三)知　止

《論語》、《孟子》没有“知止”,而這個詞匯卻見於《老子》、《莊子》。

《老子》四十四章:“知足不辱,知止不殆,可以長久”。

《莊子·齊物論》:“故知止其所不知,至矣。”

《庚桑楚》:“知止乎所不能知,至矣。”

---

① 《論語·顔淵》:“子張問明”,明指知人、了解人。《孟子》書“明”字凡十餘見,皆見明白,或指聖明君主的意思。見楊伯峻:《孟子譯注》附孟子詞典 393 頁。

誠然《大學》知"知止而後有定"與《老子》、《莊子》義理不同(同上書,108－109頁),但詞匯卻只與黃老相同,且再看屬於黃老學派的《管子·內業》:

聖人與時變而不化……能正能靜,然後能定,定心在中,……可爲精舍,精也者,氣之精者也,道乃生,生乃思,思乃知,知乃止矣。

雖然是講黃老的精氣但似有"知止"而後定靜、安、慮、得的絲微影子,雖然不敢説《大學》與黃老有怎樣的關係,但能絶對沒有瓜葛嗎?尤其是以下要談的定靜。

(四)定、靜

《論語》、《孟子》不主靜,更無以定、靜爲哲學的命題。可是黃老思想卻是以定、靜爲其重要命題。

《老子》十六章:"致虛極,守靜篤。"

又三十七章:"無欲以靜,天下將自定。"

而後晚出的《管子·心術》等四篇和新出土的《帛書·黃帝四經》大量的出現"靜"字,强調"靜、虛"、"靜、正",使聖人內心無所藏放各種意識、成見。唯有靜的狀態,心才能觀照事物。而《大學》以"定而後能靜"以至於"安""慮""得"的工夫,以求至善。定、靜兩字,除上文引《管子·內業》:"能正能靜,然後能定"外,在《黃帝·四經》的《稱篇》和《十六經》篇都説:"安徐正靜,柔節先定。"① 此外,在《管子·內業》:"氣意得而天下服,心意定而天下聽。"以"得"與"定"爲工夫,雖然《大學》與黃老所説的定、靜在內涵上不儘相同,但顯然借用黃老的詞匯。

三、《中庸》與黃老思想

(一)道

① 這兩句又見《管子·勢篇》及《九守篇》,唐蘭以爲《管子》引自帛書《黃帝四經》。見《黃帝四經初探》,帛書《老子》239頁。

儒家孔孟都談"道"[1],而且也以"道"爲人生與自然的準則。孔子説:"志於道"(《論語·述而》)。孟子也説:"君子之志於道也"(《孟子·盡心上》)。而且也談天道。子貢説:"夫子之文章,可得而聞也;夫子之言性與天道,不可得而聞也"(《論語·公冶長》)。雖然孔子少講天道,畢竟還是説了。孟子一様也説:"聖人之於天道也"(《盡心》下)。

孔孟引用或解説"道"或"天道"的地方太少,在《論》、《孟》兩書中所占的比重,還不如仁義,心性爲多,他們在天道思想中多少含有上帝神格的天命論,而且缺乏如道家老莊一様,賦予"道"一個形而上的本體思想。

可是《中庸》全文中"道"與"誠"分别占最重要的地位,並且都有本體的思想,"道",是天地萬物的實體,而"道"在道德上意義就叫"誠",兹從兩方面的特質來看:

一是普遍性:"道"普遍存在於天、地、人類之中,任何人都不能離開道,"可離,非道也"。因爲萬物的本性,皆有上天所給予的規律性,所以循本性而展現的本能,就是道。它到處流衍存在,上抵於天,下入於淵,即所謂"上下察也。"把道視爲道德的本體,就是誠,至誠無息,形成了高明博厚的天地。因此民間匹夫匹婦,也足以自我實現"道",而"誠者"也能"自成也",這就是"君子之道,費而隱"的"費"。

二是精微性:道看不見、摸不著,但卻能産生最大的作用力,而成爲最高的支配者和創造者。"莫見乎隱,莫顯乎微"。因此聖人尚且有不能了解者,然若聖人能實現道而與之合一,也就能"致中和,天地位焉,萬物育焉"。也就是達到至誠的境界,足以"與天地參矣"。這就是"君子之道,費而隱"的"隱"。

在這兩種特性下,天地萬物的發展規律與現象是"不見而章,不動而變,無爲而成。……爲物不貳,生物不測"(《中庸》二十六

① 孔子的"道",林義正先生著《論孔子思想中的道》有深刻的分析。《國際孔學會議論文集》343頁。1987年。

章)。這樣充滿自然而又理性的詮釋,是受到戰國末以後的思想界的大環境影響使然,

這股道的本體思想風潮,主要是道家及"稷下道家"的黄老思想。從老子開始就以道爲宇宙的本體與主宰,而完全擺脱了上帝支配的神權思想,並兼有上述普遍與精微的兩種特質。"道"爲"先天地生……可以爲天下母"(二十五章)也是普遍存在的,"大道氾兮,其可左右"(三十四章),同樣是不能用官能察覺的存在,所謂"無狀之狀,無物之象"(十四章)。而道家的聖人能契合本體,故能"不行而知,不見而名,不爲而成"(四十七章)。與中庸近似。

《莊子》亦然,稱:"夫道,有情有信,無爲無形,可傳而不可受……未有天地,自古以固存"(《大宗師》)。又説:"夫道,覆載萬物者也,洋洋乎大哉"(《天地》)。

再看黄老思想的作品。《管子·心術》上:"道在天地之間也,其大無外,其小無内。……天之道,虚其無形。……道也者,動不見其形,施不見其德。"

《管子·心術》下:"是故聖人一言解之,上察於天,下察於地。"

《黄帝四經·十六經》:"一者,道其本也。……一之解,察於天地;一之理,施於四海。"

《黄帝四經·道原》:"上道高而不可察因,深而不可測也。"

從以上可知《中庸》道的本體論,基本上與老莊黄老思想道的性格是相同的,只是前者是道德的主體,而後者是自然的本體而已。

此外,《中庸》"鬼神之爲德"章(十六)透過鬼神的精神作用力來與聖人之道之誠的功能相互詮釋,兩者都是超越官能感覺而存在的實體,彌漫在上下左右。這一章是作者以郊社宗廟之祭儀[①]中的鬼神靈力融入聖人之道中,成爲泛神論的思想。

在黄老與《易傳》即把鬼神納入宇宙本體之中,成爲萬化之一,

---

① 郊社與宗廟之禮見《中庸》十九章。

而不突顯鬼神的地位。《管子·内業》稱:"凡物之精,比則爲生。……流於天地之間,謂之鬼神,藏於胸中,謂之聖。"即是莊子"道"可以"神(解爲生)鬼神帝,生天生地"(《大宗師》)一様。而《易傳》稱:"知變化之道者,其知神之所爲乎?"(《繫辭》上傳)"窮神知化,德之盛也"(《繫辭》下傳)。鬼神逐漸理性化,也是後來朱熹注《中庸》的取向。只是很難知道《中庸》與黄老《易傳》在這方面的確實關係。

(二)"喜怒哀樂之未發,謂之中;發而皆中節,謂之和……致中和,天地位焉。"

《論語》、《孟子》皆未言"中和"。而中和被認爲出於《荀子》,《王制》篇說:"故公平者,職之衡也;中和者,聽之繩也。"

此外,《荀子·勸學》說:"《樂》之中和也,《詩》、《書》之博也。"

又《樂論》:"天下之大齊,中和之紀也。"

這三則的"中和"都與喜怒哀樂無關,不過都跟聲音、音樂有關[1]。再看《淮南子·泰族訓》:"聖人懷天氣,抱天心,執中含和。"

又說:"上無煩亂之治,下無怨望之心,則百殘除而中和作矣,此三代之所昌"。

此更接近《中庸》的說法,没有煩亂、怨懟,聖人内心能保持平和,就是中和。另外,《原道訓》:

夫喜怒者,道之邪也;憂悲者,德之失也;好憎者,心之過也;嗜欲者,性之累也。……心不憂樂,德之至也,通而不變,靜之至也。……是故以中制外,……思慮平。

這裏没有談"中和",而只談"中",但卻談情感、談心理的作用。凡喜怒、憂悲、好憎、嗜欲乃是道德心性的過失,能擺脱喜怒哀樂、心不憂樂、通而不變、思慮平和,就是中。"中"可以制外物之累,此章不知是否與《中庸》有關,但可以溯原《莊子》,找更早的資料,《莊子·在宥》

---

① 漢代別有《太平經》稱:"中和者,主調萬物者也。"又:"中和氣得,萬物滋生。"《太平經》係早期道教的經典。

人大喜邪?毗於陽;大邪怒,毗於陰,陰陽並毗,四時不至,寒暑之和不成,其反傷人之形乎!使有喜怒失位,居處無常,思慮不自得,中道不成章。

人喜怒失常,思慮無所得,由中道無條理,所以中道包含喜怒、陰陽、四時、寒暑的調和,成玄英疏爲“憲章之法”,與“中和”無異。

(三)“寬柔以教,不報無道,南方之强也,君子居之;衽金革,死而不厭,北方之强也,而强者居之。”

孔、孟都没有自居爲南方人,或以南方爲君子所居的觀念。《論語·子路》:“子曰:南人有言曰:‘人而無恒,不可以作巫醫。’善夫!”這只是肯定人要有恒的格言①,而孔子非南人則至明。孟子則稱“晉國……南辱於楚”(《梁惠王》上)。並且大肆攻擊楚國陳相棄儒而學神農之言說:“南蠻鴃舌之人”(“滕文公”)。又指商湯的征伐“南面而征,北狄怨”(《梁惠王》下)。客觀的説是:孔孟自居爲“中”人,非南非北。又《莊子·天運》稱“老子南之沛”又稱孔子爲“北方之賢者”,可見南北也是對稱的觀念而已。可是《中庸》在這裏卻没有“中”的定位,而主張南方的君子,以君子之“寬柔以教,不報無道”的“和”才是真正的强。這個價值體系顯然不是儒家的,孔子雖不主張强,卻强調剛毅不屈,“吾未見剛者”(《公冶長》),孟子也大倡“至大至剛”(《公孫丑》上)。

寬柔思想是那裏來的?主要是起於被周人長期鎮壓的文化高、人口多的商遺民的民族自覺性格。

仲山甫(《國語·周語》稱爲樊穆仲)是商人,商亡時,被分給周公弟康叔姬封七族之一的後裔,尹吉甫曾作詩贊美他:“仲山甫之德,柔嘉維則,令儀令色、小心翼翼,古訓是式……柔亦不茹,剛亦不吐。”②

柔德是古訓,是東夷的商人在華夏周人統治下的容忍寬柔的

---

① 莊子主張有恒,《庚桑楚》:“人有脩者,乃今有恒,有恒者,人舍之,天助之。”
② 《詩·大雅·烝民》,“柔亦不如,剛亦不吐”的背面有以柔克剛的思想。

適應方式。也是道家思想的源流之一①。

南國在成周雒邑之南,在今河南南陽一帶,是商裔東夷系的住地,周宣王先後令大臣召伯(虎)及母舅申伯來統治,以屏周室。尹吉甫作《崧高》之詩稱"申伯之德,柔惠且直。"後楚文王滅南國,柔和的思想,爲後人所傳頌。

老聃是周史官家族的商遺民,後又長居南方楚地,"柔弱"以及"柔勝剛"成爲他的主要學說之一:

《老子》三十六章:"柔勝剛,弱勝强。"

《老子》五十二章:"守柔曰强"。

這不僅與《中庸》南方之强有"寬柔以教"相合,也與二十章的"雖愚必明,雖柔必强"一致。老子以"反者道之動"(四十章)、"正言若反"(七十八章)爲辨證的法則,居負面而能操正面。二十章的這兩句是道家觀念的語言。

其次談"不報無道"

《論語·憲問》:

或曰:"以德報怨,何如?"子曰:"何以報德？以直報怨,以德報德。"

以德報怨是老子的思想,《老子》六十三章:"大小多少,報怨以德。"孔子反對這種思想,而主張"以直報怨",依"怨"的狀況,再以公平正直來回報,没有如《中庸》是"不報"的。而《孟子·盡心》上:"殺人之父,人亦殺其父;殺人之兄,人亦殺其兄。"

孟子一向主張報復主義的,君視臣如草芥,臣視君如寇仇。君主暴虐人民,人民可以誅之。在儒家"公羊學"中是主張報仇的。《公羊傳》莊公四年:"復仇,……雖百世可也。"

在兩漢士人的風範中,復仇、報恩的行爲不勝枚舉,所以"不報無道"是道家或黄老的思想。

因此《中庸》十章雖然表達了國有道、無道皆不變的中和思想,

---

① 見拙作:《道家起源新探》,師大《國文學報》17期183頁,1988年6月。

但引用的論證卻是道家的。

(四)“萬物並育而不相害,道並行而不相悖”

孔孟對“萬物並育”並不熱衷,他們若連想到萬物,也只是指包括天地萬物的天道而已。而天道只是附著在人性之中,“人”才是他們關懷的核心。

而且孔、孟之言自己所肯定的“道”是單一而無雙的。孔子說:“道不同,不相爲謀。”(《衛靈公》)“吾道一以貫之。”(《里仁》)而《孟子》引孔子說:“道二:仁、不仁而已”(《孟子·離婁》),絶没有可以讓不同的異端的“道”,可以並行。

而道家就不一様,重視自然化育萬物,而人是萬物之一,人與萬物並生並化於大自然之中,没有腐朽與神奇的價值之别。

《老子》三十四章:“大道氾兮……萬物恃之而生而不辭,……衣養萬物而不爲主。”

《莊子·齊物論》:“天地與我並生,萬物與我爲一。”

又《馬蹄篇》:“至德之世,同與禽獸居,族與萬物並。”

有雜儒家思想的《天道篇》:“天不産而萬物化,地不長而萬物育。”

而且在自然的發展中,他們讓現象的對立並存,是非兩在,不必是其所是,非其所非,不必譽堯而非桀。莊子稱之爲“兩行”,《齊物論》:“聖人和之以是非,而休乎天鈞,是之謂兩行。”

能等視物我,超越對立,才能並行。

到戰國之末,秦漢之交,士人對自然與人的關係,逐漸普遍的采用道家開闊的態度,如《吕氏春秋·去私》:“天無私覆也,地無私載也,日月無私燭也,四時無私行也,行其德而萬物遂長焉”。①

雖然,《中庸》的“萬物並育”,“道並行”以及“化育”之詞及其觀念並不一定與道家及黄老有明確之關係,但在晚周學術界綫模糊之際,亦難提出無關的證據。

---

① 《莊子·大宗師》:“天無私覆,地無私載。”學者以爲《禮記》所引最晚出。

四、《學》、《庸》與《淮南子》

《淮南子》是漢初淮南王劉安門下方士所編寫的思想巨著，雖然《漢書·藝文志》列爲雜家，實以道家爲主，再融入儒、法等家。《淮南要略》稱："考驗乎老莊之術而以合得失之勢者"，這即是典型的黄老思想。它與《學》、《庸》在詞匯、文意上殊多雷同，因此單獨列爲一節來相互對照：

（一）"天命之謂性，率性之謂道"（朱注《中庸》一章）

《淮南子·齊俗訓》："率性而行謂之道，得其天性謂之德。"

《繆稱訓》："性者，所受於天也"。

《齊俗》上下文句在申《老子》三十八章"失道而後德，失德而後義……"的意思，但解釋"道"之義與《中庸》相同、《中庸》言"性"，而不言"心"，而《淮南》之言"性"，指"性命之情"與《莊子》皆含有自然定命之性[1]，與《中庸》含有自然天道之性有重叠的部分。此外，《淮南·修務訓》稱"知者之所短，不如愚者之所修。"勞思光先生以爲"修"與《中庸》"修道之謂教。"之"修"，皆是"學"的意思[2]。

（二）"物有本末，事有終始"（《大學》一章）

《淮南子·泰族訓》："天地之生物也有本末，其養物也有先後；人之於治也，豈得無終始哉！"

（三）"修身、齊家、治國、平天下"（《大學》一章）

從略。見二、（一）所引《淮南子·詮言訓》及《泰族訓》。

（四）"其本亂而末治者否矣"（《大學》一章）

《淮南子·詮言訓》："詹何曰：'未嘗聞身治而國亂者也，未嘗聞身亂而國治者也。'"

（五）"故君子有諸己，而後求諸人；無諸己而後非諸人"（《大

---

① 《淮南子·泰族訓》與《莊子·駢拇》等篇皆言"性命之情"。
② 《中國哲學史》、《漢代哲學》第 2 册 48 頁。勞氏說："以'脩'釋'教'，本即以'脩'釋'學'，故《中庸》此語一正與《淮南》之說合，此類說法，皆漢初流行。"可備一說。

學》九章)

《淮南子·主術訓》:"故有諸己,不非諸人;無諸己,不求諸人。"

(六)"所惡於上,毋以使下……"(《大學》十章)

《淮南子·主術訓》:"所立於下者,不廢於上。"

按(四)至(六)在《中庸》皆表示以身作則的"絜矩之道",即《淮南·詮言訓》的"矩不正不可以爲方……身者,事之規矩也。"在《主術訓》則稱:"人主之立法,先自爲檢式儀表。"

(七)慎獨(《大學》六章、《中庸》一章)

《淮南子·繆稱訓》:"故君子慎其獨也。"文字與《中庸》全同。

(八)"中和"(《中庸》一章)

從略。見三、(二)所引《淮南子·泰族訓》。

(九)"君子之道,辟如行遠,必自邇,辟如登高,必自卑"(《中庸》十五章)

《淮南子·繆稱訓》:"君子之道,近而不可以至,卑而不可以登。"

(十)"鬼神之爲德,……視而弗見,聽之而弗聞。……詩曰:'神之格思……'"(《中庸》十六章)

《淮南子·泰族訓》:"鬼神視之無形,聽之無聲。……詩云:'神之格思'……(下同《中庸》)"

(十一)"其人存則政舉,其人亡則其政息"(《中庸》十九章)

《淮南子·泰族訓》:"得其人則舉,失其人則廢。"

(十二)"人道敏政,地政敏樹"(《中庸》十九章)

《淮南子·繆稱訓》:"欲知地道,物其樹;欲知人道,從其欲。"

(十三)"親親……尊賢,……禮所生也。……天下之達道五……君臣、父子、夫婦、昆弟、朋友。"(《中庸》二十章)

《淮南子·齊俗訓》:"禮者,所以別尊卑,異貴賤。義者,所以合君臣、父子、兄弟、夫婦、朋友之際也"。

(十四)"知、仁、勇"(《中庸》二十章)

孔子談知仁勇，但孟子並未談。在漢初又熱起來①。《史記》稱丞相公孫弘在"淮南、衡山謀反"時，上書武帝謝罪，書稱："臣聞天下之通道五，所以行之者三……智仁勇，此三者天下之通德。……"(《史記·平津侯列傳》全文與《中庸》文字幾乎全部相同，但是否引自《中庸》不可得知，偏偏此文是針對劉安之反抗漢武帝而來，《淮南子》反對儒家大一統中央集權的思想，而且一再主張無爲式的智仁勇與《中庸》及公孫弘書大異其趣。

《淮南子·詮言訓》："何謂無爲？智者不以位爲事，勇者不以位爲暴，仁者不以位爲患，可謂無爲矣。"

那麼《中庸》的智仁勇，即使早於《淮南子》，也不會早很多，因爲他們各用不同的價值來詮釋同時代的命題。

(十五)"在下位，不獲乎上……不誠乎身矣"(《中庸》二十章)

此章又見於《孟子·離婁》上。但《淮南子》也有相近的文字。《主術訓》："士處卑隱欲上達，必先反諸己。上達有道……不能專誠。"文字結構多相同，以文長而略去。

(十六)"天下至誠爲能化"(《中庸》二十三章)

《淮南子·泰族訓》"至誠而能動化矣。……推其誠心，施之天下而已矣。"

(十七)"至誠如神。"(《中庸》二十四章)

《淮南子·繆稱訓》："聖人在上，化育如神。"

(十八)"上律天時，下襲水土。"(《中庸》三十章)

《淮南子·主術訓》："人君者，上因天時，下儘地財。"

以上諸條顯示《學》、《庸》在詞匯文意有與《淮南子》近似之處，但淮南文字工整而細密，可能稍晚，不過大致也屬於同一時代。《淮南子》與《大學》、《中庸》相互影響，至於其真象，已不可得而知矣。而《淮南子》與《學》、《庸》相關者，集中在《齊俗》、《泰族》、《詮言》、《主術》、《繆稱》等五篇，正是含有濃厚儒家色彩的作品。

① 孔子談知仁勇，見《論語·子罕》及《憲問》篇。又見於《禮記》，除《中庸》外，又見於《禮運》。而《禮記》則爲漢人所編。

結 語

《學》、《庸》和許多古籍一樣,在不同的章句中,有不同的思想來源,從以上的論述,可歸納《學》、《庸》包含有以下的儒家思想與受黄老思想影響的現象:

一、孔子的忠恕和中庸思想,以及思孟學派的人性論。

二、荀子學派的變化論、後王論,以及秦漢大一統思想及讖緯神學。

三、《大學》八條目受黄老内聖外王架構的影響。

四、"明德"、"知止"、"定靜",可能原爲黄老習用的語言。

五、《中庸》"道"的本體論受道家及黄老之影響。

六、"寬柔以教,不報無道"的"南方之强"係道家的觀念。

七、"中和""萬物並育"與道家自然觀有關聯。

八、《學》、《庸》與《淮南子》文句、觀念甚多雷同,可因此而推論:《學》、《庸》之章句編集,可能與漢初淮南子同時,或稍早。但其内容,不乏有先秦之素材。

作者簡介 莊萬壽,一九三九年生,臺灣鹿港人。臺灣師範大學國文研究所畢業,現任師範大學國文系教授,著有《莊子學述》、《列子讀本》、《列子導讀》、《嵇康年譜》等。

道家理論思維對荀子哲學體系的影響

李德永

内容提要　本文從相因互補角度考察道家理論思維對荀子哲學體系的多重影響,認爲荀子"粹而能容雜"的思想方法來自道家"知常"、"别宥"的寬容精神;以氣爲本的進化發展觀來自道家對道氣問題的理論總結;"制天命而用之"的人道有爲觀和"虚壹而静"的認識辯證法是對道家自然原則和虚静原則的繼承和發展;其尊禮尚法的政治倫理觀與道家思想也存在着相反相成、由此及彼的理論聯繫。從對荀子思想的深層剖析,可以窺見道家文化對儒家文化影響的深度和廣度。

稷下學宫是戰國時期時間最長(約存在一個半世紀)、規模最大(興盛時學宫的先生、學士達千數百人)、影響最深遠(就諸子思想的交融與意識形態的鑄造而言)的學術文化中心。這個中心依據田齊政權"高祖黄帝、邇嗣桓文"(《陳侯因資敦銘》)的宗旨,不僅實現了早期道家的革新和道家與法家的結合,建立了稷下道家思想體系,而且通過稷下道家這個中介,實現了儒、道、法思想的多元互補,建立了以儒家思想爲主體的荀子哲學體系。剖析戰國後期學宫領袖荀子思想體系建構的理論基礎和思維方法,頗能説明道家理論思維對儒家思想的改鑄與深化具有重要影響作用。

一、"粹而能容雜"的"兼術"

荀子和孟子同是戰國儒學分化過程中出現的兩位儒家大師。他們兩人先後都曾遊學於齊:孟子遊齊兩次,歷時二十餘年;荀子遊齊三次,歷時五十餘年。在遊齊期間,他們都以繼承孔子自居,與稷下學士講論辯說,進行學術交流。但是孟子雖曾短時得志於齊,還是所遇不合,終於"致爲臣而歸"(《孟子·公孫丑下》)。荀子則在稷下學宮的發展過程中"三爲祭酒","最爲老師"(《史記·孟子荀卿列傳》),取得學術權威地位。究其原因,一方面是各自遭遇的歷史環境不同:孟子生活的戰國中期,舊的統一體崩潰,各國紛紛"立禁"、"立官"、"立君"(《商君書·開塞》),經濟、政治結構的轉化發展極端不平衡,致使諸子百家"列道而議"、"分徒而訟",學派間的歧異、爭端,非常激烈。齊、魯雖爲比鄰,但孟子人齊,齊統治者"使人瞯夫子,果有以異於人乎?"(《孟子·離婁下》)孟子也感到"齊人無以仁義與王言者","久於齊,非我志也"(《孟子·公孫丑下》)。兩種文化差異性造成的緊迫心態迫使孟子終於下定了去齊反魯的決心。荀子處在新的統一體即將形成的戰國後期,不同思想文化之間的差異經過爭鳴走向新的兼綜融合。這種分流發展而又多元匯合的更爲廣闊的文化歷史背景給荀子造成了以"大儒"身份領銜學宮、吸取道家、吞吐諸子的客觀際遇。但不可忽視的另一方面則是孟、荀兩人對文化差異採取的不同態度。孟子在齊魯文化交流中雖不自覺地受到稷下道家的某些思想影響,但他既反對"舍女(汝)所學而從我"(《孟子·梁惠王下》),强調學派的獨立地位;又把"攻乎異端"(《論語·爲政》)的排他性發揮到極致。作爲其"長"之一的"知言",所謂"詖辭知其所蔽,淫辭知其所陷,邪辭知其所離,遁辭知其所窮"(《孟子·公孫丑上》)。雖顯示他明辨是非的敏感性,但也反映他對不同文化只揭其短、不明其長的片面性。荀子從"合文通治"、"經國定分"的政治需要出發,主張用"舜禹之制"、"仲尼子方之義"來"務息十二子之説"(《荀子·非十二子》),同樣具有强烈的排他性。他所謂"不全不粹之不足以爲美也"(《荀子·勸學》),强調的只不過是堅守儒家倫理"德操"的徹底性,並不意味着超越於儒家之外的全粹之美。但他與孟子不同的,是他通過領導稷下學宫的學術活動,受到道家理論的啓發,認識到全與偏、粹與雜的辯證關係,總結出一條"粹而能容雜,夫是之謂兼術"(《荀子·非相》)的方法論原則:

首先,"兼術"來自"寬容"。老子早就提出"知常容,容乃公,公乃全,全乃天,天乃道,道乃久,没身不殆"(《老子》第16章)的觀點,肯定只有掌握"常道"的人才能寬容,只有寬容才能保證認識的全面公正。慎到進一步指出:"有所可,有所不可"是"萬物皆有"的普遍局限性,只有"齊萬物以爲首"的博大情懷,做到小大"無遺",才能達到認識的全面性(《莊子·天下》)。荀子的理論貢獻在於從小大轉化關係説明"寬容"的作用。他的"因衆以成天下之大事"(《荀子·非相》)、"能積微者速成"(《荀子·彊國》)、"積之而後高,儘之而後聖"(《荀子·儒效》)等觀點都閃爍着小大轉化的辯證智慧。特别是受到莊子關於有限與無限矛盾問題的理論啓發,把無限劃分爲有序可循的部份、階段,用寬廣心懷肯定在"步道"長途中"或遲、或速"、"或先或後"都"可以相及"的作用,形象而深刻地表述了用有限接近無限的認識辯證法(參見《荀子·修身》)。

其次,"寬容"首在"别宥"。宋鈃、尹文主張"接萬物以别宥爲始"(《莊子·天下》),認爲對客體的認識開始於對主觀成見的破除。《管子·心術上》更從認識活動中的主(此)客(彼)關係説明"别宥"的重點在於"不修之此,焉能知彼?修之此,莫如虚矣。"但要做到"虚",首在克服"自用"的主觀成見,"舍己而以物爲法"。荀子更從認識論的高度指出主觀成見的危害性在於:"私其所積,唯恐聞其惡也;倚其所私,以觀異術,唯恐聞其美也"(《荀子·解蔽》)。首先是"私"於己,掩蓋自己的"美"中之"惡"(丑);然後是以私"觀"彼,抹殺對方的"惡"中之"美"。主客兩蔽的根源在於私己而闇彼。

因此提出"度己則以繩,接人則用抴"。(《荀子·非相》)的原則,嚴格地要求自己,"寬容"地對待別人。他在稷下學宮的先生和學士面前,敢於揭露自己學派中形形色色的"小儒"、"腐儒"、"散儒"、"陋儒"、"賤儒"、"偷儒"、"俗儒",並在所"非"的"十二子"中,對子思、孟軻的抨擊更爲猛烈。這種"捨己""別宥"的公正態度使他在諸子薈萃的稷下學宮以"大儒"身份取得學術領導地位。

最後,"別宥"端賴"解蔽"。荀子以道家的"別宥"爲起點,進一步提出"解蔽"之方,這就是與"蔽於一曲而闇於大理"的片面性相對立的"兼陳萬物而中懸衡"(《荀子·解蔽》)的思想方法。"兼陳"與"懸衡"(又稱"兼權")結合的思想方法可能受到老子"爲學日益,爲道日損"(《老子》第48章)的思想啓發,不過致思趨向有所不同,老子把"爲學"與"爲道"對立起來,强調個別感知與總體直觀的差異;荀子則把"兼陳"(多面觀察)與"懸衡"(總體綜合)統一起來,在分別"兼陳"的基礎上實現總體"懸衡",也就是在承認、强調事物多樣性的基礎上來考察它們之間的聯繫、統一,即經過"叩其兩端"的矛盾考察,然後找到"允執其中"的理想答案(參見《論語》:《子罕》和《堯曰》)。這是通過對道家思維方法的主動學習中總結出來的、從而在更高的理論水平上發展了的儒家中庸觀。他運用這種中庸觀,以"兼陳"而"懸衡"的辯證思維方法解析"蔽於此而不知彼"或"有見於此無見於彼"(參見《荀子》:《解蔽》和《天論》)的認識偏傷之蔽,從而對百家爭鳴的哲學問題作了理論總結。

二、對道氣問題的總結

道氣問題試圖解決世界的多樣性及其統一性的關係問題。清理這一問題的發展過程可以看出道家思想對荀子的影響及荀子對這一問題的理論貢獻。

早期五行學說如史伯所云"先王以土與金、木、水、火雜,以成百物"(《國語·鄭語》)。這只能在有限範圍內解釋五種元素的性能及其組合關係所起的作用，至於“百物”之所由來，具有具體實物性的多種元素不能給予終極說明，故在邏輯上還得借助於“先王”。老子從“五行”抽象出最高哲學範疇——“道”，是認識史上的大突破，也是一次大挑戰：“天下皆謂我道大，似不肖。夫唯大，故似不肖。若肖，久矣其細也夫！”(《老子》第 67 章)長期(久)局限於感性經驗的人最不易接受的是具有無限性(大)的“道”太不同(不肖)於具有有限性(細)的“物”；老子的貢獻就在於從本體論上論證不同於“物”的“道”正是“萬物之母”、“天地之根”、“衆妙之門”。他用“常有”、“常無”範疇規定作爲萬物產生根源的實體(有)具有區別於特殊實物的無限性(無)；用“道法自然”(《老子》第 25 章)命題規定作爲事物發展規律的“道”具有區別於天命神意的客觀性；並强調“惟恍惟惚”的“道”中“有象”、“有物”、“有精”(《老子》第 21 章)，顯示實體的物質性；但畢竟誇大了“道”、“物”之分，過分突出實體的無限性和規律的獨立性，在一定程度上把“道”從“物”中游離出來成爲“單個存在物”。這說明“道”、“物”關係問題是個難點問題。

繼之而起的莊子把老子“道”中有“精”的觀點發展爲“通天下一氣耳”(《莊子・知北遊》)的重要命題，並用陰陽二氣的“交通成和”解釋“物生”(《莊子・田子方》)；但他從絶對的“道”的觀點來看，“天地”仍是無限發展系列中的有限部分，因此“通天下”的“氣”仍從屬於“道”。稷下道家試圖用“精氣”說解決道氣關係問題。他們認爲“氣”與“道”同具“其細無内，其大無外。”(《管子・内業》)的絶對性，並用“一氣能變”(《管子・心術下》)、“此(比)則相生”(《管子・内業》)的變化觀説明氣生物的原因。但他們未能科學解釋物質與精神既聯繫又區別的複雜關係，簡單直接地用“精氣”(或“靈氣”)解釋人的聰明智慧，走向把“精氣”精神化的物活論。

以“善養浩氣”見“長”的儒家孟子試圖用“志”、“氣”關係問題解決稷下道家留下的理論難題。他不僅强調“志壹則動氣，氣壹則動志”的互動作用，還提出“志至焉，氣次焉”的觀點，突出以志“帥”氣的能動作用，認爲“塞於天地之間”的“浩氣”是經過主觀培養、

“集義所生”的結果(《孟子·公孫丑上》)。這在倫理觀上有其理論價值,但以義“生”氣又有唯意志論傾向。

荀子對道家引發的道一爭論進行理論總結。他用分合統一的思維方法吸取道家關於道氣關係的理論成果,提出了一個著名論綱:“水火有氣而無生,草木有生而無知,禽獸有知而無義,人有氣、有生、有知、亦且有義,故最爲天下貴也”(《荀子·王制》)。這個論綱,在事物的多樣性及其統一性的問題上蘊含着深邃的辯證智慧。

首先,發展基礎。稷下道家的精氣範疇一定程度上擺脱了具體經驗形態,但他們在解釋人的生命現象時仍説“天出其精,地出其形”(《管子·内業》)。“精”與“形”二元並列,難免損害精氣的普遍性。莊子的“一氣”“通天下”,有較高的抽象概括性,但“有形”的“天下”之上還有至高無上的“道”,因此,“一氣”還不能概括“萬有”。荀子否認“無形”之道在本體論上的作用,在範疇規定上又運用由“别”到“共”、由“共”到“别”的概念轉換辯證法(參見《荀子·正名》)。他所講的“氣”既然是從“水火”、“草木”、“禽獸”、“人”等“别名”中抽象出的“大共名”,就能對“水火”等多種物質形態具有普遍適用性而上升爲事物產生、發展的共同的物質性基礎。他在《雲賦》中歌頌的“廣大精神”(《荀子·賦》),就是以“雲”譬“氣”,描述物質實體的普遍實有性。

其次,發展進程。先秦諸子在社會劇變、科學發展條件下提出了多種發展模式。老子的“無(道)——有——物——無(道)”,莊子的“道——氣——物——道”,較完整地體現了以道爲本、由高到低、復歸於道的發展方向。荀子深受啓發,反其道而用之,以稷下道家用來説明生命和精神起源的模式“氣——生——知”(參見《管子·内業》)爲基礎,製定了一個新的模式,既標志了物質形態的發展方向(“水火——草木——禽獸——人”),又突出了諸種形態的共同物質性基礎(“氣”)和類型特徵(“氣——生——知——義”),較完整地體現了以氣爲本、由低到高的進化發展觀;並用“氣先義後”的發展系列代替孟子的“以義生氣”觀點,把事物統一性的基礎歸之於物質性的"氣"。

最後,發展動力。荀子吸取老子"萬物負陰而抱陽,冲氣以爲和"(《老子》第 42 章)的思想,用"陰陽接而變化起"(《荀子·禮論》)、"萬物皆得其和以生"(《荀子·天論》)的觀點説明矛盾和諧在事物發展中的作用;强調"所志於陰陽者,已其見知(和)之可以治者矣"(《荀子·天論》)。要求人們主動掌握、調節矛盾關係來治理生産事宜;並用"陰陽之變"解釋"天行"變化中罕見的怪異現象,爲他的妖不可畏,人定勝天的思想奠定了理論基礎。

三、對天人問題的總結

天人之辯的哲學内容是試圖解決客觀規律性與主觀能動性的關係問題。荀子用分合統一的思維方法總結這一爭論,主張在"明於天人之分"的基礎上實現"制天命而用之"的宏偉理想(《荀子·天論》)。但這個問題的提出、爭論的展開、認識的深化,得力於儒、道思想的屢次交鋒。

老子首先向天命論發難。他用"天地不仁"(《老子》第 5 章)的觀點反對天有意志,並用分合統一的思維方法突出"有爲"與"無爲"的矛盾,强調在"道法自然"(《老子》第 24 章)的基礎上實現"無爲而無不爲"(《老子》第 37 章)的矛盾轉化。他對天人關係的辯證考察,突出了世界的物質性及其發展規律的客觀性,强調了尊重客觀規律在實際活動中的作用;但"以輔萬物之自法而不敢爲"(《老子》第 64 章)的觀點多少忽視了人在自然界面前的能動作用。繼之而起,孔子的"爲仁由己"(《論語·顔淵》),墨子的"非命尚力"(《墨子·非命下》),都有强調人道有爲以補老子天道無爲觀點之不足的致思趨向,從而開啓了天人關係問題的進一步爭論。稷下道家把老子的"道法自然"發展爲"捨己而以物爲法",雖强調了認識的客觀性;但他們主張"其應也,非所設也;其動也,非所取也。"(《管子·心術上》)又多少忽視了認識的目的性和能動性。慎到更把

"己"與"物"絶對對立,要人們"棄知去己",若"無知之物","推而後行,曳而後往",消極被動地"與物宛轉"(《莊子·天下》)。這樣,尊重客觀規律是否要排斥能動作用,發揮能動作用是否違背客觀規律,就成爲天人之辯的焦點和難點。而孟子和莊子則對這個問題沿着不同思路走向兩個極端。

孟子以"誠"爲中心,把人的主體精神("誠")對象化爲"天之道",這個"天"實際上是"人之天";然後又把"思誠"作爲"人之道",其所"思"實際上是人對人之天的自我認識。這樣片面誇大能動性的結果是人與天、思與所思,合而不分,統一於主體精神("誠")的自我擴充之中(參見《孟子·離婁上》)。莊子以"天"爲中心,一方面從分而不合開始,强調天人差異,反對"以人助天"(《莊子·大宗師》),把人化了的天復歸於自然;另方面,又以合而不分告終,强調"人與天一"(《莊子·山木》),反對"天人相勝"(同上),由於片面誇大客觀性,在把天自然化的過程中,又把人所具有的特殊的自覺能動性化掉了。

荀子立足於孟、莊兩端之上,綜合出别具一格的天人矛盾統一觀。

首先,荀子在天不同於人的問題上,抑孟揚莊,機智地看到莊子區别"知天之所爲"與"知人之所爲"(《莊子·大宗師》)觀點的深刻性,進一步提出"明於天人之分則可謂至人矣。"一個"分"字,清洗掉天人以誠相通的神秘聯繫,把孟子人化了的天還原爲自然之天,從林林總總的萬象中看到"皆知其所以成,莫知其無形"的"天功";從"天功"運動變化的"天行"中探求出"不爲堯存,不爲桀亡"的"常道";從"常道"中進一步概括出"不爲而成,不求而得"的"天職"(以上參見《荀子·天論》)成者自成,得者自得,沒有任何主觀的作爲和追求參與其間。這就是自然之天具有的内在規定性及其區别於人的最本質的特徵,這就是荀子從批判孟子"蔽於人而不知天"(就其思想實質而言)的片面性中闡發的道家天道自然觀。

其次,他在人不同於天的問題上,抑莊揚孟,批判莊子"蔽於天而不知人"(《荀子·解蔽》)的消極性,發揚思、孟學派"參贊化育"思想的積極性,把道家淡化、消解了的人的自覺能動性從多方面進行發掘和發揚:"天有其時,地有其財",但是"人有其治"。這是人類主動作用於自然界的"能參"能力(《荀子·天論》),"精於物者以物物,精於道者兼物物"(《荀子·解蔽》)。這是人們從認識自然的活動中獲得的支配自然的"能知"能力;特別是還有"最爲天下貴"的"明分使群"(《荀子·富國》)、"多力則强"(《荀子·王制》)的"能群"能力,這已不是孟子以"誠"通天的個人意志,而是立足於天人相勝,强調人的自我調節,用社會群體力量來戰勝自然的人道有爲觀。

最後,區別天之所職與人之所能,目的是爲了把人的能動性從兩個片面性極端中解放出來:一方面,"知其所不爲",把道家"自然"、"無爲"的思想明確規定爲"不與天爭職",强調"天行有常"的客觀性,反對"倍(背)道而妄行"的主觀唯心論;另方面,"知其所爲",把思、孟學派的"參贊"精神發展爲"制天命而用之"的戰鬥唯物論,反對"錯(措)人而思天"的自然命定論。這樣,"天職"與"人治"、"不爭"與"能參"、"無爲"與"有爲",在更高的理論水平上得到辯證統一,借助於道家的天道自然觀,發展了儒家關於主體能動性的思想(上引材料參見《荀子·天論》)。

四、對名實問題的總結

天道自然觀運用於認識論就是稷下道家的"靜因之道",其主要精神在於以虛靜態度觀察事物的往復變化(參見《老子》第16章)。荀子在總結名實問題時吸取道家虛靜觀物的思想,發展了儒家關於主體能動性的認識論。

首先,能知與所知。

認識論中的名實問題主要討論的是主體如何反映客體的問題。孟子貴"誠",只要"反身而誠","萬物皆備"我心中(《孟子·離娶上》),客體包容於主體之中。莊子貴“虛”,他反對“師心”自用(《莊子・人間世》),主張“知有所待”(《莊子・大宗師》),“虛而待物”(《莊子・人間世》),客體獨立於主體之外。稷下道家反對主客混同,强調主客之分,特别指出:“知,彼也;其所以知,此也。”(《管子・心術上》)這一區分對荀子啓發很大,他不僅沿用這一對比概念,規定:“凡(當作“所”)以知,人之性也;可以知,物之理也”(《荀子・解蔽》)。把“所以知”的能力歸之主體,把“可以知”的對象歸之客體,明確劃分能所界限;而且進一步規定:“所以知之在人者謂之知,知有所合謂之智;所以能之在人者謂之能,能有所合謂之能”(《荀子・正名》)。强調在能所區分的基礎上求得能所的統一。這種統一不是以“誠”通天,而是在因應虛待的基礎上實現能“合”於所。不過這一實現過程,稷下道家表述爲“知其象則索其形,知其形則索其名,知其名則索其理,緣其理則知其情”(《管子・白心》)。這種“知……則……”的命題形式雖表明由表及裏、由淺人深的認識深度,但對實現這一過程的難度認識不夠;荀子則規定爲“實不喻然後命(命名),命不喻然後期(界定),期不喻然後説(解説),説不喻然後辯(論證)”(《荀子・正名》)。這種“不……然後……”的命題形式表明荀子對能所統一的實現是“難”字當頭,“然後”繼之以艱苦地求索,通過認識的艱苦性體現了克服難度的認識能動性。

其次,天君與天官。

荀子認爲,“名聞實喻”的認識目的只有通過能合於所的認識活動才能達到,而這一活動又必需經過“天官”(感覺器官)向“天君”(思維主宰)的推移深化。這一思想也是對稷下道家思想的繼承和發展。他們説:“耳目者,視聽之官也;心而無與於視聽之事,則官得守其分矣”(《管子・心術上》)。這一思想針對老子“塞兑”、“閉門”(《老子》第 56 章)的方法而發,强調發揮耳目之官的作用,“心”對“視聽之事”不要“非分”干預,“心”的指導作用僅在於“無爲而制竅”(《管子・心術上》)。這種“無爲而制”、“制而無與(干預)”的“心術”被荀子發展爲以“天官”的“薄類”爲基礎而又以“天君”的“徵知"爲指導的認識辯證法。"天官"提供的是各類具體感性材料,"天君"提供的則是經過甄别整理了的系統知識。只有實現這兩者的辯證結合,才可能實現"由象索形"、"由形索名"、"由名索理"、"緣理知情"的認識深化。因此,荀子的認識辯證法來自稷下道家而又加深了其理論内容。

最後,"虛壹而靜"與"藏兩而動"。荀子還運用分合統一的思想方法對認識活動中"虛"與"藏"、"壹"與"兩"、"靜"與"動"既對立又統一的兩種認識能力作了辯證考察,進一步發展了稷下道家"無爲而制竅"的"心術"論。

就"虛"與"藏"的關係而論,稷下道家的"虛者無藏"(《管子·心術上》)本是爲了反對主觀成見,但蔽於"虛"而不知"藏"的"虛"就把"虛"絶對化爲限制認識活動的又一種桎梏。荀子把"藏"看作目的,把"虛"看作手段,重新規定:"不以所已藏害所將受,謂之虛"(《荀子·解蔽》)。這就把消極的"無藏"之"虛"改變爲"有藏"之"虛",接近於莊子"虛則實,實則備"(《莊子·天道》)之"虛",具有無限的受容性。

就"壹"與"兩"的關係而論,稷下道家的"一以無貳"(《管子·白心》)雖强調了認識對象和認識主體專一不二的作用,但蔽於"一"而不知"貳"的"一"就絶對化爲守一而不能多,把複雜的認識活動單一化。荀子把"兩"看作目的,把"壹"看作手段,重新規定:"不以夫(彼)一害此一,謂之壹。"(《荀子·解蔽》)這就把"無貳"之"一"改變爲"一"以能"多"之"壹",蘊含着一與多,深與廣互相轉化的積極内容。

就"靜"與"動"的關係而論,稷下道家的"動則失位,靜乃自得"(《管子·心術上》)。雖强調認識主體保持虛靜安定、反對浮躁不定在認識過程中的作用,但"以靜爲宗"(《管子·心術上》),蔽於"靜"而不知"動"的"靜",其結果是"其處己也若無知,其應物也若偶之"(同上)。這就把以靜"制"動絶對化爲以靜"止"動,取消了認識主體的能動性。荀子對動靜關係重新規定:"心卧則夢,偷則自行,使之則謀。故心未嘗不動也,然而有所謂靜。不以夢劇亂知謂之靜”(《荀子・解蔽》)。這不是稷下道家的靜態之心,而是無時而不動的動態之心;但心之動有自發與自覺之分。克服“夢劇亂知”之“靜”就是“使之則謀”,即自我控制、限制自發的胡思亂想,進行自覺的思考謀慮,目的還是爲了更好地動。這實際上是在以動爲主的前提下,把“止動”之靜改變爲“使動”之靜。這種靜是具有高度自動性的能動性。

總之,荀子在總結名實問題時,從認識的能動性方面繼承並發展了稷下道家的“靜因之道”,全面探討了認識的主客關係(能知與所知)、發展過程(天官與天君)和認識方法(虛壹而靜與藏兩而動)等重要問題。通過這一探討,他對稷下道家通過“虛壹而靜”工夫達到的“大清明”境界充滿了信心:“虛則入”,“壹則儘”,“靜則察”(《荀子・解蔽》)。——用開放心態引入新知,用專一精神儘力專業,用冷靜頭腦明察事理。他就是用這種“虛壹而靜”的認識方法和豁達態度冷靜考察儒家比較重視的人道問題。

五、對禮法問題的總結

道家關於“道”的學説具有多維内蘊,它在天道觀上表現爲自然原則,在認識論上表現爲虛靜原則,在政治倫理觀上則表現爲自由原則。這種逍遥乎禮法之外的自由原則同約束於禮法之中的政治倫理原則儘管是極端相反之論,卻存在着相反相成、由此及彼的理論聯繫和轉化的可能性。這一轉化開始於稷下道家的“因道全法”(《慎子》佚文),用“道”之理來論證“法”之用。而荀子則“其知至明,循道正行,足以爲紀綱”(《荀子・堯問》)。以較高的理論自覺性,運用“道法自然”原則來論證尊禮尚法對於建立社會、規範行爲具有客觀必然性。應該説,正是道家在社會政治倫理問題方面對儒家的理論辯詰才促進了荀子的理性思考,使他通過對性僞關係(人性論)、群分關係(人群論)的艱苦探索,找到了“生禮義而起法度”

(《荀子・性惡》)的理論基礎。

首先,强調"性僞之分",論證"化性起僞"。

先秦諸子爭論的人性問題涉及到人的社會性與自然性是否一致的問題。儒家孔子雖肯定人們的"性相近"(《論語・陽貨》),但又慨嘆"吾未見好德如好色者也"(《論語・衛靈公》)。深感人們"好德"的倫理趨向不如"好色"的欲念追求合乎性之自然。孟子用合而不分的方法把人們的"食色"愛好和"理義"追求都視爲"人心之所同然",認爲"理義之悦我心,猶芻豢之悦我口"(《孟子・告子上》)。其理論依據是"不慮而知"、"不學而能"的"良知""良能"(《孟子・儘心上》),其政治目的是用"良知""良能"的先驗性論證接受"理義"規範的可能性。稷下學者告子用"以杞柳爲杯棬"來譬喻"以人性爲仁義",説明這種"爲"不是"順"乎自然,而是對人性的"戕賊"(《孟子・告子上》)。莊子更通過陶者治埴、匠人治木、伯樂治馬的多方比譬,説明"屈折禮樂以匡天下之形,懸跂仁義以慰天下之心"是破壞了人的自然本性(《莊子・馬蹄》);並指出:"牛馬四足是謂天。落(絡)馬首,穿牛鼻是謂人"(《莊子・秋水》)。把自然本性(天)與人爲枷鎖(人)尖鋭對立起來,説明禮樂仁義不是自然本性的自我擴充,而是外在規範的强力約束。荀子以極大的寬容態度和理論勇氣接受了莊子的大膽挑戰,並把天人之喻上升爲"性僞之分"(《荀子・性惡》)。他一方面强調人的自然本性(性)和社會道德(僞)的對立,認爲"性"是基於生理機能而產生的對物質生活的欲求,"僞"是人爲規範對這種欲求的限制與調節,因而兩者不能混同,不能用倫理化了的自然性來論證性善論。這就提高了批判孟子先驗人性論的理論水平;但另方面他又在承認"性僞之分"的基礎上論證實現"性僞合"的必要性,認爲兩者既相背而又不可相無:"無性則僞之無所加,無僞則性不能以自美"(《荀子・禮論》)。既然人爲加工建立在性不自美的前提下,那就不是孟子理想化了的順性而成禮,也不是莊子理想化了的去僞而全性,而是破而後立的"化性而起僞"(《荀子・性惡》)。這種"化"不僅不是莊子追求的"任其性命之情"(《莊子·駢拇》)的自得之樂,恰恰相反,是對自然本性的一種"矯飾"和"擾化"(《荀子·性惡》)。而且他還指出:"長遷而不返其初,則化矣"(《荀子·不苟》)。就是說,自然本性的徹底變化必需經歷長期的痛苦磨煉。這正是莊子認爲"削其性"、"侵其德"、"失其常然"的最大痛苦(《莊子·駢拇》)。對此,荀子不僅毫不隱諱,還運用道家的自然原則反對道家的自由原則,論證:通過"化性起僞"的人性改造,實行"明分使群"的社會管理(《荀子·富國》),乃是人類從自然狀態走向文明社會的歷史必由之路。

爲此,他進一步强調人禽之分,論證"明分使群"。

道家老、莊以其"見小曰明"(《老子》第52章)的認識深度敏鋭地觀察文明社會的内在矛盾,並以"法天貴真"(《莊子·漁父》)的赤誠之心對伴隨文明而來的虚僞欺詐、墮落、罪惡進行深刻揭露,無情鞭撻,而寄托其關於平等("同德")、自由("天放")的幻想於人禽不分、"無知無欲"的遠古"素樸"世界之中(參見《莊子·馬蹄》)。他們以烏托邦形式反映出來的對於勞動人民的深切同情、對於邪惡勢力的憤怒批判、對於理想社會的大膽設計,激發思想家們以冷静態度思考複雜的人類社會問題。孔子的以"仁"復"禮",孟子的以"仁心"行"仁政"都不免從主觀動機出發解釋社會政治問題。稷下道家開始把崇道貴因的理論同明分定法的政治結合,體現了避虚指實趨向。荀子則把隆禮尚法的政治設計建立在對人類歷史矛盾發展的冷静考察基礎之上。他認爲"同與禽獸居,族與萬物並"。(《莊子·馬蹄》)只是發展的低級階段。"人"從"水火"、"草木"、"禽獸"中超脱出來全在於以禮定分、"明分使群",把充滿矛盾冲突的社會組成爲分而能合的統一整體。這是因爲:一方面,"欲多而物寡"的供求矛盾産生"爭"的離心傾向;另方面,"能不能兼技"的職業分工需要互通有無,又産生"群"的向心傾向。這種實際利益的對立統一關係使人類面臨兩難矛盾:"離居不相待則窮,群而無分則爭。"離開群體,"力不若牛,走不若馬"的個體無法甘食美服,故需要"合";簡單結合,無數異向的個體又難於形成統一群體,故需要

“分”(參見《荀子・富國》)。“分”的作用就在於把人們編織在“不同而一”(《荀子・禮論》)的等級體制中,用禮法規範對自發的物質要求加以人爲限制,借以有條件地實現“養人之欲,給人之求”(同上)的客觀要求。這樣,荀子就把道家的自然原則從反對人道有爲轉化爲論證人道有爲的有力依據,作爲規範性的“禮”就從“忠信之薄而亂之首”(《老子》第38章)轉化爲“救患除禍”的一種歷史發展之所必然(《荀子・富國》),人爲之禮就成爲自然之禮。這樣的“禮”由於容攝了“道”的自然性,又具有了“法”的强制性,真所謂“禮之理誠深矣”(《荀子・禮論》)。深化了儒家政治倫理學説的理性思辯内容。

同時,荀子還吸取道家“無爲而無不爲”的辯證智慧,從“道術”(《荀子・哀公》)角度改造了儒家以“德”爲本的倫理政治學説。例如,孔子雖受老子思想影響,提到“無爲而治”(《論語・衛靈公》),但這種“無爲”仍是“爲政以德”(《論語・爲政》),即以德感人,而不是以術治人。荀子則主張“明分達治”(《荀子・君道》),即通過明確劃分等級職分的手段達到無爲而治的目的。所謂“明主好要”、“主好要則百事詳”,説的是統治辦法的聰明之處在於抓住用人之術這個要害就可以達到主逸而臣勞、事少而功多的效果(《荀子・王霸》),這就是司馬談總結的“指約而易操、事少而功多”的道家無爲之術。又如,孟子發展的關於孔子的“仁”仍是從情感出發的“惻隱之心”(《孟子・公孫丑上》),其所謂“仁術”(《孟子・梁惠王上》仍是“推恩”之術,即仁愛之心的推廣和擴充。荀子則把“愛”與“利”結合起來,並從手段與功效的角度出發對統治者的所謂“愛民利民”之方加以比較,認爲多種方式中,只有“利而不利也,愛而不用也,取天下者也。”(《荀子・富國》)意思是説,只有愛利人民而自己又不存心從此獲取“利用”,才能得到“取天下”的大利。這當然不是從倫理道德出發的奉獻精神,而是老子只有“無私”才能“成其私”(《老子》第7章)的正反依存轉化之術。這就使荀子的政治倫理觀中滲透了“以虛無爲本,以因循爲用”(司馬談評道家語)的術治内容。

總上以觀，道家理論思維不僅對荀子的道氣觀、天人觀、名實觀具有明顯影響，而且在他的儒家色彩比較濃厚的政治倫理觀中也打下道家思想的深刻烙印。從對荀子哲學體系的深層剖析中可以窺見道家文化對儒家文化影響的廣度和深度。

1991.11於珞珈山麓無何齋

作者簡介　李德永，1924年生，湖北漢陽人。武漢大學哲學系教授。主要著作有《荀子》及《五行探源》、《中庸剖判》等論文。合編《中國哲學史》(上、下卷)，主編《中國辯證法史稿》第一卷。

莊子與印度商羯羅之比較研究①

馮　禹

內容提要　中國先秦道家的杰出代表莊子和印度吠檀多學派的最大代表商羯羅在知識論方面的觀點有許多相似性：兩位思想家都把知識分爲兩個基本等級，低等認識以物爲對象，僅具有相對性，高等認識則是對於至上本體的體悟；通過對於低等認識的局限性的揭露和以直覺爲特徵的神秘主義精神修養，認識主體可以與本體合而爲一，實現由有限到無限的超越；這一超越同時也標志着人生的最終解脫。

任何對於莊子的學術研究都不可避免地涉及《莊子》書內、外，雜諸篇的作者及時代問題。本文不擬對此做專門考證，謹採取下述立場：整部《莊子》書，除了極個別的篇章，都是莊子本人及其後學的著作而非其他學派的作品。儘管全書觀點並不完全一致，尤其是政治社會觀方面若干篇章存在着明顯的差異；但就宇宙本原及認識理論等哲學問題而言，大致屬於同一理論系統。因而，對於莊子哲學的研究，應以整部《莊子》書作爲對象。

關於莊子哲學同印度哲學的相似性問題，已有人指出莊子理論同佛教大乘空宗的部分學說有不約而同之處，甚至有人懷疑莊子時代佛教已傳入中國。然而，似乎尚未見到莊子哲學同印度正統

---

① 本文系由作者在印度哲學大會第63屆年會(1988年12月，Pondicherry)上發表的英文論文："'Small Knowledge' and 'Great Knowledge', a Restudy of Zhuang Zi's Epistemology as Compared with Indian Tradition"改寫而成。

哲學的比較研究。事實上,印度正統哲學六派中影響最大的吠檀多(Vedanta)學派,同莊子頗多相同之處,尤其是這一派中不二論的最大代表商羯羅(Samkara),在知識理論方面與莊子的平行性甚爲明顯。

商羯羅大約生活在公元八世紀,其生卒年代難以確考。他通過對於《奥義書》等古代經典的注释,建立了一套比較完整的哲學體系,並在建立印度教組織方面也做了許多工作,對正統哲學的中興起了極爲重要的作用,常被譽爲印度中世紀最偉大的思想家,至今印度的許多學者依然信奉他的學説。

雖然商羯羅與莊子在空間上相距萬里,時間上相差千年,但二者卻提出了相似的理論,這個有趣的現象值得加以認真的比較研究。

一

理解莊子知識理論的關鍵,在於領悟其層次性。

以往的莊子研究者,常常將莊子的認識論歸結爲相對主義。不錯,莊子的言論中確有許多相對主義成份,最集中地表現在《齊物論》中。莊子認爲,人們對於事物的判斷不可能有客觀的是非標準,只能是"彼亦一是非,此亦一是非。"正如他所舉的著名的例子:

> 庸詎知吾所謂知之非不知邪?庸詎知吾所謂不知之非知邪?且吾嘗試問乎汝:民濕寢則腰疾偏死,鰌然乎哉?木處則惴慄恂懼,猨猴然乎哉?三者孰知正處?民食芻豢,麋鹿食薦,蝍蛆甘帶,鴟鴉耆鼠,四者孰知正味?猨,猵狙以爲雌,麋與鹿交,鰌與魚游,毛嬙麗姬,人之所美也,魚見之深入,鳥見之高飛,麋鹿見之決驟。四者孰知天下之正色哉?

然而,如果把莊子的知識論僅僅歸結爲相對主義,那又如何解釋他與宋榮子及慎到、彭蒙之師等人的區别呢?在《莊子》書的第一篇《逍遥遊》和最後一篇《天下》中,分别評論了這幾位思想家的知識論:

故夫知效一官，行比一鄉，德合一君，而徵一國者，其自視也亦若此矣。而宋榮子猶然笑之。且舉世而譽之而不加勸，舉世而非之而不加沮，定乎內外之分，辯乎榮辱之境，斯已矣。彼其於世未數數然也。雖然，猶有未樹也。(《逍遙遊》)

是故慎到棄知去己而緣不得已，泠汰於物以爲道理，曰知不知，將薄知而後鄰傷之者也，謑髁無任而笑天下之尚賢也，縱脫無行而非天下之大聖，椎拍輐斷，與物宛轉，舍是與非，可以苟免，不師知慮，不知前後，魏然而已矣。推而後行，曳而後往，若飄風之還，若羽之旋，若磨石之隧，全而無非，動靜無過，未嘗有罪。是何故？夫無知之物，無建己之患，無用知之累，動靜不離於理，是以終身無譽。故曰：至於若無知之物而已，無用賢聖，夫塊不失道。……田駢亦然，學於彭蒙，得不教焉。彭蒙之師曰："古之道人，至於莫之是莫之非而已矣。其風窢然，惡可而言？"(《天下》)

看來，莊子及其後學是不同意"至於莫之是莫之非而已矣"的。事實上，對於一般人所謂真理的批判、貶低和否定決不是莊子哲學的終點，而只不過是他整個知識理論的起點或引子。莊子哲學具有一種永無止境地追求更爲完善境界的本性，他的議論常常始於較低層次，爾後不斷向高層推進，直至達到一種超乎常人想像的水平。《則陽》篇有一生動的例子：

魏瑩與田侯牟約，田侯牟背之。魏瑩怒，將使人刺之。犀首聞而恥之曰："君爲萬乘之君也，而以匹夫從仇！衍請受甲二十萬，爲君攻之，虜其人民，係其牛馬，使其君內熱發於背，然後拔其國。忌也出走，然後抶其背，折其脊。"季子聞而恥之曰："築十仞之城，城者既十仞矣，則又壞之，此胥靡之所苦也。今兵不起七年矣，此王之基也。衍亂人，不可聽也。"華子聞而醜之曰："善言伐齊者，亂人也；善言勿伐者，亦亂人也；謂伐之與不伐亂人也者，又亂人也。"君曰："然則若何？"曰："君求其道而已矣。"

至此，認識已推進到第四個層次，似乎已達到頂點，但莊子卻又推出了第五個層次：

惠子聞之而見戴晉人。戴晉人曰："有所謂蝸者，君知之乎？"曰："然。""有國於蝸之左角者曰觸氏，有國於蝸之右角者曰蠻氏，時相與爭地而戰，伏尸數萬，逐北旬有五日而後反。"君曰："噫！其虛言與？"曰："臣請爲君實之。君以意在四方上下有窮乎?"君曰:"無窮。"曰:"知遊心於無窮,而反在通達之國,若存若亡乎?"君曰:"然"。曰:"通達之中有魏,於魏中有梁,於梁中有王。王與蠻氏,有辯乎?"君曰:"無辯。"客出而君惝然若有亡也。

莊子與宋榮子等人的不同之處,正在於那幾位思想家停留在"無是無非"的水平上不再前進,而莊子卻要超越一般認識而達到更高水平的認識。在《莊子》書中,普通常識性的認識常被稱爲"小知",而更高水平的認識則有"大知"、"真知"、"大成"等名。在莊子看來,"小知"是以"物"爲對象的認識,由於物本身是有限的,非永恒的,"物有死生",並且缺乏穩定性,"物之生也,若驟若馳,無動而不變,無時而不移。"(《秋水》)所以關於"物"的知識也只能是相對的。任何一個關於"物"的命題都並不比其反命題更真實。如說泰山大,彭祖長壽,按常識判斷無可非議,但如果改變視角和比較對象,完全可以說:"天下莫大於秋毫之末,而太山爲小;莫壽於殤子,而彭祖爲夭"(《齊物論》)。莊子用這類反常識的命題無情地揭露了經驗性真理的相對性、暫時性和有限性,反對了僵化和教條。

那麼,人的知識是否永遠停留在相對、有限的水平上呢?是否存在着超越相對和有限的可能性呢?莊子認爲,存在着實現"大知"、"大成"的可能。這種高水平的認識,是以"道"而不是"物"作爲對象,而"道"是永恒、無限、真實和自足的。莊子認爲,"道無終始"(《秋水》),"自本自根"(《大宗師》)而又"有情有信"(《齊物論》),這同不可信賴的"物"形成了鮮明對照。一旦把握了"道",人的知識就會出現飛躍,《莊子》書中描述的一系列具有非凡品質的"至人"、"神人"、"真人"、"天人"正是因爲把握了"道",所以能夠獲得絶對的自由。

將"道"作爲認識的對象,認識的方法也就自然不同於對物的認識了。莊子將物定義爲有"貌象聲色"者,因而依靠感官的把握。但是,道超越感覺,它"無爲無形"(《齊物論》),感覺在這裏是無能爲力的。對於如何"體道",莊子作了十分豐富的論述,但概而言之,無外於抽象的思辨與神秘的精神修養這兩條途徑，莊子分別稱之爲"知"與"恬"，並認爲這二者是相互促進的，這叫作"知與恬交相養"(《繕性》)。

關於"知"即抽象思辨，實際上也就是對於"小知"的批判和否定，這叫作"去小知而大知明"(《外物》)。如前所述，普通常識性知識由於範圍和時間的變化，無可避免地由是而非。或由非而是。通過這種分析，可以悟出，任何有限的知識都無法擺脱矛盾。由此出發，必須尋找到不存在矛盾對立的知識，或者使對立消融的知識。就此，莊子提出："彼是莫得其偶，謂之道樞。樞始得其環中，以應無窮，""聖人和之以是非而休乎天鈞"(《齊物論》)。

所謂"天鈞"是莊子哲學的一個特殊術語，"鈞"又作"均"，原指古代製陶器用的轉盤。在莊子看來，萬物以及人對於萬物的認識總是不斷地向相反方面轉化，例如生轉化爲死，死又轉化爲生；是轉化爲非，非又轉化爲是。這恰似一只自然的大轉盤，在不斷旋轉。所謂"道樞"，是指把握道的關鍵，具體說來，就是要"得其環中"，也就是站在"天均"轉盤的中心，雖然轉盤的周邊飛速運轉，但其中心則是不移動的。"休乎天鈞"與"得其環中"是同義語，達到這種境界，就與是非彼此都無對待，所以可以不變而應萬變。

在精神修養方面，莊子的論述極多，而且層次豐富。它的起點是從感性上升到心神，《養生主》所謂"以神遇而不以目視"，《德充符》所謂"遊於形骸之內"都是這個意思。但是，心神的活動可能有多種方式，並不一定與道相符，所以必須加以進一步規定，莊子提出了"靜"、"恬惔"(無喜怒哀樂)、"和"、"一"、"純"、"粹"、"白"、"虛"等一系列要求，由淺入深。而最有特色並且也是最高的要求是"心齋"和"坐忘"。

所謂"心齋"是指"無聽之以耳而聽之以心，無聽之以心而聽之以氣"(《人間世》)。所謂"坐忘"是指"墮肢體，黜聰明，離形去知，同於大通"(《大宗師》)。在這種精神修養的最高階段，不但感官的感覺活動被排除或者忘掉了，而且思維的主動活動也停息了，形成了一種完全本能的無意識狀態,"目無所見,耳無所聞,心無所知"(《在宥》)。莊子認爲,只有這樣纔能真正地認識道。因爲在這種狀態下,主體已經完全與那永恒無限的"道"合爲一體,"同於大通",也就是所謂"體道"。

二

印度傳統哲學將知識劃分爲不同等級的思想由來已久,在著名的《奧義書》(一般認爲其主要部分成書於公元前八世紀或更早)中,就明確提出了知識有高(parā)低(aparā)兩類,一般譯作"上智"與"下智"。《禿頂奧義》(Mundaka Upanisad)説:"被認識的知識有兩種,能理解梵天(Brahman)的人確實習慣於這樣説:有上智,也有下智。"(引自 S. Radhakrishnan and C. A. Moore: A Sourcebook in Indian Philosophy, Princeton University Press, 1957, P. 51)

那麽,什麽是高級的上智,什麽是低級的下智呢?根據《奧義書》的解釋,高級知識是對於梵天,亦即終極實在的知識,而低級知識則是經驗科學和藝術的知識。《奧義書》還認爲,人身體中的精神也相應有兩種,一種高級,一種低級。高級精神與終極實在同一,而低級精神則是業報的受體。知識的正確方向在於認清低級與高級知識之間的界限,進而超越低級,達到上智的水平。

自從《奧義書》區分上智、下智之後,印度的許多正統和非正統學派都接受了這種觀點。例如,正統派中的正理派(Nyaya)雖然以重視知覺和推理著稱,但也作出關於普通知覺和超常知覺(extra-ordinary perception)的區分,並且提出超常知覺的最高形式是瑜珈(Yoga)。如果一個人能把瑜珈這種身心同時調整的修養術練到爐火純青的地步,他就能夠認識一切事物,無論這些事物發生在什麽時間,無論是無限大還是無限小,都不能超出他的知覺之外。在非正統學派中,佛教關於"俗諦"和"真諦"的劃分早已被大家所熟知。

但是,正如印度當代著名學者拉著(P. T. Raju)所指出的:雖然高級與低級知識的劃分可追溯到《奥義書》,但直到吠檀多學派,才對這種劃分作出系統的闡釋。(參見所著 Structural Depths of Indian Thought, South Asian Publishers, 1985, P. 392)而在吠檀多學派中,對於此問題論述最深的當屬商羯羅。

商羯羅認爲,在低水平的認識中,可以通過實用性標準(arthakriyakarita)區别出正確與錯誤。例如,當一條繩放在認識者面前,作出"面前是一條繩"的判斷就比"面前是一條蛇"的判斷真實。但是,這種區分不可絶對化。"蛇"確實是假象,但進一步講,"繩"也不見得真實。站在更高的水平上來分析,二者均是相對性的認識。實用性或經驗性真理標準本身就需要檢驗其真僞,而不是永恒絶對的標準。事實上,訴諸經驗永遠不會得到任何確定無疑的絶對真理。只有不可矛盾(abadhya)的知識才稱得上絶對真理,僅僅是形式邏輯意義上的不矛盾(abadhita)遠遠不夠作爲檢驗絶對真理的尺度。要想達到高水平的"上智"是十分困難的,但又不是不可能的。只要使認識主體同正確的認識對象之間的差别完全消失,才能獲得"上智"(參見《奥義書注》)。

這一分析,顯然是同商羯羅的"梵我合一"的本體論相互呼應的。商羯羅認爲,世界的真實本體是"梵天",而梵天又是同精神主體—— 自我(atman)合一不二的,除此之外,一切皆爲虛幻(Māya),林林總總的客觀世界不過是"梵天"通過"幻"變現出來的。認識的目標,正是要體悟主體與至上本原本來合一不二。梵即我,我即梵。從這個意義上看,"上智"與"下智"的差别也就非常清楚了。"下智"產生於主體把"幻"造成的種種分别固定化,並設置爲對象,而這種對象其實並不真正存在,當然更談不上有絶對永恒的意義。"上智"則是主體認識自身的絶對性和唯一性的過程。在這種過程的起點上,主體(atman)與對象(Brahman)是相互區别的,但認識的結果則是兩者的完全同一,不再有差别。當主體與本體的差別業已消失時，虛設對象的種種劃分也就自然不復存在了。真實存在的，只有一體化的“梵——我”。

從認識方法的角度，商羯羅指出，“上智”與“下智”是十分不同的。獲得“下智”的方法或手段有六大類：感覺、推理、證言、類比、推定、非存在的認識等。而“上智”的獲得，則主要依靠直覺。這種直覺，被定義爲“整體經驗”(integral experience)，也就是對於我與梵合一不二的直接體驗。要想獲得這種直覺，必須通過靜思和瑜珈等宗教修煉才能獲得(參見《吠檀多經注》)。

三

莊子哲學與商羯羅的不二論吠檀多哲學的相似性是顯而易見的。就知識的等級區劃而言，莊子的“大知”與商羯羅的“上智”大致相當，而莊子的“小知”則與商羯羅的“下智”幾乎完全等同。這種相合與兩種哲學體系在本體論方面的相似有直接關係。莊子哲學的最高範疇是道，而商羯羅哲學的最高範疇是梵。儘管二者分屬兩種不同的文化背景，其起源也不同，具體説，“梵天”是由祭祀儀式抽象而成的至上神，而“道”則是由規律、法則意義抽象而成的道家哲學概念。但是，二者均具有永恒、無限的最高本體的意義。同“道”或“梵天”相比，一切事物均只有相對的實在性，不能離開最高實體而獨立存在，因而可以視爲虛幻，商羯羅稱之爲“幻”(maya)，而莊子則表述爲“未始有物”。正是由於這個原因，莊子和商羯羅都强調認識等級的區劃，以物爲對象的認識只能是低水平的認識。認識追求的正確目標因而不應是物而應是終極實在——道或梵天。

進一步講，莊子和商羯羅在認識途徑問題上也有明顯的一致之處，他們都將感性經驗作爲僅能獲取低級知識的手段，認爲高水平知識的獲得有賴於對低水平知識的否定和以直覺爲特徵的神秘性的精神修養。

我們不禁要問，爲什麼時隔千年、相距萬里的這兩位哲人會在知識論方面有如此衆多的平行性呢？雖然我們不能排除兩國思想家在古代進行過具體交流的可能性，但更爲直接的原因，顯然是哲學思維發展的內在規律和趨勢。

應當肯定，莊子和商羯羅分別是其時代的最深刻的思想家，他們都不滿足於常識性的真理，而立志尋覓永恒、無限的終極真理。在這種追求中，他們不約而同地發現，依賴感覺、推理等一般的認識手段，只能認識有限的、相對的經驗性知識。經驗性知識的積累，在他們看來，永遠也不可能達到永恒、無限的知識。要想超越低級知識，除了需要從反面入手，揭露"小知"或"下智"的局限性和相對性；另一方面，必須從正面另辟途蹊，主要是通過特殊的、具有神秘主義色彩的直覺來把握最高和最真實的本體。

在這裏，我們看到，莊子和商羯羅已經非常清醒地意識到有限與無限、個別與一般、相對與絶對等一系列深刻的哲學矛盾，他們認爲，經驗性的認識無法跨越相對與絶對、個別與一般、有限與無限之間的鴻溝。經驗知識只能是相對、個別、有限的。那麼，如何跨過鴻溝呢？兩位思想家的嘗試是非常相似的，這就是試圖改變認識主體同客體的關係。應當把認識對象確立爲至上本體，然而卻不應該把它當作外於認識主體的東西。認識的過程不是由主體來把握外在的對象，而是主體接近對象，與對象逐漸同化，直至與對象完全溶爲一體。按照莊子的術語，這叫作"登假於道"或"體道"，這種表述雖不如商羯羅所說的主客體界限的全然消失明確，但意思是完全一樣的。由於客體是至上本體，所以主體與客體的同一也就是主體與本體同一。並且由於道或梵天是永恒、無限的，所以與道或梵天同一也就實現了知識的超越，由個別、有限上升爲一般、無限。在超越的過程，精神修養之所以被强調，是由於下述原因：當主體依賴感覺進行認識活動時，就不可能擺脱肉體造成的具體、個別、有限的束縛，通過修養，將主體受感性和時空等諸多條件限制的因素一一消除，以達到直覺一思維的混沌狀態，儘管它被分别叫作"坐忘"或"瑜珈"，但實質是一樣。在此狀態中，思維被認爲超越了經驗或現象層次的分别、計較,不再專注於某種具體事物或方面,而進入整體、連續的境界,與至上、無限的本體達到了同一水平。

莊子的道和商羯羅的梵可以理解爲無具體規定性的大全,因而只有使思維也處於無規定性的狀態,才能與至上本體同一。

應當指出,上述莊子和商羯羅的理論並不僅僅具有認識論意義,它同時又是一種人生哲學。與本體同一不僅僅意味着知識的超越,同時也標志着人的最終解脱。在這一方面,莊子和商羯羅的論述也頗多相似性。莊子認爲,未得道者一生下來就始終處於被各種力量和條件所奴役的狀態,身不由己,就好像影子永遠不能擺脱形一樣。然而,一旦體道,就可以獲得絶對自由,進入不死不生的神仙境界,"入火不熱,入水不濡"的神人形象,貫穿於整部著作。商羯羅也指出,一旦主客體的分别消失,體認了"梵"與"我"的同一,也就獲得了解脱(moksa),他説:

> 對於梵的徹底領悟是人的最高終結,因爲這種領悟摧毁了一切邪惡以至無知的根源,清除了轉世輪回的種子。(《吠檀多經注》,引自 A Sourcebook in Indian Philosophy, P. 510)

當然,莊子與商羯羅哲學觀點的近似並不意味着二人的思想體系完全相同。商羯羅哲學的中心是探討"梵——我"關係,重在論述"我即梵";而莊子哲學則以"道——物"關係爲基本綫索,重在論述"道"的自然性。一般説來,莊子對於"小知"的否定要比商羯羅對"下智"的否定更爲徹底,因爲商羯羅在區分兩種水平的知識之前提下,還是給了"下智"以某種地位,並且加以相當篇幅的闡述。商羯羅重視以形式邏輯爲工具來推論,而莊子則傾向於運用辯證邏輯,以及大量的寓言來説明哲理。商羯羅的思想從古代經典出發,而莊子則不依賴於既往經典,更富創新精神。

莊子和商羯羅分别對中印哲學史做出了杰出貢獻,具有很重要的歷史影響。莊子哲學關於"大知"與"小知"的區分是後來宋明理學區分"天命之知"與"見聞之知"的重要來源之一,而商羯羅的理論則在他之後的千年歷史上居於正統地位。

作者簡介 馮禹,1954 年生,浙江吳興人。中國人民大學哲學博士。現爲中國人民大學哲學系副教授,印度《國際哲學》雜志編委。

《莊子》與《壇經》

陸玉林

內容提要 《壇經》作爲禪宗的宗經，它的大部分思想可以在《莊子》中找到根苗。《壇經》或者說禪宗，是以道家、特别是《莊子》的"自然"來改造和重建佛性理論的。就其哲學思想而言，《壇經》與《莊子》是相通的，可以說它就是披上了佛學外衣的《莊子》，而禪宗則是《莊子》思想的某些層面的延伸。本文從語言觀、本體論、修行方式和修道悟道境界四個方面對比了《壇經》與《莊子》，以見出它們思想的相互貫通。

印度來的佛教風涌華土之時，正是玄風大暢之日。士大夫階層注目佛教之初，便以道家思想爲基礎承納和解說佛教經義，連佛教中人也不免如此。如"尤善《老》、《莊》"的廬山慧遠，就是以道家之"無"釋佛家之"空"。歷時百餘年之後，道家思想對佛教的影響不是削弱不見，而是滲入其中，最突出的表現就是中國化的佛學——禪宗的出現。而《壇經》，作爲禪宗的宗經，它的大部分思想都可以在《莊子》中找到它的根苗。

一、得魚忘筌，不立文字

印度佛教和中國佛教的其他諸宗，大都對經書文字十分看重，這裏毋須詳論。但《壇經》卻以爲:"諸佛妙理,非關文字"①。理由是:"一切經書,及諸文字,小大二乘,十二部經,皆因人置,因智慧性故,故然能建立。若無世人,一切萬法,本元不有,故知萬法本因人興,一切經書,因人説有,……故知一切萬法,儘在自身中,何不從於自心頓現真如本性。"因爲人的存在,經書文字得以產生和流傳。經書文字設置的目的在於人。既然佛就在人的"自性"之中,頓悟"自性",就得解脱,那麼,人所要做的,只是"於自心頓現真如本性",不必執著於外在的經書文字。如果從經書文字中求解脱,既使誦《法華經》七年,也是受它所左右,而不得脱塵之旨。把佛設置於"自性"之中認爲"佛是自性作"的觀點,在《金剛經》、《楞伽經》中都可以找到其依據。在印度禪學中,也有所謂"不立文字"之説,如《大方廣寶篋經》卷上有"不着文字,不執文字";《除蓋障菩薩所問經》卷十説,佛法神奇,"唯内所證,非文字語言而能表示,超越一切語言境界。"然而,印度禪學没有發展爲印度禪宗,"不立文字"之説也没有被印度佛教和中國佛教的其他諸宗所接受。《壇經》大力提倡"不立文字",必另有所本。這種思想能爲中國古人所接受,並在華土廣爲傳播,也必然因爲它與中國傳統文化中的某種思想有契合相通之處。

《莊子》中言:"世之所貴者,書也。書不過語,語有貴也。語之所貴者,意也。意有所隨。意之所隨者,不可以言傳也,而世因貴言傳書。世所貴之,我猶不足貴也,爲其貴非其貴也"(《天道》)。《莊子》認爲,作爲本體的"道"不可以言語致詰,故"知者不言,言者不知"(同上)。語言傳達追隨"道"的"意",已經是"道"的第二重外化,不足以完滿地傳達出"道"。以文字形式流傳的"書",將不能完滿傳達出"道"的語言固定下來,已是"道"的第三重外化,是"道"的最不完滿的表現。執著於語言、文字尚不能得"道"之真諦,更何况"書"。所以,書、語言文字是必須拋棄的。

---

① 本文引《壇經》文字,以法海本、宗寶本爲據,兼顧其他諸本,如無特殊情况,均不注明爲何本文字。

《壇經》對待經書文字的態度,雖然難以確定是否發源於《莊子》,但兩者是相通的。越往深處追溯,兩者相通表現得越明顯。《莊子》和《壇經》都排斥經書文字,也都申言,語言文字並不是可以徹底拋棄的。《壇經》云:“執空之人有謗經,直言不用文字。既云不用文字,人亦不合語言!只此語言,便是文字之相。文云:直道不立文字,即此‘不立’兩字,亦是文字。見人所說,便亦謗他,言著文字。”所以,《壇經》對待語言文字的態度,並非完全不立,而是不執著於語言文字的不立之立。語言本身並無實在意義,意義在語言不能完全表述出的“自性”。但經書文字也不是完全没有存在的必要,它尚有引導誦經書者“起自性觀照”的功效。一旦彰明“自性”,經書文字即可棄置不顧,而人所說的語言也不是日常性交往性的語言。誠如黄蘗希運所言:“此道天真,本無名字。只爲世人不識,迷在情中,所以諸佛出來說破此事,恐汝諸人不了,權立道名,不可守名而生解,故云得魚忘筌”(《筠州黄蘗山斷際禪師傳心法要》)。因而,所謂“不立文字”、“不假文字”云云,歸根結柢,就是莊子所說的“得魚忘筌”。希運的話,甚至可以看作是用佛家的話爲《莊子》作注。

“權立道名”的觀點,在《莊子·則陽》篇中就有。“道之爲名,所假而行”。作爲“名”的“道”或“佛”或“自性”,就其爲“名”而言,只是“實之賓”。關鍵還在於其“實”,就是“得魚忘筌”。“筌者所以在魚,得魚而忘筌;蹄者所以在兔,得兔而忘蹄;言之所以在意,得意而忘言”(《外物》)。“言”不過是要傳達“意”,既已把握住“意”,“言”就是可以遺棄不顧的。但是,在“得意而忘言”之後,又有:“吾安得夫忘言之人而與之言哉?”那麼,“忘言”之“言”是什麼樣的“言”? 同樣,“不立文字”的《壇經》的文字是什麼樣的文字?

《莊子》的“忘言”之“言”是這樣一種“言”:“言而足,則終日言而儘道;言而不足,則終日言而儘物。道物之致,言默不足以載;非言非默,義有所極”(《則陽》)。“忘言”之“言”就是“非言非默”之言,而“不立文字”的文字就是“說似一物即不中”的無文字之文字。大珠禪師對此闡述的較爲詳明:“僧問:言語是心否?師曰:言語是緣,不是心。曰：離緣何者是心？師曰：離言語無心。曰：離言語既無心，若爲是心？師曰：心無形相，非離語言，非不離語言，心常湛然，應用自在。"(《大珠禪師語錄》卷下)"非離語言，非不離語言"和"非言非默"，不但表述方式了無差别，而且其所指也並無不同，都意在表明，一旦得"道"或體悟"自性"，語默均可。問題根本就不在於語默，而在於是否得"道"或了悟"自性"。

從對待經書文字和語言的態度上看，《壇經》或者說禪宗和《莊子》思想並無差别。但是，《莊子》的語言觀建基於"道"，而《壇經》則建基於"自性"。如果"道"與"自性"根本没有關係，那麼語言觀上的相同也不足以說明問題。外在表象相同的東西，內在精神或許相差甚遠。因此，還要從語言觀進入本體論，探明"道"與"自性"的關係。

二、天道自然，見性識心

《壇經》認爲，"佛是自性作，莫向身外求；自性迷佛即衆生，自性悟衆生即佛。"這就是說"佛性"與人的"自性"無别，"自本性頓悟"就可"頓悟菩提"，成無遐佛道。佛性即成佛的根據。(印度佛教認爲自性清淨的人心是人們成佛的質地，故稱爲"佛姓"即"佛性"。)晉宋以前，人們按照當時傳入的佛經，認爲衆生並不都有佛性，如"一闡提"即斷絶善根的人就没有佛性。晉宋時期的竺道生說"一切衆生莫不是佛，亦皆泥洹"(《妙蓮法華經疏》)，意味人人皆有佛性，而佛性就是衆生的本性。《大乘起信論》的譯介，也證實了道生的理論與印度佛教的教義並不相背。所以，就佛性即自性和自性清淨而言，還看不出《壇經》的獨創。但是，從何爲"自性"的角度看，情形就不同了。

大乘有空和空宗對"自性"的解釋，種目繁多。菩提達摩提出用以作爲宣揚禪宗教義的大乘有宗的四卷本《楞伽經》中有："如來藏自性清淨……有時說空，無相，無願，如實際，法性，法身，涅槃，離自性，不生不滅，本來寂靜，如是等句，說如來藏"(《楞伽經》卷一)。

《壇經》擺脱了這些傳統佛學的解釋，直截了當地宣稱“自性”就是“本心”、“自心”：“汝今當信，佛知見者，只汝自心，更無別佛”；“自識本心，自見本性”。所謂“本心”、“自心”，實際上是“無住”之心：“無住者，爲人本性。”而此“無住”之心，如虛空一樣涵攝一切：“心量廣大，猶如虛空。……虛空能含日月星辰，山河大地，一切草木，惡人善人，惡法善法，天堂地獄，儘在空中，世人性空，亦復如是。”所以“本心”即“自性”，是人成佛的根據，也是人的本體存在性狀，同時是宇宙自然的本體。“性含萬法是大，萬法儘是自性。”作爲本體，“本心”是超越時空的，不加人爲（他爲）的、自然而然的存在。人不得了悟佛道，不能自現“真如本性”的關鍵就是“空”、“法”等人爲的概念、判斷阻滯“本心”的緣故。“道須通流，何以卻滯，心不住法即通流，住即被縛。”因而，“本心”的根本特性就是自然而然，不加人爲（他爲），故《壇經》“立無念爲宗，無相爲體，無住爲本”。自然而然，不加人爲（他爲）就是“自然”。慧能的嫡傳弟子荷澤神會就是直接以“自然”解釋“本心”、“自性”。他説：“僧家自然者，衆生本性也”，“佛性與無名俱號自然，何以故？一切萬法皆依佛性力故，所以一切萬法皆屬自然”（《荷澤神會禪師語錄》）。那麼，《壇經》所言“本心”、“自心”，神會所言“自然”與中國本土文化傳統中的“自然”概念有什麼關係呢？它是否與《莊子》所言“自然”有相同的涵義？

中國本土文化傳統中的“自然”概念，作爲哲學範疇最早見於《老子》，意味自然而然、自己如此。如“功成事遂，百姓皆謂我自然”（五十七章）；“希言自然”（二十三章）；“道之尊而德之貴，莫之命而常自然”（五十一章）。“道法自然”（二十五章）一語中的“自然”，也是自己如此之意。“道法自然”，就是“道”以自身爲法則。在《莊子》中，“自然”一詞不但指“道”自然而然的存在性狀，而且是“道”本身。它表現爲萬物的自然性與本然性，內在於萬物而又主宰萬物。“參萬歲而一成純，萬物儘然，而以是相蘊”（《齊物論》）。人爲萬物中之一物，故“道”即“自然”也是人的自然性，並且是人的本體存在性狀。人所應該做的，就是“常因自然而不益生”（《德充符》）

所以,在《莊子》這裏,宇宙自然的本體與人的本體存在性狀是同一的,都是"自然"即"道"。《壇經》的"自性"即"自然"既是宇宙自然的本體也是人的本體存在性狀,這與《莊子》思想是一致的。

其實,神會早已言明《壇經》所謂"本心"即他所說的"自然"就是道家的"自然"。神會在答馬別駕問時說:

> 僧唯獨立因緣,不言自然者,是僧之愚過。道士唯獨立自然,不言因緣者,道士愚過。馬別駕言:僧家因緣可知,何者即是僧家自然?若是道家自然可知,何者即是道家因緣?和上答:僧家自然者,衆生本性也。又經文所說:"衆生有自然智、無師智",此是自然義。道士家因緣者,道得稱自然者,道生一、一生二、二生三,三生萬物。從道以下,並屬因緣。(《荷澤神會禪師語錄》)

僧家以"本心"爲"自然"在於"本心"可生因緣,可悟菩提般若之智;道家的"道"爲"自然"乃在於"道"可生化萬物。僧家"自然"與道家"自然"並無不同,它們都是宇宙自然的本體和人的本體存在性狀,此其一;其二,兩者都有生化萬物的功能,而天地萬物最終也要回歸"自然";其三,兩者都內在於萬物之中,並主宰萬物的生化流行。神會的話也揭示出,從外在表現形態上看,禪宗似與道家思想有所不同,因爲它的外在表現形態是宗教,必須强調宇宙萬物因緣合和而生的不真實性和虛幻性。但實質上,禪宗與老莊是一脈相承的,因爲老莊在以"道"爲本體時,已間接說明了宇宙萬物的不真實性和虛幻性。因此,《壇經》或者說禪宗乃是以道家特別是《莊子》的"自然"來改造和重建佛性理論的。所以,就本體論上說,禪宗乃是道家思想的某個層面的延長。

本體論上的相同,不但使得《壇經》與《莊子》對待經書文字和語言的態度上相承,而且《壇經》所言的修道方式也因此而與《莊子》的體"道"方式相通,即超越日常思維邏輯的整體直觀和自然而然的不修之修。

《壇經》認爲布施供養之類只是"修福"而不是"修道"。"修道"在於"頓悟"本心,"令學道者頓悟菩提,令自本性頓悟"。"頓悟"之

"悟"是超越語言邏輯的整體直觀,"但行直心,於一切法,無有執著";"一一音聲相,平等如夢幻;不起凡聖見,不作涅槃解,二邊之際斷,常應諸根用,而不起用想;分別一切法,不起分別想"。破除一切分別對待、言語邏輯就是"悟"。所以它是一種體驗到體驗者與被體驗者,此生與宇宙,心與佛冥然契合的整體直觀。"頓悟"之"頓",表明"悟"是瞬間性的,"一聞言下大悟","悟則剎那間"。"頓悟"作爲瞬間性的整體直觀,與《莊子》"神遇"的體"道"方式名異實同。"神遇"不依賴見聞覺知,超越思維言辯,"官知止而神欲行"(《養生主》)。它得以在瞬間("目擊")窺見宇宙人生的整體實相("道存")(《田子方》)。

"頓悟"有如"神遇",所以《壇經》所言的修行也是與《莊子》的"體性抱神,以遊世俗之間者"相似的自然而然的不修之修的修行。"若於一切處而不住相,於彼相中不生愛憎,亦無取捨,不念利益成壞等事,安閑恬靜,虛融淡泊,此名一行之味。"這種"身心自然,達道識心"(《黄蘗山斷際禪師傳心法要》)的自然修行方式,説到底就是"安時而處順,哀樂不能入"(《養生主》)。所以《壇經》不讓人出家,也不讓人作"出世"之想,"法元在世間,於世出世間;勿離世間上,外求出世間。"世間與出世間本爲一體,此岸與彼岸已相勾連,"般若"的絶對超越性還俗爲自然的生活,"只是平常無事,屙屎送尿,著衣吃飯,困來即卧"(《古尊宿語錄》卷四)。因此,後世禪僧就像《莊子》中"忘年忘義,振於無竟"(《齊物論》)的人一樣與大自然、與現實生活親和無間。

從語言觀、本體論、修道方式上看,《壇經》與《莊子》思想一脈相承。但《壇經》畢竟是以佛教經典的面目出現的,禪宗還有其佛教的色彩。然而,《壇經》的悟道成佛並非讓人生於西方極樂世界,這與其他佛教流派截然不同。那麼,就悟道成佛的境界而論,《壇經》是否也是在推行《莊子》的體道境界呢?

三、忘適之適，無心無佛

《壇經》融此岸與彼岸於一心，成佛就不是要生於西方極樂世界，而是“但淨心無罪，西方人心不淨有愆迷人，願生東方，兩者所在處，並皆一種。心但無不淨，西方去此不遠；心起不淨之心，念佛往生難道。”淨心是佛，佛即是心，生死輪回集於一心之中，實即無心無佛。“若言歸佛，佛在何處，若不見佛，既無所歸，言卻是妄。”因而成佛既非心也非佛，“無生無滅，無去無來，無是無非，坦然寂靜，即是大道”。這與印度佛教和中國佛教的其他各派已有所不同。雖然它仍以人生爲苦諦，但成佛並不要否定現實人生，而是從現實人生中超脫出來；既從生命中求解脫，而不否定生命本身。它與儒家以生命的意義在於維護倫理道德，追仁逐義也不同，而是以擺脫世俗煩惱，追求自我解脫爲內涵。它是什麼樣的境界呢？後世禪僧以詩意的語言表述出這種境界：“夜聽水流庵後竹，晝看雲起面前山”(《五燈會元》卷 15)；“時有白雲來閉户，更無風月四山流”(《景德傳燈錄傳第四》)；“常憶江南三月裏，鷓鴣啼處有花香”(《五燈會元》卷十七)。這不是既有無窮生意，然而又超越了人的生命局限的境界麼？它蘊滿生意，自然大化在流行；它又没有人的生命的作用，人與大化流行合而爲一。此寂而常照、照而常寂、動靜不二的境界不正是《莊子》的“天樂”之境的寫照嗎？

人們常以爲《莊子》的“天樂”境界意在追求精神的自由，而不是從生命中求解脫；禪宗的悟道境界是從生命中求解脫，而不僅局限於追求精神的自由。這事實上已經間接承認了莊學與禪宗在追求精神的自由上是一致的，只是禪宗走得更遠而已。其實，在《莊子》中已有從生命中求解脫的迹象。

確實，《莊子》未嘗徹底否定生命。在如白駒過隙般的短暫人生中，它所要求的是“忘”，所達到的是“忘適之適”的逍遥境界。“忘足，屨之適也；忘要，帶之適也；知忘是非，心之適也；不內變不外從，事會之適也。始乎適而未嘗不適者，忘適之適也。"(《達生》)這裏所要求的是"不內變，不外從"，未曾將生命推入無邊的虛空之淵。但是，"忘適之適"的根本在於"坐忘"，其"墮肢體，黜聰明，離形去智"，以至"身如槁木，心如死灰"(《大宗師》)卻不能說不是對如夢人生，對人的生命的否定。因而，確切地說，《莊子》中既有高揚生命，恢宏廓大的一面；也有否定人生，虛靜淡泊的一面。後者正是前者的基礎。只有否定有限的人生，才能投入無限的宇宙運遞之中；只有否定人的生命，才能高揚大化流行的生命；只有現實人生的虛靜淡泊，才能窺見宇宙生命的恢宏廓大。所以，"忘適之適"的逍遥境界與禪境是相通的。禪境與逍遥之境不同的只是禪境不再具備恢宏廓大的一面，而是將虛靜淡泊推演到了極端。

禪境與逍遥之境之所以不同，乃在於它依然是宗教，是以世界人生爲夢幻虛空的宗教。因爲有這層外衣，所以它雖然骨子裏是莊學，但也不可能高揚宇宙生命的恢宏廓大，而只有推演人生的淡泊虛靜。但是，既使禪境走向了虛玄飄渺，它也不失有生命的意趣。而且，隨着歷史的推移，在"呵佛駡祖"的"狂禪"風潮中，禪宗最後又回到了莊學對社會人生的批判和對生命的執著。

《壇經》作爲佛教經典，與《莊子》相比，當然有所不同。——《莊子》幾近無神論，而《壇經》之爲宗教典籍。但如果尋繹其哲學思想，則不難發現，《壇經》事實上與《莊子》是相通的，可以說它就是披上了佛學外衣的《莊子》，而禪宗則是《莊子》思想的某些層面的延伸。以上從語言觀、本體論、修行方式和悟道境界四個方面加以比較，以見出它們思想的相互貫通。從某種意義上說，這種比較很少或没有强調《壇經》的宗教性，似乎有失公允。但是也不能不考慮它的根基是哲學，而此根基則扎根於道家特別是《莊子》思想之中。

作者簡介　陸玉林，1967年生，安徽懷遠人。中國人民大學哲學系博士生。主要論文有《遊與遊戲——論中西審美態度的內在差異》、《經學傳統與詮釋型文化》等，合著有《中西比較美學》。

道家古籍存佚和流變簡論

王　明

内容提要　道家文化淵源於西周初年，距今已有三千年的歷史。其間道家的古籍除《老子》、《莊子》等幾部外，大多數已亡佚。其他著名道書，如《關尹子》、《列子》、《鶡冠子》可謂道家的流變。本文考察了道書的存佚情况。

本文還具體分析了道書中的一些問題和道書在歷史上的重大影響。自漢武帝獨尊儒術後約二千年，真正道家的書籍很少，又長期處於劣勢，然而在歷史上的各個關鍵時期，道家煥發出不少能量。道家老莊書的學説中，包含有不尋常的積極因素，令人反思。

道家文化研究的領域，源遠而流長。道家學説，包括法家的政治經濟學，又兼兵家的戰略、戰術。道家書和孳乳流派，在歷史上發生重大影響，不容忽視。

一、道家的起源

道家流派的名稱，形成雖則較晚，到漢代纔成立。但其淵源可上溯至西周初年的太公望。以《漢書・藝文志》爲中心的道書著錄，就有《太公二百三十七篇》。其中有《謀》八十一篇，《言》七十一篇，《兵》八十五篇。《淮南子・要略》云："文王之時，紂爲天子，賦斂無度，殺戮無止，康梁沈湎，宮中成市，作爲炮烙之刑，刳諫者，剔孕婦，天下同心而苦之。文王四世累善，修德行義，處岐、周之間，地方不過百里，天下二垂歸之。文王欲以卑弱制强暴，以爲天下去殘賊而成王道，故太公之謀生焉。”這就說明太公之謀産生的時代背景。

《漢志》所著錄的道書，正如《隋書·經籍志》所指出：“漢時諸子道書之流，有三十七家，大旨皆去健羡，處冲虚而已，無上天宫符籙之事，其《黄帝》四篇，《老子》二篇，最得深旨。”這就把諸子道書和後來道教經典嚴格區别開來，不相混淆。本文所論道書存佚的情况，正是指諸子道書而言的。

二、道書存佚概况和流變

道家古籍的代表作，就只有《老子》和《莊子》等幾部。其它道書，絶大多數已經亡佚。《文子》也是佚、殘、雜。《漢志》道家三十七部，九百九十三篇，如《伊尹》五十一篇，《太公》二百三十七篇，《管子》八十六篇，均亡。《老子》無本文，只著錄《老子鄰氏經傳》四篇，《老子傅氏經説》三十篇，《老子徐氏經説》六篇，《劉向説老子》四篇，亦均已亡佚。其它著名道書，如《關尹子》《列子》《鶡冠子》等已亡，雖經後人僞撰，然非本來原作，只能算是道家的流變。所謂僞書，只是成書時代問題，不能目爲原來的書籍，若放在一定時代來考察，不失爲有一定學術價值的文獻。《列子》，大多數學者認爲是魏晉時人僞託；《關尹子》，大率是唐宋人依託，均有理致，不能因爲後人僞託而廢棄不顧。古人著書，每喜依附前賢而作，不愛誇耀自己的名字，著書如此，注書亦復如爾。如《陰符經》係晚出道書，不知成書時代和作者①。而《集注陰符經》七家注題黄帝撰，竟有伊尹、太公、范蠡、鬼谷子、張良、諸葛亮諸賢注，所有這些，無疑是後人僞託的，不可輕信。非但此也，爲了取信於人，今見通行本《關尹子》並

---

① 我曾考《陰符經》成書的時代，約在公元531至580年這段期間。到唐初，廣開獻書之路，這部久經秘藏的書也出來了，作者大抵是北朝一個久經世變的隱者，對於天文曆算，易老陰陽之學，多所該涉，對歷史事件及當代事變亦能研綜。他在兵荒馬亂之中，度無名氏隱居生涯。故他所著書不露姓名，該書唐初歐陽詢、褚遂良已寫《陰符經》帖，到中唐李筌纔撰《陰符經》注。參拙著《道家和道教思想研究》146頁。《陰符經》是道家書，李筌注也是以道家觀點寫，張果注乃是發揮道教神仙家的説法。

有漢劉向敘錄和晉葛洪序的依託。

現在考察道書存佚的概況。

《漢志》道家類著錄37家,993篇。絕大部分早已亡佚。儒家著錄53家,836篇。兩相比較,儒家多出16家,而篇數則少157篇。其中屬先秦部分,儒道兩派存佚約相等,(《論語》歸六藝略)各存二家,而儒家亡29家,道家亡30家。屬於漢代部分,儒家存、殘、亡計21家,而道家僅著錄5家,均亡。兩相比較,道家則猛跌、大大落後了,不足儒家的四分之一數。由此可見自從漢武帝獨尊儒術、罷黜百家以後,形勢頓起變化,道家大受排斥和壓制,所以道書家數,相形見絀遠甚。

到《隋書·經籍志》,儒家著錄62部,530卷。道家著錄78部,525卷。(其中大多數係老子、莊子義疏之類。還有其他少數諸子道論。間雜道教典籍,如《抱朴子內篇》。總的說來,基本上還是道家書。)兩相比較,道家多16部,而卷數則少5卷。到《舊唐書·經籍志》,儒家著錄28部,凡776卷;道家(包括神仙道教)則增至125部,960卷(內老子61家,莊子17家,道釋諸說47家)。《唐書·藝文志》儒家類著錄69家,92部,791卷;道家類著錄137家,74部,1240卷(包括神仙家),還是道家居大多數。這是因爲唐朝皇帝姓李,認李老聃爲遠祖,大力尊崇老子爲道教教祖,兼褒莊子。朝廷上下,紛紛注釋《老子》《莊子》等,成爲一時代的風尚。這表明受了道教的影響,不是道家獨佔優勢。此風至宋代未衰,世俗學者著名的有王安石、王雱父子、司馬光、蘇轍等,道教學者有陳景元、褚伯秀等,都是杰出的代表人物。

到《清史稿·藝文志》,儒家類著錄422部,2502卷;《清史稿·藝文志補編》,儒家著錄229部,733卷、道家類僅95部,351卷(內除《老子》《莊子》《陰符經》注說外,並竄入道教典籍多種及馬國翰輯佚道書17種)。儒道兩相比較,儒家則居絕大多數的優勢,單是部數就多出六倍有餘,差近七倍;卷數則多九倍有餘。這是因爲滿清王朝提倡理學,揄揚儒家所致。而道家則處於被壓抑和冷落的境地,只在民間潜伏。

三、關於道書中幾個問題

道裹值得提出的幾個問題:(1)《淮南鴻烈》一書,本是道家書籍,但是從《漢志》開始,就歸入雜家類,這是没有什麼道理的。《淮南鴻烈》雖是淮南王劉安邀集賓客所作,但組織周詳,上自天文、下至地理、中涉曆法、人事、政治、人倫諸項,如《要略》所叙,都貫串着道家的原理原則,劉安也是有學問的道家學者。(2)《漢志》道家類著錄《黄帝四經四篇》,亡;《黄帝銘六篇》,殘;《黄帝君臣十篇》,亡;《雜黄帝五十八篇》,亡。這些所謂黄帝書,亡佚已久。太史公《史記》記載:申不害之學,本於黄老而主刑名;韓非亦喜刑名法術之學,而其歸本於黄老。我們對先秦黄老道書,只聞其名,未見其實。道書之難窺全豹,有如是者。1973年,長沙馬王堆三號漢墓出土大批帛書道經,其中有佚書四種,即是《經法》《十六經》《稱》和《道原》,整理佚書的同志總稱它爲《經法》。《經法》這部古佚書,從來没有著錄,也没有人徵引過。它的發現,震撼了學術界。我國黄老學派形成於戰國,到漢初曾博取竇太后、漢文帝的高度重視,而成爲占統治地位的意識形態。黄老之學盛行,除了有相傳的五千文《老子》外,别無其它文獻的依據。這次帛書道經的發現,把所謂黄老學説填補了一個空白。據唐蘭先生考證,認爲《漢志》載黄帝書中有《黄帝四經》四篇,從篇數説,與古佚書的四篇也正相符合。如果此説成立,所謂黄老刑名之學,就有了着落了。無論如何,新出土的古佚書是屬於黄帝老子學説的道書是没有疑問的。古佚書四篇,首篇是《道法》,總論"道生法"。道是宇宙萬物的法則。《十六經》很多關於黄帝講刑名的學説。這是没有經過文人潤飾的原始資料,很是寶貴。(3)漢武帝獨尊儒術以前,道書繁多,亡佚亦多。所有後人僞補的道書,不與原書相符合,只能算是道家流變的書。有些名家的注説,如王弼何晏注《老子》,向秀郭象注《莊子》,皆依附玄學而成。

《列子》的張湛注亦自成體系。唐代成玄英的《莊子義疏》,雜取佛道諸說。這些都屬道書的流變。若分別研究,可以反映時代精神及其發展的特點。(4)《陰符經》是晚出道書的上乘。《隋書·經籍志》著錄有《太公陰符鈐錄》《周書陰符》,列入兵家,已亡。但此書恐非彼書,因書名類似而生疑竇,實際上並無確鑿的證據。自《黄帝陰符經》面世之後,因書中義理精蘊,用辭遣句簡煉而奇峻,唐初著名書法家歐陽詢、褚遂良相繼寫成字帖,注釋則代不乏人。中唐李筌首先是注釋《陰符經》的名家,或謂李筌自作書,復自作注,此說卻不可信。同時有神仙家張果根據道教學說作了注。據《唐書·藝文志》道家類載《集注陰符經》一卷,其中還有李淳風、李筌、李治、李鑒、李銳、李晟諸家,皆是唐人。與李筌同時代的吳筠,在其《宗玄先生文集》卷中《形神可固論》引了《陰符經》。宋鄭樵《通志略》著錄《陰符經》注及其經訣,計有 39 部,54 卷,真是洋洋大觀。明正統《道藏》收錄《陰符經》注本及發揮經義的著述共計 22 部。到《清史稿·藝文志》著錄《陰符經》注六部,其中徐大椿係清代道家學者和著名的醫生,撰有《陰符經》注,其自序作於乾隆二十五年,見《徐靈胎十二種全集》。他大體上以道家觀點寫的,比較樸素謹嚴,並無神仙家氣味。《陰符經》雖是晚出道書,然而理論概括性很强,甚有特色,在學術思想界影響很大,可以比美《老子》。

四、道書在歷史上的重大影響和總結意義

道家文化淵源於西周初年,距今已經有三千餘年的歷史。到春秋時期,出了一個李老聃,他是著名的道家代表人物,儒家孔丘曾問禮於老聃。老聃教導孔丘說:“吾聞之,良賈深藏若虛,君子盛德,容貌若愚。去子之驕氣與多欲、態色與淫志,是皆無益於子之身,吾所告子,若是而已”。孔丘回去,告訴他的弟子們,說:“吾今日見老子,其猶龍耶!”表示非常欽佩。到了戰國,道家文化與黄老刑名相結合,提出“道生法”的指導思想。自從《太公》書二百三十七篇以

來,《老子》八十一章也是,其中都有許多兵家的言論,戰略戰術的概括。道家與兵家法家由此結不解之緣,豐富了政治經濟及軍事的理論。到漢初,竇太后、漢文帝當政,黄老道曾居思想文化界統治的地位。司馬談《論六家要旨》對道家評論甚高,以爲"其爲術也,因陰陽之大順,採儒墨之善,撮名法之要,與時遷移,應物變化。立俗施事,無所不宜。指約而易操,事少而功多"。但至竇太后死,漢武帝竭力推行獨尊儒術、罷黜百家的政策,道家則遭受嚴重的打擊,不得不退居隱蔽的地位,潛伏在民間活動。例如嚴君平,隱居成都市,以賣卜爲生。但道家學説,並未息滅。他們窺視着儒家思想文化發生嚴重危機的時候,出來宣揚破舊更新的言論,例如東漢傑出思想家王充著《論衡》,根據道家自然的學説,高舉"疾虚妄"的批判大旗,對漢代新儒家"天人感應"論的烏烟瘴氣從事掃蕩廓清的工作。到東漢末,封建王朝的政治腐敗透頂,民不聊生,農民起義軍領袖張角借太平道的活動,組織動員民衆,叫道民誦習《老子》五千文,以爲政治號召。到了三國,張魯在漢中的反抗封建統治的活動雖則失敗,接着在晉代,農民暴動在江東等地此起彼伏。有鮑敬言其人,好老莊之書,治劇辯之言,首倡無君論,以爲"曩古之世,無君無臣,穿井而飲,耕田而食,日出而作,日入而息,汎然不繫,恢爾自得,不競不營,無榮無辱。勢利不萌,禍亂不作,干戈不用,萬物玄同"。"安得聚斂以奪民財,安得嚴刑以爲快踩"?這是對封建君主殘酷統治的控訴。到了晚唐,農民起義軍王仙芝、黄巢等在全國風起雲涌,所向無敵的時候,有無能子,隱姓埋名,避地流轉,晝卧不寐,隨以筆札,發揮老莊自然的宗旨,配合起義軍,作《無能子》,大膽倡導"非聖無法"的言論,概括封建帝王的罪惡統治叫做"聖過",就是公然譴責"聖君"的最大罪過。又作《紀見》篇,假借狂人的口吻,抨擊社會上存在一切舊的不合理的習俗和制度,從上而天,下而地,"以至華夏夷狄,帝王公侯;以至士農工商,皂隸臧獲;以至是非善惡,邪正榮辱"各種名目,以爲"皆妄作者强名之也。人久習之,不見其强名之初,故沿之而不敢移焉"。這樣否定一切陳舊習俗和制度,還不是"無法無天"的異端表現嗎?到了宋代,著名改革家王安石生平最愛讀《老子》書,曾作《老子注》,廣事理論闡釋。到了近代,神州大地淪爲半封建半殖民地社會,國勢衰頹,危在旦夕,愛國志士,紛紛思欲起而挽救。魏源爲傑出愛國主義思想家,作《老子本義》,寄托憂思。其《論老子》直云:"《老子》救世書也",大聲疾呼世人注意《老子》五千文。當滿清封建王朝最後兩人推崇《老子》,除魏源外,還有嚴復其人。他生當多災多難的舊中國,早年曾經向往西方資本主義的新說,翻譯了許多名著,如赫胥黎的《天演論》,亞當·斯密的《原富》,孟德斯鳩的《法意》等。他曾經積極宣傳進化論,早期也向往西方民主的政治。這樣一位重要思想家,他在中國傳統文化遺產中,特別重視道家《老子》書,曾經評點過《老子》,認爲"中國未嘗有民主之制",反復强調"《老子》者,民主之治之所用也"。以爲《老子》第80章所描繪的就是"古小國民主之治"。當十九世紀末造,我國思想界,像嚴復試圖改變現狀,不在我國其他諸子百家去尋找"民主之治",偏要在《老子》書裏去找,這是值得特別深思的事。我時常想,也在不同的場合時常說:自從漢武帝獨尊儒術以後,約二千餘年的歷史,真正道家書籍數量很少,又長期處於劣勢,然而在歷史上各個關鍵時期所煥發出來的能量的確不小,影響很大,如上所述。它們都是針對着封建勢力統治下的政治文化危機而發,想改變現狀,但又提不出更切合實際的主張,只是憧憬着一股幻想。這是歷史的限制,也是歷史難產的悲劇。但它決非偶然發生的現象,道家老莊書的學說中,確實包含有不尋常的積極因素,所以令人反思。因爲缺乏新的生產力和生產關係的機制作爲前進的動力,尤其在滿清王朝末期,在國際帝國主義、國內封建地主階級和買辦階級三座大山聯合高壓下,若不首先謀求全民族政治上的解放,那末任何美妙的夢想到頭來只能是竹籃子提水一場空。

據歷史記載,道家者流,蓋出於史官,"歷記成敗、存亡、禍福、古今之道。然後知秉要執本,清虛以自守,卑弱以自持"。這就要求客觀地全面地總結歷史的經驗教訓,清虛自守,立於不敗之地。《老子》這部道書確實具有這樣的特點。從辯證法的正反兩方面看，對立物相互依存和轉化，不回避否定，不諱言生和滅的必然過程，清虛自守，勝利了不致冲昏頭腦，挫折或失敗了也不至於氣餒。

道家文化研究的領域，源遠而流長，有廣闊的天地。道家學説，包括法家的政治經濟學，所謂"道生法"。"執道者，生法而弗敢犯也，法立而弗敢廢也"。道家學説，又兼涉兵家的戰略戰術，《太公書》《老子》和《陰符經》裏都有。所以道家書和孳乳流派，在歷史上發生重大影響，不容忽視，值得深入研究和總結，以爲現代文明建設的借鑒。現今海内外研究道家的學者日益增多，陳鼓應先生牽頭主辦《道家文化研究》這樣一個專門刊物，是學術界空前的創舉，欣見在這片肥沃的土地上，盛開絢爛的花朵，結出累累的碩果來，我爲此表示衷心地祝賀。

一九九一年初冬時節

作者簡介 王明，1911 年生，浙江樂清人。中國社會科學院哲學研究所研究員、道教研究專家。主要著作有：《太平經合校》、《抱朴子内篇校釋》、《道家和道教思想研究》等。

編者説明 王明先生自 1987 年以來身患不治之症，長期卧床不起。本刊向他邀稿時，王先生以八十高齡的病危之身，在極其艱苦的情況下，以顫栗的手寫下了這篇文章。王先生於今年 4 月 13 日逝世，本文成了他生平最后一篇遺作。王先生是道教學界的泰斗，治學謹嚴，待人和善誠摯。他的那種春蠶吐絲的"殉道"精神，尤其值得我們學習。本刊發表這篇文章，也是對他的紀念。

論道教儀式的結構——要素及其組合

陳耀庭

内容提要　本文認爲,道教儀式是以表現道教教義思想爲内容的道教徒的一種行爲系統,是道教徒寄托信仰,傾訴宗教感情的行爲形式。道教儀式行爲的要素都淵源於普通的社會生活行爲,因此都是可以理解的;儀式行爲又被賦予道教教義的内容,成爲其教義的外在形式,因此,又與一般生活行爲不同。道教儀式的組合既有其内容決定形式的規律,又有其形式變化的規律。對於道教儀式的結構研究將大大加深人們對中國儀禮文化的結構模式和巨大蓄積的認識。

没有一種宗教是没有它自己的儀式的。對於該宗教圈外的人來説,儀式如同"表演"。道教的大型集體儀式猶如一齣齣"折子戲"。然而,對於參與儀式的該宗教的教徒來説,儀式則是神聖的。在儀式中,他們的信仰得到了寄托,他們的要求得到了滿足,他們的感情得到了傾訴,以至於他們的社交願望得到了補償。

道教儀式的傳統分類

道教儀式的傳統分類是以用途和時間規模作爲標準進行的。據《洞玄靈寶玄門大義》稱,威儀有二種,"一者極道,二者濟度。極道者,《洞神經》云心齋坐忘極道矣。濟度者,依經總有三籙七品。三籙者,一者金籙齋,上消天災,保鎮帝王;二者玉籙齋,救度人民,請福謝過;三者黄籙齋,下拔地獄九幽之苦。七品者,一者三皇齋,求仙保國;二者自然齋,修真齊道;三者上清齋,升虛入妙;四者指教齋,禳災救疾;五者涂炭齋,悔過請命;六者明真齋,拔幽夜之魂;七者三元齋,謝三官之罪。此等諸齋,或一日一夜,或三日三夜,或七日七夜,具如儀軌"①。

另據《金籙大齋啓盟儀》,"齋法之説,有内有外,……内齋者,恬澹寂寞,與道翱翔。昔孔子以心齋之法告顔淵,蓋此類也。外齋者,登壇步虚,燒香懺謝,即古人禱祀祭祀之餘意也"②。這裏的内齋就是極道,外齋就是三籙七品的濟度。

道教儀式如此豐富而複雜,當然不是一朝一夕形成的,它有一個漫長的發展過程。南宋金允中在《上清靈寶大法》中稱,"齋法起於中古,晉宋之間簡寂先生始分三洞之目,别四輔之源,疏列科條,校遷齋法。又,唐時張清都經理之餘,尚未大備。至廣成先生薦加編集,於是黄籙之科儀典格燦然詳密矣"③。這是説由簡至繁的過程。明太祖御制《大明玄教立成齋醮儀範》"去繁就簡,立成定規",其《序》激烈批評"今之教僧、教道非理妄爲,廣設科儀,於理且不通,人情不近。其愚民無知者妄從科儀,是有三五七日夜諷誦經文"④。《大明立成玄教齋醮儀》改黄籙齋名爲"度亡醮",規定了"三日節次目錄"、"一晝夜節次目錄"、"一日節次目錄"等,這又將其繁改簡。道教儀式的内容和名目的發展一直處在由簡入繁和由繁入簡的變化過程中。

據考證,早期道教多稱儀式爲"齋",以"齋醮"一詞指稱道教儀式則是唐代後才漸趨普遍。而現代則多稱"醮",如:建醮、打醮、火醮、祈安醮、靈寶禳災保境清醮等等。但是,道教界仍以"齋醮"指稱儀式,保持着它特有的傳統。以圖示:

---

① 《道藏》第 24 册,第 739 頁,文物出版社、上海書店、天津古籍出版社,1988 年。
② 《道藏》第 9 册,第 73 頁。
③ 《道藏》第 31 册,第 608 頁。
④ 《道藏》第 9 册,第 1 頁。

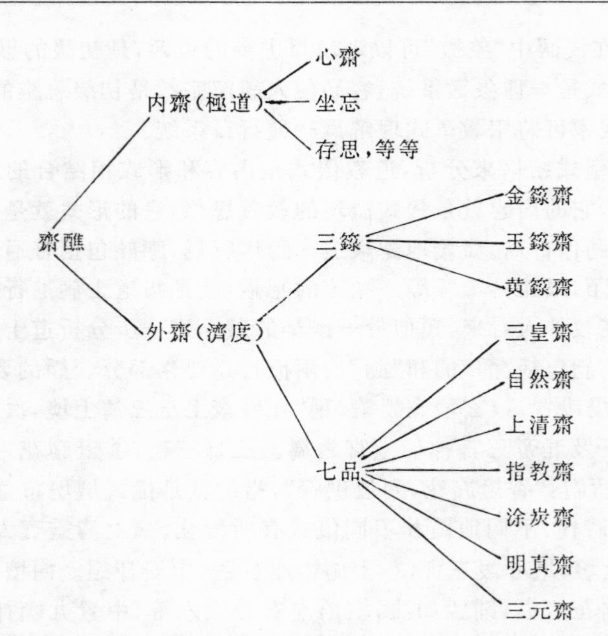

這一傳統分類方法除了表明各種齋法的規模和作用,也表明了它們適用於不同等級層次的宗教徒。大約成書於南宋的《靈寶玉鑒》稱上元金籙"皆天子事,非有朝旨不可爲也";中元玉籙"諸王公侯爲之,可以固本寧邦","大臣將相爲之,可以斂福錫民","非庶人所可爲也";下元黄籙"自天子至於庶人皆可建也"①。張宇初《道門十規》規誡"大小各依分數,不可僭亂定規"②。道教神學的神權屈從於王權的思想在儀式規格上也得到了體現。

道教儀式的要素

西方的一些人類學家通常將宗教儀式稱爲是一種象徵或象徵

① 《道藏要籍選刊》第 8 册,第 555 頁,上海古籍出版社,1989 年。
② 《道藏》第 32 册,第 149 頁。

系統。在漢語中“象徵”可以理解爲虚妄的東西,是初級的思惟。稱宗教儀式是一種象徵系統,容易使人誤解宗教是初級思維的産物,因此,我寧可將宗教儀式理解爲一種行爲系統。

從儀式結構來分析,道教儀式是内容和形式相結合的道教徒的行爲,它的内容就是儀式體現的教義思想,它的形式就是表現其信仰的動作行爲。廣義地認識這一動作行爲,應該包括普通教徒的燒香叩頭,跟隨轉壇等等。狹義的認識,就是指道士們進行的齋醮科儀,在教外人看來,類似於一齣齣的戲。進一步分析道士的儀式行爲,它們包括“静”的和“動”的兩種行爲要素部分。静的要素有:

壇場設置。《玄壇刊誤論》稱“凡修齋上至三清上境,次乃十極諸真,下及五帝三官神仙靈官之屬。三日三夜,香燈旛花,列位供養”①。所謂:“香燈旛花,列位供養”,指的就是儀式壇場布置。它們隨不同時代、不同地區和不同儀式有所變化。《上清靈寶大法》稱“建立玄壇,壇心設三寶位,上施帳座寶蓋,中安神經。内壇設十方香案,旛花燈纂,鋪置如法,壇前左右分立六幕,中置九幽神燈,壇外四圍依法然燈,……壇後正面鋪置道場,列上帝御座於中,兩旁分班列左右序聖位、香花、几案如下”②。但是《上清靈寶大法》在述及有些地方的“煉度”壇場時稱“或别立一處煉度,與道場了不相關。又有於道場中上帝前行事,又有對上帝前行事,廊筵相對,只加設煉度官將,仍設木公、金母、九天諸位。道場中皆已有了,故不别設,既無定式”③。再以聖祖設供之差别爲例,《無上黄籙大齋立成儀》卷十五稱“唐以李姓出於老子,故祖老子。本朝以趙姓,出於黄帝,故祖黄帝,遂加尊號,築景靈宫而事之。……每遇醮設,獨於聖祖殿供獻,不與衆真參列,所以,尊其祖之所自出也”④。這就是説,列位供養也隨着朝代變化而有所區别的。至於壇場設置的香、花、

① 《道藏》第 32 册,第 626 頁。
② 《道藏》第 31 册,第 202 頁。
③ 《道藏》第 31 册,第 217 頁。
④ 《道藏》第 9 册,第 464 頁。

燈、水、果等供獻也各有規定,在儀式中必須獻祭如法。

法服冠飾。法服指道家祀天之服。《天皇至道太清玉册》稱,“黄帝見天人冠金芙蓉,冠有俯仰於上,衣金星斗雲霞之法服,執玉圭而前曰:帝勞心天下,爲生民主,可謂德矣。帝始體其像,以制法服”。法服之尺寸也各有規定和意義。如“上清法服”的内帔廣四尺九寸,“以應四時之數”,長五尺五寸,“以法天地之氣”。道士無法服“不得妄動”,無女真衣(法服之一種)“不得詠於上清寶經”,通天服“乃帝王得道飛升冲舉之冠服也,及奉天祀神用之,非常人所宜也”①。

經典文檢。道教儀式使用的文字,包括科儀經典和文檢兩部分。經典是固定的,是道士們進行儀式的文字脚本,大致有三個部份組成,即:散文體或駢文體的經文;韵文體的贊頌或吟偈以及提示道士禮拜儀節的規定。散文和駢文體的經文,大多用於啓請、召請天神,申奏舉齋目的,或者代神宣教民衆。韵文體的經文,大多係五言、七言詩體,多用於步虚、繞壇時的誦唱,它們多作爲儀式程序間的過渡。至於一些禮拜儀節的規定大多是簡單的散體文字。經過歷代儀式實踐的反覆磨練,道教科儀經文既能完整表達教義思想,又在文體安排上錯落有姿。這就使儀式要素的組織安排富於變化,也使欣賞儀式的信徒不感到單調乏味。文檢是按時按地按信徒的要求書寫的文書總稱,始見於敦煌文書《本際經》卷三。其主要形式是章、奏、表、申、牒劄、關等等。這些文檢的體裁和格式都源於社會文書。據《靈寶玉鑒、奏申關牒文字論》稱,“齋法之設,必有奏申關牒,悉如陽世之官府者,以事人之道事天地神祇也。……故闡事之先,必請命於上天之主宰,與夫三界分治之真靈,曰府、曰司、曰宮、曰院。凡有關世人死生罪福之所,必一一賠誠以聞,或奏、或申、或關、或牒,又當隨其尊卑等第爲之”②。章、奏、表等三種原是群臣通於天子之書,據《靈寶領教濟度全書》稱“奏”類文書,起首爲“(具

① 《道藏》第36册,第413頁。
② 《道藏要籍選刊》第8册,第551頁。

位)臣姓某,謹據(齋意),臣惟領教理,難抑違敬,依所卜日辰,肅建玄壇",結尾爲"干冒天威,誠惶誠恐,稽首頓首,謹錄狀上奏以聞"①。奏文態度之謙卑、文字之婉轉完全同於陽世之官府者。申指的是下級對上級的文書,關指的是官府間平行的文書,牒指書信。南宋呂元素《道門定制》曾經批評過當時某些道教文檢,"一一模仿官府行移造爲文牒、公據之類、言詞蕪鄙,凌脅神祇",要求道家奏狀文牒"清淨典雅,蟬蛻挾法作成之語"②。意思是文檢要具有道教的神學特色。

"動"的要素又有個人的動行爲和集體的動行爲兩種。個人的動行爲,概括起來,同一名中國戲劇演員的基本功是相同的,即:唱、念和做。唱和念是口的行爲,做又有手、足、眼和體等行爲的區別。

唱。南宋呂太古的《道門通教必用集》述及學道順序時就談到童蒙入道必須經過"發願持戒"、"點授"等階段,"童子長成,教習音韵,單聲誦念,讚助行持",只有"歌雍詩,頌清廟,使聲成文謂之音",才"可以通於神明,禱於上下,唱步虛,詠洞章"③。

念。道士的念,除了無音樂伴奏的吟唱以外,主要指誦經。南宋金允中《上清靈寶大法》述及"誦經之法"時稱,"有心祝、微祝、密祝。故心祝則心中神存意而祝也,微祝則自己可聞其聲也,密祝口言而已,使外人莫曉其聲也。又有神誦、心誦、氣誦,所謂上中下三田也。此外有意誦,各隨事之輕重,分所誦之內外,耳誦則下聲而誦之"④。《金籙十迴度人晚朝開收儀》中强調了懂得誦經方法的重要性,"知音誦者,無不辟,無不度,無不禳,自天佑之,得其名,得其祿,得其壽。然後,五服六親之眷屬俱保康寧,九州四海之臣鄰咸臻亨泰"⑤。

① 《道藏》第 8 册,第 646—647 頁。
② 《道藏要籍選刊》第 8 册,第 7 頁。
③ 《道藏要籍選刊》第 8 册,第 324、323 頁。
④ 《道藏》第 30 册,第 875 頁。
⑤ 《道藏》第 9 册第 121 頁。

做的要素具體說就是手印、步罡等等。

手印。道家行法誦咒時,以手所結之印訣。清婁近垣作序的乾隆版《祭煉科儀》,就有獅子訣、泰山訣、蓮花訣、青靈訣、巡邏訣、水火訣、金橋訣、劍訣、五黑訣等。其中劍訣的指法爲:"右手大指掐酉紋,名指屈於大指之下,食指中指俱伸直"①。

點彈。點指點指,彈指彈指,都是手的動作。彈指在文獻常寫作"剔"。《道法會元》卷169"斗罡四聖法",有"天帝伏魔上壇飛斗建罡咒"注稱"右咒,雙手掐太清訣至上清印上,一剔便過,玉清訣上掐定";另有稱"剔出,用北炁吹之,能捉飛天走地、播土揚塵之祟";"剔向北方,一炁吹之"②。點彈和訣咒相連,點彈的方向都同施法内客有關。

步罡踏斗。即步罡躡紀。罡,指魁罡。斗,指北斗。假十尺大小的土地,鋪設罡單,作爲九重之天。法師在罡單之上,腳穿雲鞋,隨着道曲,沉思九天之象,按斗宿之象、九宮八卦之圖,以步圖之。道教稱可神飛九天,奏達表章。法師的踏步稱爲禹步。《洞神八帝元變經·禹步致靈》中說到"禹步者,蓋是夏禹所爲術,召役神靈之行步;以爲萬術之根源,玄機之要旨"。其步爲"先舉左足,三步九迹。迹成離坎卦。步綱躡紀者,斗有九星,取法於此故也"③。東晉葛洪《抱樸子内篇·雜應》也稱"思作七星北斗,以魁覆其頭,以罡指前"④,這些都是較原始的步罡踏斗的寫照。經過唐宋元的豐富和發展,罡法逐漸多樣。明朱權的《天皇至道太清玉册》就收有"三五飛步罡"(上元罡、中元罡、下元罡、五行相殺罡、五行相生罡),"禹步九靈斗罡","金光範圍罡","禹王三步九迹罡",等等⑤。明代詩人張元凱描寫當時宮内步罡的場面十分壯觀,詩稱"宮女如花滿

① 吉岡義豐《道教和佛教》第一卷,日文版,第567頁,圖書刊行會,1970年。
② 《道藏》第30册,第87頁。
③ 《道藏》第28册,第398頁。
④ 王明:《抱朴子内篇校釋》,第251頁,中華書局,1980年。
⑤ 《道藏》第36册,第375—377頁。

道場,時間雜佩瓔琳琅。玉龍蟠釧擎仙表,金鳳鉤鞋踏斗罡"①。

絶大多數道教儀式都是集體進行的。進行儀式的道士們具有較嚴格職務規定,如:高功、都講、監齋等法師,侍經、侍香、侍燈等職事,以及一般的道士等。在集體的"動"行爲要素中,較有代表性的,有步虛、旋繞、散花,等等。

步虛。步虛原是指道教音樂的一種曲調,傳説其旋律宛如衆仙飄渺步行虛空,故得名"步虛聲"。現在道教儀式中的步虛辭樂大多舒緩悠揚,平穩優美,一般均同道士們的緩步繞壇、交叉穿行結合在一起,在雲步中誦唱。

旋繞。道教儀式中,常有道士們在壇中旋繞的,據王契真《上清靈寶大法》卷 31"威儀章"稱"今之齋法,登壇朝奏,步虛旋繞,蓋取於玄都玉京也","太上三尊居玄都玉京之山,七寶玄壇,紫微上宮,十方世界,上聖高尊,一日於寅、午、戌三時旋行朝謁,執符把籙,建節持幢,吟詠洞章,燒香散花,奏鈞天廣樂,鸞唱鳳舞,萬真稱慶,三界慶歡"②。因此,旋繞實是效仿仙真在天宮的朝謁的場面。同書 54 卷"齋法宗旨門"又稱黄籙大齋第一日法師升座後,"威儀引導出堂至壇外地户上,敕水淨壇,法師率衆官各持枝水,誦天地咒,以次旋繞升壇"。56 卷在"升壇"一節中又述及旋行有"常旋行"和"旋"至某些特定位置,如"中壇之東面"、"中壇西北"等區别③。就旋繞的形式而言,有升壇、破獄中的隊列旋轉式旋繞,也有瑶壇吟誦中的分列穿插式的旋繞。

散花。道教的"散花",據南宋寧全真《靈寶領教濟度金書》卷 319"齋醮須知品"稱,旋詠步虛時,"每唱一首終,散花,唱善一拜。法師罡步,拜於本位。壇官隨處可拜。散花者,剪五綵帛,如豆大,和以沉腦小香,……唱畢,吹散十方,香雲密羅,此古法也"④。這一

---

① 《古今圖書集成》第 51 册,第 62008 頁,中華書局、巴蜀書社,1985 年。
② 《道藏》第 30 册,第 936 頁。
③ 《道藏》第 31 册,第 203 頁。
④ 《道藏》第 8 册,第 806 頁。

古法來自佛教儀式。佛教的法會古時就有"佛前散花,又誦伽陀,唱散花樂"的做法,諸佛經多有"散華"(即花)一品。《大智度論》卷 9 有"問曰:何以散華於佛上? 答曰:因爲恭敬供應"云雲。南宋道士呂太古《道門通教必用集》收有"古散花樂"和"散花詞"等三首,均爲韵文。詞稱"散花林,散香林。散香花,滿道場。上真前供養,玉京山上朝真會,(散花林),十仙齊奏步虛音。滿道場,至真前供養"①。其詞意同佛教散花古義完全相同。

道教音樂,是道教儀式的"動"要素中的重要部分。不論是個人的唱念或者集體的旋繞,也不論是有伴奏的唱讚或者無伴奏的吟誦,都離不開音樂。早期道教的《太平經》中,就十分重視音樂的作用,稱"夫音,非空也,以致真事,以虛致實,以無形身召有形身之法也","故舉樂,得其上意者,可以度世;得其中意者,可以致平,除凶害也;得其下意者,可以樂人也"②。這亦正是道教音樂"非唯警戒人衆,亦乃感動群靈"③ 的本意。

以上從結構角度對於道教儀式要素的分析,圖示:

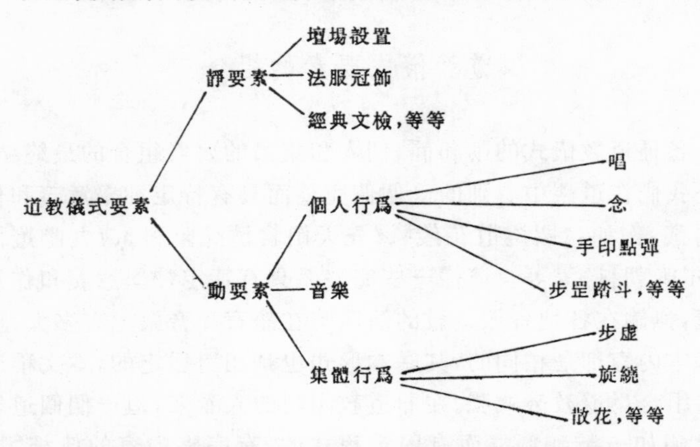

這一結構的分析是企圖從形式上將道教儀式分解爲最基本的行爲

① 《道藏要籍選刊》第 8 册,第 336 頁。
② 王明:《太平經合校》,第 708、634 頁,中華書局,1960 年。
③ 《道藏要籍選刊》第 8 册,第 429 頁。

成份。這些最基本的行爲方式都淵源於普通人的生活方式，唱讚來自於人的歌唱，念誦來自於朗讀，手印和彈指來自於手勢，旋繞來自於隊列，步虛來自於慢步，文檢來自於公文，等等。當這些普通行爲方式一旦被選擇同一定的道教教義結合起來就成爲教義的外在形式，它們也就成爲道教儀式的基本行爲成份，並且經過日積月累的加工，使其同普通生活方式有了某些差別，被抹上了宗教色彩。失聲的道士可以挑水、燒飯、值殿清潔，卻不能成爲儀式中的成員，這是因爲失聲的道士失去了普通人的一種行爲方式，因而也不能成爲道教儀式中的一員。正因爲如此，道教儀式也是任何一個普通人可以理解的一種行爲方式。中國學術界中有人認爲道教儀式不是學術研究的內容，或者是學術界無法研究的領域，這是因爲他對道教的儀式行爲的基礎是普通人的普通行爲這一點缺乏認識的結果。當然，人的任何儀式行爲都同社會發展的一定水平相聯繫，也同某個民族的長期歷史過程中形成的特定的文化模式相聯繫。因此，道教的儀式行爲的要素也具有中國歷史文化的鮮明個性。

道教儀式要素的組合

各種道教儀式的動和靜、個人和集體的要素組合的最終結果，就是我們在道觀中看到的一個個完整而具有特定神學意義和作用的科儀，例如：《關燈散花儀》、《先天斛食濟煉幽科》、《九幽燈儀》、《早午晚朝科》等等。這樣一些完整而具有特定神學意義和作用的科儀，無論在各地各派道教的演示時在語言和音樂上有多大差別，其基本內容卻是相同的，其基本形式也是相對穩定的，本文稱這一最終組合爲道教儀式體。在非道教圈內的人看來，這一個個道教儀式體猶如一齣齣獨立而有固定程式的、有完整內容的傳統"折子戲"。

許多獨立的儀式體，按照教徒的特定要求以及演示時間長短安排，進一步組合成爲具有一定規模的儀式群，例如：舉行九天的九皇金籙大齋，一般舉行三天的下元黄籙大齋以及祈禱世界和平金籙大齋等等。儀式群相當於一個齋醮大齋包含的全部科儀，它體現了舉行大型儀式活動的某時某地道教徒的完整的神學要求。據《大明玄教立成齋醮儀》，建度亡醮三日的安排，第一日包括“發直符，揚旛，安監齋，敷座演經，靈前召請，立寒林所”，第二日“發直符，禮懺，靈前咒食”，第三日“發直符，濟孤，設醮”等等①。在非道教圈內的人看來，這道教儀式群猶如有許多齣“折子戲”組成的各種行當齊備的一臺傳統大戲。

然而，在分析各種道教儀式體的過程中，人們不難發現，在不同的儀式體中往往有些共同的成份，例如：署職、發爐、灑淨、金鐘玉磬、分燈、説戒、三禮、舉願、等等。它們在不同儀式的演示中，其内容和形式大致相同。本文稱這些成份爲道教儀式元。只是因爲有了這些儀式元纔使淵源於普通生活的儀式行爲要素纔具有了固定的道教儀式意義。而不同的道教儀式元的組合，纔形成了具有不同的儀式對象和目的的獨立的道教儀式體。以圖示：

道教儀式群（大型齋醮法會）

↑

道教儀式體（單個道教科儀）

↑

道教儀式元（各種具有固定意義的儀式行爲）

↑

道教儀式的動和靜、個人和集體的行爲要素

以杜光庭編纂的《道門科範大全集》② 所收的約十九種儀式體爲例，各儀式體所包含的儀式元有共同的，也有相異的，簡略比較見下表：

① 《道藏》第 9 册，第 1 頁。
② 《道藏要籍選刊》第 8 册，第 111－320 頁。

儀式體＼儀式元	升壇	發爐	署職	唱方	上香	懺方	降聖	命魔	三啟	步虛	三禮	舉願
生日本命儀	✓	✓	✓	—	✓	✓	—	✓	✓	—	✓	✓
懺禳疾病儀	✓	✓	✓	—	✓	✓	—	✓	✓	—	✓	✓
消災星曜儀	✓	✓	✓	✓	✓	—	—	—	—	—	—	✓
消災道場儀	✓	✓	✓	—	✓	—	✓	—	—	—	—	—
太一祈雨儀	✓	✓	✓	✓	✓	✓	—	—	✓	—	✓	✓
祈求雨雪儀	✓	✓	✓	✓	✓	—	—	—	✓	—	✓	✓
文昌注祿儀	✓	✓	✓	✓	✓	✓	—	—	—	—	✓	✓
祈嗣儀	✓	—	✓	✓	✓	✓	—	—	✓	—	✓	✓
誓火禳災儀	✓	—	✓	—	✓	✓	—	—	✓	—	✓	✓
安宅解犯儀	✓	✓	✓	—	✓	✓	—	—	✓	—	✓	✓
解禳星雲儀	✓	—	✓	✓	✓	✓	—	—	✓	—	✓	✓
運星醮啟祝儀	✓	—	✓	—	✓	—	—	—	—	—	—	—
南北二斗儀	✓	—	✓	—	✓	✓	—	—	✓	✓	—	✓
北斗延生儀	✓	—	✓	—	✓	—	—	—	✓	—	✓	✓
真武靈應儀	✓	—	✓	—	✓	—	—	—	—	—	—	✓
修真謝罪儀	✓	—	✓	—	✓	✓	—	✓	—	✓	✓	✓
升化度仙儀	✓	—	✓	—	—	✓	—	✓	—	✓	✓	✓
東岳濟度儀	✓	✓	✓	—	—	—	—	—	✓	—	✓	✓
靈寶崇神儀	✓	✓	—	—	—	—	—	—	—	—	—	✓

需要指出的是,《道門科範大全集》的不同儀式體中既存在許多共同的儀式元,也有不同之處,它們都同儀式需要表述的神學思想有關。即使在相同名稱的儀式體内,儀式元的組合方式又略有區別。例如“設醮行道”中大多間有散花、奏樂等内容,而“早、中、晚朝行道”中一般就没有。這又同演示該儀式體的目的有關。

《道門科範大全集》中的内容,包括了分别歸屬於黄籙、金籙、玉籙的三類儀式群,它們的意義和目的是有很大區别的。如果我們再比較一下《道藏》洞玄部威儀類所收録的一組金籙齋和玉籙齋的儀式,我們還可以發現在三類儀式群的不同儀式體中都有“升壇”、

“發爐”、“署職”、“上香”、“三啓”、“三禮”、“舉願”等等的儀式元。當然,金籙和玉籙的儀式體中也有一些在黄籙齋的儀式體中没有的儀式元,如:“放生”、“上疏”、“進狀”、“宣表”、“焚燈”、“降聖”、“雲輿”、“送聖”、“開經”、“題經”等等。這樣一種在不同的儀式群和儀式體中包含有共同的儀式元以及不同的儀式元的現象,説明這些儀式的結構組合是有某些規律的。

道教儀式的結構組合具有規律,是爲歷代道長們所承認的。《靈寶玉鑒》稱“垂教度世之科,則有條緒”①,其條緒爲“酌古準今,通前繼後。由内達外,推己濟人”。這一組合規律,明顯的是從思想内容出發的。

所謂“酌古準今,通前繼後”,可以理解爲漢文化模式的傳統影響以及道教儀式的歷史蓄積。道教儀式是由道教徒演戲的,道教徒也是普通人。在金籙、玉籙齋當中,各種儀式體大多反映着道教徒(人)同神的關係,而在黄籙齋當中,各種儀式體大多反映的是道教徒(人)同神以及鬼的關係。這些儀式的組合方式同漢文化中對人神、人鬼關係的認識以及道教歷史上蓄積起來的對人神、人鬼關係的看法,有十分密切的關係。漢族社會一直是崇拜天地和崇拜祖先的。敬天尊祖而不敢怠慢三教神仙是漢文化對人神關係的基本態度,但是漢文化的傳統信仰又注重現實性和直接性。在道教史上出現過無數神靈的降授經戒,正是直接性觀念的表現;出現過無數長生不死、白日飛升、登臨仙界的傳説,也正是現實性觀念的體現。在這樣一種博大的歷史蓄積的背景上,道教的儀式在組合方式上都有請聖、降聖,或者面對神靈陳述齋意,或者祈求神靈轉達齋意。蔣叔輿《無上黄籙大齋立成儀》卷 16 稱,“建齋設醮,自發爐至復爐,懺謝之詞,皆仗仙靈傳奏。故發爐末稱‘令臣所啓速達經御太上無極大道至真玉皇上帝御前’。復爐末亦稱‘傳臣向來所啓經御太上無極大道至真玉皇上帝御前’”②。張雲光《玄壇刊誤論》的“論發爐

① 《道藏要籍選刊》第 8 册,第 556、557 頁。
② 《道藏》第 9 册 471—472 頁。

品"則認爲"發爐者,即高功法師對三清稟爐關啓修齋之旨也。其詞云:無上玄元始三炁無極大道元始天尊、太上大道君、太上老君,自然玉陛下。然後云:臣今奉爲大道弟子某官姓名爲某事修某齋。此乃法師面覲元皇之祖也。以上更無上於三清也,故不兼稱諸聖矣"①。蔣、張兩人的分歧在於蔣爲傳奏,張爲面奏。但是無論如何,不管是什麼樣的"神"都可以奏請的,這種人神相互對立又相互依存的神學思想,導致在儀式中安排組合一系列儀式元,如:灑淨、金鐘玉磬,瑶壇,卷簾等等,以幫助幻化醮壇爲神仙所居之處。這些儀式元所體現的正是"神"即將光臨或者已經光臨的思想内容。在漢族的信仰文化之中,或者在道教的神學思想之中,這些對神仙所居之處的設想,以及關於對神靈啓奏的程序、方式和内容,事實上都是皇帝所居之處以及宮廷啓奏禮儀的投影。隨着封建社會的發展,王朝禮儀的繁複,後世將這些組合的儀式元的規模搞得越來越大。蔣叔輿因此批評説:"今之世師不明經旨,卻於發爐中間添入詞意,極其覼縷,煩瀆天真。至於關宣之際,巧求韵美,虛费光景,止一發爐,幾一二刻,其它可知"②。意思是説關宣時間太長,天真忙不過來,哪有時間來聽完呢,虛费時間。

在人鬼關係上同樣如此。在漢民族文化模式和道教教義思想中,鬼是居於地下的人,他們同樣有苦樂,有社會,有鬼官管理。人鬼相互對立,但又可以相互溝通。在這樣一種教義思想的支配下,道教黄籙類儀式體中,都安排組合了另外一類儀式元,如:破獄、召請、施食、調治、解冤結、水火煉度、九戒、送亡等等,這些儀式元所體現的都是亡靈被召請到醮壇上聽取説戒皈依道門,經過水火交煉,出離幽獄,升登仙界。煉度之儀,南宋以後逐漸盛行。王契真稱"齋法莫難於煉度,乃超凡入聖,脱胎换質之道。苦魂沉九夜,乘晨希陽,翹得其理,則水火交濟,陰尸穢質,一時生神"③。這個儀式

① 《道藏》第 32 册,第 64 頁。
② 《道藏》第 9 册,第 472 頁。
③ 《道藏》第 31 册,第 250 頁。

元，後以獨立的和被包含的兩種形式同時存在着，它以鮮明的漢民族文化模式的內容以及道教史的背景吸引着人們的注意。以"氣"爲天地萬物構成的基礎，並且"通天下一氣耳"的思想是道家的重要觀念。人身爲形，魂魄爲氣，人死成鬼，形亡而氣游。在道教史上，唐代以後內丹術漸盛。內丹家煉氣以求長生，在儀式組合上自然就出現了爲鬼煉氣以求超度。南宋金允中《上清靈寶大法》稱，"修真之士莫不服符請炁，內煉身神，故劉混康先生謂生人服之可以煉神，而鬼魂得之亦可度化，是煉度之本意也"①。王契真更是明確要求施煉度儀的道士要"運一己之神炁，合二象之生津，煉化枯骸，形神俱妙"②。人和鬼既能構通，又能借人之"炁"，交煉鬼的魂氣，滌除塵垢，超凡入聖。

所謂"由內達外，推己濟人"，可以理解爲道教思想的形式體現以及道教徒對其思想的普及宣傳。對於道教儀式的整理搜集出力最著的陸修靜，在《洞玄靈寶五感文》中就曾說過："道以齋戒爲立德之根本、尋真之門户。學道求神仙之人，祈福希慶祚之家，萬不由之"③。進行儀式的道教徒以行儀爲立德之根本、尋真之門户，也將自己的追求作爲儀式的內容宣傳給參加儀式的普通教徒。張若海《玄壇刊誤論》"論教化法式品"稱："教化法式，聖人之垂範者也。教者，教也，化者，變也，謂敷弘太上之教，廣變人天之化"④。這就更進一步闡明了"由內達外、推己濟人"的意圖。在金籙、玉籙大齋的儀式中，除了有專門的"說戒儀"外，還在許多儀式體中包含"說戒"元，高功以代元始天尊向道君說戒的形式，"普宣法音，開悟一切，解災卻禍，請福祈安，修齋行道，皆當一心奉遵十戒"。在其它的儀式體中間或也有"懺悔"和"發願"、"許願"的儀式元，這些內容也大都同道教規戒有關。在黄籙大齋的儀式體中，大多有"三皈依"和

① 《道藏》第 31 册，第 582 頁。
② 《道藏》第 31 册，第 217 頁。
③ 《道藏》第 32 册，第 619 頁。
④ 《道藏》第 32 册，第 627 頁。

“九戒”、“十戒”等内容。三皈依指皈依道經師三尊,幽魂要皈命三尊,授持大戒,並要求“早悟真如”。只有皈依和受戒的才能“升入九天”,不然就要“墮入九地”。從儀式元的形式和内容來看,這些都是對冤鬼幽魂提出的道德要求,並且作爲幽鬼升仙的條件,但是,體現的卻是道教的以“道德”爲基準的鬼神轉化,以及鬼人轉化的思想。五代時,杜光庭提出了“魂神受福”的觀念,使一些行善樂施卻“限儘而終”的人得到了“年充數足,得爲鬼仙”① 的結果,從而把人間的宗教道德規範和死後的歸宿聯繫了起來。當然,從儀式中接受道教的規戒教育的,並不是幽魂,而是活生生的道教徒,普通道教徒纔是真正聽説“戒律”,許願皈依的人。當道德戒律不僅是社會行爲的規範,而且是死後拔度升仙的條件時,無疑將大大增强道教的道德觀對教徒的約束力和吸引力,從而也達到了“由内達外,推己濟人”的目的。

除了上述由内容決定形式的組合規律以外,道教儀式體乃至於儀式群的組合還有一些從演示和欣賞審美要求出發的規律。例如:以念、唱、做等不同要素爲主組成的不同儀式元或儀式體相互搭配的規律,首尾以唱、做爲主的規律,高潮鋪墊和構成的規律,等等。由於道教儀式元大多是程式化的語言和動作,因此道教儀式元和儀式體的形式組合規律與中國傳統戲曲的某些形式規律,往往有許多相通之處。

法國高等研究院的教授、現任法蘭西學院漢學研究所所長的施舟人先生曾在爲該研究院宗教學部創立一百周年的紀念論文集《關於儀式的論文集》(第一卷)所作的“序言”中説過:“儀式是文化的真正的紀念碑”②。道教儀式也是道教文化的真正紀念碑。由於道教文化是中國文化的重要組成部分,因此對於道教儀式的研究必將使我們大大加深對於道教的認識,加深對於中國的儀禮文化

---

① 《道藏要籍選刊》第 1 册,第 794 頁。
② 《關於儀式的論文集》,第一卷《法文版》,第 1-8 頁,巴黎朗文出版社,1988 年。

的認識，加深對於中國的庶民百姓的信仰、心理、要求和表述心態的認識，加深對於中國的文化蓄積和演進模式的認識。本文採用結構的方法對於道教儀式的分析，僅僅是一種嘗試。如果它能引起讀者的興趣，也來採用新的方法研究古老的文化"紀念碑"，共同探索被人稱爲不可研究的領域，那就將使筆者欣喜萬狀了。

作者簡介　陳耀庭，1939 年生，上海人。現任上海社會科學院宗教研究所所長，宗教研究中心主任，中國宗教學會理事，副研究員。著有《論宗教系統》、《論道教的實體化》和《中國道教》等。

道家內丹養生學發凡

胡孚琛

內容提要　內丹學號稱千古絶學，是道家和道教文化的精華。本文論述了內丹養生學的性質、特點，並從現代科學的角度分析了內丹修煉的功法和功效。另外，文中還對道教北派的清修法、南派的栽接術，以及雷法派、劍仙派作了初步探討，爲至今缺少以現代學術觀點研究的內丹養生學起些發凡起例的作用。

道家內丹養生學是中國民族文化中流傳已久的古代人體科學，是一種集儒、釋、道、醫等文化中自我修煉的精華而形成的理論體系、修煉方術和行爲模式。實際上，內丹養生學在我國源遠流長，大約傳説中黄帝時代的巫祝就曾有過類似內丹的心理體驗，而後被王子喬、赤松子、彭祖等大巫作了發展，在周代的楚越文化中流傳開來。因之，內丹學也稱爲王喬、赤松的仙術。人們知道，內丹功法是由古代的行氣導引之術發展而來的，而行氣之術源於上古時期的巫史文化，這是有史料根據的。巫是上古時期先民中的知識分子，他們在先民的生存鬥爭、祭神療病中作舞蹈、針砭、吐納、導引，逐漸發現許多氣功效應和心理體驗。從陰康氏"教人引舞以利導之"(《路史》前紀卷九)，到出現"巫山之下，飲露吸氣之民"(《呂氏春秋・求人》)；從赫胥氏(《列子》中稱爲華胥氏)部落的先民"含哺而熙，鼓腹而遊"(《莊子・馬蹄》)，到王喬、赤松的"吸陰陽之和，食天地之精，呼而出故，吸而求新"(《淮南子・泰族訓》)，導引行氣的心理體驗在傳統文化中種下了根基。而後，中國的儒、道、釋三教相繼興起，行氣導引身心修煉的心理體驗也明顯地影響到老子、莊子、孔子、孟子等古代賢哲的理論思維，進而將内丹養生的原始資料融匯進《易經》、《道德經》、《論語》等經典著作中。一般説來，在傳統文化中，内丹養生學依附儒、道、釋三教而傳，特别是成了道家和道教文化的核心内容。從現存的内丹學著作和資料看，儒、道、釋各家經典中都有身心煉養的資料，而以道家和道教爲主，宋元以後的丹經多雜取三教用語，有明顯的和會三教的傾向。在道教史上，東漢以前是内丹養生學在理論和方術上的準備時期；自東漢道教創立至隋唐是内丹學的形成時期；唐末五代是内丹學的成熟和完善時期①。宋元之後，主符籙的正一教和主内丹的全真教分途，道派和丹派合一，内丹養生功法的傳播成了道教發展的標志。

由於中國歷來不是人民的國家，而是由皇帝及輔佐他掌握政權的官僚及其家族所統治的國家，所以爲君權獨裁捧場的文化始終在意識形態領域占據統治地位。傳統文化中有爲君主和朝廷歌功頌德的裝飾劑，有鼓勵官僚和士大夫爭名奪利、鑽營權位的興奮劑，也有教育人民安分守己、當牛做馬的麻醉劑。内丹養生學卻是在專制政權的重壓下自感回天無術的知識分子力圖逃避現實，追求人格的自我完善和身心平衡的文化，自然會受到傳統文化中封建正統思想的排斥和貶低。有鑒於此，前中國道教協會會長，著名學者和内丹家陳攖寧先生（道號圓頓子），於三十年代在上海創辦《揚善半月刊》和《仙學月報》，極力主張將内丹養生學從儒、道、釋三教中獨立出來，並把内丹學和外丹學通稱爲仙學。在儒、道、仙、釋四家學問中，惟有仙學是傳統文化中帶有民族特色的人體科學，屬於古代自然科學的範疇。後來儒、道、釋三教興起，仙學反而不顯，只好隱於三教的招牌之下以求發展。古代著名内丹家雖多以道教爲存身之地，然邵雍、王文祿、王夫之等有内丹著作而爲儒生，薛道光、柳華陽爲内丹大師卻是和尚，張伯端、白玉蟾等人實爲没入

① 參見拙作《道教史上的内丹學》，載《世界宗教研究》1989年第2期。

教的方士，足見仙學確是超乎三教之上的。内丹學汲取了古代醫學、道、儒、釋各家傳統文化中的精華，甚至一些丹經故意借用儒、佛二教的詞語，這是在中國特定的歷史條件和文化背景下出現的必然結果。數千年來，占據統治地位的儒家禮教惟以維護君權，進行道德倫理的説教爲要，這種保守落後的習慣勢力斥自然科學爲奇技淫巧，因而歷代腐儒都對仙學極力壓制。就像鴉片戰爭時期英國殖民者曾在印度種植鴉片輸入中國一樣，佛教實際上也是從印度輸入的精神鴉片。印度小乘佛教中本來也有類似中國内丹學的身心煉養功夫，密宗功法亦和内丹學有相通之處，然而在中國盛行的卻是龍樹的大乘佛教和淨土宗的理論，這也是由中國君權專制的國情所決定的。在世界上最黑暗最野蠻的政治制度下生活的中國人民，自然需要大乘佛教這類精神鴉片來麻醉自己，這種大慈大悲的説教迅速被一群心情苦悶的愚昧民衆所接受是毫不足怪的。然而佛教本身具有排除異教的宗教特徵，歷代頑固的佛教徒都罵仙學爲外道，罵内丹家爲“守尸鬼”，這也給内丹仙學的傳播造成困難。再加上社會上多數人對内丹仙學茫然無知，甚至因受傳統勢力的影響而存在着不少誤解。實際上，内丹仙學極近科學，絶少迷信，更與一般宗教有着本質的不同。丹經中的“神仙”等字眼，只是一種比喻，它的確切含義是指那些修煉内丹功法取得成效的人。内丹仙學提出“我命在我不在天”的口號，要積極地奪天地造化之功，反對祭祀鬼神，不講誦經齋醮，這顯然和人們印象中道家和道教的一般觀念不同；超然物外，蔑視君權，這和對君父盡忠盡孝，熱衷於爭名奪利的儒家禮教不同；注重現實，熱愛生命，不以前生來世之説恐嚇、欺騙人民，這和以宗教麻醉群衆，爲維護封建秩序賣命的大乘佛教不同。陳攖寧先生説：“神仙之術，首貴長生，惟講現實，極與科學相接近。有科學思想科學知識之人，學仙最易入門。”(《中華仙學》第 520 頁)過去幾千年在中國的文化氛圍中，内丹家將丹功法訣在師徒間口口相傳，默默地進行着人體内在奧秘的探索，使一綫聖脈，不絶如縷，將這份凝聚着中華民族智慧的文化遺産保存下來。現在,全世界都在走向現代科學和文明的時代,罩在內丹仙學上的神秘面紗必將被揭開。我國新一代的科學工作者應該打破過去三教相詆的門户之見,將儒、道、釋、醫各類經書中的仙學煉養資料匯集起來,在道家內丹養生學的統一名稱下進行人體科學的探索。

目前,社會上廣爲傳習的氣功大致相當於內丹學功法築基階段的道術。內丹學嚴格區分先天氣和後天氣,氣功是煉後天氣的,內丹是修持先天氣的,可以稱之爲炁功。實際上,內丹家稱煉炁之術爲命功,稱煉神之術爲性功(如佛教的禪功便是單純的性功),內丹性功靠體悟,命功須師傳,以性命雙修爲修煉原則。內丹功法,以人體的精、氣、神爲修煉對象,在高度入靜的狀態下從後天轉入先天,使自身的元精、炁、元神凝結成丹,以達到形神俱妙,與宇宙的自然本性契合,與道的一體化爲最高目標。這種功法從人的性功能煉起,調整自身的內分泌和激素,從而加强對生殖系統、內分泌系統、神經系統、呼吸系統、血液循環系統等的自我控制能力,改變人體全身的功能。

內丹學的功效,一是可以有力地改造修道者的人生觀,促使修道者建立新的行爲模式。這是因爲內丹養生學寓道於術,它不僅是一套系統的功法,而是一套完整的世界觀,是以老莊的道家思想爲主體的立身處世的行爲模式。修道的人必須擺脱世俗社會名利權勢的誘惑,接受古代修道的知識分子流傳下來的那種與世無爭、自然超脱、適性逍遥的思想方式,才能符合修煉內丹的條件。內丹養生學的這種人生觀和行爲模式本質上是在封建專制政權下中國知識分子爲尋找思想出路而作出的創造,內丹功法從來不是一種社會普及的功法,而是在這批知識分子之間師徒秘傳的功法。按照內丹家的傳統説法,能接受這套思想方式和行爲模式的人,便稱爲“載道之器”,是可以傳授的;如果遇到天性淡泊,與這套行爲模式自然相合的人,便是“上根利器”,煉丹較易成功;反之,如果將丹功法訣傳給那些名利薰心、鑽營趨勢的小人,就是所傳非人,必受“天譴”的。在現實生活中,修習内丹的人和内丹學的信奉者同不信内丹的人往往思想方法和生活作風很不相同,甚至一個人也在修習内丹前後判若兩人,這都説明内丹學在促使人們建立新的行爲模式方面有巨大作用。

内丹學的功效之二是可以變化人的氣質,控制自身的情緒。根據現代心理學的研究,每個人生來氣質不同,各種情緒也會對人體及其行爲產生巨大影響,而人的氣質和各種情緒因素一般説來並不能按人的意志而隨意改變的。社會上流傳有“江山易改,本性難移”的俚語,也説明人的性格和脾氣是不容易改變的。然而修習内丹的人,暴躁的性格和脾氣會消退,换成一種沉着、冷靜的氣質,能夠應付日常生活中的不良刺激,保持自得其樂的情緒。這是因爲人在修習内丹功法的時候,人體的内分泌系統會產生新的變化,某些闢竅部位會分泌出一種類嗎啡樣的激素,使全身產生忘我銷魂的快感,進而使人的心理狀態發生本質的變化。内丹的重要闢竅,如上、中、下三丹田和陰蹻等,都是人體内分泌綫集中的地方,内丹功法就是激發這些器官(如性腺、松果體、腦垂體、肝膽、胰腺、前列腺等)的内分泌,進而調動神經系統使全身進人高度有序的和諧狀態。修道者在修習内丹功法的過程中會在人體的深層建立起一套程序,這套程序“一得永得”,是較穩定的,修道者可以按照這套程序對自己的身心進行自我控制;從而變化自己的氣質和自主地調整情緒。修道者在“活子時”到來時體内會分泌出一種類嗎啡樣的激素,使人產生渾身酥綿快樂、如醉如痴之感,有如吸食鴉片一般。我原來是學化學的,也做過衛生工作,作出這個判斷是有科學根據的,我相信化學家可以從内丹家的血液、尿、汗液等體内分泌物中檢驗出這種類嗎啡樣結構的物質來。如果能成功地完成這項實驗,對於解開内丹之謎,促進人體科學的研究將是一個大貢獻。

内丹學的功效之三是可以激發人體的潛能,開發人腦的深層智慧。内丹仙術在大周天煉炁化神階段完成後會出現六通之驗,便是激發出的人體潛能。現代科學對大至 10^{10} 光年的宇宙,小至

10^{-10}厘米的基本粒子,都有了較科學的認識,而對於人體本身、自己的人腦,卻所知甚少,人體中特別是人腦還有許多未被現代科學認識的東西。對於現在發現的許多人體潛能現象,現代科學還没有做出圓滿的解釋。我總覺得內丹學的思想同著名的精神分析學家弗洛伊德的學説有某種相通之處,例如兩者都十分注意性的問題。按照弗洛伊德的學説,人的意識的深層次包括藏有我們早已遺忘而其實並没真遺忘的童年記憶,弗洛伊德稱它爲潛意識,這種潛意識在背後强有力地影響着人們的心理程序。弗洛伊德的這種學説可以解釋某些氣功現象,但用於解釋修煉先天的元精、炁、元神的內丹學則尚嫌不足。內丹功法在入靜時不僅要排除顯意識(即識神)的干擾,而且也要淨化潛意識造成的遊思雜念以及各種情緒的不良心境。被淨化了的潛意識稱作"真意",又叫"黄婆",內丹家用以引導整個煉丹程序,實際上這個程序就預先輸入到潛意識之中。內丹學中元神顯現時呈一種極端清醒卻毫無思慮的狀態,顯然元神應該是比潛意識更深一個層次的意識,我稱之爲元意識。這樣,我們從心理學的角度構造內丹學的理論,可以把人的意識分爲三個層次,即顯意識(日常認知的心理)、潛意識和元意識,內丹學就是一項排除顯意識(識神);淨化潛意識(去"魔"和保留"真意");開發元意識(元神)的一項系統工程。所謂元意識,實際上是人在漫長的生物進化中遺傳下來的億萬年的記憶,它在神經系統的定位相當於人腦的古皮質區及其他在動物進化中遺留下來的部位。人在36億年的生物進化中遺留在頭腦中的這個尚未開發的信息庫,無疑具有巨大的潛力,內丹功法實際上就是迫使識神退位以發掘元意識的一套心理程序。我們由推廣弗洛伊德學説建立的這套新的心理學理論可以解釋許多內丹學中的具體問題,我相信這個思想是科學的①。

內丹學的功效之四是可以改善人體素質,祛病健身,保持人的

---

① 關於內丹學的具體功法及其科學研究,將由拙著《內丹學通論》詳細闡述。

青春活力和延長人的壽命。内丹功法的核心叫作“取坎填離”、“抽鉛添汞”,或叫還精補腦,究竟是什么意思?我看用現代的語言説,就是通過調整人的性激素,增强人的腎功能,來恢復大腦的青春活力。内丹功法是從調整人的内分泌系統入手,以改善整個神經系統的控制,協調人體性腺和丘腦的負反饋機制,由生理的和諧推進心理的和諧和人體潛能的開發,這大概是取坎填離的基本思想。我國傳統的醫學理論本來就有補腎可以健腦的思想,内丹實踐中元意識的開發也要靠體内分泌的一些類嗎啡樣激素的幫助,這都顯示了腎(包括整個内分泌系統)和腦(包括神經系統及心理狀態)的聯繫。内丹養生學通過這套“取坎填離”、還精補腦的功法,可以保持人的青春活力,改善人體素質,這已被事實所證明。然而古代的内丹家,追求的目標卻是長生不死。丹家認爲“若要人不死,須是死過人”,因之内丹功法在得大藥後的入環階段,會出現“大死七日”的現象,這實際上是將人的基礎代謝率降到最低點,模擬熊等恒溫動物冬眠的一種嘗試。丹功的最後撒手功夫,便是虚空粉碎,煉到聚則成形,散則爲炁,在邏輯上超脱了生死。丹功的這種最高境界,和西藏密宗寧瑪派的大圓滿功法最後周身放光,如彩虹般倏然而逝相類似。而大圓滿功法則不乏修煉成功的傳人。古代丹家是否真有人完成全部丹功,尚不得而知,然而丹功能延年益壽,當可信爲事實。僅就龍門派王常月之後清代有生卒年代可考的内丹養生家而論:王常月(1520—1680)、沈常敬(1523—1653)、王永寧(1597—1721)、范太青(1606—1748)、白馬李(1615—1818)、高東籬(1621—1768)。試想這些高道如果不是修習内丹養生功法,豈能獲如此高壽!?至於有些著名丹家修習投胎奪舍之功,自己預定死期,無疾而終,更非局外人所能知。總之,道家内丹養生學是一套探索人體奥秘的實驗程序,是研究人體科學的一條行之有效的途徑,這當是内丹學的真正價值所在。

筆者曾在《世界宗教研究》1989 年第 2 期的《道教史上的内丹學》一文中概述了清修派的整套功法,並將雷法的神霄派、清微派和南宮劍仙派也包括在内丹學之中。實際上,雷法乃是符籙派和内丹派合流的結果,劍仙派則是武俠劍客和内丹家結合的變種,彼二者内煉成丹,外用爲術,雖和内丹養生學的人體實驗程序不同,但是在激發先天氣上有共同點,故可統稱爲炁功。雷法之神霄派創始於北宋末王文卿,自稱得"高上神霄玉清真王"所傳,門徒甚衆,後世著名者有宋末的譚悟真(號譚五雷)、元代的莫月鼎、鄒鐵壁、胡道玄(號神霄野客)等人,皆以神霄雷法名世。清微派雷法據《清微仙譜》可上溯到唐末的祖舒,至南宋的黄舜申大加闡揚,融合内丹,收徒甚衆,其徒張貴道傳全真道士張守清,以武當山爲中心,盛行一時。現《道藏》中《道法會元》一書爲雷法一派的資料。據説臺灣的烏頭道士,至今尚有修習雷法者。至於南宮劍仙派,國内至今已不聞有傳人。三十年代北京有道士王顯齋、廣東有梁海濱,爲著名的劍仙派傳人,陳攖寧先生在《揚善半月刊》上披露。我之所以在文中向讀者介紹雷法和劍仙二派,是想呼籲這兩派的傳人,注意保護道教文化中祖先留下的這一寶貴遺産。另外,對内丹養生學中南派的男女雙修、陰陽栽接的功法,亦不應使其失傳,而應該以科學的手段進行研究。我認爲,在今天的社會條件下,學者當以清靜派的功法爲修習内丹的途徑,不應倡導南派的栽接之法。栽接丹功要擇鼎、鑄劍、調琴,適用於已失去青春活力的老年男子,其法能逢山開路遇水搭橋,較清靜法結丹迅速。然而這種丹法要選擇二七(14歲)、二八(16歲)、二九(18歲)的處女作外鼎,實是中國在老年人專制的特權社會産生的野蠻行爲,是現代文明所不允許的。即使是男女雙修雙成的陰陽丹法,亦有很多流弊。因此對於栽接術,只能作爲研究的資料,通過科學手段取消其由中國封建宗法制的國情遺留下來的野蠻成分,保存其科學内容。例如栽接術中以處女制蟠桃酒的功法,本身十分野蠻,但據這種丹法秘傳的步驟,我認爲所謂蟠桃酒的有效成份也不過是女性激素。我是在衛生部門工作時發現有一個老中醫服用女性激素健身而悟出來的。如果我們化驗蟠桃酒的成份確定了這個結論是科學的,就可以用直接服用或注射女性激素的方法取代這類野蠻行爲，用科學手段改造栽接丹法。總之，我相信内丹學的各派丹法，並非那麼神秘難知，而是完全可以加以改造，可以用現代科學理論和手段解釋並進行科學研究的。

道家内丹養生學是中華民族傳統文化中的瑰寶，是祖先留給我們的寶貴科學遺産，我們應加强人體科學研究，開發各派功法，解開内丹之謎，爲人類造福。

作者簡介　胡孚琛，1945年生，河北吳橋人。哲學博士，中國社會科學院哲學研究所副研究員。著述有《魏晉神仙道教——抱朴子内篇研究》、《道教和仙學》、主編《道教通論——兼論道家學説》、《道藏和佛藏》等。

略論隋唐老莊學

李大華

内容提要　本文論述了隋唐時期老學和莊學的若干特點，通過道家與道教合一、兼容涵化式態、義理化歸向、多向度舒展等方面的解析，揭示了道家文化的精神風貌，並指出：繼承了早期道家開放、寬容文化傳統的唐代道教，同樣是唐代最富有生氣的思想派別，而且還是唐代道教學者最先呼出了“三教合一”的歷史必然性。

經過隋朝的短暫過渡，中國社會進入了它的鼎盛期，這一時期也是中國文化史上繼春秋戰國百家爭鳴之後的又一個燦爛的開放時期，唐王朝製造了三教並行的學術環境，儒道釋三大思想派別互相攻訐，又相互徵引潛涵，各稟所宗而各弘其旨，從而各自顯示出自己的學術氣韵。

植根於春秋時期，由老子所創立的道家學派，在經過了莊周、宋鈃、尹文、慎到、田駢及《吕氏春秋》、《淮南鴻烈》、《文子》、《列子》的分殊彰顯，又經過漢初高、惠、文、景的政治化、魏晉玄學化和二張（張角、張陵）的宗教化之後，至隋唐可謂枝繁葉茂，恢廓宏通。唐末杜光庭列唐代《老子》注疏義解者二十九家，一百九十一卷，加上杜光庭《道德真經廣聖義》五十卷，共二百四十一卷。《新唐書》增錄杜氏所未錄者十四家，四十卷（另有六人卷亡），錄《莊子》注解者十四家，一百四十三卷又三十三篇（另有五人卷亡），此外，還錄《文子注》二十四卷，《亢倉子》二卷。在解注老、莊的學者中，既有作爲萬乘之主的帝王，也有隱姓埋名的布衣庶民，既有高居“廟堂”的顯貴，也有逍遥"山林"的道士。在這之外，還有一大批學者雖不解注老莊，但善談老莊之學，其中有著名道家（教）理論家，也有熟讀六經的顯儒，出現了像《玄珠錄》、《坐忘論》、《天隱子》、《玄綱論》、《太白陰經》、《陰符經注》、《閫外春秋》、《無能子》、《老子説常清靜經注》、《化書》等大批著名道書。這些道書皆稟老、莊之意，各闡揚於一端。佛教自魏晉南北時期羅什、圖澄、僧肇、蕭衍相繼注老解老之後，雖不再直接解注老莊，卻採取了涵攝融化的方式吸收道家思想。老、莊、文、列在唐代享有至尚的政治和學術地位，老子被唐王朝奉爲宗祖，並屢次加封删號，祖述老莊的道教徒被視爲本家，地位在僧尼之上，《道德經》並爲上經。唐朝還置崇玄博士，"令習《老子》、《莊子》、《列子》、《文子》"，"每歲準明經例考試"①，王公以下研習老莊成爲時尚。道家（教）在隋唐達到如此空前的繁榮，除了統治階級的有意倡導之外，也有其自身的原因，這些原因匯合時代背景，凝成其特殊的性格。

一、道家與道教的合一

《老子》一書言簡意賅，高奥玄遠，以數千言建構了一個相當完整的思想體系。莊周、田駢、慎到、宋鈃、尹文，以及楊朱、列、文等"分途而趨，各得其師之一端"，演爲九家之學②，可謂蓬蓬勃勃，司馬談《論六家要旨》以道家冠陰陽、儒、墨、名、法之首，不無根據。馬王堆《黄老帛書》的出土，更可見先秦道家的主潮脈絡。其後西漢的《淮南鴻烈》，東漢揚雄的《太玄》、王充的《論衡》皆作出了富有時代意義的哲學理論總結，形成漢代特徵的新道家，從而始終主導了思想潮流。

董仲舒"罷黜百家"實際上並未能阻止住道家作爲一種文化現象的流變，反倒是儒家思想在陷入困乏無力時，道家思想與之注入

① 《舊唐書・玄宗本紀》。
② 江瑔《讀子卮言》，轉引自蕭萐父《道家、隱者、思想異端》。

了新的生機，如魏晉玄學家即以道家思想解注儒經，開了一代新的學術生面。然而，魏晉六朝以降，曾經最富有生氣的道家文化似乎漸失其傳了。在這種現象的背面，卻又有另一番景象，奉老子爲教主，以《道德經》爲本經的道教正方興未艾，道教創始者一方面神化了老子，另一方面又主要襲取老子自然而然、無爲清靜、長生久視的思想和《管子》、《淮南子》和《論衡》的精氣、元氣學說。就文化心理構成的層面來說，道教之所以用道家學派標宗立幟，不僅在於道家思想可以運用，而且在於道家"隱士嫉世"、"不與世俗處"的文化背景和"以德抗權"、"以道抑尊"的强烈社會批判意識與道教發軔於民間的文化背景和對現實的叛逆精神相聯接。

道家與道教的融合產生的第一個精神產品就是千古美傳的"不事王侯，高尚其事"的"仙風道骨"，道教史上所稱道的許多重要人物皆是這種精神風範，如"忽榮祿、辭凶塵"的陸修靜，"無自勞辱"、固辭不就官的陶弘景，"薄於爲吏"、誚"仕宦之捷徑"的司馬承禎，"傲然脫冠帶，改換人間情"的司馬退之，絕意婚宦、落魄不羈、"獨向道中醒"的韓湘等等。歷史上"刻意尚行，離世異俗"(莊子語)的隱者，也大多與道家和道教有關。恰恰是這種精神積澱爲中華民族文化結構中最爲可貴的部分之一，它潛化爲一種社會意識，浸潤在人們的心態中。在道教之外，"鴻儒碩學，哲後明君"，乃至沙門僧徒也紛紛試圖通過解老注老汲取道家的思想，像唐明皇、陸德明、盧藏用、傅奕等皆有解注老莊之作，此外，唐代許多大思想家、文豪，如李白、盧照鄰、李德裕、皮日休、顏真卿、賀知章等都與道教理論家交往甚密。這不過清楚地表明，由老子所創立的道家思想並未失傳，道家精神作爲有源頭的活水湙湙乎不絕，尤其是爲道教所承繼發揚。但要承認，早期民間道教理論水平不高，並沒真正吸收道家思想的精核，葛洪、陸修靜、陶弘景、寇謙之等將民間道教上昇爲神仙道教，試圖建立宗教哲學論證，如葛洪就有利用玄學思想發展道教"精辯玄賾，析理入微"的理論傾向，但總起來說，他們的注意力還是在燒煉服食、經書科目、讀經齋戒、仙階譜系上，沒有培植出道教的形上學，倒是佛教對以老莊思想爲核心的玄學進行了批判地揚棄，攝取了養份。

隋亡唐興，道教理論大家蜂起，"多士研精"，出現了全新的格局，這一時期道教理論的一個顯著特點是理論層次高，孫思邈"善談莊、老及百家之説，兼好釋典"①，李榮爲時人譽爲"道門英秀"，王玄覽"辯若懸河，注而不竭"②，吳筠"詞理宏通，文彩煥發"③。北宋理學家陳淳説，佛教以死生罪福"欺罔愚民"，道教以性命道德"眩惑士人"④。陳氏所云雖意在詆毁，然而亦從反面證實了隋唐以後道教理論所具有的水平。唐代道教理論家們"思窮天縱"，將宇宙人生、社會歷史、意識行爲統統納入辯思範圍，凝煉出自己的一套思辯哲學，在自然科學、文學、藝術等其他方面也取得了輝煌的成就，尤其是肇興於東晋孫登，生輝於唐初成玄英、李榮，完成於唐末杜光庭的重玄思想，表示了唐代道教理論是在更高程度上向老莊道家思想的復歸。在這個意義上説，自《魏書》以來的歷代史書皆以"道家類"統攝道教，並非全然不識道家與道教的區別，因爲道教是對道家思想的繼承，道家學派逐漸演爲道教，道家的經典也因緣於道教得以保存流傳下來，各種道家思想流派則附着於道教了。

二、兼容與涵化的式態

先秦諸學派中，道家最富有開放性，《老子》"可道常道"論、"靜觀玄覽"論、"和光同塵"論體現了道家創始者的博大胸懷和寬容氣度，《莊子》破"成心"、"和是非"、"百川歸海"之説和逍遥於無窮，"游乎四海之外"的宏大意境極大地擴展了人們的視界，表現了道家學派的超邁志趣。以道家思想爲主體的《呂氏春秋》"持論不苟，

---

① 《舊唐書·孫思邈本傳》。
② 王太霄《玄珠錄序》。
③ 《舊唐書·吳筠本傳》。
④ 參見《北溪字義》卷下。

較諸家之言獨爲醇正”①,《淮南子》“内篇言道,外篇雜説”,具有很强的兼容性。司馬談説道家“因陰陽之大順,採儒、墨之善,撮名、法之要”,正是首肯了道家學派不拘泥於一己之言,善於採獲百家之長的理論勇氣。道教萌發的社會背景的複雜性本身就證實它具有的兼容性,如陰陽術數説,參同相類説,科學、巫術、醫學、方仙、志怪等學説,以及墨家天志明鬼論和任俠利人的精神無不海納之。其後葛洪採擷玄學以論“道”,陶弘景“搜訪人綱,究朝班之品序,研綜天經,測真靈之階業”②,寇謙之托老君之名作《雲中音誦新科之誡》,實乃運佛教因緣、塵識、輪轉之説以充道教之用。所謂道教“雜而多端”,也即謂道教文化的多維性、廣袤性,難怪乎魯迅先生斷言“中國的根柢全在道教”。正是由於道家(教)文化將學有所宗和善於採獲兩方面很好地統一起來,才顯示出這種動態思想體系的茁壯生命力。

與唐代政治、經濟、文化的繁榮盛況相適應,道家(教)採取了更爲積極的開放式態。不同於魏晉六朝,唐代道家(教)學者不僅徵引佛儒,更努力消化,從吸收的内容來看,也較以前深入,如從“天地君父師”的倫常説和“報應”、“持誦”説進入到“性品”説和“遣兩邊之執”的中觀學説。成玄英曾引用佛教“能所”等概念,其本意卻在運用這些概念論證道家“能所兩忘”的坐忘理論,恰如蒙文通先生所云:“成公之疏,不捨仙家之術,更參釋氏之文。”③ 王玄覽“悉遍披討”二教經論,在他的《玄珠錄》中引用了大量佛教術語,但他運用“心法”概念意在應合正在興起的内丹學説,運用“空寂”概念意在表明“道體實是空,不與空同”④ 的佛道之異趣,以達到“唯道是務”的目的。司馬承禎往造天台,受智者定、慧之説影響不小,但他的“收心”、“斷緣”、“泰定”之説乃是根源於靜觀玄覽論和“物我

① 《四庫全書總目提要》。
② 《真靈位業圖序》。
③ 《古學甄微·校理老子成玄英疏敍錄》。
④ 《玄珠錄》。

兩泯"的坐化學説，吸收佛教修持理論整合而成的，"故非孔釋之所能鄰"。吳筠、杜光庭皆吸收過儒家的"性品"説，吳筠藉以論證道德修養教化因人而異的道理，杜光庭則演爲九品，提出"神道設教爲中士"的論斷，顯然，吳、杜的修養學説已有異於儒家的性品説。涵化了的東西不等於涵化對象本身，涵化了的東西同涵化行爲者一體化、内在化了，它們作爲涵化者的有機分子與涵化者同一在統一體内。同樣，已被道家涵化了的佛儒理論，就屬於道家文化的組成部份，如同吸收了玄學觀念的僧肇佛教理論不同於玄學，大量吸收了莊子理論的禪宗佛教理論畢竟不是莊子理論本身一樣，因爲涵化者不僅能夠吸收其他文化，而且善於保持自己的本色。再説，各個相對獨立的文化系統必面臨許多共同的理論問題，對其探究既有分趨，又有合同，既有互相參照，又有自家體會，所謂"同歸而殊途，一致而百慮"。可以肯定地説，繼承了早期道家開放、寬容文化傳統的唐代道教，同樣是唐代最富有生氣的思想派别，而且還是唐代道教學者最先呼出了"三教合一"的歷史必然，杜光庭説："若悟真理，則不以西竺東土爲名分别，六合之内，天上地下，道化一也。若悟解者亦不以至道爲尊，亦不以象數爲異，亦不以儒宗爲别也。三教至人所説各異，其理一也。"① 由此以論，三教合流的過程雖説在宋、元、明時期實現，但卻醞釀於唐代，尤其是由道家文化開的先河。佛教在唐代進一步積極吸收道、儒兩家文化，完成了它的中國化的歷史過程。相反，儒家文化在魏晉以後，"實列爲二派，有思想者，與玄學、佛學合流；無思想者，則仍守其碎義難逃之沓耳"②。唐代韓愈有感於佛道文化日蒸的脅迫和儒家思想的廢退之勢，寫了《原道》等文章，但除了模仿道、佛傳法世系造出個"道統"，凸出儒家文化的危機意識以及在文學上的價值之外，在思想内容上則是貧乏無力的。

---

① 《老子説常清靜經注》。
② 呂思勉《隋唐五代史》卷下 129 頁。

三、義理化的歸向

所謂"義理化",這裏主要相對於道教而言,它只有實現了義理化才能做老莊思想的"合法"繼承者,也才談得上發展老莊思想。唐代道教的義理化基本上是沿着兩條路徑實現的,一是由内丹學引發的心性、形神問題展開的哲學思辯,二是由重玄學派倡導的向老莊思想的回歸。

《隋書經籍志》云:"金丹玉液長生之事,歷代糜費,不可勝紀,竟無效焉。"這恰好道出内丹修煉替代外丹燒煉的歷史必然性。内丹之學本乃有源可宗,《周易參同契》曾最早預示外煉與内煉的兩種途徑,葛洪大興藥石燒煉,但不廢内養,《黄庭經》主三宫八神説,旨在强調"内視還神",而陶弘景則主張"以藥石煉其形,以精靈瑩其神",認爲"仙是鑄煉之事極,感變之理通"①,已突出了外煉内修相輔而行的重要意義。不過,以前的道教理論家總起來講,是以藥石爲主,内養爲輔,只是到了"糜費"而"無效"的弊端充分暴露出來時,才可能實現外丹向内丹的轉向。唐代道教理論家皆向傳統的外丹法提出强烈批評,"真鉛聖汞徒虚費,玉室金關不解扃"②,"財匱空於八石,藥難效於三關"③,他們相信"不用梯媒向外求,還丹只在體中收"④。内丹學的興起同時也就是義理之學的興起,由於内丹學不僅關注大宇宙與小宇宙(人之一身)之間的"相類"關係,更注意體内諸因素之間的相互關聯,如心、性、命、精、氣、神等,那麼心與道、物,與精、氣、神是什麼關係?性與命、身、神,與理、道是什麼關係?身(形)與神(心)又是什麼關係?對這些問題探討的展開本身就是深刻的思辯哲學。

作爲一種解經學派,重玄學是吸收了魏晉玄學思辯和佛教"中

---

① 《華陽陶隱居集》。
②④ 呂巖《七言》,見《全唐詩》。
③ 吳筠《神仙可學論》。

觀"學說建立起來的。玄學家王弼以爲遣有歸無即是玄,佛教三論宗的"中道法"在此基礎上作了積極的否定,認爲遣有歸無實際上是"滯於無",還應遣無,"非有非無則是中道"①。成玄英、李榮在此基礎上又作了一次有意義的否定,他們認爲,遣有遣無以歸非有非無,實際上還是有所執滯,還須連非有非無也遣盡。因此,他們甚至不承認王弼"遣有歸無"是玄,執定"既不滯有,亦不滯無,二俱不滯"② 才是玄,即以佛教的"非有非無"爲玄,而把他們自己的"非非有、非非無"、"不滯於不滯"稱爲重玄,李榮還推演到:"三翻不足言其極,四句未可致其源"③。作爲一種理論方法,重玄學的核心是遣執去滯,不斷地遣除思想偏執,外遣物事,內遣身心,一無所滯,"心乃合道"。因此,這種方法實質上是同內丹學相唱和的。作爲一種思想體系,它根源於老子"損之又損"、"玄之又玄"的思想和莊子破"成心"、去偏執的相對主義思想,試圖通過遣除偏面的方法把道教思辯引向勝處,既超越玄學,又超越佛學,從而發展老莊思想,所謂"此道幽微知者少,茫茫塵世與誰論?"杜光庭說"宗旨之中,孫氏爲妙"④,即反映了唐代道教理論家的理論取向。所以說,重玄思想是隋唐道家思想的主潮,所有道家(教)學者都受到這種思潮的影響。

在宇宙生成觀上,成玄英試圖以理界定道:"道者,虛通之妙理,衆生之正性也。"⑤ 認爲道是"既無因待,亦不改變"的獨立的自在,憑這種"虛通之妙理"肇生元氣,應物施化,爾後有陰陽二氣、和氣、三才:萬物,已注意到道生萬物的多層面性,即道不直接生萬物,道通過元氣化生萬物,它自身不具有實物性。王玄覽以"可道"、"常道"之辯進一步論證了道的抽象性、超越性,認爲相對於具體實物,道是空;相對於佛教的空、滅,它又是實、常,"道無所不在","道能遍物",物應道而生。司馬承禎發展了老子"道乃久"、"德乃長"的

① 《中觀論疏》。
② 顧歡《道德真經注疏》。
③ 强思齊《道德真經玄德纂疏》。
④ 《釋疏題明道德義》。
⑤ 顧歡《道德真經注疏》。

思想，斷定物有生滅，道無生滅。吳筠認爲道乃"虛無"，"其大無外，其微無内"，提出大道——氤氳——天地的生成圖式，但又耽心以虛無界定道容易失真，又提出"真一"概念，試圖用"真一"會通道與元氣，所謂"真一，運神，而元氣自化"[①]。杜光庭綜各家所長，提出"道氣"範疇，認爲在宇宙本原上執著道而無氣，容易流於虛無放誕，不合道家精神；執著氣而無道，容易混同具體物質形態，不合重玄義旨。只有以"道——氣"精神與物質的絶對同一的二元體作爲宇宙萬象的本原，才能避二端之弊，並進而分析了道、氣同一的内在根據[②]，認爲道的特性在"通"，氣的特性在"生"，生體現了變化，通體現了規律性。根據這個原則，他提出了

"道氣——形氣<陰氣／陽氣>——器物"

的生成圖式。稍後的譚峭又以"虛"、"化"爲特徵的道體論對杜氏的道氣論作了積極的補充。

心、物是與道、氣相伴而行的另一對重要範疇，道教本來作爲客觀唯心主義的思想體系，追求某種客觀的精神或客觀化的人格神，但内丹學涉及到主觀精神的特殊地位，使道教理論家們不能不思考心與物、心與道等重要哲學問題。成玄英從遣執的原則出發，提出"萬境唯在一心"，相信隨心之起滅方有美善、是非、好惡等等，只要從主觀上做到"内無能染之心"，就能"外無可染之境"[③]。王玄覽提出"空見與有見，並在一心中"，"心生諸法生，心滅諸法滅"[④]。並着重在修道途徑上論證道與衆生的顯隱關係，認爲道能被修，人之能修，其根源在於衆生中本有道，道中本有衆生，"只是隱顯異，非是有無别"[⑤]，只要反求諸己——心，"捨三欲遣隱"，即可得道，非是身外有道。司馬承禎提出"安心坐忘之法"，核心是證實"心體以道爲本"，心又爲"一身之主，百神之帥"，只要"安坐收心離境，住

---

① 《玄綱論・元氣》。
② 《太平經》、《想爾注》皆有道、氣合一的思想，但並沒在理論上説明同一的根據。
③ 顧歡《道德真經注疏》"閉其門"疏。
④⑤《玄珠錄》。

無所有，不著一物，自人虛無，以乃合道”①。杜光庭意識到“心難理也”，强調“心與天通，萬物自化於下”②。從追求絶對的客觀精神到重視主觀意識，以致於將客觀現象統攝在主觀精神（心）中，這决非偶然的偏向，或只是簡單地引徵佛教的心物論，而是道教理論發展的內在必然。

形神問題在魏晉六朝有過長期而激烈的論爭，陶弘景基於道教的立場，否定了佛教形神“非離非合”論，堅執形神“亦離亦合”論。隋唐道教學者進一步做了深入的探究，司馬承禎相信神與道合則得道，形與道通則能長久，“形神合一，謂之神人”。吳筠著《形神可固論》，認爲神爲形主，形爲神存，神去身死。爲要長生久視，須於形神“常思養之”，並提出性全——形全——氣全——神全——道全的固形保神的序次，“心同宇宙廣，體合雲霞輕”。③ 譚峭以“形亡神存”的理論觀點對形神問題作了總結，斷定“神可以不化，形可以不生”，完成了形神不必俱飛的理論轉變。

在辯證思維方法上，唐代道家（教）學者有多方面的創獲。成玄英論證了境智的辯證關係，肯定“境能發智，智能克境”，還論述了因待、本迹、體用等範疇。王玄覽運用動靜、古今、顯隱、常變等範疇論證了“常道”與“可道”之間的辯證關係，提出“萬物有變異，其道無變異”的命題。司馬承禎提出“漸”的觀念，認爲修真須循“漸門”。李筌以順逆、利與不利、制人與制於人以及勇怯、强弱之辯展開了他的矛盾轉化論以及條件論。杜光庭運用因待、互陳、體用、本迹、同異、境智等範疇論證了道與德、無與有之間的辯證關係，提出了“道德相須”、“有無互陳”、“體用雙舉”、“無同無異”、“因迹見本”等一系列重要命題。從成玄英到杜光庭是一個理論深化、發展的過程，顯示了道教理論家從具體的抽象到抽象的具體，建立自己思辯哲學體系的理論過程。稍後，譚峭又以“化”的範疇概括了道家

---

① 《坐忘論》。
② 《道德真經廣聖義》“虛其心”疏。
③ 吳筠《游仙》。

(教)理論思維的總特徵。

唐代道教的認識論是從修道成仙的修煉實踐中游離出來的，因而帶有很濃厚的神秘直觀的色彩，但又具有很强的理性特徵，無論是成玄英倡導的“體玆正道，悟彼重玄”、王玄覽堅持的心境“共成一知”，還是司馬承禎“觀見真理”的“存想”功夫，抑或杜光庭的“了悟”、“神鑒”，都體現了一個“悟”的過程，而“悟”不僅是感性直觀，又是理性思考，不僅是思維，又是行動。這種將感性與理性、知與行結合起來的“悟”，乃是道教的一種創造性思維方式，是老莊認識觀的理論昇華。

四、多向度的舒展

隋唐道教不僅建構了氣象恢宏而精深的義理思辯，而且也在治身與治世、社會批判理論、文學藝術、以及自然科學等多方面取得輝煌成就，多向度地發展了早期道家思想，顯示了道家(教)文化在唐代的全盛。

治身與治國乃是道教與生俱帶的，而且伴隨道教興亡之終始的理論議題。《太平經》“亦有興國廣嗣之術”，《河上公章句》强調“治身則有益於精神，治國則有益於萬民”。這種身與國並舉、出世與入世相聯的思想不僅因緣於道教產生的複雜文化背景，而且也根源於先秦道家，老子主張“治大國若烹小鮮”，“以無事取天下”；莊子雖然主張離群索居，逍遥於塵世之外，但同樣對現實問題予以普遍的關注；稷下學宮的道家雖然採取“不治而議”的態度，而“議”的內容又都與現實有關，至於盛行於漢初的黄老之術，無非表明統治者將道家的意識上昇爲國家的意識。唐代道教理論家在這方面有其獨到的建樹。成玄英云：“治國則祚歷遐延，治身則長生久視。”[1] 認爲遣執滯的重玄之道不僅是治身之道，也是治國之道，所

---

① 强思齊《道德真經玄德纂疏》“去奢去泰”疏。

謂“至言雖廣,宗之者重玄;世事雖繁,統之者君主”①。吳筠《玄綱論》立“化時俗章”,認爲道德、天地、帝王皆爲“三一之道”的“一”,以一統三,一爲三主。主張内道德而外仁義,先素樸而後禮智,“隱居以求其志,行義以達其道”②,將“出而語”與“處而默”、“佐時致理”與“居靜鎮躁”視爲修道的同一過程的兩面。杜光庭第一次全面而系統地論證了身與國的關係,主張無欲理身、無爲理國,而無欲與無爲、理身與理國乃體道行道的不可分割的兩個方面,“人化則道彌,己修則德愈昌”③。在談到理國時主力“清靜匡君”,談到理身時主力積功累德的道德弘化。同時又認爲,身爲國之先,一人之身爲一國之象,“未聞身理而國不理者”④。在理身與理國的前提下,辯證地論證了有爲與無爲、己與人、道與俗、出世與入世、王道與仙道等重大理論難題,將修道成仙的人生追求與治太平之世的政治理想巧妙地結合起來,以其特有的方式表達了道家(教)文化在無爲原則下所體現的主體能動精神。

在社會批判思想方面,產生了《无能子》和《化書》。《无能子》作者以“狂人”自居⑤,“知之而反之”,“反以爲不知”,“隨意取舍”,“隨意自名”,對仁義禮智、君臣父子等綱常倫理和等級名位進行了猛烈抨擊,認爲人類最早處於一種自然狀態,只是由於智欺愚的結果,“擇一以統衆,名一爲君,名衆爲臣。一可役衆,衆不得凌一。於是有君臣之分,尊卑之節”⑥。禮義名分亦只是“文之以爲禮,使之習之至於今”才約定俗成的。貴賤並非先天定位,“物足則富貴”。意識到物質利益在社會生活中的決定性作用,他便猛喝一聲:“壯哉,物之力也!”譚峭亦被時人視爲“瘋狂”,夏着烏裘,冬着綠布衫,他從“化”的原則出發,認爲虛化氣——揖讓——尊卑——聚斂——甲兵——敗亡皆來不可遏,去不可拔的“勢”。君與民之間的利害關

① 前引强思齊書“言有宗,事有君”疏。
②③《高士咏序》。
④ 《道德真經廣聖義》“爲天下捣”疏、“是以聖人之治”疏。
⑤ 據王明先生考證,《无能子》作者非道士,而是一位隱居的傳統道家思想家。
⑥ 《无能子·聖過》。

係也是“化”的結果，尤其是處於主動地位的君主、苛吏欺詐和暴斂所致，“慎勿怨盜賊，盜賊唯我召；慎勿怨叛亂，叛亂稟我教”①。他歷數勞動人民被掠奪的種種情景②，主張統治者尊謙貴儉，並一針見血指出：“使之謙必不謙，使之儉必不儉。”③《无能子》作者與譚峭皆生活在唐末五代，目睹了殘酷的社會現實，《无能子》作者“避地流轉，不常所處”，譚峭“醉騰騰周遊，無所不之”，廣泛地接觸了下層勞動人民的苦難，因而能夠以冷峻的目光審視社會與人生，很容易地將道家社會批判的思想傳統轉化爲現實的批判武器。這是自晉代鮑敬言“無君論”之後的又一次對社會的嚴肅批判，與美聖王、崇禮教的儒家正統思想形成鮮明的對照。

道家（教）在文學藝術方面的成就主要表現在兩方面：一是道家（教）學者在文學藝術方面所創造的成果，二是道家（教）文化對整個隋唐文學藝術方面的影響。唐代道家（教）學者創作了大量詩歌、散文，像司馬承禎、李筌、張氳、司馬退之、陳寡言、葉法善、吳子來、吳筠、彭曉、吕嵓、杜光庭等皆有大量的詩文收錄在《全唐文》和《全唐詩》裏，尤以吳筠的詩文藝術成就高，北宋歐陽修等贊頌說：“雖李白之放蕩，杜甫之壯麗，能兼之者，其唯筠乎！”④道教學者還根據齋醮儀式和廣泛布道的需要創造了“青詞”和“變文”等獨特文學體裁。吳道子被時人稱爲“畫聖”，其道畫在歷史上享有很高的聲譽。此外，唐代道教神像的雕塑和道教音樂也頗具特色。道家（教）文化對唐代文學藝術的影響是巨深的，李白、盧照鄰、王勃、李欣、白居易等都創作過大量遊仙詩，陳子昂、盧照鄰、李邕、張九齡、顏真卿、李白還專爲道士撰寫了許多碑文。道教的神仙意境開啓了文學家、藝術家浪漫主義的藝術靈感，誘導他們對自然山水產生强烈的向往，道家（教）文化的“仙風道骨”則賦予他們昂揚於塵垢之

① 《化書·太和》。
② 參見《化書·七奪》。
③ 《化書·解惑》。
④ 《舊唐書·吳筠傳》。

上的超越精神。

道家(教)文化與古代自然科學的關係一向密切,以致於人們幾乎達成一種共識:中國道教是世界上唯一不排除科學的宗教。唐代孫思邈的醫學成就很高,在歷史上被稱爲“藥王”,三大發明之一的火藥配方也是從唐代煉丹術中發現的。

總起來說,隋唐道家(教)思想是老莊思想傳統合乎邏輯的發展,又是廣泛吸收和涵化各種思想文化的結果,它的豐富內容爲宋明理學不可忽視的理論源頭之一。

作者簡介 李大華,1956年生,陝西紫陽人。武漢大學哲學碩士,武漢水運工程學院社會科學系講師。

《鶡冠子》與兩種帛書

李學勤

内容提要 本文推定鶡冠子活動年代在戰國晚期前半，《鶡冠子》成書在秦焚書以前，並非僞書。《鶡冠子》不少内容是引用《黄帝書》並加以發揮，證明《黄帝書》的撰寫應早於《鶡冠子》。特别是《鶡冠子》書中的“四面”、“五正”之説，或與《尸子》所載孔子語有關，或和子彈庫楚國帛書相似，更能説明《鶡冠子》的時代性。

最近有友人來談，提到學術界一個值得注意的現象，就是海内外不少人都在鑽研《鶡冠子》。看來這部古書業已時來運轉，逐漸成爲“熱門”了。

《鶡冠子》是一部長期遭到冷落的書。大家知道，此書並無漢唐古注流傳，現存只有宋人陸佃的注。唐代文學大家韓、柳曾論及此書，韓愈的《讀〈鶡冠子〉》對之尚有肯定，柳宗元的《辨〈鶡冠子〉》則一筆抹殺，斥爲僞書。其後，懷疑《鶡冠子》的漸占多數，連清代專治諸子的各家都很少予以青睞。

正因爲不受重視，《鶡冠子》也没有多少好的版本傳世。研究者所能依據的，是《四部叢刊》影印的明翻宋本及正統《道藏》本。傅增湘氏曾藏有“唐人寫《鶡冠子》上卷”，撰有跋文①，但該卷子有一些疑點，有待鑒定，在這裏暫置不論。

近代諸子之學很盛，而研究注釋《鶡冠子》的仍沓不多。單行

① 傅增湘：《跋唐人寫〈鶡冠子〉上卷卷子》，《國立北平圖書館月刊》3卷6期，1929年。

的,只有吳世拱注①,序署1929年,流傳甚罕②。同年,孫人和有《鶡冠子校正》③;1933年,邵次公有《鶡冠子校記》④,均較簡略。1936年,廣益書局印有王心湛《鶡冠子集解》,實際是陸注的標點本,名實不侔。直到1975年,才有臺灣張金城的一種新注⑤。

《鶡冠子》由“冷”變“熱”的契機,是1973年底長沙馬王堆帛書《黄帝書》的發現。此處説的《黄帝書》,即帛書《老子》乙本卷前佚書四篇。馬王堆漢墓帛書整理小組的釋文、注釋,1976年出過以《經法》爲題的單行本,後收入《馬王堆漢墓帛書》(壹)精裝本⑥。從事這種帛書整理的學者,早就注意到其與《鶡冠子》的關係。1975年,唐蘭先生在研究該帛書的論文裏,詳列了兩者相同或類似的語句⑦。1983年,我的一篇小文論及《鶡冠子》的不僞,即以唐文爲出發點⑧。1985年,吳光《黄老之學通論》出版,書中有論《鶡冠子》的專節(見該書第5章,第2節)。

與此同時,國外對《鶡冠子》的探討也一時興起。例如日本學者細川一敏在1979年有文討論《鶡冠子》同漢初黄老思想的關係,大形徹1982年有文論述《鶡冠子》的國家制度設計;德國學者諾格鮑爾(K. K. Neugebauer)1986年還出了一本專著,題爲《〈鶡冠子〉:對話諸篇的研究》⑨。此外,還有以《鶡冠子》研究作爲學位論文題目的。特別應該提到的是英國學者葛瑞漢(A. C. Graham)的論文《一種被忽視的漢以前哲學著作:〈鶡冠子〉》⑩,有不少新穎見解。

---

① 吳世拱:《鶡冠子吳注》,《九鶴堂叢書》鉛印本。
② 嚴靈峰:《周秦漢魏諸子知見書目》云未見該書。
③ 《國立北平圖書館月刊》3卷2期。
④ 《河南圖書館月刊》2。
⑤ 《臺灣師範大學國文研究所集刊》第19期。
⑥ 國家文物局古文獻研究室:《馬王堆漢墓帛書》(壹),文物出版社,1980年。
⑦ 唐蘭:《馬王堆出土〈老子〉乙本卷前古佚書的研究》,《考古學報》1975年第1期。
⑧ 李學勤:《馬王堆帛書與〈鶡冠子〉》,《江漢考古》1983年第2期。
⑨ Klaus Karl Neugebauer, Hoh-Kuan tsi: Eine Untersuchung der dialogischen Kapitel, Frankfurt am Mein: Peter Lang, 1986.
⑩ Angus Charles Graham, A neglected pre-Han philosophical text: Ho-kuan-tzu, Bulletin of the School of Oriental and African Studies, University of London, Vol. LII, Part 3, 1989. 上述日、德等論著均見該文注釋。

從與帛書的關係來推定《鶡冠子》的性質與年代,可以說是今後深入研究該書的必要前提。1983 年我那篇小文已涉及這一方面,但未充分展開,也還有些地方需要修正。我又發現,《鶡冠子》的某些部份和另一帛書——長沙子彈庫出土的楚國帛書也有聯繫。因寫此文,重新討論,希望能得到讀者的指教。有的問題,83 年小文已經談了,這裏就不再詳述。

一

《漢書・藝文志》載有《鶡冠子》一篇,列於道家,云:"楚人,居深山,以鶡爲冠。"顏師古注:"以鶡鳥羽爲冠。"應劭《風俗通義》佚文:"鶡冠氏,楚賢人,以鶡爲冠,因氏焉。鶡冠子著書。"① 據《續漢書・輿服志》,鶡即雄雉,用於武冠。今本《鶡冠子・王鈇篇》記鶡冠子語,有柱國、令尹等楚國官名,可證鶡冠子確係楚人。

我在以前那篇小文中已引《高士傳》的這樣一段記述:

> 鶡冠子,或曰楚人,隱居幽山,衣弊履穿,以鶡爲冠,莫測其名,因服成號,著書言道家事焉。馮(龎)援常師事之。援後顯趙,鶡冠子懼其薦己也,乃與援絕。②

龎援即龎煖,見《鶡冠子・世賢》、《韓非子・飾邪》、《史記・燕世家》和《趙世家》、《李牧傳》等,係戰國末年趙將。他最顯赫的業迹是殺燕將劇辛一事,於《史記・六國年表》、《燕世家》、《趙世家》、《李牧傳》中都有記載。如《燕世家》云:

> (燕王喜)十二年,趙使李牧攻燕,拔武遂、方城。劇辛故居趙,與龎煖善,已而亡走燕。燕見趙數困於秦,而廉頗去,令龎煖將也,欲因趙弊攻之,問劇辛,辛曰:"龎煖易與耳。"燕使劇辛將,擊趙,趙使龎煖擊之,取燕軍二萬,殺劇辛。

《鶡冠子・世兵篇》也提到這件事:"劇辛爲燕將,與趙戰,軍敗,劇

---

① 王利器:《風俗通義校注》,第 554 頁,中華書局,1981 年。
② 又見《藝文類聚》引《隱傳》。此誤龎煖爲馮煖,與《史記・李牧傳》索隱同,參看錢穆《先秦諸子繫年》卷四,一五七,中華書局,1985 年。

辛自剄，燕以失五城。”劇辛的死，據《六國年表》在燕王喜十三年，即趙悼襄王三年，公元前242年。又據《韓非子・飾邪篇》，趙悼襄王九年，即公元前236年，秦攻取趙閼與、鄴等地時，龐煖仍爲趙將。

《鶡冠子》的《世賢篇》云卓(悼)襄王問龐煖，和上述史實相合；《武靈王篇》則云武靈王問龐煥，陸佃注説“煥”字或作“煖”，又云：“龐煥蓋煖之兄。”按趙武靈王最後一年是公元前299年，悼襄王元年是公元前244年，相距長達55年，龐煥、龐煖作爲兄弟是很困難的。我曾指出，《武靈王》中龐煥所講“陰經之法，夜行之道，天武之類”，與鶡冠子、龐煖學説全然一致，看來龐煥也是鶡冠子的弟子，這在年世上就更難處理了。實際“煥”、“煖”兩字古音同爲元部曉母。《詩・皇矣》“援”字，《玉篇》及《漢書・叙傳》注引均作“換”[1]，可爲旁證。况且陸注已説《武靈王》的“煥”字或作“煖”，更足説明並非另有龐煥其人。此篇的“武靈王”疑原亦爲“悼襄王”，係後人所竄改。

這樣，我們可以斷言，《鶡冠子》書中《近佚》、《度萬》、《王鈇》、《兵政》、《學問》等篇“龐子問鶡冠子”的“龐子”就是龐煖。鶡冠子居楚，爲龐煖之師，考慮到劇辛在趙與龐煖友善，龐煖應在悼襄王前即自楚至趙，他師事鶡冠子還要早一些，所以鶡冠子的活動年代可估計相當趙惠文王、孝成王至悼襄王初年，即楚頃襄王、考烈王之世，也就是公元前300年至240年左右，戰國晚期的前半。

至於《鶡冠子》的成書，要更遲一些。前人已提到書中有悼襄王謚法，這不會早於公元前235年。各篇多稱“龐子”，也像是龐煖徒裔的口吻。但書内没有作於漢代的迹象。吴光發現《博選》、《著希》兩篇以“端”代“正”，是避秦始皇諱，(吴光：《黄老之學通論》，第157—158頁)可能二篇成於秦代，也可能是經秦人傳抄的結果。無論如何，《鶡冠子》一書是焚書以前的作品。

---

① 高亨：《古字通假會典》，第167頁，齊魯書社，1989年。

《鶡冠子》的另一問題，是由《漢志》一篇到《隋、唐志》三卷的變化。清代沈欽韓對此有詳細論述：

《隋、唐志》三卷，韓子《讀〈鶡冠子〉》云十六篇，《讀書志》云十五篇。《通考》晁氏云："案《四庫書目》十六篇，與愈合，已非《漢志》之舊。今書乃八卷，前三卷十三篇，與今所傳《墨子》同；中三卷十九篇，愈所稱兩篇皆在；後兩卷有十九篇，多稱引漢以後事，皆後人雜亂附益之。今削去前後五卷，止存十九篇，庶得其真。"案宋陸佃所注，自《博選》至《武靈王》十九篇，然其中龐煖論兵法，《漢志》本在兵家，爲後人傳合耳。（王先謙：《漢書補注》三十。）

可知當時有篇數不同的傳本，甚至與《墨子》等內容混雜。《鶡冠子》與《龐煖》合一之說，已見於明胡應麟的《四部正譌》，近人王闓運、顧實等多從其說。顧氏還講到："兵家《龐煖》三篇，汪刻本《漢書》作二篇，合此《鶡冠子》一篇，正符三篇之數。"[①] 不過《漢志》兵權謀家有《龐煖》，又云兵家省《鶡冠子》，足證兩書原有分別；另外《漢志》縱横家也有《龐煖》二篇，假如有《龐煖》合人《鶡冠子》，究竟是哪一種，也是值得考慮的。

《漢志》講《鶡冠子》、《龐煖》，都是以篇計數，今傳本則是三卷十九篇，即使把兩種《龐煖》合計在内，仍不足其數。我過去推測原本可能在篇下有章節的標題，章節變爲現在的篇，也没有確據。因此，《鶡冠子》、《龐煖》合一之説未必成立。實際上，今傳本《鶡冠子》十九篇内容渾然一體，彼此有内在聯繫，葛瑞漢教授已有較詳論證。我們知道，《漢志》所錄各書本於劉向、歆父子，一般是當時最好的本子，然而也有失收或所收係不全本的情形，不可絶對化。《漢志》所載《鶡冠子》僅有一篇，或許就是所收不全的例子。在没有更多理由之前，判斷今傳本《鶡冠子》含有《龐煖》，是不足據的。

二

上面我們推定鶡冠子其人活動於戰國晚期前半，《鶡冠子》其

① 顧實：《漢書藝文志講疏》，三，上海古籍出版社，1987 年。

書成於焚書以前。現在再從《鶡冠子》與馬王堆帛書《黄帝書》之間的聯繫考察，以證成此説，同時也爲《黄帝書》的撰作年代增一佐證。

《鶡冠子・博選》有"五至"之説，云：

> 博選者，以五至爲本者也。故北面而事之，則伯(百)己者至；先趨而後息，先問而後默，則什己者至；人趨己趨，則若己者至；憑几據杖，指麾而使，則廝役者至；樂嗟古咄，則徒隸之人至矣。故帝者與師處，王者與友處，亡主與徒處。

這一段話類似《戰國策・燕策》的"燕昭王收破燕"章。該章記燕昭王即位招賢，訪見郭隗，事在公元前 314 年或略晚的時候。郭隗回答昭王説：

> 帝者與師處，王者與友處，霸者與臣處，亡國與役處。詘指而事之，北面而受學，則百己者至；先趨而後息，先問而後嘿，則什己者至；人趨己趨，則若己者至；馮几據杖，眄視指使，則廝役之人至；若恣睢奮擊，呴藉叱咄，則徒隸之人至矣。此古服道致士之法也。

柳宗元即由此斥《鶡冠子》爲僞。我最近在一篇小文中説到，郭隗明説他所述是"古服道致士之法"，原有所本①。鶡冠子的年代比郭隗還要晚一點，所説自然更是有所本的了。他們之所本，應該就是帛書《黄帝書》中的《稱》篇的這一段：

> 帝者臣名臣，其實師也；王者臣名臣，其實友也；霸者臣名臣也，其實[賓也；危者]臣名臣也，其實庸也；亡者臣名臣也，其實虜也。

《稱》篇所論，始於"道無始而有應"，這段文字講的正是"服道致士"的方法。郭隗、鶡冠子的話，都是對此的引申發揮。

《鶡冠子・天則》云：

> 緩則怠，急則困，見間則以奇相御，人之情也；舉以八極，信焉而弗信，天之則也。

此處"以奇相御"一語引自《黄帝書・經法》中的《道法》章。《道法》有下列文字：

---

① 李學勤：《范蠡思想與帛書〈黄帝書〉》，《浙江學刊》1990 年第 1 期。

> 天地有恒常，萬民有恒事，貴賤有恒位，畜臣有恒道，使民有恒度。天地之恒常，四時、晦明、生殺、柔剛；萬民之恒事，男農女工；貴賤之恒位，賢不肖不相放；畜臣之恒道，任能毋過其所長；使民之恒度，去私而立公。變恒過度，以奇相御，正奇有位，而名□弗去。

文中"以奇相御"上承"變恒過度"，下啓"正奇有位"，"御"字又與下面"去"字押韵，行文是很順適自然的。《天則》的"以奇相御"就不如此，顯得非常突兀。這表明是《天則》襲用《道法》，而不會是相反。

《鶡冠子・王鈇篇》是龐子與鶡冠子的對話，"王鈇"一詞又與《博選篇》聯繫。鶡冠子的議論有：

> 天度數之而行，在一不少，在萬不衆，同如林木，積如倉粟，斗石以陳，升委無失也。

這也類似《道法》：

> 稱以權衡，參以天當，天下有事，必有巧(考)驗。事如直木，多如倉粟，斗石已具，尺寸已陳，則無所逃其神。

《鶡冠子・泰鴻》云：

> 日信出信人，南北有極，度之稽也；月信死信生，進退有常，數之稽也；列星不亂其行，代而不干，位之稽也。天明三以定一，則萬物莫不至矣。三時生長，一時煞刑，四時而定，天地盡矣。

這一段中費解的是"天明三以定一"，什么是"三"，什么是"一"？由於下面有"三時"、"一時"，極易援以解釋。陸佃注就是這樣做的，他在明三定一下注："義見下文"，"天地盡矣"下注："此言方以生長則三不後於一，方其殺刑則一不後於三，以明三極之道莫知其孰急也。"他這種解釋並未説明"天明三以定一"的意義，因而是不對的。其實《泰鴻》的話是本於《黄帝書》的《經法・論》：

> 天執一明三定二，建八正，行七法，然後……之中無不□□矣。蚑行喙息，扇蜚蝡動，無……不失其常者，天之一也。天執一以明三，日信出信人，南北有極，[度之稽也；月信生信]死，進退有常，數之稽也；列星有數，而不失其行，信之稽也。天明三以定二，則壹晦壹明……[天]定二以建八正，則四時有度，動靜有位，而外内有處。天建八正以行七法，明以正者，天之道也；適者，天度也；信者，天之期也；極而[反]者，天之性也；必者，

天之命也；……者，天之所以爲物命也。此之謂七法。

《論》章對“一”、“三”有明確的說明，所以“執一以明三”的涵義是清楚的。與之對照，《泰鴻》只講“明三”，而没有“定一”的内容，涵義自然便不清楚了，這顯然是由於《泰鴻》係襲用《論》章的緣故。《王鈇》篇也有因襲《論》章這一段的話，可資比照。

《鶡冠子》引據《黄帝書》的地方還有不少，同樣的，引用《老子》的地方也很多，這表明了此書屬於黄老道家一派的性質。《鶡冠子》既然成於焚書以前，帛書《黄帝書》的年代即可由此估計。唐蘭先生認爲後者約成於戰國早中期之際，看來是合適的。

三

下面我們再談一下《鶡冠子》與帛書中的“四面”、“五正”兩問題，或許能引起大家的興趣。

《鶡冠子·道端》云：

天者，萬物所以得立也；地者，萬物所以得安也。故天定之，地處之，時發之，物受之，聖人象之。夫寒溫之變，非一精之所化也；天下之事，非一人之所能獨知也；海水廣大，非獨仰一川之流也。是以明主之治世也，急於求人，弗獨爲也。與天與地，建立四維，以輔四政，鉤繩相布，銜橛相制，參偶俱備，立位乃固。……是以先王置士也，舉賢用能，無阿於世。仁人居左，忠臣居前，義臣居右，聖人居後。左法仁則春生殖，前法忠則夏功立，右法義則秋成熟，後法聖則冬閉藏。先王用之，高而不墜，安而不亡。此萬物之本剽，天地之門户，道德之益也。此四大夫者，君之所取於外也。

這段話實係帛書《黄帝書》的《十六經·立命》下列文字的演繹，彼此對勘，不難看出有若干共通的詞語：

昔者黄宗質始好信，作自爲象，方四面，傅一心，四達自中，前參後參，左參右參，踐位履參，是以能爲天下宗。吾受命於天，定位於地，成名於人（按此數句亦見《鶡冠子·世兵》）。唯余一人□乃配天，乃立王、三公；立國，置君、三卿。數日歷月計歲，以當日月之行。

所謂黄宗（即黄帝）的“作自爲象”，即《道端》所云聖人象天地；所謂

"方四面","四達自中",即《道端》所言立四大夫以取於外。《道端》講的,正是黄帝四面的傳説,只不過加詳而已。

大家都熟悉,黄帝四面之説起源頗早。《尸子》佚文云:

子貢問孔子曰:"古者黄帝四面,信乎?"孔子曰:"黄帝取合己者四人,使治四方,不謀而親,不約而成,大有成功,此之謂四面也。(《尸子》,《二十二子》本卷下。)

按尸子名佼,魯人(或云晉人),爲商鞅師,鞅死,亡逃入蜀,著書二十篇,六萬餘言。商鞅死於公元前338年,則《尸子》之作在戰國中期之末,晚於《黄帝書》而早於《鶡冠子》。《尸子》所載孔子的話,和孔子論夔一足、防風氏骨等事精神相合,或許真出於孔子,也未可知。

《吕氏春秋·本味》:

人主有奮而好獨者,則名號必廢熄,社稷必危殆。故黄帝立四面,堯、舜得伯陽、續耳,然後成,凡賢人之德有以知之也。

高誘注云:"黄帝使人四面出求賢人,得之立以爲佐,故曰'立四面'也。"略有失真之處。實則"四面"就是輔佐黄帝的四臣,象天地之有四時,《鶡冠子》的闡釋是正確的。由此足見,漢朝已經不大流行"四面"的故事了。

再談"五正"之説。

《鶡冠子·度萬》也是鶡冠子、龐子間的問答。鶡冠子説到:

……法錯而陰陽調。鳳凰者,鶉火之禽,陽之精也;麒麟者,玄枵之獸,陰之精也;萬民者,德之精也。德能致之,其精畢至。

龐子問致這些祥瑞和萬民的方法,鶡冠子説:

天地陰陽,取稽於身,故布五正,以司五明。十變九道,稽從身始;五音六律,稽從身出。五五二十五,以理天下;六六三十六,以爲歲式。氣由神生,道由神成。唯聖人能正其音,調其聲,故其德上及太清,下及太寧,中及萬靈,膏露降,白丹發,醴泉出,朱草生,衆祥具。故萬口云(或作"去"),帝制神化,景星光潤,文則寢天下之兵,武則天下之兵莫能當。

這一席話,現在知道乃是《十六經·五正》一章的發揮。該章開首講:

> 黃帝問閹冉曰:"吾欲布施五正,焉止焉始?"對曰:"始在於身。中有正度,後及外人,外內交接,乃正於事之所成。"

即"布五正以司五明"及"取稽於身"等語所本。閹冉還說:

> 後中實而外正,何[患]不定?左執規,右執矩,何患天下?男女畢同,何患於國?五正既布,以司五明;左右執規,以待逆兵。

歸結於軍事,隨後記述了戰蚩尤的事迹,正與《度萬》所云"天下之兵莫能當"呼應。

特別需要注意的是,《黃帝書》和《鶡冠子》的這種"五正"之說,又和1942年長沙子彈庫出土的楚帛書有關。這件著名的帛書現在美國沙可樂基金會,原係盜掘所得,出帛書的墓1973年經清理,年代爲戰國中晚期之際。帛書內容可分三篇,我試擬題爲《四時》、《天象》、《月忌》,性質屬於陰陽數術家言①。在其《天象》篇中有:

> 日月既亂,歲季乃□,時雨進退,亡有常恒。……三恒發(廢),四興鼠(意思是病),以□天常。群神五正,四興堯(饒)祥,建恒懌民,五正乃明。

這段文字雖有缺脫,大意尚可理解,是說如曆法有誤,日月歲季都因之錯亂,將招致"三恒"、"四興"的廢壞。只有恢復"三恒"、"四興",才能多見祥瑞,萬民懌悦,達到"五正乃明"的境界。我曾説明"三恒"、"四興"當爲有道德意義的名詞,不詳所指,但以《左傳》五行之官來講"五正"②,今天來看實際是不對的。"五正"無疑便是《黃帝書》、《鶡冠子》所論的"五正"。黃老道家本同陰陽數術有相通之處,子彈庫帛書受《黃帝書》"五正"説的影響,是不足爲異的。

不少學者把帛書《五正》的"正"讀做"政",這恐怕不一定正確。③ 由《五正》本文推繹,所謂"中有正度"等語,只是講自君主本身之正推至外人之正、萬事之正,所以"五正"的本義當爲己身與四方的正。《天象》的"五正"似乎也可作如是解。《鶡冠子·度萬》則對"五正"有所發揮:"龐子曰:'敢問五正。'鶡冠子曰:'有神化,有官治,有教治,有因治,有事治。'"

---

① 李學勤:《長沙楚帛書通論》,《楚文化研究論集》第一集,荆楚書社,1987年。
② 李學勤:《論楚帛書中的天象》,《湖南考古輯刊》第一集,1982年。
③ 《管子·四時》等有"五政",恐與此無關。

隨後對神化等五者逐一作了描述,實爲"治"的五種。這五者並不是各爲"五正"之一,因爲五者不可能同時"布施"實行,而是"五正"的不同層次。從這裏也可以看出《鶡冠子》與兩種帛書的先後關係。

作者簡介 李學勤,1933年生,北京人。現任中國社會科學院歷史研究所所長、研究員,中國先秦史學會會長、中國古文字研究會理事等。主要著作有《殷代地理簡論》、《中國青銅器的奧秘》、《東周與秦代文明》等。

《列子》考辨

許抗生

内容提要　本文認爲，從總體思想上説，現存《列子》主要反映的是戰國時代的思想；從具體地考察古代文獻上來說，先秦與兩漢不少典籍引用了現存《列子》的文句，以此現存《列子》仍應是戰國時代的著作，但在許多地方亦經過了後人的增改。

現存《列子》一書，自唐柳宗元作《辨列子》之後，歷代學者考辨《列子》真僞者不絶於史。《列子》的真僞問題成爲了歷史上懸而未決的一大公案，直至今日仍然没有得到學術界的一致看法。但大多數學者把《列子》製作僞書似乎已作定論，如有的學者說：今本《列子》八篇從内容看摻雜着大量魏晉思想，其出於魏晉間人的僞託是無疑的。以此有些《中國哲學史》著作，已把《列子》作爲"魏晉哲學史"的一部份來加以探討。前幾年我和我的同事們所編寫的《魏晉玄學史》一書，亦持這一看法。但近讀嚴靈峰先生的《列子辨誣及其中心思想》一書，感到對於《列子》的真僞問題有必要作重新審查，不宜過早地斷定《列子》是部僞書的結論。其實最早提出辨僞的柳宗元，也並没有作出《列子》不是先秦典籍的判斷。柳宗元《辨列子》一文的主要内容有這樣幾點：①指出劉向叙錄中把列子當作鄭繆公時人的年代錯誤。鄭繆公在孔子前幾百歲，而列子當爲戰國早期人，顯係年代不符。②指出《列子》中的《楊朱》《力命》篇疑爲楊子書，而非列子所著。③《列子》書中"言魏牟、孔穿皆出列子後，不可信"，說明此書非列子親著，而是列子後人所爲。④《列子》書"多增竄非其實，要之莊周爲放依其辭，其稱夏棘、狙公、紀渻子、季咸皆出《列子》，不可盡紀”。説明此書雖爲列子後人增竄，但它先於莊子，莊子稱引之。這就肯定了《列子》仍然是部先秦典籍。可見，柳宗元辨《列子》爲僞，主要是説《列子》非列子所親著，它記載了列子死後的人與事，並雜有楊子書而已，同時還肯定了《莊子》稱引過《列子》，説明《列子》書先於《莊子》書。之後，宋儒朱熹和高似孫才把《列子》當作爲剽竊他書，或“後人會萃而成之耳”。直至清代學者如錢大昕、姚鼐等人，則把它視作“恐即晉人依託”，或“《列子》出於張湛”之説。現代的學者更把它説成是“魏晉時代的產物”，屬於魏晉人的思想。所有這些辨僞的文章，如果我們細細地讀一讀，再與嚴靈峰先生的《列子辨誣》一書，對照起來加以研究，我們就會發現許多所謂的辨僞理由是不充分的，或是站不住脚的。以此我們就有重新來辨明《列子》真僞問題的必要。

考察《列子》的真僞，一般都是從兩方面着手：一是從宏觀上整體上來把握《列子》的思想，看它所反映的是哪一個時代的思想意識和精神風貌。具體地説，《列子》究竟反映的是戰國時期的思想呢？還是魏晉時期的思想呢？這是一個首先要辨明的問題；一是從微觀上，即從具體的引文、用語、文句上來辨明其書產生的時代，在這一方面以前的學者已經做了大量的工作。本文即從這方面下手談一些自己的看法，以就教於方家。

一

《列子》思想反映的是戰國時代的思想呢？還是魏晉時代的思想呢？要弄清這一問題首先要把握住魏晉時代不同於戰國時代的思想特點。魏晉屬玄學風行的時代，魏晉時期的思想幾乎没有不受玄學思想影響的。魏晉時期的玄學，即是魏晉時期的老莊學，但它已不同於先秦的老莊道家思想。從哲學思想發展的角度來説，先秦的老莊學重在宇宙的生成論，而魏晉玄學則重在宇宙的本體論，道家哲學的中心問題，討論的是有無關係問題。先秦的老莊學重宇宙生成論，主張無生有，即無形無象的"道"產生有形有象的物（道生物）。如老子說："天下萬物生於有，有生於無"（《老子》四十章）。又說："道生一，一生二，二生三，三生萬物"。（《老子》四十二章）莊子思想中雖說已有不少本體論思想成份，但仍然認爲："夫道有情有信，無爲無形，……未有天地，自古以固存，神鬼神帝，生天生地"（《莊子·大宗師》）。又說："夫昭昭生於冥冥，有倫生於無形。精神生於道，形本生於精，而萬物以形相生"（《莊子·知北游》）。所有這些都是講的無形無象的"道"產生天地萬物的思想。魏晉玄學雖說承繼了先秦道家有無問題的討論，但它已不再强調有生於無的宇宙生成論，而轉入了以體用、本末關係來闡釋有無問題，提出了以無爲體爲本、以有爲用爲末的宇宙本體論學說。其時玄學中有兩大主要流派：一是以何晏、王弼爲代表的玄學貴無派，它是玄學中的主流學派，即是主張以無爲體、以有爲用的宇宙本體論思想。一是以向秀、郭象爲代表的玄學崇有派，它是以貴無派的反對派面目出現的。他們反對"無中生有"說和"以無爲體"說，主張有之自生獨化說，認爲有的本體即是有自己，並認爲有（每一個具體存在物）皆是自生自化的。玄學中這兩大思想流派，在當時社會上影響很大，玄學家幾乎無不受其影響。東晉時的張湛亦不例外，他所作的《列子注》就深受這兩派思想的影響，例如張湛在注解《列子·天瑞》中"無動不生無而生有"時說："有之爲有，恃無以生，言生必由無，而無不生有。此運通之功必賴於無，故生動之稱，因事而立耳。"又在注解"有形者生於無形"時說："謂之生者，則不無；無者，則不生。故有無之不相生，理既然矣，則有何由而生？忽爾而自生。忽爾而自生，而不知其所以生；不知所以生，生則本同於無。本同於無，而非無也。此謂有形之自形，無形以相形者也"（《列子·天瑞注》）。在這裏我們可以看得非常清楚，前一句注解用的是何晏、王弼的貴無派思想（即以無爲體的宇宙本體論學說）來對《列子》無生有的宇宙生成論思想所作的注。後一句注則是用的郭象的玄學崇有派思想對《列子》"有形生於無形"的宇宙生成論所作的注。郭象反對無中生有,主張忽爾自生獨化説。張湛在這裏所用的"無者則不生"和"忽爾而自生"的思想,正是郭象思想的再現。由此可見,張湛是位魏晉時期的玄學家,他的思想深深地打上了魏晉玄學的烙印。而《列子》則不然,它没有受到玄學的洗禮。它的哲學不同於玄學的宇宙本體論,而仍然是先秦道家傳統的有生於無的宇宙生成論思想。以此不少學者斷定《列子》爲魏晉玄學的產物,甚至有些學者斷定它是張湛所僞作,顯然是站不住脚的。

關於《列子》的思想講的不是魏晉玄學的問題,馮友蘭先生在《中國哲學史新編》(第四册)中就已提出,他認爲,郭象所講的"玄冥之境"是一種精神境界,王弼的"無名之域"也不講"宇宙形成的詳細過程"。馮先生説:"魏晉以來,玄學家們逐漸不討論這一類的問題了(指宇宙生成論問題)。他們逐漸放棄了宇宙形成論而專講本體論",而《天瑞篇》仍然在講宇宙形成論,"這説明它完全不知道什麽是玄學。"① 可見,馮先生的觀點與我們的看法基本上是一致的。

魏晉時代思想的另一個特點,是佛教的興起,尤其是在兩晉時期佛教在魏晉老莊玄學的思想氛圍下得到了勃興,佛教在社會上在士大夫階層中都有了廣泛的影響。如果《列子》是部魏晉人的作品,那麽它很可能會受到當時佛教思想的影響。以此《列子》與佛教的關係問題,一向爲學者們所注目。最早提出《列子》與佛教關係的首推是第一個注《列子》的張湛。他在《列子序》中説:"其書大略明群有以至虚爲宗,萬品以終滅爲驗;神惠以凝寂常全,想念以著物自喪;生覺與化夢等情,巨細不限一域;窮達無假智力,治身貴於肆任;順性則所之皆適,水火可蹈;忘懷則無幽不照。此其旨也。然所明往往與佛經相參,大歸同於老莊。"這是張湛對《列子》思想的概括總結,並最後提出了"與佛經相參"的問題。張湛爲東晉人,他對

① 馮友蘭:《中國哲學史新編》第四册,第198頁。

佛教有一定的理解。但兩晉時期的佛學,屬於佛教玄學化時代,人們往往用中國老莊玄學來理解佛教,如與張湛差不多同時的佛教重鎮道安和尚,他所倡導的本無宗佛教,就是用老莊玄學來解釋佛教的大乘空宗的。他說:"無在元化之先,空爲衆形之始,故稱本無。"又說:"非爲虚豁之中能生萬有也"(《名僧傳抄·曇濟傳》)。在這裏道安所說的"本無"基本上與玄學貴無論思想差不多。以此張湛把道家的著作《列子》思想說成是與佛教思想差不多,這本是當時時代的一種風尚。因此《列子》究竟是否受到佛教的影響,我們還得作進一步的考察,以往的一些學者在這方面寫了不少考辨文章,證明《列子》書中援引了佛教的思想,但所提出的一些根據似乎尚不能完全說服人。所提的根據歸結起來,主要有這樣幾點:①《列子·仲尼》:"西方之人有聖者焉。"這裏的聖者即是指佛。②《列子·周穆王》:"西極之國有化人來,入水火,貫金石,反山川,移城邑,……"。這裏的化人即指佛典中的幻化人。如後漢支讖所譯《道行般若經》卷一說:"譬如幻師於曠大處化作二大城,作化人滿其中。"③《列子》書中有佛教"輪迴"之說。④《列子·楊朱》篇抄襲了佛經《寂志果經》(即《沙門果經》)的思想。⑤《列子·湯問》篇中"偃師之巧"的故事與佛經《生經》中的一個故事內容幾乎完全相同,《生經》是外來的不可能抄《列子》,只可能是《列子》抄襲了《生經》。等等。這些根據中第①③④三條恐是站不住脚的,只有第②⑤兩條似需作進一步的探究。

關於第①條西方有聖人的問題,日本學者武内義雄在《列子冤詞》中早就指出:"《仲尼篇》的西方聖人,乃道家的理想人物,與佛無關。"(參見楊伯峻《列子集解》附錄三《辯僞文字輯略》)確實《仲尼篇》描繪的西方聖者是"不治而不亂,不言而自信,不化而自行"的道家理想的聖人,而與當時人們所理解的佛,即能"恍惚變化,分身散體,或存或亡,能小能大,能圓能方,能隱能彰,蹈火不燒,履刃不傷"(《理惑論》),具有無窮威力的佛是不一樣的。對於西方有"得道"的道家理想人物的說法,在《莊子·讓王篇》中亦有記載。《讓王》:"昔周之興,有士二人處於孤竹,日伯夷、叔齊。二人相謂曰:'吾聞西方有人,似有道者,試往觀焉。'"這裏的西方有人,指有道者即得道的人。由此可見,《列子》所講的西方聖者大概也是與《莊子・讓王》一樣,講的是道家的聖人,而不是佛教所講的佛。

關於第③條所謂《列子》中有佛教輪迴之說的思想,這更是没有多大根據的。有的學者把《天瑞篇》中所說的"死之與生,一往一反,故死於是者,安知不生於彼",視作爲佛教的輪迴之說。其實不然。《天瑞篇》講的是死生一貫的道理,並不是講輪迴問題的,以此《天瑞篇》接着說:"故吾(安)知其不相若矣,吾又安知營營求生非惑乎?亦又安知吾今之死不愈昔之生乎?"這種思想是與《莊子》的"生也死之徒,死也生之始,孰知其紀?"(《知北遊》)和"道通爲一,其分也,成也;其成也,毁也;凡物無成與毁"(《齊物論》)的思想基本上是相一致的。這裏並不存在佛教的輪迴("六道輪迴")之說。

關於第④條《列子・楊朱》是否抄襲了《沙門果經》的問題。這一問題是陳旦早在二十年代《列子・楊朱篇僞書新證》一文中提出的(文載1924年《國學叢刊》二卷一期)。他認爲,《楊朱篇》抄襲了《沙門果經》中的佛教思想。其實我們只要把兩者的思想作一認真的比較,就不會得出這一結論的。雖說兩者之間似乎有些相類似的地方。如《楊朱篇》講"萬物齊生齊死,齊賢齊愚,齊貴齊賤;十年亦死,百年亦死,仁聖亦死,凶愚亦死;生則堯舜,死則腐骨,……孰知其異,且趣當生,奚遑死後?"這似乎與佛教《沙門果經》講不分愚智,人皆有死的思想相類似。《沙門果經》認爲,人死之後,構成人生命的四大因素(地、水、火、風)皆壞敗歸空,地還歸地,水還歸水,火還歸火,風還歸風,"若愚若智,取命終者,皆悉壞敗,爲斷滅法"。但兩者的類似是表面的,他們之間的區别是十分明顯的:一個講貴賤皆死,死後腐骨則一;一個講人爲四大所成,人死四大壞敗歸空。一個講追求當生之樂,不講來世;一個講因果報應,尤重死後的來生。這兩種講法顯然是不同的,一個是印度的佛教思想,一個是中國道家的思想,兩者並不是一回事。

至於季羡林先生所提出的《列子·湯問》中的"偃師之巧"的故事與佛經《生經》相合①,《生經》是外來的不可能抄襲《列子》,那末這一情況又應作如何的解釋呢?我認爲,張湛《列子序》中所說《列子》一書曾遭到過永嘉之亂的厄運,經歷了先散佚後又復得的過程,其書散在民間,很難說不會受到一些"好事者"的增添篡改,乃至文字上的潤飾。以此在當時佛經流行的情況下添進一些有趣的佛經中的故事,也是十分可能的事。除"偃師之巧"故事外,《列子·周穆王》中所講的"化人"一詞,也很可能是來自佛教的。在我國的先秦典籍中除《莊子》講到"物化"這一詞外,並沒有見到有所謂"化人"的說法。但這些後人增加的東西,應該說並沒有導致改變《列子》的基本思想、以此《列子》的基本思想仍然是屬於先秦時代的。

魏晉時期還出現了一股崇尚放達的時風,尤其在西晉元康時期出現了一批狂放名士,如:胡毋輔之、王澄、畢卓之徒,一般人們都把這批人稱作爲元康放達派。他們口談淸言,不親世務,任性放蕩,縱酒極娛。《世說新語·德行》引王隱《晉書》說:"魏末阮籍,嗜酒荒放,露頭散發,裸裎箕踞。其後貴游子弟阮瞻、王澄、謝鯤、胡毋輔之徒,皆祖述於籍,謂得大道之體,故去巾幘、脱衣服、露丑惡、同禽獸。甚者名之爲通,次者名之爲達。"這就是所謂的元康放達派。由於這些人縱酒極娛,以此被人們批評爲縱欲主義者。而這些思想似與《列子·楊朱》思想相仿,因此一些學者認爲,《楊朱》的縱欲主義思想,即是元康放達派思想反映,屬於魏晉時代的思想著作。確實這兩者之間思想有相通之處,不論放達派還是《楊朱篇》都有任性放蕩,不遵禮法的思想。放達派不修邊幅,蔑視禮度,肆性狂放,與《列子·楊朱》的"肆之而已","欲尊禮義以夸人,矯情性以招名,吾以此爲弗若死矣"的思想確是相類似的。但它們兩者的肆性任放又有着不同的內容。《楊朱》更多地追求的是聲色情欲的物質性欲望,追求的是及時行樂主義。正如《楊朱》所說:"爲欲盡一生之歡,

① 參見《中印文化關係史論叢》,載《列子與佛典》一文,1957年人民出版社出版。

窮當年之樂，唯患腹溢而不得恣口之飲，力憊而不得肆情於色，不遑憂名聲之醜、性命之危也。”然而這樣的極端利己主義的縱欲主義思想似在元康放達派名士中是找不見的。元康放達派他們都是名士，有的甚至是慕名而爲放的，他們肆性所要的並不是聲色情欲，他們只是縱酒以澆愁，或者縱酒以消磨無聊的時光以慰籍自己的心靈而已。所以他們的放是一種心放，追求的是精神上的解脫或自己的聲名。而《楊朱》的放則重在物欲聲色，是縱欲享受罷了。可見兩者的放肆有着不同的內容，《楊朱篇》並不反映元康放達派的思想，卻與戰國中後期出現的一種縱欲主義思想相類同。這種縱欲主義思想在《莊子》外雜篇，在《荀子・非十二子篇》中，皆有論及。《莊子・盜跖》說：“今吾告子（“子”指孔子）以人之情，目欲視色，耳欲聽聲，口欲察味，志氣欲盈。人上壽百歲，中壽八十，下壽六十，除病瘐死喪憂患，其中開口而笑者，一月之中不過四、五日而已矣。天與地無窮，人死者有時，操有時之具而托於無窮之間，忽然無異騏驥之馳過隙也，不能說其志意，養其壽命者，皆非通道者也。”這種思想與《楊朱篇》中所說的思想基本一致。《楊朱》：“百年，壽之大齊，得百年者千無一焉。設有一者，孩提以逮昏老，幾居其半矣。夜眠之所弭，晝覺之所遺，又幾居其半矣。痛疾哀苦，亡失憂懼，又幾居其半矣。量十數年之中，逌然而自得亡介焉之慮者，亦無一時之中爾。則人之生也奚爲哉？奚樂哉？”又說：“太古之人知生之暫來，知死之暫往，故從心而動，不違自然所好，當身之娛非所去也。”這種對人生短暫的感慨和主張及時行樂的思想，與《楊朱》並無多少差別。又《荀子・非十二子》中在批評它嚣、魏牟的思想時說：“縱情性，安恣睢，禽獸行，不足以合文（“文”指禮義之文）通治；然而其持之有故，其言之成理，足以欺惑愚衆，是它嚣、魏牟也。”這裏所講的“縱情性，安恣睢”，其實就是講的放縱情欲的思想。應該說這種思想是與《楊朱篇》的縱欲主義思想十分接近的。以此我們可以認爲，《列子・楊朱篇》是戰國中後期在社會上所出現的一股縱欲主義思想的反映。

二

考察《列子》的引文、文句與先秦漢魏典籍的關係，是學術界考辨《列子》成書年代眞僞的又一重要的方法。在這方面前人化了不少的氣力，寫出了許多考辨文章。大多數學者都採用這一方法來證明《列子》是部僞書的。但也有的學者，如嚴靈峰先生和日本的武內義雄先生，卻用這種方法證明了《列子》是部眞書。以此對於這些考辯工作，亦應作些重估。

《列子》與先秦典籍中最有緊密關係的當首推《莊子》一書。確實《列子》中許多文句都是與《莊子》書中的文句相通的。在這裏到底是《列子》抄襲了《莊子》，還是相反，《莊子》抄襲了《列子》呢？這是一個十分需要弄清的問題。

《列子》書中與《莊子》有很大瓜葛的主要有《黄帝》、《湯問》、《天瑞》諸篇。下面我們就先來對這幾篇文字與《莊子》的關係，作些具體的比較分析：

(1)《黄帝篇》

《黄帝篇》中有這樣幾段文字與《莊子》十分相近：

(a)《黄帝篇》："宋有狙公者，愛狙養之成群，能解狙之意。狙亦得公之心。損其家口，充狙之欲。俄而匱焉，將限其令。恐衆狙之不馴於己也，先誑之曰：'與若芧，朝三而暮四，足乎？'衆狙皆起而怒。俄而曰：'與若芧，朝四而暮三，足乎？'衆狙皆伏而喜。物之以能鄙相籠，皆猶此也。聖人以智籠群愚，亦猶狙公之以智籠衆狙也。名實不虧，使其喜怒哉！"

《莊子·齊物論》則說："勞神明爲一，而不知其同也，謂之朝三。何謂朝三？狙公賦芧曰：'朝三而暮四'。衆狙皆怒。曰：'然則朝四而暮三'。衆狙皆悦。名實未虧，而喜怒爲用。"

這兩段文字內容基本相同，但前者詳，後者略；前者指出狙公爲宋人，講的故事情節樸實，後者似對故事進行了提煉，概括性强。

以此很可能《莊子・齊物論》這段文字是在《列子・黄帝篇》基礎上加以概括提煉而成。

(B)《黄帝篇》:"周宣王之牧正有役人梁鴦者,能養野禽獸,委食於園庭之内,雖虎狼雕鶚之類,無不柔順者。……王慮其術終其身,令毛丘園傳之。梁鴦曰:'鴦,賤役也,何術以告爾?懼王之謂隱於爾也,且一言我養虎之法。凡順之則喜,逆之則怒,此有血氣者之性也。然喜怒豈妄發哉?皆逆之所犯也。夫食虎者,不敢以生物與之,爲其殺之之怒也;不敢以全物與之,爲其碎之之怒也。時其饑飽,達其怒心。虎之與人異類,而媚養己者,順也;故其殺之,逆也。然則吾豈敢逆之使怒哉?亦不順之使喜也。……"

《莊子・人間世》則説:"汝不知夫養虎者乎?不敢以生物與之,爲其殺之之怒也;不敢以全物與之,爲其決之之怒也。時其饑飽,達其怒心。虎之與人異類而媚養己者,順也;故其殺之者逆也。"

上一段《黄帝篇》講了周宣王的牧正梁鴦養虎的故事,並從其實踐中得出了養虎之法,情節十分完整。而《莊子・人間世》只講了養虎之法(原則、方法),顯然是他人總結出來的經驗。以此亦可推知《列子・黄帝篇》在《莊子》之先,《人間世》是抄襲了《黄帝篇》的梁鴦的"養虎之法"的。

(C)《黄帝篇》與《莊子・達生篇》還有一段講"仲尼適楚,出於林中,見痀僂者承蜩"的文字亦基本相同,到底誰抄襲誰很難確定。但《黄帝篇》最後有"丈人曰,'汝逢衣徒也,亦何知問是乎?修汝所以,而後載言其上'"句,而《莊子・達生》則無此句。有了這最後一句,《黄帝篇》比《達生篇》上下文字比較完整。《莊子・達生》很可能是在抄襲《列子・黄帝篇》時少抄了最後一句①。

除上述我們分析的這三段較類同的文字之外,《列子・黄帝篇》與《莊子》還有一些雷同的文句,這裏就不再多説了。就此三段

---

① 關於痀僂承蜩的故事,《黄帝篇》的最後兩句是:"孔子顧謂弟子曰:'用志不分,乃疑於神,其痀僂丈人之謂乎!'丈人曰:'汝逢衣徒也,亦何知問是乎?修汝所以,而後載言其上'。"而《達生篇》無最後丈人曰句。

文字的比較分析,我們可以作這樣的思考:很可能《列子·黄帝篇》是早於《莊子》的《齊物論》、《人間世》和《達生篇》的。《齊物論》、《人間世》屬《莊子》内篇,《達生》屬《莊子》外篇。學術界一般都認爲,内篇爲莊子所作,外雜篇爲其弟子、後學所作,内篇早於外雜篇。如果事情確是如此,則《列子·黄帝篇》不僅早於《莊子》外篇,亦且早於《莊子》内篇。《漢書·藝文志》説:"(《列子》)先《莊子》,《莊子》稱之。"這一説法在《列子·黄帝篇》中是可得到印證的。

(2)《湯問篇》

《列子·湯問篇》中有一些文句與《莊子·逍遥游》相同,尤其是記載的湯與夏革(革亦稱棘,革、棘古同聲通用)對話的一段基本内容相同,但亦有詳略之分。《湯問篇》記載説:"殷湯問於夏革曰:'古初有物乎?'夏革曰:'古初無物,今惡得物!後之人將謂今之無物,可乎?'殷湯曰:'然則物無先後乎?'夏革曰:'物之終始,初無極已。始或爲終,終或爲始,惡知其紀?然自物之外,自事之先,朕所不知也。'殷湯曰:'然則上下八方有極盡乎?'革曰:'不知也。'湯固問。革曰:'無則無極,有則有極,朕何以知之?然無極之外,復無無極;無盡之中,復無無盡。無極復無無極,無盡復無無盡,朕以是知其無極無盡也,而不知其有極有盡也。"這是《湯問》中夏革爲殷湯闡説宇宙無極的一段文字,而《莊子·逍遥遊》中也有這一思想相同的記載,但文字簡略得多。《莊子·逍遥遊》:"小知不及大知,小年不及大年,奚以知其然也。朝菌不知晦朔,蟪蛄不知春秋,此小年也。楚之南有冥靈者,以五百歲爲春,五百歲爲秋;上古有大椿者,以八千歲爲春,八千歲爲秋。此大年也。而彭祖乃今以久特聞,衆人匹之,不亦悲乎!湯之問棘也是以。湯問棘曰:'上下四方有極乎'?棘曰:'無極之外,復無極也。'"在這裏《逍遥遊》也援引了湯與夏革(即棘)的對話,但這個對話是十分簡略高度概括的,很像是莊子概括《湯問篇》中的對話内容而成,把《湯問》中一大段文字的論説歸結爲"無極之外,復無極"一句。以此《莊子·逍遥遊》也很可能是稱引《列子·湯問》的。

(3)《天瑞篇》

過去一些學者，把《列子》當作漢魏時的作品，一個很重要的理由，就是認爲《列子・天瑞篇》抄襲了《易緯・乾鑿度》，以此證明《列子》作於漢以後。但兩者究竟誰抄誰似乎還應作進一步的討論。下面不妨我們先把兩段文字抄錄下來，再作比較分析：

《列子・天瑞》："子列子曰：昔者，聖人因陰陽以統天地。夫有形者生於無形，則天地安從生？故曰：有太易，有太初，有太始，有太素。太易者，未見氣也；太初者，氣之始也；太始者，形之始也，太素者，質之始也。氣形質具而未相離，故曰渾淪。渾淪者，言萬物相渾淪而未相離也。視之不見、聽之不聞、循之不得，故曰易也。易無形埒，易變而爲一，一變而爲七，七變而爲九。九變者，究也。乃變而爲一。一者，形變之始也。清陽者上爲天，濁重者下爲地，沖和氣者爲人；故天地合精，萬物化生。"

《易緯・乾鑿度》："昔日聖人因陰陽定消息，立乾坤，以統天地。夫有形生於無形，乾坤安從生？故曰：有太易……。九者，氣變之究也，乃復變而爲一。一者形變之始，清陽者上爲天，濁重者下爲地。物有始有壯有究，故三畫而成乾，乾坤相並俱生，物有陰陽，因有重之，故六畫而成卦。"

這兩段文字既有相同的地方，亦有不同之處。《天瑞》講的是天地演化的過程，文字前後一貫，十分順通。因陰陽而統天地，講的是由陰陽二氣産生天地，故後文有清陽者上爲天（陽氣生天），濁重者下爲地（陰氣生地），而整個天地形成的過程，是由無形産生有形的過程，即要經過太易、太初、太始、太素這樣一些氣化的階段。然而《易緯・乾鑿度》講的是因陰陽立乾坤而畫卦的過程，文字前後似有隔礙，不那麼一貫順通。如有形生於無形本指有形的天地如何從無形中産生的問題，故後文有天地産生的過程問題，而《乾鑿度》卻把它説成是"乾坤安從生"的問題，這顯然是個硬插人的不相協調的提問。又《乾鑿度》最後又提出了"物有始、有壯、有究，故三畫而成乾"的説法，這又與上文所講的天地演化的過程似乎没有多大的關係，在這裏不講天地演化同樣也能推出“三畫而成乾”和“六畫而成卦”的問題。以此可見，《天瑞篇》文字完整一貫，而《乾鑿度》文字前後不協調，《天瑞篇》很難説是抄襲《乾鑿度》的，而《乾鑿度》倒很可能是抄襲《天瑞篇》而用來論證乾坤產生過程的，不過這種抄襲是生硬的，從而產生了前後文不相協調的情形。

對於《天瑞篇》的思想，也有的學者提出，它把宇宙（天地萬物）當作一個氣化演進的過程，這只能是漢代的產物。確實漢代哲學重在宇宙生成論。如《淮南子》和張衡的《靈憲》等，皆是如此。《淮南子》用氣來解釋《莊子》所提出的天地之有始與未始的問題，《靈憲》中更是用氣來解釋“太素”，提出了“自無生有，太素始萌，萌而未兆，並氣同色，渾沌不分”的思想。那麼關於“太易、太初、太始、太素”這種宇宙生成論思想，是否只能在漢代才能提出呢？先秦時代有沒有提出這些思想的條件與可能呢？對於這一問題我們也應作些認真的考察。其實《天瑞篇》所説的“太易”，也就是《莊子·天下篇》所講的關尹老聃“主之以太一”的“太一”。而“太一”實就是老子所説的宇宙本原的“道”。所以《天瑞篇》説：“視之不見，聽之不聞，循之不得，故曰易也。”這與老子所説的“視之不見名曰夷，聽之不聞名曰希，搏之不得名曰微。此三者不可致詰，故混而爲一”的思想並無二致。可見“太易”也就是“太一”的另一種説法而已。“太易”的易並不是變易的意思，而是簡易的易。太易是世界上最簡易的東西，它無形無象，無有任何的規定性，所以它是宇宙的最初本原。《天瑞篇》的“易變而爲一”，即老子的“道生一”的思想。“道生一”在《莊子·天地》中解釋爲：“泰初有無，無有無名，一之所起，有一而未形。”這裏所謂的“一”相當於《天瑞篇》所説的“太初”階段的氣之始而無形，而“泰初”則相當於《天瑞篇》的“太易”。在《天地篇》中還談到了“渾沌”與“太素”這樣兩個詞。不過《莊子》並沒有提出有一個像“太易、太初、太始、太素”這樣的宇宙發展過程，但《莊子》已經基本上提供了構建這一過程的材料。由此我們可以作這樣的設想，《列子·天瑞》可能寫成於《莊子》之後。按照劉笑敢先生的考證，

《莊子》内篇早於外雜篇，其根據是，外雜篇中出現了如道德、精神、性命等復合詞，而内篇則無這些復合詞，按照一般的規律，復合詞出現晚於單詞，以此證明内篇早出。① 我認爲這一論證是有說服力的。在《列子·天瑞》中，"精神"這一復合詞出現三次，"性命"有一次，可見它晚於《莊子》内篇。同時有迹象表明，它還抄襲了《莊子》外雜篇的文字。如《天瑞篇》："子列子衛衛，食於道，從者見百歲髑髏，攓蓬而指，顧謂弟子百豐曰：'唯予與彼知未嘗生未嘗死也。此過養乎？此過歡乎？'"這段話很可能是抄襲《莊子·至樂篇》而來。《莊子·至樂》："列子行食於道從，見百歲髑髏，攓蓬而指之曰：'……'。"這裏的"從"字，司馬彪注，從爲道旁，意思是說，列子行食於道旁，而《天瑞篇》作者不明"道從"之義，而在"從"後加上了"者"字，成爲"從者"。這樣一來，使得整段意思發生了改變，原來《至樂》是說"列子見百歲髑髏，攓蓬而指之曰"，竟變成了"從者見百歲髑髏而指，顧謂弟子百豐曰"，造成了前後文句的不一致。由此我們不得不懷疑《天瑞篇》是抄襲了《至樂篇》的，而且還把它意思抄錯了。

《列子》中除了上述的三篇文章之外，還有《楊朱》、《力命》、《仲尼》、《周穆王》、《說符》諸篇。關於《楊朱篇》上面已經講到，它應是楊朱學派的後學所爲，它把楊朱的"爲我主義"發展成爲了貪圖享樂的縱欲主義思想，以此它不屬於列子學派的思想（列子學派的思想特點是"貴虛"）。對於這點前人早已指出，現不再贅述。《力命篇》講的是道家的自然主義命定論，所謂"不知所以然而然，命也"，這種思想在《莊子》中亦有反映。如《莊子·達生》說："不知吾所以然而然，命也"，兩者思想幾乎是完全一致。可見《力命篇》的命定論亦可能是戰國中後期思想的反映。《說符篇》是現存《列子》的最後一篇，其中有一段"宋人有爲其君以玉爲楮葉"的故事，與《韓非子·喻老》所講的故事基本相同，但兩篇皆引用了列子的話，《說符篇》

---

① 見劉笑敢著《莊子哲學及其演變》第一章第一節。

所引内容比較完整，而《喻老篇》所引不夠完整。[1] 由此可推知，很可能是《韓非子》抄襲了《列子》，用以來發揮自己的思想的。《仲尼篇》最後一段講的是關尹喜的思想，基本上與《莊子・天下篇》介紹的關尹思想相類同，但前者所引關尹的話較詳，後者則簡略，很像後者是概括前者的思想而成的，如是這樣，《仲尼篇》亦應作於《莊子・天下篇》之前。又《仲尼篇》講到了中山公子牟（魏牟）和公孫龍的思想，則《仲尼篇》應作於戰國中期與魏牟和公孫龍同時或稍後，至於《周穆王篇》前人已作了大量的研究，一般都認爲，《周穆王篇》是大量抄襲《穆天子傳》而來，這是無用置疑的。但是否如有些學者所說，該篇是在西晉太康二年發掘魏安釐王冢所得《穆天子傳》之後，而抄襲所成的呢？這也難說，既然魏安釐王墓中已藏有《穆天子傳》，可見《穆天子傳》已在戰國流行。《周穆王篇》抄襲《穆天子傳》也就可能在戰國時代，並不在西晉太康之後。

綜上所述，我們認爲，《列子》基本上是一部先秦道家典籍，基本保存了列子及其後學的思想。它大約作於戰國中後期，並非一時一人所著，而是列子學派後學所爲，並夾雜有道家楊朱學派後學的著作（《楊朱篇》）。具體地說，《黄帝篇》、《湯問篇》很可能成書較早，先於《莊子・内篇》，而《天瑞篇》則作於《莊子》外雜篇同時或稍晚。其它諸篇大抵亦作於戰國中後期。但《列子》一書，在歷史上曾遭前後兩次散佚而後復得的命運，以此它不免流落於民間，爲人們所僞篡、增删或文字上的潤色，這是不足爲奇的。

作者簡介 許抗生，1937年生，江蘇武進人。現任北京大學哲學系教授。著有《帛書老子注譯與研究》、《中國的道家》和《魏晉玄學史》（主編）等。

---

① 《喻老篇》："列子聞之曰：'使天地三年而成一葉，則物之有葉者寡矣'。"緊接的下文則是韓非的評論。《列子・說符篇》："子列子聞之曰：'使天地之生物，三年而成一葉，則物之有葉者寡矣。故聖人恃道化而不恃智巧'。"文句比較完整。

漫遊:莊子與查拉斯圖拉

[美]格拉姆・帕克斯(Graham Parkes)①

胡　軍　王國良譯

《莊子》和尼采的《查拉斯圖拉如是說》的作品是產生於完全不同時代和不同地點的哲學著作,也都是使用缺乏邏輯關聯性的語言寫成,並且淵源於極爲不同的歷史背景和文化傳統。《莊子》一書編成於古代中國的戰國時代後期,與《老子》一書並成爲道家哲學的主要著作,成爲不斷復歸(原始自然)的理論源泉,對中國思想方式的形成具有持久的影響。而《查拉斯圖拉》卻預言般地迎接着二十世紀的降臨,並且宣告了西方兩千五百多年的形而上學體系的終結。儘管有着這些不同點,但兩者的風格是如此相似,它們的哲學内容也如此奇特地一致,因此有必要從不同的角度對兩者作一細緻的比較研究。這兩部著作始終都未得到人們很好的理解,這部份是由於它們所表現的哲學的激進特徵;而且,把兩部深奥的著作併列在一起有時也會影響人們對它們做清晰的表述。但由於我們逐漸地認識到兩者的相通性,我們就可以發現,一個思想家的某一觀念或許可以使我們在另一思想家的思想中發現與之相應,但迄今尚未被注意到的思想因素,而這樣的觀念起初卻表現出似乎沒有別的觀念與之相對。就這兩部著作而言,它們表現出如此驚人地相似,這就迫使我們要更深入地研究兩者的實質區别——這是增

---

① 本文作者格拉姆・帕克斯(Graham Parkes),美國夏威夷大學哲學系教授。著作有:《海德格與亞洲思想》、《尼采與亞洲思想》等。——譯者注

進我們對雙方哲學的理解的一項工作。

尼采和莊子是思想極其敏銳的哲學家,他們的思想深刻地影響了我們對自我與世界(包括對我們自己的)觀念的變化。這裏只是作爲更廣泛和更深入研究的一個引論,就我所知,在這一領域尚未有有關的英語著作出現,下文將只提供一個廣泛涉及可供比較的各種題目的基本内容,而不打算對其中任何一點作深入的闡述。更詳細的研究將有待他人來完成。

要使這樣一個廣泛的比較研究的第一步行之有效,我們就必須限制範圍——並且我們已在這兩個思想家的截然不同的思想體系中找到了做這種限制的基礎。莊子這一歷史人物的生平,我們所知甚少。對於他,我們並不比對與他幾乎同時代且精神相近的赫拉克利特(順便指出,此人將隨時出現在我們這一比較研究的過程中)有更多的了解。《莊子》一書是經歷多人多時編集而成,所以缺乏一種統一的體例,但一般認爲《莊子》的"内篇"(占現存三十三篇中的七篇)是出自一人之手,它體現了一個整體的中心思想,我們認爲它表現了"莊子"本人的思想。下面,我們將以"内篇"爲主,並兼及能夠表達這一主題或發揮這一中心觀念的外雜篇(即表現莊學的早期思想的篇章),來考察莊子的思想。我們知道《莊子》的内篇約有一萬三千字,而尼采的作品卷帙浩繁,最後一版竟約達到一萬頁。由於尼采的著作比其他大哲學家的著作要多,所以我們只能集中於其中突出的一部:《查拉斯圖拉如是說》,這是因爲它與莊子的文風最爲接近,而且尼采本人認爲它是最優秀的著作,最充分地體現了他的成熟的思想①。

一、相似的風格

《莊子》一書匯集了許多寓言和對話，它們之間經常缺乏明顯的順序；内七篇中的每一篇似乎都有與主題相關的松散的聯繫。而查拉斯圖拉的言論卻是用具有相應聯繫的敘述而串起來的一段段插曲，它們論述了他進入社會和返回孤獨狀態的交替活動，並在說話者的心靈最終的轉化上達到頂點而告終。查拉斯圖拉以及書中的其他人物多少接近於作者的原型。莊子的哲學也是由其他人物來表述(其中孔子最著名——有時也包括莊子自己)。我們看到莊子與尼采一樣都是社會的嘲諷者，莊子的冷嘲卻藉孔子之口傳達出來，孔子(他與莊子的關係類似於蘇格拉底或柏拉圖與尼采的關係)扮演了從一個蒙昧者到莊子觀點的直接辯護者的各種角色，莊子與尼采的著作都是極富詩意並導源於他們對於自己所屬的語言學、心理學以及哲學傳統的深湛理解。莊子的語言在中國古代的典籍中是無與倫比的；儘管人們不喜歡尼采哲學，但卻無法否認他的文章在風格上是西方哲學傳統中最豐富和最强有力的。莊子哲學中的諷刺因素也許不具有查拉斯圖拉通常具有的預試的聖言式的語調的力量，但兩者都極爲幽默——它們各自構成了自己傳統中的歡愉哲學的傳統——强調歡笑是經常伴隨對事物的洞見而出現

① 關於尼采的著作，我用的是由 Cow 和 Montinari 編的權威性的版本《批判全集》(Berlin de Grugter 1967—)，以後編輯爲 KGW.《查拉斯圖拉如是說》一書編入該全集的第六卷，本文中的英語譯文都是譯自這一德文版，並都是由我本人譯的。這些譯文與 W. 考夫曼的《查拉斯圖拉如是說》(New York：Vikigy；企鵝，1978，C. 1966)略有不同。我曾參照過考夫曼的譯文，在此我也願意向讀者推薦考夫曼的英譯本。我分別用"G"和"E"這兩個字母代表尼采的德文和英文著作，頁碼緊隨其後。

關於莊子的參考書，有 C. 格雷厄姆的《莊子：〈莊子〉的内七篇及其它》(London：Geoige Allen &Unwin，1981)未收入此書的莊子的其它文章，我則參照伯頓·沃森的《莊子全集》(New York：Columbia University Press，1968)我用 IC 和 CW 分別表示這兩種譯文，緊接其後的便是頁碼。在我的同事維傑、艾米斯的幫助下，我在某些地方修改了上述的譯文，艾米斯以其漢語和道家哲學方面的知識熱誠地幫助我，在此特向他致謝。

的一種必然的因素①。

最主要的是，《查拉斯圖拉》和《莊子》首先都是充滿想象的著作。這就使人不願將它們看作是真正的哲學——但這種判斷只是來自對哲學性質的狹隘理解。哲學現在在英美傳統中大都把想象排除在外，而且處在概念的獨斷的專制之下。目光短淺的人很容易（也是很方便的）忘記哲學正是以詩的形式起源的，是以色諾芬尼、赫拉克利特、巴門尼德的詩體表達的。由於忘記了哲學直到亞里斯多德才以論文形式出現，人們也就不會注意到柏拉圖（雖然不能寬泛地說是詩人）自己是以想象來補充概念，以寓言的方式來討論問題，並且爲了反對理性辯證法的限制，他經常借助於古代神話的豐富想象。如果說詩的風格與戲劇形式構成了柏拉圖哲學整體的話，那麼查拉斯圖拉與莊子富有哲學意義的觀念也是以想象的方式來表現的。

除了都是哲學的想象力以外，兩者的想象方式也是同一類型的。想象的主要源泉是自然世界：天空、大地、火和水；太陽、月亮和群星；氣候、天氣和季節；並包括植物和動物的領域。我認爲這種主要以自然世界來發揮想象的原因是值得注意的；兩位哲學家敘說的方式反映出他們欲說的內容。他們都極力主張一種立足於這個世界的特殊的存在方式——一種具有獻身的與沉思特點的投入世界的模式，而不是脫離觀察宇宙的模式②。

他們相同地反對人類中心論，這是一種習慣偏見，它把人類前途置於宇宙其他物類之上。因此，兩位思想家都在宇宙的非人類方面加重想象成分以尋求在二者之間建立均衡。然而他們的動機卻

① 《莊子》一書除充滿幽默的語言外，它還把歡笑看作是人生的一個重要方面："造適不及笑，獻笑不及排，安排而去化，乃入于寥天一。"《查拉斯圖拉》一書中描述了無數次的放聲大笑的場面，而最重要的一次源於第一次全面洞見超人的場景。當牧羊人咬斷了虛無的黑蛇的腦袋的時候，他雀躍而起——"我不再是牧羊人，不再是人了——一個變化了的人，文明的人，笑啊！……哦，我的兄弟們，我聽到了笑聲，那不是人的笑聲……"(G198,E160)

② 參見歐文·巴弗爾德的《拯救現象：偶象崇拜研究》(New York：Hancourt，Biace & World，1965)，在書中，他深刻地討論了投入的問題。

稍有不同。莊子主要是反對諸子學說特別是孔子和墨子中把人置於宇宙中心的傾向,雖然他自己仍是投入世界之中。而尼采要矯正的是一種更爲嚴重的不平衡,即柏拉圖和基督教否定肉體和人的動物性的理想國:這種傾向被笛卡爾主義加以發展了,他們認爲人的基本性質是心靈或精神,並且忽視和無視人參與物理世界的價值(這種精神在瓦萊士・史蒂文斯的話中得到了體現:"身體是枝葉,心靈是根基。"①)儘管有這些不同的哲學背景,但尼采後來把衝創意志(Will to power)(也可譯爲潛能意志、潛力意志或動力意志。這裏的譯名是根據陳鼓應先生的《悲劇哲學家尼采》。國人多譯爲"權力意志",其實這是很錯誤的譯名。——譯者)理解爲內在於一切事物中的潛能,這就接近於萬有精神論而與莊子的精神相契合。

由於莊子和尼采都是倡導變動的哲學家(分別以《易經》和赫拉克利特的殘篇爲先驅),他們就喜歡水這種最易流動的物質。老子以水來體現道家哲學屬意的精神流動,莊子更多地借助於海河與湖泊來發揮想象。莊子經常以水來表現事物相對性的觀點,我們可以聽到他說"魚處水而生,人處水而死"。繞過半個地球,我們在早兩個世紀的赫拉克利特的殘篇中可以聽到這一思想的回響:"海水既是純淨的又是污濁的,它能養魚卻不能供人飲用,飲之會致人死命。"查拉斯圖拉經常以水來表現各種可能性,並借水從湖泊通過河流入海來比喻自我包容的活動,通過本能動力和精神能量的流溢,參與宇宙的衝創意志的活動②。

他們倆人著作中取自植物界的一個主要形象是樹。就人的自然成長源於四種原素(在中國傳統中,木是五行之一)的相互作用,而且人在精神上反映這種作用而言,人類極其類似於樹。由於樹是

---

① 瓦萊士・史蒂文的《岩文》,載《詩選》(New York:Knort,1978),第527頁。

② 我在本文的最後一部份指出,尼采的衝創意志是一種無處不在的宇宙力量。衝創意志的概念類似於莊子的"道"的觀念。關於水作爲一種心靈隱喻的討論,請參見我的論文《充溢的心靈:尼采〈查拉斯圖拉〉中的轉化形象》,人與世界(即出)。

在天地的原初力量的交互作用下伸展它的枝干,所以人也是在天與地、光明與黑暗的交互作用下生存與死亡。道家關於善惡相互依存的觀念在《查拉斯圖拉》書中以《山間之樹》爲題的一章裏可找到極好的例證:"人與樹一樣,他越是奮力向高處和光明處伸展,他的腳根就越是努力向地下深入,進入黑暗——罪惡的深處。"① 對於尼采來説,這是精神發展的規律(就像在他之後的深刻的心理學家弗洛伊德與榮格一樣)然而過分地注重對立統一體的高處一極導致推翻了精神的樹木——對於莊子來説,這種片面性就像是"師天而無地"。

然而在雙方的文章裏動物的數量遠遠超過了植物群。莊子用以反對人類中心論專斷的局限性時最常用的思想是富有詩意地揭示動物種類繁多的思想。一些最生動和著名的章節都采納神話中的魚類和鳥類,井蛙和多種昆蟲,如同莊子所提及的動物的衆多是其他東方哲學無法比擬的,《查拉斯圖拉》中的野物在西方哲學著作中也是首屈一指的。只有亞里斯多德論動物的巨著才具有如此品類繁多的動物,有爬行的,飛翔的,奔跑的,滑行的,其中有確切名稱的有七十多種。查拉斯圖拉自己的動物鷹和蛇,表現了他個人的最神秘的思想,發出比他在第二個嘗試(《朝霞》)中發出的"永恒重現"——該書的中心觀念——的呼聲還要嘹亮的吶喊。莊子的故事是爲了把讀者引入動物世界中去。而尼采的野獸與其説是軼事,倒不如説是比喻②。數量繁多的動物種類,有一個重要的相似點,即在雙方的著作中,哺乳動物與爬行動物,昆蟲、鳥類、魚類相比,出現極少。我認爲這是由於哺乳動物與人類最相近,更容易導致感情的誤置;它更不易使人類的情緒和情感向生物,如昆蟲與魚兒轉置。非哺乳動物相對的"他在"正合於尼采和莊子的目的,他們以之

① G47,E.42。查拉斯圖拉比較,E197,208—209,218—219,323頁有關於對立面互相依存的某些同樣的例證。

② 在他們强調的重點中還有另外一些區别,例如,在《查拉斯圖拉》一書中,馬並未起什麼作用,但在《莊子》一書中,馬卻是主要的哺乳動物。而且魚在《莊子》一書中所占的地方遠比它在《查拉斯圖拉》一書中的地位要重要得多。

使我們擺脱人類中心主義,但雙方都同時使用它們來加强我們投入自然世界的意識。

二、激進的相對主義

概念哲學與想象哲學之間的主要不同在於,前者一般是在一個獨立於讀者的體系中表述,讀者可在一定安全距離之外對它表示贊同或否定,而想象性的哲學著作卻要求讀者自身心靈的投入,與意識的轉變相比,能更大地影響讀者心理轉換。概念思維是以觀念的對立爲基礎(概念趨向於排除對立面而把握統一),而形象思維則重視層次間的連續統一,並在相互依存中包容對立面。

承認對立面的相對性的哲學,傾向於成爲相對主義(事物如何表現依賴你的看法以及你在統一體中的地位)和傾向於成爲變易哲學。雖然這類哲學一般不如那些肯定不變,和肯定絶對價值存在的哲學風行於世,莊子和尼采的動態的相對主義卻具有重要的和傑出的先驅。《易經》就是討論變易的原始著作,借助赫拉克利特的一對殘簡條文來説就是:"走下同一條河的人,經常遇到新的水流。……在變化過程中,它(永恒的活頭)常住。"這種變易哲學自然導致相對主義:陰、陽這兩個對立面是緊密地聯繫在一起的,每一方要依賴對方才能成爲自身,每一方都内在地具有對方的因素。正在發展的事物依賴始終處於持續發展的事物,以及依賴發展進程的方向。正六邊形中的某條綫的值要根據其周邊關係而確定。莊子的相對主義更爲激進,因此他反對儒家的道德專斷主義,與此相似,尼采的相對主義反抗柏拉圖主義和基督教哲學的實在論,並企圖回到與赫拉克利特有關的西方哲學源頭。兩部著作的主要的反實在論的内容由赫拉克利特這位晦澀而有創造力的思想家的第111條殘簡作了很好的總結:"疾病使健康舒服,惡使善舒服,餓使飽舒服,疲勞使休息舒服。"

莊子表述對立面的相互依賴的最一般方式是通過天地陰陽的

原初力量的交互作用。

故曰：蓋師是而無非，師治而無亂乎？是未明天地之理，萬物之情者也。是猶師天而無地，師陰而無陽，其不可行明矣。

莊子以相互關聯的中性代詞"是"、"彼"作了同樣表述：

物無非彼，物無非是。自彼則不見，自是則知之。故曰：彼出於是，是亦因彼。彼是方生之說也。雖然，方生方死、方死方生……（《齊物論》）

莊子在這裏說明了兩點：他提出，既然對立的"是"和"彼"是互相從對方萌生，就有可能——通過了解它們如何發生——看到它們的消滅，他還引入了對立面的相互依賴。這在《莊子》中是最突出强調的——生和死①（在此回想起蘇格拉底在《斐多》篇中關於生和死的討論，以及赫拉克利特殘篇 62.77.88 條是有益的）。

雖然生與死的相互依賴在查拉斯圖拉那裏未得到精確的闡述。這一主題卻貫穿於在"übergehen"（成功、通過）、"üntergehen"（失敗、沉没、消失）以及"uberwinden"（超越、克服）之間持續相互作用的上下關係之中，爲了通過實現向超人（overman）的轉化，查拉斯圖拉必須超越他自己——通過滅寂、通過作用肉體個我的逐漸消逝以及與衝創意志的普遍作用的分離來實現這一步。他的經常性的格言般的呼聲之一是："人是必須被超越的某種東西"，這在後面幾行行文裏，從一個蒼白的罪犯的眼中得到回應："我的自我是應該被克服的東西"。對於莊子來說就是："至人無己。"

評估

莊子和尼采都同意兩極對立的淵源：這是從特殊視野進行評價而產生的，即從相互關係方面的價值評判而產生。對兩位思想家而言，評價判斷所由產生的最通常的相互關係是效用的相互關係。尼采不厭其煩地論爭（這一點更多地表現在《查拉斯圖拉》以外的著作中）評估的目的就是通過深入辯別對立而簡化經驗的多重性，以便獲得控制社會和他人的權力。"没有什麽人不首先進行評價而

① 見 IC59－60，85－91，123－125。

能夠生活,……善的豐碑籠罩着每個民族。看吧,這就是他們超越的豐碑,聽吧,這是他們的衒創意志的聲音”。

正如對尼采而言,每個存在者都顯示衒創意志——主要通過以價值範疇來解釋和說明世界——故莊子也認爲每個存在者都有其自己的觀點立場,這主要是由自身的特定條件所制約,主要在於空間條件(大鵬鳥需要垂天之翼方能扶搖直上;井蛙衹能看到一小方天空),或在於時間因素限制(“朝菌不知晦朔,惠蛄不知春秋”)。價值判斷可以是功利的,美食的,或性或審美的,但無論屬於何種內容,它們衹能在一定範圍内活動,超過一定限度便無效。

功利是依賴特定環境的一種價值,因爲事物的效用衹爲了某種特定的功能而被運用。《莊子》中的《秋水篇》與《莊子·内篇》中的兩篇的内容有特別的關聯,我們看到:“梁麗可以沖城而不可以窒穴,言殊器也”。這裏的反實在論的啓示在於,没有什麽物體天生可被用作攻城槌,這要視被用的對象而定。在《莊子》第 26 篇中,莊子惠施愉快地會面時所討論的一個深得尼采之心的論題中,有用性的尺度問題具有更爲根本的意義——有用與無用的關係。此處的問題是,至廣且大之地面的一脚印大的面積並不以自身爲基礎,而是一種與它周圍地面的關係。

功利角度本身並非是錯的或是“壞事”,兩位思想家共同强調的(尼采一般是以實用科學態度來考慮)衹是許多觀點中的一種觀點。當我們衹注重一個特定視角時,問題就會產生。在《莊子》第一篇的末尾,莊子與惠施討論大瓠時就出現這種問題。這段文字的要點用海德格爾的語言來表述就是,視角的固定趨向於被現實性所纏迷而相對地忽視了在其他情况下的多種可能性。我認爲,尼采與莊子都會同意,我們把等級系列區分爲對立的兩極的動機。把我們的立場固定在一極或另一極的動機,是我們面臨存在的永恒變動時而產生的一種强烈的病態的感情。

然而,對所有的實用性觀點作極端相對的描述的現象衹不過是一場夢。

夢幻

哲學家們一般很少談到做夢，然而尼采與莊子卻是例外，而且他們在這題材方面的觀念也是相當一致的。在他們的著作中，夢幻來自於兩種途徑；第一，我們得到有關特殊夢境的報告，第二，認爲夢幻是我們存在的普遍條件——我們總是處在夢境中。

我們得到有關四個夢境的描述是由查拉斯圖拉夢到的。在他與其弟子們以及與一般世界的關係的發展中，進而在他逐漸成功地表達永恒重現的思想的嘗試中，這些夢扮演着關鍵性的角色。第二部分以做夢開始，夢推動他從山頂的隱居所走下來，再次與世俗世界打交道；在第二個夢中他發現自己“在一個孤獨寂靜的山間退避所中當一名墳墓看守人”，這使他得以從事補贖他個人過去的活動；在第三個夢中，他“最寧靜的時刻”允諾他體悟“重現”的思想，由此敦促他離開他的弟子，再次撤回到孤獨狀態中而結束了第二部份。在第四個夢中，查拉斯圖拉以“超越世界”的姿態站在天平秤上衡量。世界對他來說“似乎是向他招手的樹，枝干粗壯，意志堅强，躬腰相迎，甚至像一個爲旅途疲倦的人準備的坐椅。……”

在《莊子・內篇》的一個重要的夢中，匠石鄙視巨大的櫟社樹爲無用後不久，櫟樹現夢於匠石，斥責匠石沉溺於功利境界。無法欣賞“無所可用。”作爲回敬，櫟樹提醒木匠說他也快要死了（“幾死之散人”《人間世》）。查拉斯圖拉的死亡之夢打開了考察他的過去的新視野。在莊子的死亡之夢裏，他用作枕頭的死人頭骨對他布道，描繪他在塵世的愜意生活，以此來轉化他對人生的看法。

全書最著名的夢，即莊子夢見自己變爲蝴蝶的夢，進一步體現了他的相對論①。既然我們處於夢幻世界中，而且它表現爲充分真實的，我們對日常世界的感覺消滅了，它的真實性就有疑問，日常世界的立場在很大程度上是相對的，這一夢的故事進一步說明，即

① 見IC61。有趣的是，蝴蝶出現在查拉斯圖拉的第二個和第四個夢中，蝴蝶在古代是心靈的影像——希臘字母“psuchē”同時含有“蝴蝶”和“心靈”兩個意思。這可能與在睡眠中心靈有在四處翱翔這一傾向有關。

當一個人處於一定情境之下時,不可能把它看作是一個情境,這一點極其類似尼采的相對級。衹有當我們處於不同的情境之下時,才能鑒别我們先前觀點的限制。

說我們總是處於某些有限關係中,到說我們總是處於某種夢境或幻覺中,其間只差一小步。在《大宗師篇》中,莊子假借孔子對顏回說:"吾特與汝其夢未始覺者邪?"我們自認爲知道可以做這做那的"我"的真正性質,但他所說的將動摇我們的信念。這一觀點在《齊物論》裏得到更多的强調:其中長梧子曰:"方具夢也,不知其夢也……覺而後知其夢也。且有大覺而後知此其大夢也。……宜也與汝皆夢也。予謂汝夢亦夢也。"除了設定夢境的普遍性以外,該段文字還表現了莊子相對主義的重要特徵以及它與尼采思想的更多相似性。與尼采一樣,他堅持經驗總是必然要受到限制的。莊子不相信我們能達到"無涯"的地步。我們所意識到的是我們總是受某些有限關係的約束,這種意識的覺醒本身就是一種觀念——承認並信奉多元性以及多向選擇,即"無所畛域"。

在尼采的處女作《悲劇的誕生》中,他通過希臘人說明在他們自己與狄奥尼索斯的深淵之間插入阿波羅的審美的夢的境界的必然性,强調深度狂幻活動方式構成我們一切經驗的條件①。《查拉斯圖拉》詳細說明了(他自己便是例證)存在的觀念是創造性的和解釋性的衝創意志的產物,但我們在《愉快的智慧》中已可發現有關這一觀念的更簡要的描述,《愉快的智慧》是在《查拉斯圖拉》之前不久出版的。其中說到他發現"人類和動物類的全部過去"構成我們現在無意識深層的經驗,他寫道:

> 在這一夢境中我突然醒覺,但衹是意識到我在做夢並且必須繼續做夢以便不消逝……在許多做夢者中間,我也是坦白者之一,跳我的舞步,承認這是延長世俗舞步的手段,並從而屬於存在的典禮官。……爲的是保持夢的普遍性以及夢游者們的相互理解,並因而保持夢的持續。

---

① 關於創造性幻想在構成世界中的作用,請參見《快樂的科學》和《超越善惡》。也請參見我的論文《作爲心理學家的尼采:心靈深層的表達》(即出)。

正如《莊子》所言，人清醒時並不覺得夢中一切都是"錯"的；爲無意識幻覺決定的某種特定看法是人類在世上生存的基本方式。該受責備的是拒絶承認我們是夢中人，拒絶了解由人的需要和欲望構成的"現實世界"的限度，拒絶贊頌爲人同時洞見並玩賞的創造性活動。

漫遊

重要的是，爲了傳遞與人類存在的看法的性質相對應的，在哲學上更爲健康的意識，莊子和尼采都運用同樣的形象——漫遊。《莊子》第一篇就命名爲《逍遥遊》——"自由自在的遨遊"，"無目的的漫步"或"無限自由的閑遊"。這部份中的寓言，引導讀者經歷了從植物、動物到人類的各種不同的視角，指出堅持固定不變的立場的狹隘性。它們與其後的許多寓言一起，提出了可供選擇觀點的流動性和靈活性，即通過對可能的觀點的多種選擇而自由自在的漫步。這種漫步經常與固定的仁義道德觀點(一般指孔學)形成對立。

在《查拉斯圖拉如是說》的序言開始時，查拉斯圖拉就被設定爲漫遊者，他剛從山上走下來，遇到老聖徒，他對查拉斯圖拉說的第一句話是："這位漫遊者對我來説並不陌生……查拉斯圖拉……他行走不像個舞蹈家嗎？"對查拉斯圖拉其後生涯的描述是對他作爲漫遊者從一處漫步到另一處的歷程的追踪，體驗着山頂和峽谷，深淵和海洋的情境。第三部份以名爲《漫遊者》的篇章開始。他預見到他的第一個主要意圖是"重現"的思想，他反復確信他意識到了心理發展道路上的對立面的相互依存，於是，查拉斯圖拉說："在我站立最高山峰之前，在我的最遥遠的漫步之前，我必須首先深入到前所未有的底端。"

在他們的著作中，自我改造的道路不是筆直的，而是相當曲折的，經常有後退和循環。這反映出他們對屈曲蜿轉的偏愛要超過對筆直周正的事物的喜愛(超越之路最可説明)。"吾行卻曲"，楚狂接輿說：在《莊子》中他是善的鼓吹者。"一切善的事物都曲折地達到目的"，查拉斯圖拉說：在該書的結束部份，一位上等人問查拉斯圖拉:“完美的聖賢不是都喜歡走最曲折的路嗎?……你的出現就是證明!”

在《莊子》中與“漫步”相應的詞“遊”也有“舞”的涵義,這是從形容旌旗上的流旒在風中飛舞的詞派生出來的,並與表現“舞”、“飄”、“在水中遊”的詞匯是同類詞。因而我們可把長梧子對瞿鵲子的最後勸告翻譯爲:“用自然的分際來調和它,我的言論散漫流行(不拘常規),隨物因變而悠遊一生”。(“和之以天倪,因之以曼衍,所以窮年。”)這與《查拉斯圖拉》中作爲中心象喻的舞是一致的,並與超人的必不可少的能力相符。超人必須是個舞者,因爲,通過知曉一切看法具有相對性,他已知道任何觀點都不再具有堅實的基礎。每個外表看來堅實的基礎對尼采而言都是深淵:“人在何處不是站在深淵的邊緣?衹是不看自己——衹看深淵”。對莊子而言,作爲覺醒到一切觀點的相對性的恰當反應,是訓練腳步輕巧並學會跳過深淵。”“(明王)立乎不測,而遊於無有者也。”(《應帝王》)

殘疾

兩部著作都以塑造若干病態的,醜陋的和奇形怪狀的典型形象而著稱。在《內篇》中我們遇到一個神巫,一位跛子,一個狂人(兩次),三個肢體殘缺者,三個駝背者,還有一位醜得足以驚倒全世界。《查拉斯圖拉》沒有包容許多稀奇古怪的人物,雖然那口吐白沫的醜角(查拉斯圖拉的猿猴)和最醜的人在查拉斯圖拉自己的精神方面是重要的。他最重要的一次演講,是“論拯救”(主要論題——過去與“甘願落後”觀念的贖救——形成衝創意志觀念與永恒重現觀念之間的橋梁),其對象是一個駝背,橋邊的一群跛足者和乞丐。查拉斯圖拉如是說:“一個先知,一個預言家,一個意志者,創造者,一個將來的自己以及通向未來的橋梁——哎呀,橋上還有一個跛子——所有這些就是查拉斯圖拉。”這涉及書中的中心命題——在通向自我改造的道路上遭受痛苦的必然性和理想的價值。“我喜愛靈魂深刻的人,即使他是病殘者”,查拉斯圖拉在序言中說。雖然《查拉斯圖拉》中的口吐白沫的醜角沒有展示像楚狂接輿那樣驚世駭俗的智慧，但我們必須記住，從通常的標準看，超人注定是瘋狂般地出現的。"你所應該預防的瘋狂在哪兒?"查拉斯圖拉在向人們作第一個演講的末尾問道。"看，我教你做的超人，……他就是這種瘋子"。

《莊子》中過多的畸形人物，我認爲主要有兩個目的。而每一目的都與《查拉斯圖拉》的觀念相和合。醜陋者、畸形人，或病態人的出現是同時被賦予美、完善和健康的意義——這些與所有一切對立物一起，統統和諧地結合在"道"範疇中。正如祇有從一種武斷、不變的觀點着眼，我們才能説美是美的一樣，畸形醜陋也不是如本身顯示的那樣是一種必然的缺陷——支離疏由於其身體的畸形而足以養其身終其天年。被截去一條腿的人們可以理智地看待這種缺陷——"如果天賦與我生命，生下來説我就是單足之人"("天之生是使獨也")《養生主》——以一種與"尼采非道德預言"相似，然較少激情的方式來看待自己命運的不幸。砍足在中國是一種普遍的懲罰方式，我們應該從"支離之德"與以下第六篇(《大宗師》)的引文的上下關係中來看這一評論，"堯既已黥汝以仁義而劓汝以是非矣，汝將何以遊夫遥蕩恣睢轉徙之塗乎?"正如尼采可能説的那樣，很清楚，嚴厲的道德規定"傷殘心靈"，有損人的才能的自然施展。

三、發展道路的階段性

我現在希望設定一個與自我的精神和心理轉化的多樣性相對應的可被理解的三段論式。它是一種準黑格爾式的三段式。我稱之爲原始的融合(immersion—原意爲浸没)、分離、重新統一。(尼采把它們分别稱爲駱駝、雄獅、嬰兒階段)。在第一階段，自我"還不是自我"，而是與世界融合爲一體，無意識地參與自然運作與社會組合。這是個相對天真無邪的階段；黑格爾的喜劇尚未分疏。然後自我收回自己，分離自身作爲自我意識的自我，與對象世界和他人相對立,並且認爲社會沒有固定的方式,也沒有所謂的傳統。這種疏離能採取精神隱退的極端形式或趨向於絶對的時空經驗的超越(類似於柏拉圖的靈魂向理念領域昇華,印度教中的婆羅門的統一,或早期佛教中的達到涅槃境界)。在最後階段重新實現了與世界的統一,返回到對世界的投入,但現在是反思的和具有自我意識的。自我與世界重新相互作用,但不爲客體所吞沒。此時兒童的天真與自發性與動物的古老的智慧交溶爲一體①。

現在許多評論莊子的著述都把莊子看作是第二階段。即孤獨的、清靜無爲主義的,遊於方外而與永恒的道合一的提倡者②。雖然內篇中有些篇章似乎提倡平靜地與世界分離。但莊子與尼采思想上的酷似使我們要對之作出不同的解釋。細細看去,這些篇章只反映了自由自在地漫遊路上的中間階段。分離是自我轉換道路上的一個必要階段——“那些不能自求解脱的人,是被外物束縛住的。”(《大宗師》:“不能自解者物有結之”)——但重要的是重新參予。因爲持續强有力地拒斥外在世界將喪失自身與外界之間的最後一絲聯繫。這一點在下文中清楚地表現出來:“捨棄俗世就沒有拖累,沒有拖累就心正氣平,心正氣平就和自然共同變化更新,和自然共同變化更新就接近道了。……能隨自然變化而更新,精而又精,返回過來輔助自然。”(《達生篇》:棄世則無累,無累則正平,正平則與彼更生,更生則幾矣。……精而又精,反以相天。”)

人返回自然而“與天爲徒”是莊子的核心觀念。人返回自然,投身於自然的“道”的運動變化過程中。這種參與在討論死的章節中表述得最明確,有如另一階段的陰陽互相轉化的連續過程:自我的消逝被設想爲身體的各部份轉變爲雄雉、弩機、車輪和楊柳。這種“與道合一”、“安時而處順”、“無爲”的自在行爲——有如“查拉斯

① 在道家哲學中,聖人常被比作嬰孩,例如,顏回把聖人及其與天的關係說成是“赤子嬰兒”(IC68)。

② 對照伯頓·沃森《莊子:必讀之書》一書的導言。他在其中指出:“莊子的回答……是一個神秘主義者的回答……把自己從世界中解脱出來”(第3頁)。

圖拉"的兒童階段——決不祇是向無意識參與的第一階段的復歸。認識這一點是相當重要的。因爲在第一階段並沒有"自由",自我祇是被動地卷入變化過程。"與天爲徒"這一範疇表明,參予現在是主動的,並首先是爲自由所決定的——這是莊子思想的核心觀念,並且是漫遊的不可或缺的特徵。

上述的討論蘊涵着一個主要的問題是:莊子的核心觀念"道"與查拉斯圖拉的兩個主要觀念:"衝創意志"和"永恒重現"的關係是什麼?這一問題過於深奧,以致我只能就這一問題的難於理解的方面提出我的一些看法。不過,這些觀念的晦暗程度差不多是相同的。在某種意義上,道與衝創意志就存在的完整性而言是同樣的——都包括過去、現在和將來。正如對尼采而言,存在中的每一事物都是衝創意志的表現,故在《莊子》中普遍的"道"與"德"的觀念和"勢能"之間有相應的關係,道是德的特殊存在的表現①。(德一般被釋爲"德性"virtue,與拉丁字 virtus 類似,格拉姆教授更簡易地將其譯爲"勢能",power)。如果衝創意志就是一切事物所要表現的,那麼永恒重現就是一切事物如何表現的方式。對於像尼采和莊子這樣的變易哲學家而言,"重復發生的每一件事物都極其類似於成爲存在世界的世界。"②

讓我們考察一下查拉斯圖拉的兩個主要觀念是如何與該著作的主要理想——超人相聯繫的。通向超人的道路,"是通向最高希望的橋梁和大風暴之後的彩虹",它要拋棄自我意志。因爲這一自我意志無力反對過去,它只能通過以下的途徑對之施加報復,即把它的消亡看作是應得的,把所有短暫的存在都看作是毫無價值的。克服"報復"精神以拯救過去就是去學會下決心倒退,就是去學會對人的全部過去,尤其對顯然爲"命中注定"的並超越衝創意志範

---

① "德"往往被認爲類似於拉丁詞"virtus",所以它通常被譯成"virtue"。但格雷厄姆教授則更貼切地把它譯成"power"一詞。想深入了解有關"德"和"衝創意志"這兩個概念之間的關係的討論,請參見羅傑·艾米斯的《德與衝創意志的共現:自我轉化的兩種理論》,載《中國哲學雜志》。

② KGW 第八卷,7[64](衝創意志,617 節)。

圖的事物說,"是的,——我願意這樣"。

現在我們可以指出這樣一點,即在闡明對比的一方或另一方的尚未被注意到的方面時,我們看到了比較研究的價值,對於莊子的有機哲學及其對道的理解來說,下述的這一思想是至爲重要的,即存在中的每一事物與其它的事物都處在互相聯繫之中。這一觀念似乎只與東方思想有關。佛教的華嚴宗哲學可能就完美地表述了這一思想。而通常人們不能期望在尼采哲學中發現這種觀念——除非通過與莊子的比較來努力尋找。現在我們可以看到,這一觀念恰恰是使超人成爲可能的意志轉換和肯定永恒重現觀念之間的聯繫環節。這種聯繫的第一個暗示來自於《康復》的篇尾,查拉斯圖拉的鷹和蛇通過他的口說:"現在我死了,化爲烏有,突然間我便不在了。靈魂與肉體一樣是不能長久的。但我深陷其中的因果鏈復生——並將再次創造我。"①

如果仔細考察查拉斯圖拉在表述永恒重現觀念時所遇到的困難,我們就能看到在實現超人的道路上,主要的絆腳石是他在認識到"侏儒"也必須永恒重現時感到的憎惡。(請記住,這是指查拉圖斯特拉的內心世界同外部世界一樣,也有侏儒、賤衆及最醜陋的人。)通過希望過去的"善"(無論是某個人的歷史,或是某個種族的歷史)的永恒重現、而肯定這種重現是極其容易的;更爲重要的和更爲困難的是,他認識到善與惡是無法分割地聯結在一起而重現的,認識到希望善的事物的重現也就是希望一切惡的事物的重現。

於是最終,一切事物相互依存的觀念被運用於整個宇宙——在該書結束前一部份,在輝煌的酒神節達到頂點時查拉斯圖拉向上等人演講時所表述的正是這一觀念②。

> "現在我的世界已經完美無缺了,午夜就是正午,——痛苦也是快樂,詛咒也是祝福,黑夜也是光明,——走開或你將得知:聰明人也是愚

① G272,E221。對照《莊子》一書把死看作是自我和肉體的化解,是向宇宙大化的轉形的故事(IC87—91,123—125)。

② G398,E323。考夫曼根據較早的一個版本,把它的題目譯成"The Drunken Sarg"。

人。

你曾經爲快樂叫好嗎？噢，我的朋友，請你也爲一切悲哀叫好。一切事物是聯繫在一起的，互相糾葛的，互相迷戀的——

——如果你曾想要一件事發生兩次，如果你曾說"你祝福我快樂！飛逝的瞬間！"那麼你就是想要一切事情倒退！

——一切都是新的，一切都是永恒的，一切都是相互聯結的，互相糾葛的，互相迷戀的，從而你就會熱愛世界。

這一段落所表現的思想完全與"道"和諧一致。道把一切對立面融合在自身之中，正是由於此，才能做到萬物爲一。在永恒重現的涵義中有明顯的道家基調，即人們知道要去接受甚至是存在中的最邪惡的方面，並學會對他們說。"是的——這也屬於永恒重現。"但正是在這一點上我認爲我們開始觸及到，這兩種哲學的主要區別。道家致力於接受存在的黑暗方面，而超人的目的卻是極度的肯定——"酒神（狄奧尼索斯）式的對世界的肯定，事實上沒有任何減少，例外或選擇"①。但是讓我們首先從"否定"方面比較兩者在基調上的不同。

生死觀在他們的著作中佔着相當重要的地位，它自我轉化的道路是主要階段，我們在《莊子》中卻沒有發現在面臨死亡時的恐懼，沒有發現那通向超人的道路上必需的極大痛苦，沒有發現因預見侏儒的永恒重現而產生的厭惡。《莊子》認爲一切事物是相互聯繫的。所以它總是試圖避免痛苦，尋求歡愉，這就使它喜歡陰而排斥陽——至人的道路蜿蜒穿過悲哀的峽谷及快樂的高原——然而《查拉斯圖拉》卻更强調遭受痛苦的必然性，甚至認爲人要成爲他自身就應有接受苦難折磨的意願，我認爲這種不同源於兩位思想家的無法比較的歷史——哲學背景。尼采與流行了兩千五百年之久的柏拉圖主義和基督教思想作鬥爭，後者在歐洲精神界引起了極大的緊張。它在把自我與世界完全切開的笛卡爾激進的二分法中和在哥白尼革命中發展到了頂峰，其結果便是"上帝死了"。十九

① KGW 第八卷，16[32]（衝創意志，1041 節）。

世紀(以及現在)歐洲的實際情況爲面臨死亡時的焦慮不安提供了充分的基礎。而莊子思想起源於認爲自我與世界是有機的統一的中國思想傳統,並沒有如此無限的分裂,在致力和解時也没經歷什麼痛苦。

相應地,在另一方面,我們看到,《莊子》似乎缺少些感情的張力,缺少勃勃的生氣。超人的火熱的陽剛意志和跳躍式舞蹈的形象比道家的鏡子般的陰柔反映和"無爲"的和平投入更具有生命力。莊子鼓勵人們竭力效仿自然(並接近與尼采性質一致的反浪漫主義觀點,即自然擁有極度的殘酷性和怪誕荒唐),尼采卻具有强烈意識,超人的創造性是以人力反對自然,它超越了與自然的和諧一致,並在某些方面反對自然。

這種精神溫度的不同——莊子的冷冰冰和尼采的磨擦生熱——與其說是超人的個人主義殘餘所致,不如說是將被戰勝的自我的壓縮程度上的差異而產生的結果。在孔子致力抑制的自利的同樣壓力下,莊子所面對的自我開始從相對的策源地退縮爲圍繞被節點的凝固物,然而這一過程並不會延續得太長,所以我們並不需要巨大的能量來使正在萎縮的自我消失於世界網絡之中,自我凝結爲剛性的包容性自我,因此需要更爲强大的熱量來從事把它燒化的煉金術。但是,强度的不同不應該模糊在他們根本的轉化方面的同型性。

最後,我希望,用比較研究方法,闡明這兩位思想家的思想所取得的成就,可以補償因脱離具體歷史背景研究他們思想所遭到的損失。這一比較研究在某種程度上是嘗試性的,因爲這是在走一條新的路,然而我們至少已在這漫遊的道路上邁進了幾步。

《衆妙之門——道教文化之謎探微》評介

劉良明

由蕭萐父、羅熾先生主編的《衆妙之門——道教文化之謎探微》(湖南教育出版社 1991 年 3 月第一版)一書,堪稱開拓道家與道教思想文化研究局面的新篇章。

雖然本書係由數十位學者根據自己的不同研究範圍獨立撰寫的論文結集構成,但是由於討論的問題比較集中,又經過編者精心的巧妙編排,儼然是一部研究道家文化的專門著作。

在上編"道教文化淵源論"中收集了論文九篇。蕭萐父先生在《道家·隱者·思想異端》(《衆妙之門》,以下凡引此書只舉篇名,不另注。)一文中從文化發生學的角度審視整個人類文化,認爲它們"從來是多源發生、多元並存、多維發展的。"中國古代文化在周秦之際已呈現諸子蜂起、百家爭鳴的局面。蕭先生以"多維並存、矛盾兩分"的觀點分別考察了諸子百家的離合變化,從宏觀鳥瞰的角度描述了歷代"道、法由相依而分馳","儒、法由相乖而合流","儒、道由相黜而互補"的演變過程。進而論述了道家"出於史官的文化背景而基於隱者的社會實踐"之起源與長期以來"一直被視爲思想異端"與作爲"批判意識的承擔者"的歷史地位。全文高屋建瓴,綜觀學術發展大局,頗具恢宏氣勢。

劉綱紀先生的《老子思想論綱》則以恩格斯系統探討古代氏族社會的《家庭、私有制和國家的起源》等馬克思主義著作爲指導,提倡"對老子的思想作一種人類學的考察。"他認爲中國古代進入奴隸社會以後,仍然大量地保存原始氏族社會的制度、觀念、風習,而

"老子的思想與原始氏族社會所形成的種種觀念直接相聯，起源很古，因此呈現出某種難於理解的神秘色彩。"劉先生肯定"道家與儒家是中國傳統文化發展的兩大源頭"，"儒道兩家合起來涵蓋了中國整個的歷史文化"。

陳鼓應先生則毫無保留地肯定道家在中國哲學史上主干地位。他明確指出，"中國哲學史實際上是一系列以道家思想爲主干，道、儒、墨、法諸家互補發展的歷史。"

李錦全先生的看法與上述三家微有差異。他在《道家思想在傳統文化中的歷史地位》一文中指出，"立足於隱居避世，成爲現實政治的反對派，這反映了道家的一個側面，在傳統文化中處在'異端地位'。""但是另一方面，道家在諸子中也是屬於'務爲治'的一派。它可以爲統治者出謀獻策，並博取衆家之長，通過與儒、墨、法等多元互補，從而成爲正宗傳統文化的理論框架和思維方式的建構者。這就當然是屬於正統而非異端。"他認爲，道家思想中這種'務爲治'與'無爲而治'的矛盾兩重性，決定了它在"傳統文化中的獨特地位。"

總之，學者們立論的角度雖各有不同，肯定道家的程度也各有差異，但重視道家在中國傳統文化中的地位這一點，大家是較一致的。

道家對中國傳統文化影響深遠的又一標志是以其主要著作及哲學思想爲基礎形成了道教。羅熾先生在《老子、道家、道教與中國文化傳統》一文第二節勾勒了漢代人們通過神化老子，立祠祭祀，並"主以老子五千文"爲經典，奉老子爲始祖，創立道教的過程。此後，唐太宗追認老子爲先祖，開創了追封老子爵位的先例。下及宋元，道教續有發展，迄於明清，流風依然不絕。長期以來，它的巨大影響更幅射至自然科學、文學藝術、語言民俗等其他文化領域。

本書中編"道教文化之多棱透視"以全書大半以上的篇幅論列了道教文化的各個方面。因其内容包羅宏富，按照所論對象的不同，又分爲《道教人物、流派、著作管窺》、《道教丹術與自然科學闡微》、《道教思想與文學藝術探勝》三個專題。

當然，以上這些專題的論述不可能涵蓋道教對其他文化領域的全部影響。我們期待，伴隨研究工作的深入，學者們能作出更爲全面、深刻的闡發。

我們研究傳統文化之目的並非“以古釋古”，或“爲古而古”，而是使之更好地服務於當代文化建設。因此，如何使我們的研究具有當代意識，找到道家（道教）文化與當代文化建設的結合點就顯得特別重要。前述蕭萐父、劉綱紀、陳鼓應諸家已經注意到這個問題。如蕭先生認爲，“學術思想上所實現的儒道互補，反映了現實生活中某種社會心理需要。”它超越時空，具有一定的普遍性。因此，“儒道兩家分別提供的思想體系及價值取向，恰好足以適應人們在不同境遇中（“窮”或“達”）的精神需要，可以維持人們在處境變化中的心理平衡。”劉先生則肯定“較之於儒家，道家具有更多、更容易通向現代的思想因素。”陳先生則揭櫫“在傳統文化中，道家的自由度最廣，”因此“道家的自然無爲及其不干涉主義，對於專制政體具有很大的消解作用。它的叛逆精神及其‘一切價值重估’的觀念，對於僵固思想具有極大的激蕩力。”以上諸家皆在探究道教文化淵源時連類及此。

本書收入下編“道家、道教文化之現代意義”的論著則集中討論了道家、道教文化“古爲今用”的問題。唐明邦、許抗生、楊達榮諸先生的論文都注意到道家思想對於當代文化建設的積極作用。在這個共識的大前提下，他們又根據各自的獨到見解，揭示了這種作用的不同側面。唐明邦先生在《道家文化的現代意義》一文中指出，“在今天，弘揚道家哲學思維傳統，更有利於吸收、消化各種高度理論化的世界哲學思潮，構建足以體現中國理論智慧的當代中國哲學。”他們認爲，“道家十分强調熱愛自然，尊重客觀自然規律，誘導人們去探索自然和生命的奧秘。”道家對多元學術所採取的“寬容態度”與當代“百花齊放，百家爭鳴”學術方針相通。道家“主張人類應當無爲而順應自然，而不可侵害自然、破壞人類自身的生存環境。"道家對"慈"、"儉"、"不敢爲天下先"等"三寶"的重視,實際上"强調清心寡欲,淡泊功名,寧靜致遠,大公無私,'利而不害'。"這些"對於抵制和防範利己主義道德觀的侵蝕,樹立艱苦樸素、任勞任怨、忘我工作的社會主義道德價值觀念,無疑是有益的。"

楊達榮先生《老子的道德理想與社會主義精神文明》文中更爲具體、細致地剖析了老子的"三寶",稱之爲"使社會和諧最重要的三條道德規範。"因此,儘管"老子是兩千多年前的思想家,他的思想不可避免地受到歷史的局限,但它在螺旋上升的階梯上的投影,卻與社會主義有某些契合。"

許抗生先生則認爲,現代工業社會的弊端,造成了人們精神的高度緊張,從而使得不少人失去了心理的平衡與寧靜,產生了多種現代化工業社會的疾病。而"不論是老子的主靜說,還是莊子的超越說和禪宗的'無念'解脱說,都是一種心理的自我調適學說。它對於調諧人的心理,保持心理的平衡和精神的豫逸,或使自己已經失去的心理平衡得到重新恢復而免遭外物和'自我'的傷害等方面,皆能起到重大作用。"(《老、莊、禪學思想與現代人的心理健康》)

以上諸家之說,表彰了道家思想積極的一面。這是人們歷來不夠注意的,值得我們引爲借鑒。然而,道家思想對後世也有消極的負面影響。羅熾先生曾指出,道家思想雖是"農民階級均平、寬松的社會理想的部份反映",但它們"視仁義之說爲虛僞,主張絶聖去智,自然無爲,退守處下,回避矛盾,消極等待,冀望以此苟全,以達到追求的目標,""形成文化傳統中的墮性。""魯迅先生所鞭撻的'阿Q精神',正是這種處世哲學的變種。"(《老子、道家、道教與中國文化傳統》)對道家思想負面影響的批判頗爲嚴厲。劉興邦先生則强調"社會主義文化建設的核心是價值選擇問題。"他認爲儒家以倫理道德爲本位的價值學說,以倫理等級秩序爲基本內容,忽視了物質利益價值對道德價值的基礎和制約作用,從而壓抑和限制了人的個體值的全面實現和發展,反之,"道家强調擺脱人倫關係以實現人的個體價值。"它"突出了對封建專制制度和封建倫理道德規範的批判，從而對於中國封建社會異端思想的出現，個性自由、人格獨立、個性解放的反封建啓蒙思想的產生，起到了積極的先導作用。”但是，劉先生又指出，道家價值學説所强調的人的個體價值是脱離了人際關係的個體價值，這樣的個體是孤立的純粹的生物個體。“它既不儘個體的社會責任和義務，又不承認道德價值的作用，”同樣“顯得不足和偏頗。”(《從儒道價值哲學看當代文化建設的價值選擇》)由此看來，我們在進行社會主義文化建設時，對待傳統思想文化，“取其精華，去其糟粕”仍然是一條根本的原則。

（作者單位：武漢大學中文系）

陳鼓應《老莊新論》評介

李維武

陳鼓應先生的近著《老莊新論》(香港中華書局1991年4月出版,上海古籍出版社即將出大陸版),是他於《老子注譯及評介》、《莊子今注今譯》之後所完成的又一部道家思想研究的力作。全書由四部份論文組成,第一部份是《老子論述》,第二部份是《〈莊子〉解說》,第三部份是《〈易傳〉與老莊》,第四部份是《道家主幹說》。其中一部份論文寫作於六十年代末、七十年代初作者在臺灣大學執教期間,另一部份論文則寫作於八十年代末作者在北京大學執教期間。儘管這些論文寫作時間相距較遠,其間作者的生活與中國的面貌都發生了很大變化,但細讀全書之後,並不覺其結構鬆散,倒是深深感觸到全書諸文自有一以貫之的主綫。這就是作者對中國傳統文化的獨到的省思,對生命智慧的不倦的探求。

與當代諸多道家研究者相比,陳先生理解道家思想的背景與門徑是相當特殊的。在時代大變動的影響下,他經歷了一個由尼采、存在主義到莊子的心路歷程。他曾回憶說:"六十年代初,我曾沉浸在尼采《查拉圖斯特拉》謳歌生命、創造新價值的美好世界裏接着,存在主義思潮衝擊着我。在這之後,我開始研究老莊。"(該書序第1頁)"在尼采與莊子思想的同異之間,使我對於各自的傳統文化有較多方面的了解;由於他們,加深我對基督教'奴隸道德'與儒家'家禽道德'的認識;由於他們,使我對於生命中的悲劇情調及其藝術精神有較高的評價。"(《悲劇哲學家尼采》,第5頁)正是這樣一種富有時代感的跨越中西古今的哲學比較,使陳先生對道家思想有一種更爲深切、更具同情的理解。這種理解不是學究式的考釋,也不是教條式的批判,而是從自己對歷史與現實的體驗出發,去發掘古代思想中那些賦予了我們民族生命智慧的內容。因此,陳先生一反臺港現代新儒家對孔子及儒家思想的推崇,也不贊同許多大陸學者對老莊及道家思想的批評,而執着地把道家思想作爲中國傳統文化中的生命智慧加以詮釋和宏揚,從而對道家思想的底蘊與價值作了別開生面的顯發。

一

要理解道家思想,當然首先要研究老子。長期以來,中國哲學界對老子的階級屬性和哲學性質展開過熱烈的論爭,對老子的辯證法和認識論進行了多方的探討,但也似乎形成了某些定論,許多研究者都認爲老子是一個躲進形而上的思辨中的避世哲人,認爲老子思想是一種缺乏積極進取精神的消極哲學。這就使得對老子其人其學的評價上,不免有一種沉悶感。陳先生的《老莊新論》,其"新"之所在,很重要一點,就是打破了這種沉悶感,展現了一個具有生命智慧的老子、一個對中國傳統文化作出過不朽貢獻的老子。

作者首先對老子的哲學系統與致思路向進行了重新剖析,既指出了老子對形而上學的重要貢獻,又反對把老子哲學僅僅歸結爲形而上學。作者認爲,中國哲學一向關注人生和政治問題,而這些問題的討論又常常脱不出倫理道德問題的窠臼。這樣一來,就使得中國人的哲學思維往往被局限在倫理學的框架之中,缺乏對形而上學的探索。老子哲學的特異處,就在於以詩意的神思突破了這一局限性,把中國哲學的思維空間,由人生而拓展到整個宇宙。但是,並不能由此而論定老子只是一個只關心形而上學而想逃避現實世界的哲人。老子的形而上學,是爲了適合人生與政治的要求而建立的,並最後要落實到人生與政治上(參見該書第 3 頁)。

在作者看來,老子哲學的這一特點集中通過"道"範疇體現出來。"道"是老子哲學的中心範疇,實際上含蘊着三層意義:一是實存意義的"道",二是規律性的"道",三是生活準則的"道"。實存意義的"道"是抽象的没有確定形體的形而上的宇宙本體,是一種超越感覺知覺和時間空間的存在。儘管"道"體是無形而不可見、恍惚而不可隨的,但它作用於萬物時,卻能呈現爲某種規律性。這種規律性的"道",又直接與人類相聯繫,是人類行爲所應當效法的。這樣一來,形而上的"道"就漸漸向下落,終於落實到人的生活層面,成爲人的生活方式與處世方法。這種脱離了形而上學色彩的"道",就是所謂"德"。因此,老子的"道"實際上就是他在經驗世界中所體悟的道理,是人的内在生命的一種真實感的抒發。

通過以上分析,再回過頭來看老子的形而上學,就不難發現其間的秘密。這就如作者所指出的:老子講"道"、講形而上學的意義,在於"企圖突破個我的局限,將個我從現實世界的拘泥中超拔出來,將人的精神生命不斷地向上推展,向前延伸,以與宇宙精神相契合。而後從宇宙的規模上,來把握人的存在,來提昇人的存在"(該書第42頁)。也就是説,老子的形而上學是對生命智慧的最本質最真切的把握。

在這個基礎上,作者又進一步通過老子與孔子之間的比較,對老子其人其學作出新的評價。作者認爲,西周以來所逐漸形成的人文精神、人道觀念、民本思想及救世心懷,這些文化傳統對於老子與孔子都有着根源性的影響。老子、孔子作爲同一文化傳統的繼承者,在思想上無疑有頗多相似之處。但是,由於學派的分歧、區域文化的不同、思想性格的差異,使得老子偏重人與自然的關係,由此而建立他的本體論和宇宙論;孔子偏重人與人的關係,由此而建立他的倫理學。因此,嚴格説來,"老子是中國第一位哲學家,孔子是中國第一位倫理學家"(該書第68頁)。作者一反把老子視爲避世者的傳統觀點,認爲老子與孔子一樣,都是積極入世的,都懷有治國安邦的抱負,祇是所採取的入世的方式不同罷了。作者進而指出,出世方式上的差異,反映了孔子關心的是人際的規範性、維系性,老子崇尚的是人的自然性、自主性。兩者相比,老子比孔子有着更多的合理性。由此來看老子所主張的"自然"、"無爲"、"虛靜"、"柔弱"、"不爭",就會發現這些並非是消極之論,而是智慧之言。

這樣一來,作者就不囿陳説而成一家言,從生命智慧的高度對老子哲學的内涵與意義作了新的闡發。這確實揭示了老子思想中的更本質的内容,把對老子其人其學的認識引向了深入,也爲重新理解道家思想開啓了新思路。

二

與老子密切相聯繫的是莊子。在老、莊之間,作者更重視莊子,他對莊子的同情與推崇,要勝於老子。其所以如此,一方面是基於學術上的評判:"莊子哲學是從老子哲學發展而來的,不過論及哲學論題的深度、廣度及其復雜性,莊子則大大超過了老子。"(該書第 268 頁)另一方面則出於作者的自身體驗:"莊子對於時代的災難有痛切的體會,對於知識分子的悲劇命運有敏鋭的感受,正因爲如此,他的聲音直到今天還能得到無限的共鳴"(該書序第 4 頁)。正是這樣,作者在對莊子思想的研究上提出了一些獨到而深刻的見解。

作爲道家思想家,老子與莊子都推崇"道",把"道"作爲實存的本體和天地萬物的總根源。對於老子之"道"與莊子之"道"的差異,現在的研究者多從唯物主義與唯心主義的關係立論,認爲老子之"道"中既含有唯物主義因素又含有唯心主義因素,兩者尚未明顯分化、對立,莊子之"道"則明確地發展了其中的某一因素。陳先生的《老莊新論》既吸取了已有的研究成果,又不拘泥於唯物主義與唯心主義的關係,而提出了富有新意的論斷:"老子的道,本體論與宇宙論的意味較重,而莊子則將它轉化而爲心靈的境界"(該書第 213 頁)。"老子的道,重客觀的意義,莊子的道,卻從主體透升上去成爲一種宇宙精神"(同上書,227 頁)。這也就是説,老子對人的生命的關心,有一個由形而上的世界下落到現實世界的過程,而莊子對人的生命的關心,是直接立足於人的心靈境界的,這種心靈境界發揮至最極處便是一種宇宙精神。因此,莊子哲學實際上是一種境界哲學。對於"道",莊子不着重講"道"體是怎樣的,而着重講體"道"的境界是怎樣的。這種"道"的境界,不是一種向外追求而可得的客觀世界,而是從主體生命所開發出來的精神世界。這種"道"的境界,也就是人生最高的境界。莊子用"天地與我並生,萬物與我爲一"、"遊乎天地之一氣"、"獨與天地精神往來"等等語句,作爲人生最高精神境界的描寫。"這種境界,乃起於人和自然的親和關係,人可以突破個我形位的拘限,而與他人他物相感通;人的精神空間可以無限地擴張,和外在宇宙產生同一感、融合感及和諧感"(同上書,第 232 頁)。作者對莊子之"道"的這種理解,更深刻地揭示了莊子哲學的內涵與意義,不僅富有新意,而且具有詩意。

那麼,應當怎樣來評價莊子的人生境界呢?作者一反諸多研究者的"避世主義"、"逃世主義"、"混世主義"的論斷,認爲莊子的人生境界,所表現的是一種悲劇意識和自由精神。作者十分欣賞尼採對希臘悲劇精神的理解,認爲所謂"悲劇",即"意示人生充滿着荆棘,短暫而可悲,但能赴以艱苦卓越的精神,來開拓生命之路"(《悲劇哲學家尼採》,第 12 頁);所謂悲劇意識,就是以與命運抗爭的悲劇人生觀來克服悲觀主義。這種悲劇意識包括了日神精神和酒神精神。這兩種精神是文化創造的兩種基本的生命動力。日神精神以恬靜涵映着生命的開闊與精緻;酒神精神以激情來鼓動生命的豪情。生命活動、藝術創造、乃至整個文化的發展,無不是日神的夢幻境界與酒神的醉狂境界相互激蕩的結果。以這種悲劇意識觀莊子,就會發現莊子與尼採一樣,也是悲劇哲學家。作者認爲,尼採的思想屬於酒神式的精神境界,莊子的思想則屬於日神式的精神境界。在莊子的悲劇意識中,英雄形象和偶像人物全然被消解掉了,激情爲恬靜所取代。"對於苦難的體認以及從苦難世界中所作的精神提昇,這是莊子式的悲劇意識"(《老莊新論》第 259 頁)。這樣一種提昇,莊子是透過審美情趣來實現的,典型地表現爲"遊"。莊子特別喜歡用"遊"、"遊心"及"心遊"來表達一種精神的安適狀態。"遊心"就是心靈的自由活動,而心靈的自由其實就是過體"道"的生活,也就是無限地擴展生命的内涵,提昇"小我"成爲"宇宙我"。作者認爲:"由於從現實的苦難而來,所以莊子的悲劇意識既有着深刻的現實主義根源,同時,在從苦難世界作精神提昇的時候,又具有强烈的浪漫主義色彩"(同上書,第259頁)。這樣一來,作者就從一個新的視角、新的層面展現了莊子的人生境界。

總之,作者對莊子的研究比之對老子的研究,可以説更爲精彩,更有力度與深度。這種把文獻的考釋與個人的時代感受融爲一體的方法,對於我們拓展哲學史研究的思維空間是很有意義的。

三

在對老莊思想進行重新評價的基礎上,作者又提出並闡發了"道家主幹説"。所謂"道家主幹説",就是認爲:"中國哲學史實際上是一系列以道家思想爲主幹,道、儒、墨、法諸家互補發展的歷史,而決不是像一些學者所描述的主要是一部儒家思想發展的歷史"(同上書,第369頁)。嚴格説來,"道家主幹説"並不是現在才有的。遠的如司馬談的《論六家要旨》,近的如魯迅所言"中國根柢全在道教"(《魯迅全集》第11卷,第353頁)、吕思勉所言"道家之學,實爲諸家之綱領"(《先秦學術概論》,第27頁),都是主張此説的。但是,這些學者的論證又都不夠詳儘充分,往往只是點到而已。與之相比,《老莊新論》對"道家主幹説"的闡發比較充分、比較有力,可謂一家之論。

作者主要從以下幾個方面論證了"道家主幹説"。首先,老子作爲中國第一位哲學家。創立了中國最早的哲學體系,給予諸子之學以深刻影響。其次,中國哲學史上的大部份形而上學概念、範疇,如先秦哲學討論的"道"和"德"、魏晉玄學討論的"有"和"無",宋明理學討論的"理"、"氣"、"太極"、"無極"、"心"、"性"等,都爲道家首創。再次,中國哲學史上的每一重大階段或重要學派,莫不深受道家學説的影響。在戰國時有稷下學派、《易傳》學派及《呂氏春秋》;在秦漢時有黄老學派、《淮南子》學派及《論衡》;在東晉時玄學與佛教趨於合流,顯示了佛學傳入後道家的接引之功;宋明理學雖被稱爲新儒學,但實爲儒、釋、道三教合一的產物,在理論構架方面受道家的浸染頗深。

平心而論,作者的"道家主幹説"要得到時下中國哲學界的廣泛認同,大概不是易事。其中的某些論點,如認爲《易傳》是道家系統之作,無疑是值得商榷的。但這一觀點的提出及闡發,對於當前的中國哲學史研究來説,畢竟是富有啓發性的,有其重要的方法論意義:

第一,這一觀點突出了道家思想在中國哲學發展史上的重要地位,使人們注意到道家思想的深刻內容與積極意義。

第二,這一觀點强調了中國哲學發展是一個各學派思想相互交流、融合的過程,指出各家學説各有其長短,在發展中是相互影響、相互補足的,它們都對中國哲學和文化的發展作出過貢獻。

第三,這一觀點主張以開放、健康的心態對待中國文化傳統,批評了現代新儒家的文化保守主義的偏狹性,指出一些新儒家學者由於以繼承孔孟"道統"自居,使孔學信仰化,因而不自覺地形成"教主"心態,對於其他各家或學術上的不同意見都產生强烈的排斥性。

因此,作者的"道家主幹説"是值得重視的。人們可以不同意這一觀點,但在探究中國傳統哲學和文化的過程卻不能繞過這一觀點。

(作者單位:武漢大學哲學系)

稿　約

（一）本刊是研究道家和道教文化的綜合性學術研究輯刊。本刊的宗旨是：提倡理論探討，開展學術爭鳴，致力於道家和道教文化的研究，繼承中國優秀的文化遺產，以推動學術文化的發展。

（二）本刊期望廣泛聯繫海內外研究道家和道教文化的專家、學者，培植學術新人，以開展對道家和道教文化的多角度、多層次的研究。本刊歡迎來稿，尤其歡迎有創新性的學術論文。

（三）本刊每年出版一至二輯，每輯約三十萬字。來稿請以繁體字用橫格稿紙謄清，要求字跡清楚，標點符號使用準確，引文及參考文獻務必核對並注明出處。説明性的注釋在當頁末。

（四）來稿以八千字爲宜，並附三百字的內容提要和個人簡歷，簡歷請注明生年和籍貫。來稿署名自便，務請寫明真實姓名和聯繫地址。

（五）來稿採用後，即寄付稿酬。未經採用的稿件一律不退還，請自留底稿。

（六）來稿請寄：北京建國門內大街五號　中國社會科學院哲學研究所馮國超。郵政編碼：100732。